独占禁止法

第5版

菅久修一 編著
品川　武 著
伊永大輔
鈴木健太

商事法務

●第 5 版はしがき

　令和 2 年（2020 年）に第 4 版が刊行された頃から第 5 版刊行までの約 3 年間の大部分は、新型コロナウイルス感染症対策の日々であったが、この間にも、独占禁止法上注目すべき新たな法的措置や判決、企業結合事例、相談事例などが登場し、また、令和元年改正独占禁止法で導入された調査協力減算制度が適用された事例も公表されている。引き続き、デジタル分野での競争上の問題への対応が最重要課題の 1 つであり、世界中の競争当局の協力関係の強化がさらに進展してきているが、これに加え、公正取引委員会は、アドボカシー（競争政策の普及啓発活動）とエンフォースメント（法執行）の連携を強化する方向性を打ち出し、様々な分野で競争政策の浸透・推進を図り続けている。

　加えて、コロナ禍後の「日常」が回復する中、日本を含め世界中の競争当局の活動が平常への回復を超えて一層活発化してきている。

　こうした中、独占禁止法の現在の「地図」をお届けするという本書の役割を維持・強化し続けるため、この間の様々な動きを取り入れて改訂することとした。

　この第 5 版でも、初版のはしがきに書かれている本書の方針に変わりはない。

　なお、執筆については、第 7 章を原田郁氏に代わり鈴木健太氏が、菅久が担当していた第 10 章も鈴木氏が担当した。

　第 5 版の刊行に当たっては、引き続き、株式会社商事法務の辻有里香氏に多大なご尽力をいただいた。ここに記して深く感謝申し上げる。

　令和 6 年 1 月

　　　　　　　　　　　　　　　　　　　　　　　　菅久　修一

● 第 4 版はしがき

　本書の第 3 版が刊行された平成 30 年以降、公正取引委員会は、デジタル・プラットフォーム、データ等のデジタル分野やフリーランス等の人材を巡る諸問題といった新たな領域にその活動を広げ、また、この間に、確約手続の施行や令和元年改正独占禁止法による調査協力減算制度の導入等の課徴金制度の見直し、企業結合ガイドラインと手続対応方針の改定、そして、注目すべき新たな判決や命令、企業結合事例等も登場している。

　第 3 版以降のこうした新たな動きを取り入れて改訂したこの第 4 版でも、初版のはしがきに書かれている本書の方針に変わりはなく、また、これまでと同程度のページ数とすることで、引き続き多くの方々が手に取りやすいコンパクトさを維持した。

　本書が今後も、独占禁止法の現在の「地図」として多くの方々の手に取ってもらえることを期待している。

　なお、本書では、独占禁止法や関連する政令、規則等の条文は、令和元年改正独占禁止法の施行（令和 2 年 12 月 25 日完全施行）後のものを記載している。

　第 4 版の刊行に当たっては、株式会社商事法務の澁谷禎之氏、辻有里香氏に多大なご尽力をいただいた。ここに記して深く感謝申し上げる。

令和 2 年 8 月

菅久 修一

● 第 3 版はしがき

　平成 27 年（2015 年）4 月に本書の第 2 版が刊行されてから、約 3 年が経過した。

　この間、平成 27 年、平成 28 年と部分的に改正されてきた流通・取引慣行ガイドラインが、平成 3 年に策定・公表されて以来初めて平成 29 年に全面的に改正された。注目すべき新たな判決、排除措置命令・課徴金納付命令や企業結合事案なども登場している。また、TPP 協定整備法により独占禁止法に確約制度が導入された（施行は、TPP 協定が効力を生ずる日）。

　このような新たな動きを反映させて、第 3 版を出すこととした。

　本書の方針は、初版のはしがきに書かれているとおりであり第 3 版でも変わりはない。すなわち、独占禁止法の現在の「地図」を描くことで、独占禁止法の理解とコンプライアンスの取組みの強化に貢献することを目指しているものであるが、第 3 版の特徴としては、たとえば、①本書が多くの方々にとって「独占禁止法の今」を理解するために活用しやすいものとなるよう、引き続きコンパクトなサイズとすることに努め、新たな記述を追加するのにともない、これまでの記述を修正して、全体として第 2 版までと同程度のページ数を維持した、②昨今、デジタル・エコノミーにおける独占禁止法の運用が大きなテーマとなっていることから、デジタル・カルテルや E コマースなどを巡る話題について「column」で取り上げた、③本書の本文は、「現在の公正取引委員会と裁判所での独占禁止法の実際の運用と考え方に絞って書」いているが、これを離れた興味深い議論や様々な見解を記載している「column」にも触れやすくなるよう、その目次を初めて設けた、といったことが挙げられるだろう。

　本書が独占禁止法の現在の「地図」として引き続き多くの方々の手に取ってもらえることを期待している。

　最後に、第 3 版の刊行に当たって、株式会社商事法務の岩佐智樹氏、

下稲葉かすみ氏に多大なご尽力をいただいた。ここに記して深く感謝申し上げる。

平成 30 年 3 月

菅久 修一

●第2版はしがき

　平成25年（2013年）12月に参議院本会議で独占禁止法の一部改正法が可決・成立した。本改正法は、独占禁止法違反に対する排除措置命令等について、審判制度を廃止するとともに、意見聴取のための手続等を整備するものである。これによって、排除措置命令や課徴金納付命令への不服審査手続とこれらの行政処分に係る処分前手続が変わることになるが、特に、不服審査手続については、独占禁止法制定時からの制度である審判制度が廃止され、訴訟制度に移行するものであって、独占禁止法の手続の大きな転換である。

　また、本書の初版が平成25年（2013年）2月に刊行されて以降、注目すべき新たな判決、審決や企業結合事例も出ている。

　こうした新たな動きを取り込んで、第2版を出すこととなった。

　「現在の公正取引委員会と裁判所での独占禁止法の実際の運用と考え方に絞って書く」といった初版のはしがきに書かれている本書の方針は、第2版でも変わりはない。

　こうした方針で作成された本書が、引き続き、想定された中心的な読者（初版はしがきの方針1参照）のほか、これから独占禁止法を学ぼうとする学生、さらには、独占禁止法に関してある程度の知識と経験のある方々にとっても「独占禁止法の今」を理解するために、活用され続けることを期待している。

　なお、「流通・取引慣行に関する独占禁止法上の指針」の一部改正（案）に対する意見募集（公正取引委員会報道発表平成27年2月5日）が3月6日を意見提出期限として行われたが、この内容は本書には反映されていない。

　最後に、今回も、株式会社商事法務の岩佐智樹氏に多大なご尽力をいただいた。ここに記して改めて深く御礼申し上げる。

平成27年2月

菅久　修一

●はしがき

　独占禁止法（私的独占の禁止及び公正取引の確保に関する法律）は、昭和22年（1947年）に制定され、65年に及ぶ歴史を重ねてきた。日本よりも長い歴史を持つ競争法（独占禁止法）を有している国は、米国とカナダのみで、欧州の競争法（EU競争法とドイツの競争制限禁止法）の歴史は、日本の独占禁止法制定から10年後の1957年から始まる。競争法を有している国・地域は、世界的に見ると、1980年代までは多数派ではなかったが、1990年代以降、急速に各国・地域に普及し、今日では、100を超える国・地域に競争法が存在している。日本では、1990年代以降の度重なる独占禁止法の強化改正、そして特に、平成17年（2005年）と平成21年（2009年）の改正を経て、課徴金制度等の独占禁止法違反行為に対する措置が一段と強化され、実際に、課徴金額が高水準となる中で、独占禁止法コンプライアンスの必要性やその意識が高まってきている。

　こうした中、独占禁止法に関する様々な書籍が出版されている。

　入門書から体系書、独占禁止法全体についてのものもあれば、カルテル、企業結合、課徴金減免制度など独占禁止法の一定の分野に特化して詳細に書かれたものもある。逐条の解説書もあれば、事例を取り上げたもの、また、実務的な解説書もあれば、独占禁止法の規定と運用をめぐる様々な議論を取り上げ、学説も含めて詳しく論じたものもある。

　こうした独占禁止法に関する多数の書籍に新たな1冊を付け加えるに当たって、以下のように考えた。

　仕事上の必要性から独占禁止法を知ろうとしている人たちや、独占禁止法に多少なりとも関心を持ったビジネス・パーソンなどが同法を一通り理解したいと考えたとき、独占禁止法の歴史的な経緯や様々な論戦や学説はともかく、まずは、今の独占禁止法の規定がどうなっていて、それらが公正取引委員会や裁判所でどのような考え方で運用されているのかということに関心があるのではないか。しかし、そうした内容に特化

した書籍はあまりないのではないか。そうであれば、現行の独占禁止法の規定とその考え方、そして現在の公正取引委員会や裁判所での独占禁止法の実際の運用と考え方に特化したコンパクトな書籍を世に出すことで、独占禁止法コンプライアンスの推進に貢献することができるのではないか。さらに、これから独占禁止法を学ぼうとする学生などにとっても、まず今の独占禁止法がどうなっているかを知ることは、その後のさらなる学習にとって有益ではないか。

以上の考えから、私たち筆者は、この本を以下のような方針に基づいて執筆した。

1 　中心的な読者として、独占禁止法について既にかなりの知識を持っているビジネス・パーソン（たとえば、法務部門での経験の長い人）ではなく、むしろ、日頃は営業等に携わっているが、法務部門から示されるコンプライアンス・プログラムや報道等によって、独占禁止法について多少は知っている人たちを想定し、そのような人たちが独占禁止法の全体像を把握できるような入門書とする。

2 　現在の公正取引委員会と裁判所での独占禁止法の実際の運用と考え方に絞って書く。すなわち、原則として、法令の規定、判決、審決・命令、ガイドライン等の公表された考え方、企業結合審査や相談等の事例と通説に基づく記述とする。したがって、学説の紹介や複数の異なる考え方の比較等はしない。また、日本の独占禁止法が日本でどう運用されているかということに焦点を当てるので、欧米等の諸外国の法令、ガイドライン、判決等の説明は、特に必要がある場合を除き、原則としてしない。さらに、過去の考え方や法令・運用の変遷についても、どうしても触れざるを得ない場合を除き、原則として記載しない。

一方、法令の規定、判決、審決等に基づくものでは必ずしもないものの、独占禁止法を理解する上で、各章の筆者が特に指摘しておきたいと考える興味深い議論や様々な見解などについては、それぞれの章で **column** として本文とは分けて記載している。「現在の公正取引委員会と裁判所での独占禁止法の実際の運用と考え方」を離れて、独占禁止

法をよりよく理解するために有益ではないかと考えている。

　以上のような方針で作成されたこの本が、想定された中心的な読者のほか、これから独占禁止法を学ぼうとする学生、さらに、独占禁止法に関してある程度の知識と経験のある方々にとっても「独占禁止法の今」を理解するために、いささかなりとも活用され、その結果、独占禁止法コンプライアンスが進み、同法の目的である公正かつ自由な競争が促進されることで、事業者の創意が発揮され、同法の究極目的である一般消費者の利益の確保と国民経済の民主的で健全な発達につながることを期待している。

　最後に、本書の刊行に当たっては、株式会社商事法務の岩佐智樹氏の多大な御尽力をいただいた。ここに記して深く御礼申し上げる。

平成 25 年 1 月

菅久 修一

●独占禁止法・競争政策に関する各種情報の入手方法

　誰でも、あまり手間をかけずに、比較的容易にアクセスできる情報源を挙げてみると、たとえば、以下のとおりである。

1　公正取引委員会のウェブサイト（https://www.jftc.go.jp）では、独占禁止法や競争政策に関する様々な情報が入手可能である。同ウェブサイトには、たとえば、報道発表資料、審決等データベース（公正取引委員会の審決・決定・排除措置命令・課徴金納付命令だけでなく、独占禁止法関係の主要な判決・決定も掲載されている）、相談事例集、主要な企業結合事例、所管法令・ガイドライン、事務総長定例会見、年次報告、相談・手続窓口、CPRC（競争政策研究センター）、国際的な取組（世界の競争法、海外当局の動き、国際協定等）、各種パンフレット、講演会の御案内などが掲載されている。毎年5～6月頃に、前年度における独占禁止法違反事件の処理状況、主要な企業結合事例が公表されているが、これらは、「報道発表資料」や「企業結合」から入手することができる。公正取引委員会公式SNS（X（旧Twitter）、Facebook、YouTube（公正取引委員会動画チャンネル））も用意されている。
　　また、公正取引委員会の以前のウェブサイトは、国立国会図書館インターネット資料収集保存事業（https://warp.ndl.go.jp/waid/ 4766）でみることができる（最も古い保存日は、2007年4月26日）。
2　主要な判決・審決についての解説が掲載されている書籍である、金井貴嗣・泉水文雄・武田邦宣編『経済法判例・審決百選〔第2版〕』（有斐閣、2017）、舟田正之・金井貴嗣・泉水文雄編『経済法判例・審決百選』（有斐閣、2010）、逐条解説書である根岸哲編『注釈独占禁止法』（有斐閣、2009）について、本書では、それぞれ経済法百選〔第2版〕、経済法百選〔初版〕、注釈独占禁止法と略して頻繁に引用している。
　　また、経済法百選〔第2版〕の刊行後の判決・審決で、各年度

の『重要判例解説』（有斐閣）（平成29年度版以降）に掲載されているものについては、令和（平成）○年度重要判例解説として引用している。

3　判決については、裁判所のウェブサイト（https://www.courts.go.jp）にある「裁判例情報」（最高裁、高裁、地裁等のウェブサイトからもアクセス可能）から検索することができる。ただし、この「裁判例情報」には、すべての裁判例が掲載されているわけではない。

4　独占禁止法関係法令集、公正取引委員会の年次報告、審決集は、印刷物として入手可能である。審決集には、公正取引委員会の審決、決定、排除措置命令、課徴金納付命令のほか、独占禁止法関係の主要な判決、裁判所の決定も掲載されている（公正取引協会のウェブサイト（https://www.koutori-kyokai.or.jp）参照）。

5　様々な法令（憲法、法律、政令、勅令、府令、省令、規則）や法令用語を検索するには、「e-Gov法令検索」（https://elaws.e-gov.go.jp）（総務省）が、省令以上の法令の制定・改廃経過等の情報を検索するには「日本法令索引」（https://hourei.ndl.go.jp/#/）（国立国会図書館）が便利である。

なお、「はしがき」にあるとおりの本書の性格から、誰でも容易にアクセスできるわけではない判例集等（たとえば、最高裁判所判例集、公正取引委員会審決集）については、それらが正式なものではあるものの、本書では引用していない。

独占禁止法〔第5版〕
Contents

第1章　独占禁止法の目的と仕組み················1
1　独占禁止法の目的················1
2　独占禁止法の仕組み················4
(1)　独占禁止法の規制対象　4
(2)　競争　5
(3)　独占禁止法の規制手段　5
　ア　不当な取引制限・事業者団体の行為　5　　イ　私的独占　6　　ウ　不公正な取引方法　7　　エ　独占禁止法違反行為に対する措置　10　　オ　企業結合規制　13　　カ　その他の規制手段　15

第2章　不当な取引制限················17
1　不当な取引制限の規定················17
2　規定の内容················19
(1)　条文の構成　19
(2)　事業者　19
(3)　名義　19
(4)　相互拘束と共同遂行　20
　ア　共同して……相互に　20　　イ　拘束　29　　ウ　共同遂行　31
(5)　公共の利益　33
(6)　一定の取引分野　35
(7)　競争の実質的制限　39
(8)　立証上の問題　44
3　違反行為の始期と終期に関する議論················45
(1)　始期　45
(2)　終期　45
4　拘束の内容の具体性に関する議論················49

目次　xi

- 5 入札談合事案の位置付け ………………………………… 50
- 6 発注者の関与に係る論点 …………………………………… 52
- 7 官製談合 ……………………………………………………… 54
  - (1) 経緯 54
  - (2) 規制の対象範囲 54
  - (3) 入札談合等関与行為 55
    - ア 入札談合等をさせること 55　イ 受注すべき者に関する意向の教示または示唆 56　ウ 入札談合等を容易にする秘密情報の漏えい 56　エ 入札談合等の幇助 57
  - (4) 改善措置要求 58
  - (5) 入札等の公正を害する行為 59

第3章　事業者団体に関する規制 ……………………………… 60

- 1 事業者団体 ……………………………………………………… 60
  - (1) 規制の目的 60
  - (2) 事業者団体の要件 60
    - ア 「事業者としての共通の利益を増進することを主たる目的とする」 61　イ 「2以上の事業者の結合体又はその連合体」 61　ウ 「資本又は構成事業者の出資を有し、営利を目的として商業、工業、金融業その他の事業を営むことを主たる目的とし、かつ、現にその事業を営んでいるもの」に当たらないこと 62
  - (3) 事業者団体の行為 63
- 2 禁止行為 ……………………………………………………… 65
  - (1) 8条1号 65
  - (2) 8条2号 65
  - (3) 8条3号 66
  - (4) 8条4号 66
  - (5) 8条5号 67
- 3 事業者団体の主要な活動類型と考え方 ……………………… 68
  - (1) 価格制限行為 69
  - (2) 数量制限行為 70
  - (3) 顧客、販路の制限 71
  - (4) 設備または技術の制限行為 71
  - (5) 参入制限行為等 71
  - (6) 不公正な取引方法 72

(7) 種類、品質、規格等に関する制限　72
   (8) 営業の種類、内容、方法等に関する行為　73
   (9) 情報活動　74
   (10) 経営指導　75
   (11) 共同事業　76
   (12) 公的規制、行政等に関連する行為　77

第4章　私的独占　78

 1 概要　78
   (1) 私的独占規制の趣旨　78
   (2) 成立要件　79
 2 排除行為　80
   (1) 総論　80
   (2) 排除行為の類型　83
   (3) コスト割れ供給　85
      ア 「商品を供給しなければ発生しない費用」　85　イ 排除効果　87
   (4) 排他的取引　89
      ア 取引の排他性　90　イ 排除効果　91
   (5) 抱き合わせ　94
      ア 「抱き合わせ」　94　イ 排除効果　95
   (6) 供給拒絶・差別的取扱い　97
      ア 合理的な範囲を超えて必要な商品の供給を拒絶すること　97　イ 排除効果　99
 3 支配行為　101
 4 一定の取引分野における競争を実質的に制限すること　103
   (1) 一定の取引分野　103
   (2) 競争の実質的制限　103
   (3) 因果関係　106
 5 法的措置　106
   (1) 排除措置命令　106
   (2) 課徴金納付命令　107
   (3) 刑事罰　108

第 5 章　不公正な取引方法 110

1　総論 110
(1)　不公正な取引方法規制の趣旨　110
(2)　指定制度　111
　　ア　一般指定と特殊指定　112　　イ　指定の手続　113
(3)　公正競争阻害性　113
　　ア　「正当な理由がないのに」と「不当に」　114　　イ　公正な競争を阻害するおそれ　115　　ウ　正当化事由　116　　エ　正常な商慣習に照らして不当に　117
(4)　不公正な取引方法の行為類型　119
(5)　成立要件　121

2　取引拒絶型 121
(1)　意義　121
(2)　共同の取引拒絶　122
　　ア　競争者と共同して　122　　イ　取引を拒絶すること　123　　ウ　公正競争阻害性　124
(3)　その他の取引拒絶　126
　　ア　取引を拒絶すること　127　　イ　公正競争阻害性　127
(4)　差別的取扱い　129
　　ア　差別的取扱い　130　　イ　公正競争阻害性　131

3　不当対価型 132
(1)　意義　132
(2)　不当廉売　133
　　ア　コスト割れ対価　133　　イ　継続性　137　　ウ　事業活動困難性　138　　エ　公正競争阻害性　140
(3)　差別対価　141
　　ア　差別的な対価　141　　イ　継続性　143　　ウ　事業活動困難性　143　　エ　公正競争阻害性　143
(4)　不当高価購入　145

4　拘束条件型 146
(1)　意義　146
(2)　再販売価格の拘束　147
　　ア　自己の供給する商品を購入する相手方　147　　イ　商品の販売価格の自由な決定の拘束　148　　ウ　公正競争阻害性　150　　エ　排除措置　152
(3)　排他条件付取引　153

　　　　ア　排他条件　154　　イ　相手方の事業活動の拘束　155　　ウ　公正競争阻害性　155
　　⑷　拘束条件付取引　158
　　　　ア　相手方の事業活動の拘束　158　　イ　公正競争阻害性　160
5　取引強制型 ………………………………………………………… 170
　　⑴　意義　170
　　⑵　欺瞞的顧客誘引　170
　　　　ア　表示主体　171　　イ　優良誤認・有利誤認　172　　ウ　公正競争阻害性　173
　　⑶　不当な利益による顧客誘引　173
　　⑷　抱き合わせ販売その他取引強制　174
　　　　ア　別個の商品　175　　イ　取引の強制　176　　ウ　公正競争阻害性　176
6　搾取濫用型 ………………………………………………………… 177
　　⑴　意義　177
　　⑵　優越的地位の濫用　179
　　　　ア　優越的地位　179　　イ　利用して　181　　ウ　不利益行為　181　　エ　公正競争阻害性　184
　　⑶　取引の相手方の役員選任への不当干渉　186
7　取引妨害型 ………………………………………………………… 186
　　⑴　競争者に対する取引妨害　186
　　　　ア　国内における競争関係　187　　イ　取引の妨害　187　　ウ　公正競争阻害性　189
　　⑵　競争会社に対する内部干渉　192

第6章　独占禁止法違反事件の手続と措置 …………………… 193

1　行政手続 …………………………………………………………… 193
　　⑴　手続　193
　　　　ア　調査手続　193　　イ　命令の手続・取消訴訟　197　　ウ　警告の手続　202
　　⑵　措置　203
　　　　ア　排除措置命令　203　　イ　緊急停止命令　209　　ウ　確約手続　209　　エ　課徴金納付命令　212
　　　　　⑺　課徴金制度の目的　212
　　　　　⑷　課徴金制度の内容　213
　　　　　⑻　課徴金の算定基礎の計算方法　222
　　　　　㊁　課徴金減免制度（7条の4～6）　244
　　　　　㊄　課徴金の納付・徴収　255

オ　警告　255　　カ　注意　256
 2　犯則手続 ………………………………………………………………… 257
　⑴　手続　257
　　　ア　犯則調査手続　257　　イ　告発基準　258　　ウ　行政事件との関係　259
　⑵　刑事罰　260
　　　ア　犯則事件となる罪　260　　イ　犯則事件以外の罪　260　　ウ　告発　261
 3　民事訴訟 ………………………………………………………………… 262
　⑴　役割　262
　⑵　内容　262
　　　ア　無過失損害賠償義務　262　　イ　差止請求権　264

第7章　企業結合規制 ……………………………………………… 267

 1　企業結合審査の考え方 ……………………………………………… 268
　⑴　企業結合審査の対象となるか否かの判断　268
　　　ア　株式取得について　269　　イ　共同出資会社について　273　　ウ　当事会社グループについて　274
　⑵　一定の取引分野の画定　275
　　　ア　基本的な考え方　275　　イ　商品の範囲　279　　ウ　地理的範囲　280
　　　エ　デジタルサービスの市場画定の特徴　284
　⑶　競争を実質的に制限することとなる場合　286
　　　ア　「競争を実質的に制限することとなる」の考え方　286　　イ　企業結合の形態と競争の実質的制限　287
　⑷　水平型企業結合の検討の枠組みと判断要素　288
　　　ア　セーフハーバー基準該当・非該当の判断　288　　イ　「単独行動」による競争の実質的制限と「協調的行動」による競争の実質的制限　290　　ウ　「単独行動」による競争の実質的制限についての判断要素　292　　エ　「協調的行動」による競争の実質的制限についての判断要素　307　　オ　共同出資会社の場合　309
　⑸　垂直型・混合型企業結合の競争の実質的制限の検討の枠組みと判断要素　310
　　　ア　セーフハーバー基準　310　　イ　垂直型企業結合による競争の実質的制限　311　　ウ　混合型企業結合による競争の実質的制限　314
　⑹　デジタル分野における垂直型・混合型企業結合の評価　316
　　　ア　他社へのデータ供給拒否　316　　イ　スタートアップ企業の買収による新規参入の可能性の消滅　317
　⑺　問題解消措置　318
　　　ア　基本的な考え方　318　　イ　問題解消措置の実行時期　319　　ウ　問題解消

措置の内容の変更と問題解消措置の終了　320　　エ　問題解消措置の類型　320
2　企業結合審査の手続と公正取引委員会の措置 ･････････････････････ 325
　(1) 届出を要する企業結合　325
　(2) 届出対象の企業結合に対する審査手続　328
　　　ア　届出　328　　イ　第1次審査（届出の受理から30日間）　330　　ウ　第2次審査（報告等の要請以後、すべての報告等の受理から90日間）　331　　エ　論点等の説明・意見書等の提出　335　　オ　問題解消措置の提出　337　　カ　公正取引委員会の措置（事前通知、排除措置命令、緊急停止命令）　338　　キ　審査終了後の手続　339
　(3) 届出義務違反に対する罰則等　340
　(4) 届出を要しない企業結合に対する審査手続　340

第8章　知的財産権と独占禁止法 ･･････････････････････････････ 342

1　総論 ･･ 342
2　21条による適用除外 ･･･ 343
　(1) 「権利の行使」の意義　343
　(2) 「権利の行使と認められる行為」の該当性判断　345
3　競争減殺効果の分析方法 ･･ 348
　(1) 共同行為と単独行為　349
　(2) セーフハーバー　350
4　知的財産ガイドラインと具体的事例 ････････････････････････････････ 351
　(1) 研究開発活動の制限　351
　(2) 特許製品の販売先の制限　353
　(3) 原材料等の品質・購入先の制限　353

第9章　独占禁止法適用除外と規制分野への独占禁止法の適用 ･･･ 357

1　独占禁止法適用除外 ･･･ 357
　(1) 独占禁止法に基づく適用除外　357
　　　ア　一定の組合の行為（22条）　357　　イ　再販売価格維持契約（23条）　359
　(2) 個別法に基づく適用除外　361
2　行政指導と独占禁止法の関係 ････････････････････････････････････ 362
3　規制分野への独占禁止法の適用 ･････････････････････････････････ 366

(1) 基本的な考え方　366
　　(2) 主な事件　368
　　　ア　既存の規制が長い間存在している分野における独占禁止法の執行事例　368
　　　イ　規制改革が行われた市場での独占禁止法違反行為に対する同法の適用事例　372

第10章　独占禁止法の国際的な適用　377

1　独占禁止法の国際的適用に関する基本的な考え方　377
　　(1) 属地主義と効果主義　377
　　(2) 米国・欧州における競争法の国際的な適用　378
　　(3) 独占禁止法の国際的な適用　379
　　(4) 刑罰規定の国際的な適用　380

2　外国での送達・情報交換　381
　　(1) 在外者への書類の送達　381
　　(2) 領事送達・公示送達の例　383
　　(3) 外国競争当局との情報交換　385
　　(4) 国際捜査共助　387
　　(5) 犯罪人引渡し　388
　　(6) OECD、ICN　390

3　主な事件と企業結合事例　391
　　(1) 主な事件　391
　　(2) 主な企業結合事例　396

第11章　公正取引委員会の組織と独占禁止法の歴史　398

1　公正取引委員会の組織　398
2　独占禁止法の歴史　400

事項索引　409
判審決等索引　414

column

2つの「競争」 3
不当な取引制限、私的独占と不公正な取引方法の関係 8
企業結合規制は、世界各国とも事前規制なのはなぜか 14
カルテル「審査」と企業結合「審査」は違う 14
業務提携に関するガイドライン 59
市場支配力を有する事業者の「ノブレス・オブリージュ」 108
公正競争阻害性の3分類再考 118
「事業活動を困難にさせるおそれ」の要件は必要？ 139
プラットフォーム事業者が用いる最恵国待遇条項（MFN条項） 166
公正取引委員会による必要な事項の公表 256
競争環境の整備に向けた取組み 376
デジタル・プラットフォームをめぐる取組み 406

●著者略歴（＊は編著者）

〔第5版〕

(肩書は2023年12月末現在のもの)

菅久修一（すがひさ・しゅういち）＊

　1960年生まれ、1983年東京大学経済学部卒業、公正取引委員会事務局入局。在ベルリン日本国総領事館領事、審査局管理企画課長、官房総務課長、消費者庁審議官、公正取引委員会事務総局取引部長、経済取引局長、事務総長等を経て（2022年7月退官）、2022年8月よりベーカー＆マッケンジー法律事務所（外国法共同事業）シニアコンサルタント。早稲田大学大学院法学研究科非常勤講師（2018年4月より）。

　執筆分担：第1章、第9章、第11章、〔初版〕〜〔第4版〕第10章

品川　武（しながわ・たけし）

　1969年生まれ、1992年一橋大学法学部卒業、公正取引委員会事務局入局。在ドイツ日本国大使館一等書記官、公正取引委員会事務総局審査局管理企画課長、官房総務課長、審査局審査管理官、官房審議官（企業結合担当）、経済取引局取引部長等を経て、2023年7月より官房政策立案総括審議官。

　執筆分担：第2章、第3章、第6章

伊永大輔（これなが・だいすけ）

　1976年生まれ、博士（法学）。1999年慶應義塾大学法学部法律学科卒業、2005年同大学大学院法学研究科修了、任期付研究経験者として公正取引委員会事務総局入局。経済取引局総務課企画室長補佐等を経て、2011年広島修道大学大学院法務研究科准教授、2015年同教授、2016年オックスフォード大学客員研究員、2020年東京都立大学大学院法学政治学研究科教授、2022年10月より東北大学大学院法学研究科教授。

　執筆分担：第4章、第5章、第8章

鈴木健太（すずき・けんた）

　1979年生まれ、2003年東京大学法学部卒業、公正取引委員会事務総局入局。2007年ジョージタウン大学ローセンター法学修士号（LL.M.）取得。欧州連合日本政府代表部一等書記官、公正取引委員会事務総局企業結合課上席企業結合調査官等を経て、2023年4月より経済取引局調整課企画官。

　執筆分担：第7章、第10章

〔初版〜第4版〕

(肩書は第4版執筆当時のもの)

原田　郁（はらだ・かおる）
1976年生まれ、1999年慶應義塾大学法学部法律学科卒業、公正取引委員会事務総局入局。2004年ジョージタウン大学ローセンター法学修士号（LL.M.）取得、2005年ニューヨーク州弁護士登録。公正取引委員会事務総局審査局公正競争監視室長等を経て、2019年4月より経済取引局企業結合課上席企業結合調査官（第4版執筆当時点）。
執筆分担：第7章

第1章 独占禁止法の目的と仕組み

1 独占禁止法の目的

　私的独占の禁止及び公正取引の確保に関する法律（昭和22年法律第54号）（独占禁止法、独禁法）は、昭和22年（1947年）に制定された。独占禁止法を運用している行政機関は、公正取引委員会である。

　独占禁止法の目的は、公正かつ自由な競争を促進することである（1条[1]）。これは、事業者が創意工夫により良質・廉価な商品を供給しようとする努力を促そうとするものであるが、各事業者が自ら商品の価格、生産数量等を決め、新たな市場に挑戦し、また、創意工夫を凝らして、消費者から選ばれる魅力的な商品を供給しようとして競い合うことは、消費者に利益をもたらすとともに、事業者自らの事業活動の発展にもつながることになる[2]。

　なお、1条では、「……以て、一般消費者の利益を確保するとともに、国民経済の民主的で健全な発達を促進することを目的とする」と規定されているが、「一般消費者の利益を確保するとともに、国民経済の民主的で健全な発達を促進すること」は、独占禁止法の直接の保護法益ではなく、同法の究極の目的である（石油価格協定刑事事件（最高裁判決昭和59年2月24日）[3]）。

　自由な競争と開かれた市場を促進し、維持することを主たる目的とし

---

[1] 以下、独占禁止法の条文については、「独占禁止法」や「独禁法」を省略し、単に「〇条」等と記載している。
[2] 「農業協同組合の活動に関する独占禁止法上の指針」（平成19年公取委）（農協ガイドライン）第2部第1の1。
[3] 経済法百選〔第2版〕5事件12頁。

て行われる法令の運用や、その他の様々な施策のことは、一般に「競争政策」と呼ばれている[4]。競争政策のうち、公正取引委員会が独占禁止法の執行によって行っていることを「独占禁止政策」（独禁政策）と呼ぶこともある[5]。

独占禁止法に相当する法律は、現在、130を超える国・地域に存在しているが、これらの法律は「競争法」と呼ばれることが多い[6]。「競争法」が世界中にいくつあるかということは、どのような法律を「競争法」と呼ぶかによって異なることとなるが、今日では、カルテルを原則として禁止する規定、単独事業者による反競争的行為を規制する規定、そして企業結合を規制する規定のすべてを含み、かつ、専門の当局が執行している法律を包括的競争法（comprehensive competition law）といい、これを「競争法」と呼ぶことが一般的である。また、この専門の当局（日本では、公正取引委員会）のことは「競争当局」と呼ばれることが多い。

独占禁止法は、「我が国における自由競争経済を支える基本法」、「国内における自由経済秩序を維持・促進するために制定された経済活動に関する基本法」である。「特に今日、一般消費者の利益を確保するとともに、国際的にも開かれた市場の下で、我が国経済の健全な発展を図るため、公正かつ自由な競争を促進し、市場経済秩序を維持することが重要な課題となっており、このため国内的にも、また、国際的にも、独禁法の順守が強く要請されてきている」。独占禁止法は、「経済活動に携わる事業関係者に等しく守られなければならないものである」（ラップ価格カルテル刑事事件（東京高裁判決平成5年5月21日）。シール談合刑事事件（東京高裁判決平成5年12月14日)[7]）。

4) "Advocacy and Competition Policy" Report prepared by the Advocacy Working Group 26頁（ICN's Conference, Naples, Italy, 2002）。ICN（国際競争ネットワーク）については、第10章2(6)参照。
5) 中央省庁等改革基本法（平成10年法律第103号）21条10号では、「独占禁止政策を中心とした競争政策については、引き続き公正取引委員会が担うものとし、経済産業省の所管としないこと」と規定されている。
6) 米国の競争法（シャーマン法、クレイトン法、連邦取引委員会法）は、「反トラスト法」と呼ばれている。

> **column** 2つの「競争」

　独占禁止法の目的は、公正かつ自由な競争の促進である。経済学は、競争が経済の円滑な運営にとって不可欠であることを明らかにしている。また、各国で行われてきた規制改革によって導入された競争により、価格の低下、供給量の増大、そして多様な商品やサービスの出現という大きな利益が消費者にもたらされた。しかし、一方で、競争に対する批判は存在するし、競争ばかり強調しすぎると他の人を敵とみるような冷たい社会になってしまうのではないか、やはり和が大切では、といった気持ちの人は相当にいるであろう。では、競争は世の中にとって、プラスなのだろうか、それともマイナスなのだろうか。

　実は、「競争」という言葉の中には、2つの相異なるものが含まれているのではないか。

　1つは、生存競争型の「競争」である。広辞苑をひもとくと、生存競争とは「生物のすべての種は多産であるので、生存して子孫をのこすのは環境に対する適者であり、不適者はおのずから淘汰されるものと見られ、これを同種の個体間の競争とみなして生存競争という」とある。軍拡競争、受験競争の「競争」は、この意味の競争である。この場合、勝敗を決める何らかの基準（受験競争であれば、テストの成績）があって、自己の能力等を様々な方法で強化し、この基準に関して他を上回れば、勝つことができる。

　一方、市場競争型の「競争」の場合、たとえば生産量で他社を上回っても、それで勝者になれる訳ではない。他社に勝つためには、他社よりも良い商品、安い商品を製造・販売しようと努力して、自社の商品に対価を支払ってくれる顧客をより多く獲得しなければならない。この勝負を決めるためには、顧客の存在が不可欠である。顧客が他社でなく自社の商品を選んでくれるのは、自社の商品の方が得だと顧客が思うからである。各社は、創意工夫を凝らして、より得（便益、利益）があると顧客が考えて、手に取るような商品を製造・販売しようとする。このため、事業者が競い合うこと（競争すること）で顧客（消費者）の利益はますます増大する。

　経済学でいう市場競争型の「競争」は、顧客（消費者）に対して、より多くの便益を与える競い合い（競争）なので、これを促進することで（競争をしている当事者にとっては第三者である）顧客の利益となり、全体の利益も増大する。一方、生存競争型の「競争」では、顧客といった第三者

---

7) 経済法百選〔第2版〕2事件6頁・19事件40頁。

は登場しないので、これを促進しても、全体の利益が増大するかどうか分からない。「競争」と聞いて生存競争型の「競争」をイメージすると、競争にマイナスの印象を持つことになりやすいだろう。

競争をめぐる議論では、どちらの意味で「競争」が使われているかを常に意識していると、議論の混乱を避けることができるのではないだろうか[8]。

2 独占禁止法の仕組み

(1) 独占禁止法の規制対象

独占禁止法は、その目的である「公正かつ自由な競争の促進」を「私的独占、不当な取引制限及び不公正な取引方法を禁止し、事業支配力の過度の集中を防止して、結合、協定等の方法による生産、販売、価格、技術等の不当な制限その他一切の事業活動の不当な拘束を排除すること」(1条)によって実現しようとしている。すなわち、独占禁止法は、その目的を達成するため、事業者や事業者団体が競争制限的または競争阻害的な一定の行為を行うことを禁止している。この規制の対象となる「事業者」は、「商業、工業、金融業その他の事業を行う者」(2条1項)であり、事業の種類や営利性の有無、法人か個人かは問わない[9]。事業とは、「なんらかの経済的利益の供給に対応し反対給付を反覆継続して受ける経済活動を指し、その主体の法的性格は問うところではない」(都営芝浦と畜場事件(最高裁判決平成元年12月14日)[10])。このため、公認会計士、行政書士、弁護士等の資格者[11]、医師[12]、地方公共団体[13]、国[14]も事業者に該当し得る(「事業者団体」については、第3章参照)。

---

[8] 菅久修一「2つの「競争」」NBL 855号10頁 (2007)。
[9] 「農業協同組合の活動に関する独占禁止法上の指針」(平成19年公取委)(農協ガイドライン)第2部第1の2。
[10] 経済法百選〔第2版〕1事件4頁。
[11] 「資格者団体の活動に関する独占禁止法上の考え方」(平成13年公取委事務局)(資格者ガイドライン)。

(2) 競争

「競争」については、2条4項で、「2以上の事業者がその通常の事業活動の範囲内において、かつ、当該事業活動の施設又は態様に重要な変更を加えることなく」、「同一の需要者に同種又は類似の商品又は役務を供給すること」や「同一の供給者から同種又は類似の商品又は役務の供給を受けること」という「行為をし、又はすることができる状態をいう」と規定されている。これは、「競争」には、①売手競争と買手競争を含むこと、②現にある競争（顕在競争）だけでなく、潜在競争も含むこと、③ブランド間競争（メーカー間の競争や異なるブランドの商品を取り扱う流通業者間の競争）だけでなく、ブランド内競争（同一ブランドの商品を取り扱う流通業者間の競争）も含むことを意味している。

(3) 独占禁止法の規制手段

独占禁止法で禁止されている主な行為は、不当な取引制限、私的独占、不公正な取引方法であり、これらに加え、企業結合を規制している。

ア 不当な取引制限・事業者団体の行為

不当な取引制限とは、事業者が他の事業者と共同して、価格の引上げや生産・販売数量等について他の事業者と合意し、一定の取引分野（市場）における競争を実質的に制限することをいう（2条6項）。すなわち、同業者で価格や生産数量などを取り決め、お互いに市場で競争を行わないようにすること（複数の事業者が共同して行う競争回避的な行為）であって、カルテルや入札談合がこれに当たる。不当な取引制限は、市場によって決定されるべき価格等を複数の事業者が人為的に決定するもの

---

12) 「医師会の活動に関する独占禁止法上の指針」（昭和56年公取委）（医師会ガイドライン）。観音寺市三豊郡医師会事件（東京高裁判決平成13年2月16日） 経済法百選〔第2版〕37事件76頁 。
13) 都営芝浦と畜場事件（最高裁判決平成元年12月14日） 経済法百選〔第2版〕1事件4頁 。豊北町福祉バス事件（町営福祉バス運行に関する差止等請求事件）（山口地裁下関支部判決平成18年1月16日）。
14) お年玉付き年賀葉書事件（最高裁判決平成10年12月18日） 経済法百選〔初版〕1事件4頁 。

であり、通常、それは競争制限を目的としていることから、競争に及ぼす影響が極めて大きい。このため、そのような合意をすること自体が原則として違法とされている。特に、価格カルテル、数量制限カルテル、入札談合など（「ハードコア・カルテル」と呼ばれている）は、競争法を有するいずれの国でも原則として違法となっている。カルテル規制は、各国の競争当局が取り組んでいる最重要課題である（不当な取引制限について詳しくは、第2章参照）。

また、事業者団体が価格等を取り決めることも事業者によるカルテルと同様に競争を制限することから、一定の取引分野における競争を実質的に制限する行為、参入制限行為や構成事業者の機能、活動を制限する行為等を事業者団体がすることも禁止されている（8条）。事業者団体のどのような活動が独占禁止法に違反するかについては、「事業者団体の活動に関する独占禁止法上の指針」（平成7年公取委）（事業者団体ガイドライン）が作成、公表されている（事業者団体に対する規制について詳しくは、第3章参照）。

イ　私的独占

私的独占とは、事業者が単独であるか、他の事業者と結合・通謀してであるか、どのような方法によるかを問わず、他の事業者の事業活動を排除したり、支配したりすることで、一定の取引分野（市場）における競争を実質的に制限することをいう（2条5項）。「一定の取引分野（市場）における競争を実質的に制限すること」は、不当な取引制限と共通しているが、これとは異なり、私的独占は、他の事業者を排除、支配するという競争制圧的な行為である。事業者が単独または他の事業者と手を組み、不当な低価格販売、排他的取引などの手段を用いて、競争相手を市場から排除したり、新規参入者を妨害して市場を支配しようとする行為は、「排除型私的独占」と呼ばれ、有力な事業者が、株式の取得、役員の派遣などにより、他の事業者の事業活動に制約を加えて、市場を支配しようとすることは、「支配型私的独占」と呼ばれている。もちろん、ある事業者が良質・廉価で消費者が求めている商品を提供するよう努力し、消費者がその事業者の商品を選択した結果、市場での地位を大

きく高めることとなったとしても、これが私的独占として問題となるものではない。排除型私的独占については、これが成立するための要件に関する解釈を可能な限り明確化することで、法運用の透明性を一層確保し、事業者の予見可能性をより向上させることを目的として、「排除型私的独占に係る独占禁止法上の指針」（平成 21 年公取委）（排除型私的独占ガイドライン）が作成、公表されている（私的独占について詳しくは、第 4 章参照）。

　ウ　不公正な取引方法

　不公正な取引方法には、独占禁止法で定められている行為と、独占禁止法の規定に基づき公正取引委員会が指定する行為がある。前者に当たる行為は、共同の取引拒絶（供給に関するもの）（2 条 9 項 1 号）、差別対価（同項 2 号）、不当廉売（同項 3 号）、再販売価格の拘束（同項 4 号）、優越的地位の濫用（同項 5 号）である。後者については、2 条 9 項 6 号のイからへのいずれかに当たる行為であって、公正な競争を阻害するおそれ（公正競争阻害性）のあるものから、公正取引委員会が不公正な取引方法に当たる行為として指定する。公正取引委員会の指定には、すべての業種に適用されるものである「不公正な取引方法」（昭和 57 年公取委告示第 15 号）と、特定の業種にのみ適用されるものである「新聞業における特定の不公正な取引方法」（平成 11 年公取委告示第 9 号）（新聞特殊指定）、「特定荷主が物品の運送又は保管を委託する場合の特定の不公正な取引方法」（平成 16 年公取委告示第 1 号）（物流特殊指定）、「大規模小売業者による納入業者との取引における特定の不公正な取引方法」（平成 17 年公取委告示第 11 号）（大規模小売業告示）がある。前者は「一般指定」、後者は「特殊指定」と呼ばれている。

　一般指定で規定されている不公正な取引方法は、共同の取引拒絶（購入に関するもの）（一般指定 1 項）、その他の取引拒絶（同 2 項）、独占禁止法で定められている行為以外の差別対価・不当廉売（同 3 項、同 6 項）、取引条件等の差別取扱い（同 4 項）、事業者団体における差別取扱い等（同 5 項）、不当高価購入（同 7 項）、欺瞞的顧客誘引（同 8 項）、不当な利益による顧客誘引（同 9 項）、抱き合わせ販売等（同 10 項）、排他条件

付取引（同 11 項）、拘束条件付取引（同 12 項）、取引の相手方の役員選任への不当干渉（同 13 項）、競争者に対する取引妨害（同 14 項）、競争会社に対する内部干渉（同 15 項）である。

より具体的にどのような行為が不公正な取引方法に該当し、独占禁止法上問題となるか（不公正な取引方法の考え方）については、「流通・取引慣行に関する独占禁止法上の指針」（平成 3 年公取委事務局）（流通・取引慣行ガイドライン）、「不当廉売に関する独占禁止法上の考え方」（平成 21 年公取委）（不当廉売ガイドライン）、「優越的地位の濫用に関する独占禁止法上の考え方」（平成 22 年公取委）（優越ガイドライン）、「フランチャイズ・システムに関する独占禁止法上の考え方について」（平成 14 年公取委）（フランチャイズ・ガイドライン）、「農業協同組合の活動に関する独占禁止法上の指針」（平成 19 年公取委）（農協ガイドライン）等様々なガイドラインが作成、公表されている。

なお、独占禁止法の平成 21 年改正（平成 22 年 1 月 1 日施行）（第 11 章 2 参照）以前は、不公正な取引方法について、独占禁止法で定められているものはなく、すべて独占禁止法の規定に基づき公正取引委員会が指定をしていた。このため、それ以前の判決、審決等では、一般指定で規定されている「不公正な取引方法」の項番号が現行のものと異なる場合がある（第 5 章 1(4)参照）ので注意を要する（不公正な取引方法について詳しくは、第 5 章参照）。

> **column** 不当な取引制限、私的独占と不公正な取引方法の関係
>
> 　独占禁止法で禁止されている主な行為である不当な取引制限、私的独占と不公正な取引方法の関係をどのように理解するかについては、様々な議論があるが、とりあえず、以下のように整理することで、これらの関係が分かりやすくなるのではないかと思われる。
> 　1　すべての競争制限行為は、①競争事業者間で競争を回避する行為と②その他の競争制限行為に分けられる。独占禁止法では、前者は不当な取引制限として規制され得るものであり、後者は私的独占として規制され得るものに当たる。
> 　2　①の行為は、通常、競争制限効果を生じるので、ハードコア・カル

> テルを典型とする①の行為を事業者が行った場合には、直ちに「一定の取引分野における競争を実質的に制限する」と判断される。
> 3 ②に当たる行為には、様々な競争制限行為が含まれ、それらの多くでは、競争制限効果と競争促進効果の両面からの個々の検討が必要である。そのため、私的独占として規制され得る行為については、どのような方法によるかを問わず、その行為によって「一定の取引分野における競争を実質的に制限する」ことになる場合にのみ禁止される。
> 4 ②に当たる行為の中には、競争制限効果を生じさせる可能性の高い行為がある。このような行為を特定して、競争制限効果の程度が比較的低い段階から禁止することとしたものが不公正な取引方法である。これによって、②に当たり得る行為が明確になり、規制の透明性が向上する。

不公正な取引方法の1つである優越的な地位の濫用に関連して、下請代金支払遅延等防止法（昭和31年法律第120号）（下請法）が独占禁止法の補助立法として制定されている。

下請法は、製造委託、修理委託、情報成果物作成委託、役務提供委託に係る取引を規制対象とし、これらの取引を行っている事業者について、資本金の額または出資の総額によって親事業者と下請事業者を定義して（下請法2条）、親事業者に対して、注文書の交付義務（同法3条）、書類作成・保存義務（同法5条）等の義務を課すとともに、下請代金の減額・支払遅延の禁止、返品の禁止、不当な経済上の利益の提供の禁止等の禁止行為を定めている（同法4条）。親事業者が下請法に違反した場合、公正取引委員会は、違反行為を取り止めて原状回復させること（たとえば、減額分の下請事業者への返還）を求めるとともに、再発防止などの措置を実施するよう、勧告をする（同法7条）。下請法違反に対しては、独占禁止法に比べ簡易な手続で迅速に改善を求めることができる[15]。

事業者（業務委託事業者、発注事業者）が個人で働くフリーランス（特

---

15) 下請法について詳しくは、公正取引委員会のウェブサイトのほか、鎌田明編著『下請法の実務〔第4版〕』（公正取引協会、2017）、鎌田明編著『はじめて学ぶ下請法』（商事法務、2017）などの下請法解説書参照。

定受託事業者）に業務委託を行う取引については、こうした取引の適正化等を図るため、特定受託事業者に係る取引の適正化等に関する法律（令和5年法律第25号）（フリーランス・事業者間取引適正化等法）が制定された（令和5年4月28日可決・成立、同年5月12日公布。公布の日から1年半以内に施行）。業務委託事業者に対しては、業務委託をした際の取引条件の明示、給付を受領した日から原則60日以内での報酬支払等が義務付けられ、受領拒否、減額、返品等が禁止されている。違反行為については、公正取引委員会、中小企業庁長官や厚生労働大臣が勧告、公表、命令等の措置をとる。

エ 独占禁止法違反行為に対する措置

(ｱ) 行政措置

公正取引委員会が調査（審査）を行った結果、独占禁止法に違反する行為があると認められた場合には、公正取引委員会は、排除措置命令を行う（7条、8条の2、20条）。排除措置命令は、違反行為を速やかに排除するよう命じる行政処分である。たとえば、価格カルテル（不当な取引制限）では、価格引上げ等の決定の破棄、破棄したことの取引先等への周知、再発防止のための対策等が命じられている。また、公正取引委員会が調査（審査）を行った上で、独占禁止法に違反する事実があると思料する場合に、公正かつ自由な競争を促進する上で必要があると認めるときは、その違反被疑行為について確約手続を開始し、事業者から申請された確約計画が十分性と確実性の要件を満たせば、それを認定する。

入札談合については、公正取引委員会の調査（審査）の中でいわゆる官製談合があると認められた場合には、入札談合等関与行為の排除及び防止並びに職員による入札等の公正を害すべき行為の処罰に関する法律（平成14年法律第101号）（入札談合等関与行為防止法、官製談合防止法）に基づき、公正取引委員会は、国や地方公共団体等に改善措置を要求する。

排除措置命令等の法的措置を行うに足る証拠が得られなかった場合でも、独占禁止法違反の疑いがあるときは、公正取引委員会は、関係事業者等に対して警告を行い、是正措置をとるよう指導している。さらに、違反行為の存在を疑うに足る証拠は得られなかったが、独占禁止法違反

につながるおそれのある行為がみられた場合には、公正取引委員会は、未然防止を図る観点から注意を行っている。

　また、①不当な取引制限または支配型私的独占であって、商品・役務の価格を制限するもの（価格カルテル等）と、商品・役務について、供給量または購入量、市場占拠率、取引の相手方のいずれかを実質的に制限することでその対価に影響することとなるもの（生産数量カルテル、シェアカルテル、市場分割カルテル等）、②排除型私的独占、③2条9項1号から5号に規定されている不公正な取引方法（共同の取引拒絶（供給に関するもの）、差別対価、不当廉売、再販売価格の拘束、優越的地位の濫用）については、公正取引委員会は、課徴金納付命令も行う（7条の2、7条の9、20条の2から20条の6）。前記③の不公正な取引方法のうち、優越的地位の濫用以外については、同一の違反行為を繰り返した場合（公正取引委員会による調査開始日から遡って10年以内に同一の違反行為で排除措置命令か課徴金納付命令を受けたことがある場合）に課徴金の対象となる。事業者団体が不当な取引制限と同様の行為を行った場合にも、その構成事業者に対し課徴金納付命令が行われる（8条の3）。課徴金納付命令は、独占禁止法等で定められた一定の算式（不当な取引制限については、課徴金額＝（対象商品・役務の売上額または購入額＋密接関連業務の対価）×課徴金算定率＋財産上の利益（談合金等）－課徴金減免制度による減免）に従って計算された金額を国庫に納めるよう命じる行政処分である。課徴金算定率は、違反行為の内容、事業者の規模（大企業か中小企業か）によって異なるが、大企業である製造業者（メーカー）が価格カルテル（不当な取引制限）を行った場合の課徴金算定率は、10％である。また、不当な取引制限に対する課徴金算定率については、違反行為を繰り返した場合（私的独占にも適用される）や、違反行為で主導的な役割を果たした場合には加算される。

　課徴金納付命令の対象となる不当な取引制限に自ら関与した事業者が、その違反の内容を公正取引委員会に自主的に報告した場合には、課徴金が減額される（課徴金減免制度）（7条の4）。減免申請順位に応じた減算率と事業者の実態解明への協力度合い（事業者が自主的に提出した証拠の

価値）に応じた減算率が定められており（調査協力減算制度）、たとえば、公正取引委員会の調査開始日前1番目の減免申請者は全額免除である（課徴金納付命令が行われない）が、同2番目の減免申請者は、申請順位に応じた減免率20％に、協力度合いに応じた上限40％までの減算率が付加される（7条の5）。課徴金減免制度は、秘密裏に行われ、発見が困難であるカルテル・入札談合（不当な取引制限）の違反内容を事業者自らが報告し、さらに必要な書類を提出することを促すことによって、違反行為の発見、解明を容易化し、競争を早期に回復することを目的とするものであり、さらに、事業者自らによるコンプライアンスへの取組みを促進する効果もある。

排除措置命令、課徴金納付命令、確約手続での確約計画の認定や警告をしたとき、公正取引委員会は、それらを公表している（(イ)の刑事告発も公表している）。一方、注意や打切りについては、独占禁止法違反の存在を疑うに足る証拠が得られなかったものなので、原則として非公表であるが、競争政策上公表することが望ましいと考えられる事案であり、かつ、関係者から公表する旨の了解を得た場合、または違反被疑対象となった事業者が公表を望む場合は、公表している[16]。

(イ) 刑事罰

不当な取引制限、私的独占などの重大な独占禁止法違反行為に対しては、犯罪行為として刑事罰が設けられている（89条以下（独禁法第11章 罰則））。事業者や事業者団体と、個人に対する刑事罰が規定されている。不当な取引制限、私的独占等の罪（89条から91条）は、公正取引委員会による告発を待って論ずる（公正取引委員会の専属告発）（96条）。公正取引委員会がどのような事案について調査や告発を行うかについては、「独占禁止法違反に対する刑事告発及び犯則事件の調査に関する公正取引委員会の方針」（平成17年公取委）（告発方針）が公表されている。

(ウ) 損害賠償・差止請求

独占禁止法違反行為によって被害を受けた者（被害者）は、違反行為

---

16) 令和4年度公正取引委員会年次報告21頁。

者に対して、民法709条（不法行為）に基づいて、損害賠償請求をすることができる。私的独占、不当な取引制限、不公正な取引方法を行った事業者や8条の規定に違反する行為を行った事業者団体に対する排除措置命令、または排除措置命令がなされなかった場合には課徴金納付命令が確定した後であれば、これらの行為による被害者は、25条の規定に基づき損害賠償請求をすることができる。この場合には、事業者や事業者団体は、故意や過失がなかったとして責任を免れることはできない（無過失損害賠償責任）（25条、26条）。また、不公正な取引方法によって著しい損害を受け、または受けるおそれがある消費者、事業者等の被害者は、裁判所に対して、その行為の差止めを請求することができる（24条）（独占禁止法違反行為に対する措置について、独占禁止法違反事件手続を含め詳しくは、第6章参照）。

オ　企業結合規制

企業結合規制とは、会社の株式取得、合併、分割、共同株式移転、事業の譲受けなど（これらを総称して「企業結合」と呼んでいる）によって、一定の取引分野における競争が実質的に制限されることとなる場合には、その企業結合を禁止するものである（10条、13条から18条（独禁法第4章））。一定規模等の条件を満たす企業結合については、届出義務があり、公正取引委員会は、主として、届出のあった企業結合について審査を行っている。企業結合が独占禁止法上問題となるかどうか（一定の取引分野における競争を制限することとなるかどうか）についての審査（企業結合審査）の考え方（違法性の判断の考え方）に関しては、「企業結合審査に関する独占禁止法の運用指針」（平成16年公取委）（企業結合ガイドライン）が公表されている。また、企業結合審査の手続については、独占禁止法や政令、公正取引委員会規則で規定されていることに加え、「企業結合審査の手続に関する対応方針」（平成23年公取委）（手続対応方針）が公表されている（企業結合規制について、企業結合審査手続を含め詳しくは、第7章参照）。

> **column** 　企業結合規制は、世界各国とも事前規制なのはなぜか

　経済的規制は、一般的には、事前規制型から事後チェック（事後規制）型へ、といわれているが、企業結合規制は、日本だけでなく世界的に、一定の企業結合事案の事前の届出義務と企業結合を実施する前の審査という事前規制（そうでなければ、まともな企業結合規制とはいえない）というのが共通認識となっている。

　独占禁止法で禁止されている不当な取引制限、私的独占、不公正な取引方法等の競争制限「行為」は、こうした「行為」を止めさせれば、競争を回復することができる。たとえば、カルテル防止のため、競争事業者間での接触や連絡をすべて事前に届出させるといった規制は、明らかに非現実的である。

　一方、企業結合によって、いったん競争制限的な市場「構造」が成立すると、事後にこれを排除（解体）することは難しい。このため、カルテルなどの競争制限「行為」の規制と異なり、企業結合規制では、事前届出制を設けて、独占禁止法に違反する企業結合事案をあらかじめ禁止するという方法がとられている。

　このことは、建築基準法に基づく「建築確認」に似ているかもしれない。建築確認とは、建築物などの建築計画が建築基準法や建築基準に関係する規定に適合しているかどうかを着工前に審査する行政行為であるが、建築確認を着工前（事前）に行うのは、着工後（事後）に法令違反を発見し是正を求めるよりも事前に建築計画を確認する方が合理的と考えられるためである。確かに、とりあえず建築物を自由に作らせておいて、問題があれば、後で改修（場合によっては解体）させるというやり方では、当事者にとってだけでなく、社会的にもそうしたコストは甘受し難いであろう。

> **column** 　カルテル「審査」と企業結合「審査」は違う

　カルテル（不当な取引制限）の疑いで行う審査（カルテル審査）と企業結合審査は、同じ「審査」という言葉が使われていても、やり方は著しく異なる。

　まず、カルテルは、そもそもやってはいけない行為であるが、企業結合それ自体は何ら問題はない。カルテル審査では、カルテルの疑いで審査を開始するに足る情報を得た上で、立入検査等の権限を用いて証拠を収集し、違反行為を立証して排除措置命令を出す。一方、企業結合審査では、売上高等の条件を満たす企業結合は、事前に届出が必要で、独占禁止法上問題がないかを検討した後、問題があると公正取引委員会が判断しても、当事

会社は、問題解消措置をとることで排除措置命令を避けることができる。違反を立証し禁止することを目指すカルテル審査と異なり、企業結合審査は、問題の有無を確認し、問題があっても、可能な限り問題解消措置を促すものである（禁止が目的ではない）。

また、一定の取引分野（市場）の画定についても、カルテルは、競争の制限を目的・内容にしているので、通常、その対象の取引やそれによって影響を受ける範囲を検討して画定すればよいが、企業結合では、通常それ自体で直ちに競争を制限するとは言えず、かつ、特定の商品・役務を対象にした具体的な行為もないので、商品等の代替性などの客観的な要素に基づいて画定する。これは、雨が昨日どこに降ったかは、実際にどこで降ったのかを調べればいいのに対し、明日どこに降るかについては、雨雲の位置、風向・風量、温度、気圧等の客観的な要素を基に予測しなければならないということに似ているかもしれない。

独占禁止法に基づく審査の基準や手続を考える際に、カルテル審査と企業結合審査は異なるということを認識しておくことは非常に重要である。

カ　その他の規制手段

第2章以下では、現在の独占禁止法の執行において主要な規制手段となっている以上の事項について詳しく説明するが、これらのほか、独占禁止法には、以下の規定がある。

(ア)　国際的協定・契約

6条は、事業者が不当な取引制限または不公正な取引方法に該当する事項を内容とする国際的協定または国際的契約を締結することを禁止している（特定の国際的協定・契約の禁止）。

(イ)　一般集中規制

9条は、事業支配力が過度に集中することとなる会社の設立等を制限し、11条は、銀行・保険会社の議決権保有を制限している。これらの規定は、一般集中規制と呼ばれている。一般集中規制とは、商品・役務の個々の市場において発生する具体的な競争制限を問題とする企業結合規制と異なり、国民経済全体における特定の企業グループへの経済力の集中等を防止するものであり、競争が行われる基盤を整備することによ

り市場メカニズムが十分に機能するようにするための規定である[17]。

(ウ) 独占的状態

独占的状態に対する措置は、一部の事業者が特に大規模であるなどの理由で、競争が有効に機能していない場合、独占的な状態にあるとして、競争を回復するための措置を命じるものである（2条7項、8条の4）。「独占的状態の定義規定のうち事業分野に関する考え方について」（昭和52年公取委事務局）が公表されている。

---

[17] 菅久修一・小林渉編著『平成14年改正独占禁止法の解説』4頁、9頁（商事法務、2002）。

第2章 不当な取引制限

1 不当な取引制限の規定

　不当な取引制限として規制される行為の典型例は、カルテル、入札談合と呼ばれる行為である。カルテルと呼ばれる行為は、典型的には価格や供給量等を同業者間で協定し、競争を回避する行為であるが、協定する内容は、価格や供給量以外にも、シェア、取引先、営業地域等様々なものがある。また、入札談合と呼ばれる行為は、典型的には官公庁の入札において、入札参加者間で受注すべき者を決定し、他の入札参加者は受注すべき者よりも高い価格を入札することなどにより受注すべき者が受注できるようにする行為であるが、発注者は必ずしも官公庁に限られないし、入札以外の見積もり合わせ等においても同様の行為が行われることがある（受注すべき者を決定してその者が受注できるようにする行為について、広く「受注調整」と呼ばれることもあるが、公正取引委員会の年次報告等においては、「入札談合（官公需）」、「受注調整（民需）」と発注主体により分類している）。こうした行為はいずれも不当な取引制限に該当する（3条後段）[1]。

　以上のように、不当な取引制限の典型例としては、カルテルと入札談合が挙げられることが多いが、この区別には実質的な意味はあまりなく、現実の違反行為においても価格協定を行いつつ受注競争が生じないよう

---

[1] 3条の規定（事業者は、私的独占又は不当な取引制限をしてはならない）の「事業者は、……不当な取引制限をしてはならない」の部分は「3条後段」と呼ばれ、「事業者は、私的独占……をしてはならない」の部分は「3条前段」と呼ばれている。

に受注調整を行う事案や、受注調整を行いつつ受注予定者[2]が受注すべき価格について違反行為者間で話し合って決める、あるいはその基準となる価格を引き上げるといったカルテル的な行為を併せて行うケースは少なくない。また、不当な取引制限について詳しくは本章の2以下で述べるが、その本質は複数の事業者が共同して何らかの行為をすることにより、市場における競争を制限する行為であり、競争を制限する手段として共同して行われる行為がどのような形態をとるかによって、あるものは「カルテル」と呼ばれ、あるものは「入札談合」と呼ばれているにすぎない。

　市場メカニズムが適切に機能することを妨げる行為には様々なものがあるが、これらの行為のうち複数の事業者が共同して行うものであって、競争が回避される結果競争が制限される程度が「実質的」であると評価される程度に至っているものが「不当な取引制限」に当たることになる。複数の事業者が行う独占禁止法違反行為としては、不当な取引制限のほかに、不公正な取引方法に当たる共同の取引拒絶（第5章2(2)参照）があるほか、典型的には単独行為である私的独占（第4章参照）についても共同して行われることがあり得る。また、不当な取引制限と類似した競争を制限する行為は、事業者でなく事業者団体によって行われることもある（事業者団体が構成員の販売価格を定める行為等）が、行為の主体が事業者団体である場合は、事業者団体による競争制限行為（第3章参照）としての規制が存在する。

　不当な取引制限は、「事業者が、契約、協定その他何らの名義をもってするかを問わず、他の事業者と共同して対価を決定し、維持し、若しくは引き上げ、又は数量、技術、製品、設備若しくは取引の相手方を制限する等相互にその事業活動を拘束し、又は遂行することにより、公共の利益に反して、一定の取引分野における競争を実質的に制限するこ

---

[2] 入札談合、受注調整事案は、特定の物件について受注すべき事業者を定める行為であるが、このような特定の物件を受注すべき事業者のことを「受注予定者」と呼ぶことが多い。

と」(2条6項)である。

2 規定の内容

(1) 条文の構成

2条6項は、①事業者が、②契約、協定その他何らの名義をもってするかを問わず、③他の事業者と共同して対価を決定し、維持し、もしくは引き上げ、または数量、技術、製品、設備もしくは取引の相手方を制限する等相互にその事業活動を拘束し、または遂行することにより、④公共の利益に反して、⑤一定の取引分野における競争を実質的に制限することと分解できる。このうち、①〜③は行為そのものに係る要件であるので「行為要件」、④と⑤は行為の効果に係る要件であるので「効果要件」とも呼ばれる。

(2) 事業者

①については、第1章の2(1)で述べたところであるが、事業者団体も構成員の販売価格を決定したりすることにより同様の行為を行う場合がある。事業者団体のこのような行為は、不当な取引制限を禁止している3条後段ではなく、8条により規制される(事業者団体の場において行われる行為について事業者の行為と評価するか事業者団体の行為と評価するかの区別については、第3章1(3)参照)。

なお、不当な取引制限における「事業者」について、過去の判決(新聞販路協定事件(東京高裁判決昭和28年3月9日)[3])では、取引段階を同じくする競争関係にある事業者のみに限定して解する立場をとったとみられるものもあるが、この点は相互拘束の問題として後述する((4)参照)。

(3) 名義

②については、「何らの名義をもってするかを問わず」、であるから、

---

3) 経済法百選〔第2版〕18事件38頁 。

特に契約である必要がないことはもちろん、紳士協定と呼ばれるものや、黙示的に行われるものも含め、③に該当する行為であれば、名義や呼称によって不当な取引制限に該当したりしなかったりすることはない。

(4) 相互拘束と共同遂行

③に規定される行為には、

 ⅰ）他の事業者と共同して……相互にその事業活動を拘束する行為と
 ⅱ）（他の事業者と共同して）……遂行する行為、

がある。「他の事業者と共同して」に続く「対価を決定し、維持し、若しくは引き上げ、又は数量、技術、製品、設備若しくは取引の相手方を制限する等」の文言は、元々制定当初の独占禁止法には含まれておらず、昭和28年の独占禁止法改正により加えられたものなので、「他の事業者と共同して」は「相互にその事業活動を拘束」と「遂行」の両方に係る文言であるとみることができる。前者の行為は「相互拘束」、後者の行為は「共同遂行」と呼ばれる。

ア 共同して……相互に

㋐ 意思の連絡

相互拘束の要件は、「共同して……相互にその事業活動を拘束」することである。「共同して……相互に」行われる行為といえるためには、単独の行為ではない必要があるので、そこには「意思の連絡」が必要である。独占禁止法初期の審判審決[4]において既に「共同行為の成立には、単に行為の結果が外形上一致した事実があるだけでは未だ十分でなく、進んで行為者間に何等かの意思の連絡が存することを必要とするものと解するとともに、本件におけるがごとき事情の下に、或る者が他の者の行動を予測しこれと歩調をそろえる意思で同一行動に出でたような場合には、これ等の者の間に右にいう意思の連絡があるものと認めるに足るものと解する」とされているほか、その後の判決（東芝ケミカル審決取

---

4) 湯浅木材事件（審判審決昭和24年8月30日）。

消請求事件（差戻審）（東京高裁判決平成7年9月25日））[5]においても、意思の連絡は「複数事業者間で相互に同内容又は同種の対価の引上げを実施することを認識ないし予測し、これと歩調をそろえる意思があることを意味し、一方の対価引上げを他方が単に認識、認容するのみでは足りないが、事業者間相互で拘束し合うことを明示して合意することまでは必要でなく、相互に他の事業者の対価の引上げ行為を認識して、暗黙のうちに認容することで足りると解するのが相当である（黙示による「意思の連絡」といわれるものがこれに当たる。）」とされている。ここでいう「意思の連絡」は、一般には「合意」と表現されることが多く、公正取引委員会の排除措置命令においてもそのように認定されていることが多い。しかしながら、もともと不当な取引制限に当たるような行為は、外部的に明らかにならない形で隠密裏に行われることが通常であり、明示的な合意によるものに限定することになれば規制が意味をなさないこととなるので、「合意」とされる行為は必ずしも明示的な申し入れとそれに対する承諾のような行為のみを指すのではなく、前記のような黙示による意思の連絡を含むものと解されていることに注意が必要である。

　具体的には、事前に、ある商品の価格引上げについて情報交換が行われ、その商品の販売価格の引上げについてその後同一またはこれに準ずる行動に出たような場合には、情報交換の当事者の間に協調的価格引上げについて「意思の連絡」による共同行為が推認される（前掲東芝ケミカル審決取消請求事件東京高裁判決）。ただし、間接事実による認定はこの方法に限られるものではなく、事案に応じて様々な間接事実を認定してその成否を判断されることとなる（シャッターカルテル事件（東京高裁判決令和5年4月7日））。また、入札談合についても、明示的に今後の入札において受注すべき者を決定しその者が受注できるように協力していく旨の取決めが行われたわけではなく、さらに、個別の入札においても発注者の意向が仕様上明らかであることから個別の入札ごとに連絡を取り合って受注すべきものを改めて決定することが明示的に行われてい

---

5) 経済法百選〔第2版〕21事件44頁。

なかった事案についても、黙示的な意思の連絡を認定した事例（郵便区分機談合審決取消請求事件（差戻審）（東京高裁判決平成20年12月19日）[6]）が存在する。多くの入札談合事案では、受注すべき者を決めて受注すべき者が受注できるように協力していく旨の基本的な合意（入札談合事案に限らず、このような継続的に競争が行われる局面において競争を回避する行動を行っていく旨の基本的な合意のことを一般に「基本合意」と呼ぶ）は、入札談合の参加者が一堂に会してそのように協力していく旨を決定したといったような明示的な決議や談合組織の書面となった会則等の存在を根拠に認定しているわけではなく、現実に行われていた個別の入札物件における調整行為（基本合意を受けて行われるこのような個別の調整行為を「個別調整」と呼ぶ）の積み重ねに基づき認定されてきている。

　多摩談合事件（最高裁判決平成24年2月20日）[7]でも、基本合意について、共通認識程度であり合意の成立があったと断ずることはできないとした原審の判断を覆し、「本件基本合意の成立により、各社の間に、上記の取決めに基づいた行動をとることを互いに認識し認容して歩調を合わせるという意思の連絡が形成されたものといえるから、本件基本合意は、同項にいう「共同して……相互に」の要件も充足するものということができる」としているところであり、取決めに基づいた行動をとることを互いに認識し認容して歩調を合わせることとなるのであれば、そのような基本的な合意であっても不当な取引制限に当たることとなる。

　このような意思の連絡は、当事者の認識としては、その内容が完全には一致していない場合もある。合意の内容や合意の参加者の範囲について当事者の認識が異なることはあり得るが、不当な取引制限を論じる上では、意思の連絡は、一定の取引分野における競争に影響を与え得る内容のものであれば十分であるから、合意の詳細な内容や合意の参加者の範囲について、合意に参加するすべての当事者の認識が完全に一致している必要はない。また、そもそも事業者は、合意の内容や参加者の範囲

---

[6] 経済法百選〔第2版〕23事件48頁。
[7] 経済法百選〔第2版〕20事件42頁。

について厳密に確認しなくても合意に参加することのメリットがあると考えれば合意に参加するであろうから、意思の連絡の内容についての当事者の認識の完全な一致は要求されていない。具体的には、合意の参加者の範囲について具体的かつ明確に認識することまでは要しないとした事例（元詰種子カルテル事件（東京高裁判決平成20年4月4日[8]））や、具体的な販売価格の引上げの時期、対象製品や値上げ幅等を定めていない合意について、「意思の連絡」に該当するとした事例（コンデンサカルテル事件（東京高裁判決令和2年12月3日））がある。

　また、このような意思の連絡は、当然ながら、全員が顔をそろえる会合で行われる必要はない。さらに、違反行為者の従業員間で直接に行われることが必要なわけでもなく、他の人間を介して間接的に行われるものでも足りる。たとえば、カルテルに参加している事業者のうち1社の担当者が他社の担当者と個別に会合を持ち連絡役となって取りまとめを行う場合（特定の卸売業者が製造販売業者各社と個別に連絡を取って情報交換等を行った事例として活性炭談合事件（東京地裁判決令和4年9月15日））や、カルテルに係る事業とは無関係の第三者である個人（現実の事案ではカルテルに参加する事業者の退職者等であるケースが多いが、これに限られない）がこうした連絡役を担う場合がある。また、ある商品について同一企業グループ内の親子会社が製造・販売を分担するなど共同して事業を行っているような場合には、子会社の事業について話し合うために便宜上親会社の従業員が会合に参加していたり、親会社の事業についての話合いのため便宜的に子会社の従業員が会合に参加するなど、直接他社の担当者と話合いを行ったのは、個人としてみれば、そのカルテルによる拘束を受ける事業者の従業員ではないようなケースも存在するが、このような場合でも、その個人が合意への参加者である事業者間の意思の連絡役となっていれば、事業者間の意思の連絡があるということになる。

　意思の連絡との関係では、カルテルの会合に参加した個人がカルテル

---

8) 経済法百選〔第2版〕25事件52頁。

で決定される価格等の内容に関して決定の権限を持っていない場合に、そもそもその会合での決定を事業者間の合意（意思の連絡）といい得るか、という問題がある。販売価格や入札価格は最終的には社内の上層部の決裁を経て決まるが、実際にカルテルの会合に出席しているのは営業担当者にすぎない、というようなケースである。これについては、その担当者が会合に出席して合意したことにより、担当者の属する事業者の事業活動が事実上拘束されることとなるものでよく、担当者が価格決定等の権限を有していることまでは必要ではないと考えられる。会合に参加した担当者に権限がないとして争われたポリプロピレンカルテル事件（東京高裁判決平成21年9月25日）では、「部長会のメンバーに値上げの実質的権限がないという点については、前記のような「意思の連絡」の趣旨からすれば、会合に出席した者が、値上げについて自ら決定する権限を有している者でなければならないとはいえず、そのような会合に出席して、値上げについての情報交換をして共通認識を形成し、その結果を持ち帰ることを任されているならば、その者を通じて「意思の連絡」は行われ得るということができる」とされた。

シャッターカルテル事件（東京高裁判決令和5年4月7日）においても、会合の参加者は価格決定に関与する権限がなかったとする原告の主張に対して、「意思の連絡をする者に社内的に販売価格を決定する直接の職務権限がある必要はなく、事業者間で……意思の連絡が事実上成立したことを認定できれば足りる」として、誰が正式な意思決定権者であるかや、その者にカルテルの内容が伝達されたかに触れることなく事業者間の意思の連絡を認定している。

(イ) 競争関係の要否

「共同して……相互に」の要件に関して、かつてはこの関係が成立することが認められるのは、競争関係にある者のみについてであるのかという点が問題になったことがあり、過去の判決には、流通段階を同じくし形式的にも競争関係にある事業者の間のみで成立すると認定したようにも見えるものも存在する（新聞販路協定事件（東京高裁判決昭和28年3

月9日)[9]）が、シール談合刑事事件（東京高裁判決平成5年12月14日)[10]では、前記新聞販路協定事件東京高裁判決について、「右判例のように「事業者」を競争関係にある事業者に限定して解釈すべきか疑問があり、少なくとも、ここにいう「事業者」を弁護人の主張するような意味における競争関係に限定して解釈するのは適当ではない」とした上で、「独禁法2条1項は、「事業者」の定義として「商業、工業、金融業その他の事業を行う者をいう」と規定するのみであるが、事業者の行う共同行為は「一定の取引分野における競争を実質的に制限する」内容のものであることが必要であるから、共同行為の主体となる者がそのような行為をなし得る立場にある者に限られることは理の当然であり、その限りでここにいう「事業者」は無限定ではないことになる。しかし、日立情報は、前記……のとおり自社が指名業者に選定されなかったため、指名業者であるビーエフに代わって談合に参加し、指名業者3社もそれを認め共同して談合を繰り返していたもので、日立情報の同意なくしては本件入札の談合が成立しない関係にあったのであるから、日立情報もその限りでは他の指名業者3社と実質的には競争関係にあったのであり、立場の相違があったとしてもここにいう「事業者」というに差し支えがない。この「事業者」を同質的競争関係にある者に限るとか、取引段階を同じくする者であることが必要不可欠であるとする考えには賛成できない」としており、事業者の範囲についての判断という形をとっているものの、異なる取引段階にある事業者が合意の参加者に含まれている場合でも不当な取引制限となり得ることを認めている。この事案は、異なる取引段階にあった事業者1社が、他の事業者と同じ取引段階にあった（社会保険庁の入札に参加していた）事業者を手足として利用していた事案であり、共同行為の参加者の中に、製造業者とその販売子会社など流通段階をみれば形式的には相互に競争関係にない事業者が含まれる事案（大型カラー映像装置談合事件（課徴金納付命令平成7年3月28日）、防

---

9) 経済法百選〔第2版〕18事件38頁。
10) 経済法百選〔第2版〕19事件40頁。

2 規定の内容　25

衛庁車両用タイヤ談合事件（勧告審決平成17年1月31日）、架橋ポリエチレンシートカルテル事件（排除措置命令平成21年3月30日）、北海道農業施設工事発注調整事件（排除措置命令平成28年2月10日）等は多数存在する。前記判決で「共同行為の主体となる者がそのような行為をなし得る立場にある者に限られることは理の当然であり」と述べているように、一定の取引分野における競争を実質的に制限できる立場にあれば、共同行為の主体となり得るものと考えられる。活性炭談合事件（東京地裁判決令和4年9月15日）では、自らは供給予定者となっておらず、供給予定者と相互に同質的な競争関係にないばかりか実質的な競争関係に立つ者でもないとして不当な取引制限の主体とならないとの原告の主張に対して、「東日本15社としては、特定活性炭に係る物件について、互いが直接に情報交換等のやり取りを行うと独占禁止法違反その他コンプライアンス上問題があることから、供給者となることが予定されていない原告を介して情報交換等のやり取りを行うこととし、原告に対する見返りとして原告をその商流に入れるという本来は必要のない行為も行っていたものであり、他方、原告も、上記事情に加え、その供給調整により東日本15社のうち供給予定者となった者が原告を介して活性炭を供給することを前提として、東日本15社との間で上記のような情報交換等のやり取りを行うなどしていたのであるから、原告自らが上記物件の供給者となることが予定されていないことをもって、本件東日本合意の当事者となり得ないということはできない」としている。また、受注予定者の商品の流通にも入っていない事業者について不当な取引制限の主体として認定した事案（ANA制服受注調整事件（排除措置命令平成30年7月12日））もある。

　なお、親子・兄弟会社間の行為については実質的に同一企業内の行為に準ずるものと認められることが多く、通常、不当な取引制限の適用は問題とはならないが、兄弟会社が相互に競争する立場であることを前提として入札に参加していたため、合意の当事者がこれら兄弟会社のみであっても不当な取引制限を認定した例外的な事例として、東京ガスエコステーション事件（排除措置命令平成19年5月11日）がある。

(ウ) 合意に基づく行為の内容の同一性

　また、事業活動の拘束の内容が同一である必要はあるかという問題がある。同業者が一斉に価格を引き上げるような値上げカルテルのイメージからすれば拘束の内容は「〇月〇日からA商品の販売価格を〇％引き上げる」といったように同一であることが当然であるようにも見えがちであるが、そもそも独占禁止法が定めているのは「共同して……相互に」ということのみであるから、すべての違反行為者においてその事業活動の拘束の内容が同一であることまでは要件ではない。たとえば、「流通・取引慣行に関する独占禁止法上の指針」（平成3年公取委事務局）でも、共同ボイコットが不当な取引制限に当たる可能性について触れた箇所（同指針第2部第2の3(1)(注2)）で「不当な取引制限は、事業者が「他の事業者と共同して……相互にその事業活動を拘束」することを要件としている。ここでいう事業活動の拘束は、その内容が行為者（例えば、メーカーと流通業者）全てに同一である必要はなく、行為者のそれぞれの事業活動を制約するものであって、特定の事業者を排除する等共通の目的の達成に向けられたものであれば足りる」としている。

　複数の流通段階の事業者を不当な取引制限の当事者に含む前記シール談合刑事事件（東京高裁判決平成5年12月14日）では、違反行為の対象商品を需要者に対して直接には販売していない事業者が違反行為者に含まれている。その事業者が受けている拘束の内容は「自らの影響下にある販売業者に〇％の値上げを行わせる」といった内容になり、他の事業者が受けている拘束の内容（「自らの販売価格を〇％値上げする」）とは異なるなど個々の事業者ごとにみれば拘束されている事業活動の内容は完全に同一ではない。

　入札談合事案においては、入札に参加し、個別の物件の受注に係る話合いや連絡の場に参加している事業者のすべてが受注実績を有しているわけではない場合がある。受注実績を有しない事業者は、話合いに参加していても実際には受注しておらず、こうした受注実績のない事業者との間の合意は「共同して……相互に」に当たらないのではないかという点が問題となることがある。これについては、一定の取引分野の中で将

来的に「貸し」を返してもらうことを期待して協力する立場にある事業者が違反行為者と認定された事例（協和エクシオ事件（審判審決平成6年3月30日）[11]）があり、一定の時点で受注の実績がなくても、将来的な受注を期待して受注予定者の受注に協力する立場にあれば不当な取引制限の主体となり得る。違反行為が行われていた一定の時点（通常議論の対象となる「受注実績の有無」は、違反行為が摘発された一定の時点における受注実績の有無であることが多い）において受注実績が存在しなかったこと自体は、そのような受注実績を有しない事業者との間での「共同して……相互に」を否定する事実とはならない。また、公正取引委員会は、不当な取引制限の認定に当たって、受注を希望する事業者が1社の場合は、その事業者を受注予定者とする、という合意を認定することがある。受注を希望する事業者が1社しか存在しないのであればそもそも「共同して……相互に」に当たらないのではないかとの議論もあり得るが、個々の物件において「受注を希望する事業者が1社」という状態は、実際は、受注を希望する旨を他の入札参加者に主張した事業者が1社であったということにすぎない。他の入札参加者は、工事の発注箇所からの距離やその工事に係る過去の経緯等を踏まえて受注調整行為が行われていることを前提に、将来的な他の物件における自らの受注への協力を期待して、受注を希望するとの主張を他社に対して行っていないにすぎない。したがって、個別の入札物件において受注を希望する事業者が1社であるということは、「共同して……相互に」を否定する事実とはならない。

　受注調整事案において、個別の物件における受注希望の有無にかかわらず、たとえば、合意の内容が「○○の工事についてはすべて合意の参加者のうちの1社である特定のA社が受注する」、といったものである場合のように、そもそも合意の内容からみて受注の機会がない事業者との間での拘束は、「共同して……相互に」たり得ないのではないかとの議論もあり得る。しかし、合意の内容からみて受注の機会がない事業者

---

[11] 経済法百選〔第2版〕24事件50頁。

が合意に参加している場合においても、最終的に画定された一定の取引分野の外において受注の可能性があることを念頭に置けば、合意の内容からみて一定の取引分野において受注の機会がない事業者であることをもって意思の連絡の主体から外れることとなるわけではない（四国ロードサービス事件（勧告審決平成14年12月4日）、マリンホース事件（排除措置命令平成20年2月20日）[12]）。また、受注予定者となった事業者は合意された枠組みに従って受注に向けて行動するという意味において事業活動の拘束を受けているということができ、事業者が合意に参加している動機そのものは要件事実ではないことを考えれば、合意を認識・認容していることが認定できれば（受注予定者が1社のみのような場合も含めて）合意の内容からみて受注の機会がない事業者であっても意思の連絡の主体として認定されることとなると考えられる（NTTドコモ制服受注調整事件（レンタル運用会社）（排除措置命令平成30年10月18日）、東京都個人防護具受注調整事件（平成26年度発注・平成27年度発注）（排除措置命令平成29年12月12日）[13]、米国ドル建て国際機関債受注調整事件（公取委報道発表平成30年3月29日）等）。

　イ　拘束

　「拘束」については、「拘束」という文言から、それに従わなかった場合に何らかの制裁が用意されているなど、意思を抑圧する強制的なものであることが前提とされていると誤解してはならない。石油価格協定刑事事件（最高裁判決昭和59年2月24日）[14]では、「被告人らは、それぞれその所属する被告会社の業務に関し、その内容の実施に向けて努力する意思をもち、かつ、他の被告会社もこれに従うものと考えて、石油製品価格を各社いっせいに一定の幅で引き上げる旨の協定を締結したというのであり、右事実認定はさきに説示した意味において当審としても是認しうるところ、かかる協定を締結したときは、各被告会社の事業活動が

---

12)　経済法百選〔第2版〕87事件176頁。
13)　平成30年度重要判例解説・経済法1事件234頁。
14)　経済法百選〔第2版〕29事件60頁。

これにより事実上相互に拘束される結果となることは明らかであるから、右協定は、独禁法2条6項にいう「相互にその事業活動を拘束し」の要件を充足し同項及び同法3条所定の「不当な取引制限」行為にあたると解すべきであり、その実効性を担保するための制裁等の定めがなかったことなど所論指摘の事情は、右結論を左右するものではない」としている。すなわち、拘束が成立するためには、その実効性を担保するための制裁等の定めは必要なく、何らかの経済的なメリットがあることにより事実上それに従う、という関係にあればよい。実際には、合意が守られているか否かを確認するためのフォローアップの会合が行われたり、他社の値上げが進んでいない場合にクレームをつけるといった行為が行われることも多い。しかし、たとえば、値上げカルテルが行われるときに、抜け駆けをして価格を引き下げれば、事業者は、短期的にはシェアを伸ばしたり利益を上げたりすることが可能であるものの、この結果カルテルが崩壊すれば、結局、その事業者もカルテルが行われたことにより得られた値上げによる利益より少ない利益しか得られないこととなる。したがって、特にある程度の期間カルテルが継続している等の事情により他社の行動が予想できる場合には、合意の実効性を高める行為が付加的に行われていなくても、通常はカルテルの合意は実際に守られることになる。

多摩談合事件（最高裁判決平成24年2月20日）[15]では、「本件基本合意は、……、各社が、話合い等によって入札における落札予定者及び落札予定価格をあらかじめ決定し、落札予定者の落札に協力するという内容の取決めであり、入札参加業者又は入札参加JVのメインとなった各社は、本来的には自由に入札価格を決めることができるはずのところを、このような取決めがされたときは、これに制約されて意思決定を行うことになるという意味において、各社の事業活動が事実上拘束される結果となることは明らかであるから、本件基本合意は、法2条6項にいう「その事業活動を拘束し」の要件を充足するものということができる」

---

[15] 経済法百選〔第2版〕20事件42頁。

としているところであり、自由に入札価格を決めることができるはずのところが各社の事業活動が事実上拘束されることとなるのであれば、その基本合意は不当な取引制限に必要な拘束としては十分なのである（カルテル事件についても、シャッターカルテル事件（東京高裁判決令和5年4月7日））。

このため、現実には、事実上合意が認定できれば拘束は推定される関係にあり、その意味で行為要件の中心は合意であるということになる。

ウ　共同遂行

前記の「共同遂行」（(4)の冒頭参照）については、「共同して……相互に拘束する行為」ではない行為ということになり、文理上は「相互に」の文言を含んでいないため、一方的な拘束に基づく行為等が「共同遂行」に当たると考える余地がある。しかし、東宝・新東宝事件（東京高裁判決昭和28年12月7日）[16]では、一方が他方を一方的に拘束していた事案について共同して遂行するものであり不当な取引制限に当たるとした公取委審決について、「旧法第2条第4項は不当な取引制限について「この法律において不当な取引制限とは、事業者が、契約、協定その他何らの名義を以てするかを問わず、他の事業者と共同して相互にその事業活動を拘束し、又は遂行することにより、公共の利益に反して、一定の取引分野における競争を実質的に制限することをいう」と規定している。この不当な取引制限の行為は、その程度段階において差異はあつても旧法の共同行為とその本質を同じくするものであつて、これは相互に競争関係にある独立の事業者が共同して相互に一定の制限を課し、その自由な事業活動を拘束するところに成立し、その各当事者に一定の事業活動の制限を共通に設定することを本質とするのであつて、当事者の一方だけにその制限を課するようなものは、場合によつて旧法の不公正な競争方法となり、また時としては私的独占を構成することのあるのはかくべつ、その制限の相互性を欠く故にここにいう不当な取引制限とはならないものと解すべきである（当庁昭和26年（行ナ）第10号第11号

---

[16] 経済法百選〔初版〕99事件200頁。

昭和 28 年 3 月 9 日言渡株式会社朝日新聞社外対公正取引委員会間審決取消請求事件判決[17] 参照)。本件において原告は新東宝に資金を提供して新東宝の製作する映画の配給は挙げて原告に委託せしめ、もつて新東宝の映画の販路及び顧客を制限するものであつて、この制限は新東宝にのみ課せられた一方的な制限であつて、両者に共通した制限ではない。また被告は原告と新東宝とが原協定の趣旨に則つて共同して事業を遂行するというけれども、本来かかるものを共同と呼び得るかどうかは別としても、この共同遂行にはなんら相互拘束を伴つていないのであつて、このような共同遂行というのは法第2条第4項のそれには当らないというべきである」としている。すなわち、「共同遂行」であつても「相互拘束」を伴うものであり、「共同遂行」は、基本的には「相互拘束」の補完的な位置付けにとどまるものと考えられている。

　東京都水道メーター談合（第1次）刑事事件（東京高裁判決平成9年12月24日）[18] では、「独占禁止法89条1項1号の不当な取引制限の罪は、事業者が他の事業者と共同して相互にその事業活動を拘束し、又は遂行することにより、公共の利益に反して、一定の取引分野における競争を実質的に制限することを処罰の対象とし（同法2条6項）、一定の取引分野における競争を実質的に制限することとなる事業活動の相互拘束行為とその遂行行為とを共に実行行為と定めている。また、その罪は、明らかに自由競争経済秩序を維持することを保護法益としている。さらに、事業者が不当な取引制限行為をした場合に課する課徴金は、原則として、その行為の実行としての事業活動を行った日からその行為の実行としての事業活動がなくなるまでの期間を基礎としてこれを算定するものと定められている（同法7条の2第1項）。これらのことからすると、その罪は、右のような相互拘束行為等が行われて競争が実質的に制限されることにより既遂となるが、その時点では終了せず、競争が実質的に

---

17) 新聞販路協定事件（東京高裁判決昭和28年3月9日）経済法百選〔第2版〕18事件38頁。
18) 経済法百選〔初版〕130事件258頁。

制限されているという行為の結果が消滅するまでは継続して成立し、その間にさらに当初の相互拘束行為等を遂行、維持又は強化するために相互拘束行為等が行われたときは、その罪の実行行為の一部となるものと解するのが相当である」と述べており、公訴時効との関係で、受注調整事案において以後物件ごとに個別に受注調整をしていくことの基本合意をもって相互拘束、その後に行われる個別の物件ごとの受注調整（個別調整）を共同遂行と捉えることを示唆したとみられる判決も存在する。このような立場に立てば、刑事罰との関係では、個別調整の背景にある基本的な合意とは別に個別調整を共同遂行と捉えることにより、長い間行われてきた入札談合であるため基本的な合意がいつ誰（個人）によって形成されたかが不明な事案についても刑事責任を問うことが可能となる。一方、公正取引委員会が行う行政処分との関係では、事業者による違反行為は、事業者間の合意により競争が実質的に制限されている間は継続することとなると考えられているので、除斥期間（第6章1(2)ア(エ)参照）との関係で、個別調整を共同遂行として相互拘束から独立した違反行為類型と捉える実益はなく、そのように取り扱われるには至っていない。

(5) 公共の利益

前記(1)の④について、「公共の利益」は、原則としては同法の直接の保護法益である自由競争経済秩序に反することを指すが、現に行われた行為が形式的にこれに該当する場合であっても、この法益とその行為によって守られる利益とを比較衡量して、「一般消費者の利益を確保するとともに、国民経済の民主的で健全な発達を促進する」という同法の究極の目的に実質的に反しないと認められる例外的な場合を、この規定にいう「不当な取引制限」行為から除外する趣旨であると解したとみられる判決（石油価格協定刑事事件（最高裁判決昭和59年2月24日）[19]）が存在する。この判決の文言からは、原則として「公共の利益に反して」と

---

19) 経済法百選〔第2版〕29事件60頁。

は独占禁止法の直接の保護法益である自由競争経済秩序に反することを指すとしつつも一定の範囲で例外を許容するようにも読める。しかし、これまでも、行政指導に従った行為であること（前記石油価格協定刑事事件。新潟タクシー価格カルテル事件（東京高裁判決平成28年9月2日（上告不受理）[20]）でも同様の主張がなされたが、判決ではそもそも行政指導に従った行為であること自体が否定されている）や当事者にとって必要または合理的なものであること（旭砿末資料に対する件（東京高裁判決昭和61年6月13日）[21]）、あるいは価格競争の余地が少ないこと、国家的プロジェクトを実現するために行ったものであること（郵便区分機課徴金事件（審判審決（課徴金の納付を命ずる審決）平成22年10月25日））、独占的な買い手に対して売り手としての立場を保全するための受動的・防衛的行為であること（ニンテンドーDS事件（審判審決平成25年7月29日）[22]）等を理由として「公共の利益」に反しないと主張して争った事案があるが、いずれも公共の利益に反しないとする理由とは認められていない。一般的に、日本の経済システムの根幹である自由競争経済秩序に明確に反する行為であるにもかかわらず、それが公共の利益に反しないという主張をする場合、このような主張をする側が、そうした行為以外に、より自由競争経済秩序に影響を与えない他のとるべき手段が存在しない等の具体的な事実について、説得的に反論・反証を行うことが必要である（前記郵便区分機課徴金事件（審判審決（課徴金の納付を命ずる審決）平成22年10月25日）。

　カルテル事件において、安全対策や環境問題対策のような社会公共の目的にかなうものであるといった正当化事由が主張される場合がある。そうした正当化事由の主張は、表現上公益に資するカルテルといった言い方がされるので、そのような正当化事由があるとするカルテルが不当な取引制限に当たるか否かを判断するに当たっては、「公共の利益に反

---

[20]　経済法百選〔第2版〕31事件64頁。
[21]　経済法百選〔第2版〕27事件56頁。
[22]　経済法百選〔第2版〕22事件46頁。

して」の要件に当たるか否かの問題として論じられるようにもみえるが、これらの正当化事由は、実際には、「公共の利益に反して」の解釈としてではなく、「競争の実質的制限」に当たるか否かの解釈として論じられている。不当な取引制限に関するものではないが、同様に「公共の利益に反して」の文言が構成要件に含まれる私的独占について、「排除型私的独占に係る独占禁止法上の指針」（平成21年公取委）では、「消費者利益の確保に関する特段の事情」を「競争の実質的制限」が成立するか否かの考慮要素の1つとして論じている。また、「公共の利益に反して」との文言が条文上存在しない8条（事業者団体による競争の実質的制限）の適用が問題となった民事訴訟の事例においてではあるが、「形式的には「一定の取引分野における競争を実質的に制限する行為」に該当する場合であっても、独禁法の保護法益である自由競争経済秩序の維持と当該行為によって守られる利益とを比較衡量して、「一般消費者の利益を確保するとともに、国民経済の民主的で健全な発展を促進する」という同法の究極の目的（同法1条）に実質的に反しないと認められる例外的な場合には、当該行為は、公共の利益に反さず、結局、実質的には「一定の取引分野における競争を実質的に制限する行為」に当たらないものというべきである」とし、安全性の確保という正当化事由について競争の実質的制限の成否の文脈で論じた判決も存在する（日本遊戯銃協同組合事件（東京地裁判決平成9年4月9日）[23]）。

(6) 一定の取引分野

前記(1)⑤の「一定の取引分野における競争を実質的に制限する」ことのうち、「一定の取引分野」については、取引の対象・地域・態様等に応じて、違反行為者のした共同行為が対象としている取引とそれにより影響を受ける範囲を検討し、その競争が実質的に制限される範囲を画定して「一定の取引分野」を決定するのが相当である（シール談合刑事

---

[23] 経済法百選〔第2版〕6事件14頁。ただし、本件では、正当化事由が認められず、独占禁止法の規定に違反するとされた。

事件（東京高裁判決平成5年12月14日）[24]）。この一定の取引分野は、市場の実態に応じて、重層的にも成立し得るものであり、1つの取引分野の成立が他の取引分野の成立の可能性を排除するものではない。このため、不当な取引制限において一定の取引分野を画定するに当たっては、商品の代替性等からみて、公正取引委員会によって画定された一定の取引分野とは別の一定の取引分野を画定することも可能とみられるような場合であっても、違反行為者が合意した範囲を1つの一定の取引分野として認定することで足りることが多い（トーモク・レンゴー事件（東京高裁判決令和4年9月16日）[25]）。

「一定の取引分野」の画定については、「企業結合審査に関する独占禁止法の運用指針」（平成16年公取委）（企業結合ガイドライン）で、一定の取引分野は商品・役務の代替性等に基づいて画定するとされていることと比べて、不当な取引制限の事件での一定の取引分野の画定の仕方について疑問が呈されることがある。多摩談合事件（最高裁判決平成24年2月20日）[26]でも最高裁判決は審決より広い取引分野を念頭に置いているものとみられる。しかし、企業結合審査では、特定の商品・役務を対象とした具体的な競争制限行為が存在するわけではなく、企業結合計画が実施された場合にどの市場に影響が及び得るかを審査するものであるが、不当な取引制限の事件（実際に取り上げられるものの多くは価格カルテルや入札談合などの競争制限を目的としたいわゆるハードコア・カルテルである）では、既に特定の商品・役務を対象とする具体的な競争制限行為が存在し、かつ、その行為の対象となる商品や役務の取引や市場の実体について最も多くの知見を有する事業者が、その行為の目的に照らし行為の対象としてその商品・役務を選択している以上、商品の代替性等に基づいて商品・役務の範囲を画定する必要のある企業結合審査と異なり、この具体的な行為によって競争が制限される範囲を画定すれば、画定さ

---

[24]　経済法百選〔第2版〕2事件6頁。
[25]　令和4年度重要判例解説・経済法2事件217頁。
[26]　経済法百選〔第2版〕20事件42頁。

れた市場の外の商品・役務から競争圧力が加わるようなことは通常ないと考えられる（仮にそのような圧力が有効に機能するような範囲で違反行為者がカルテルの対象範囲を合意した場合には、そもそもその合意を維持していくことは不可能であり、それが分かっていてそのような合意をすることは想定しがたい）。

　このため、実際には合意が機能していないといった特段の事情がない限り、取引の対象・地域・態様等に応じて、その共同行為が対象としている取引（商品の範囲、地理的範囲）が一定の取引分野を画定する手がかりとしてまず検討され、さらにその共同行為によって影響を受ける範囲が検討され、その結果に基づいて最終的に競争の実質的制限が及ぶ範囲を「一定の取引分野」として画定することで足りる。このことは、事業者間の合意が対象とする取引が単一の入札であるといった場合であっても同様であると考えられ、単一の入札が対象とする取引について一定の取引分野を画定した事例は少なくない（東京都個人防護具受注調整事件（排除措置命令平成29年12月12日）、NTT東日本作業服談合事件（排除措置命令平成30年2月20日）、米国ドル建て国際機関債受注調整事件（公取委報道発表平成30年3月29日）等）。

　なお、現実の不当な取引制限事件での一定の取引分野の画定は、多くの場合、前記のとおり違反行為者のした共同行為が対象としている取引とそれにより影響を受ける範囲を検討して行われているが、従来から、公正取引委員会の実務において常に機械的に「行為の対象＝一定の取引分野」とされてきたわけではなく、不当な取引制限の事案において、違反行為者が合意した対象である商品・役務の範囲と画定された一定の取引分野が一致しないケースが存在しないわけではない。たとえば、国際カルテルの場合に、全世界の商品が合意の対象であるものの、立証上の制約から、一定の取引分野が日本に所在する需要者が発注するものの取引分野と認定された事例（マリンホース・カルテル事件（排除措置命令平成20年2月20日））がある。

　多摩談合事件最高裁判決以降も、行為の対象外の商品を同一市場に含めるべき、あるいは行為の対象となった商品の中に相互に代替性のない

ものが含まれているといった主張がなされ、市場画定の仕方が論点となったものがあるが、企業結合規制における市場画定との関係について「独占禁止法2条6項における「一定の取引分野」は、そこにおける競争が共同行為によって実質的に制限されているか否かを判断するために画定するものであるところ、不当な取引制限における共同行為は、特定の取引分野における競争の実質的制限をもたらすことを目的及び内容としているのであるから、通常の場合、その共同行為が対象としている取引及びそれにより影響を受ける範囲を検討して、一定の取引分野を画定すれば足りると解される一方、企業結合規制においては、企業結合が通常それ自体で直ちに特定の取引分野における競争を実質的に制限するとはいえない上、特定の商品又は役務を対象とした具体的な行為があるわけではないから、企業結合による市場への影響等を検討する際には、商品又は役務の代替性等の客観的な要素に基づいて一定の取引分野を画定するのが一般的となっていることに照らすと、企業結合規制と不当な取引制限とでは性質上の違いがあることは明らかであって、両者において認定される一定の取引分野が原則として同一のものとなるはずであると言う原告の主張は、前提を欠くものである」(ブラウン管カルテル(サムスンSDI(マレーシア)事件)(東京高裁判決平成28年1月29日))、また、「「一定の取引分野」とは、そこにおける競争が共同行為によって実質的に制限されているか否かを判断するために画定されるものであるが、価格カルテル等の不当な取引制限における共同行為は、特定の取引分野における競争の実質的制限をもたらすことを目的及び内容としていることや、行政処分の対象として必要な範囲で市場を画定すると言う観点からは、共同行為の対象外の商品役務との代替性や対象である商品役務の相互の代替性等について厳密な検証を行う実益は乏しいことからすれば、通常の場合には、その共同行為が対象としている取引及びそれにより影響を受ける範囲を検討して、一定の取引分野を画定すれば足りるものと解される」(エアセパレートガスカルテル(日本エア・リキード)事件(東京高裁判決平成28年5月25日))。このように、先例の考え方に基づく実務が判決によっても支持されている。

(7) **競争の実質的制限**

　前記(1)⑤の「一定の取引分野における競争を実質的に制限する」ことのうち、「競争を実質的に制限する」とは、「市場が有する競争機能を損なうこと」(多摩談合事件(最高裁判決平成24年2月20日)、カルテル事件について、トーモク・レンゴー事件(東京高裁判決令和4年9月16日)[27])または「競争自体が減少して、特定の事業者または事業者集団が、その意思で、ある程度自由に、価格、品質、数量、その他各般の条件を左右することによって、市場を支配することができる形態が現われているか、または少くとも現われようとする程度に至つている状態」(東宝・スバル事件(東京高裁判決昭和26年9月19日)[28])であるが、市場を支配することができる程度については、一定の取引分野における競争を完全に排除し、価格等を完全に支配することまでは必要ない(モディファイヤーカルテル事件(東京高裁判決平成22年12月10日))ので、たとえば、値上げカルテルを行ったが値上げを受け入れない需要者が存在したり、受注予定者を決定したがアウトサイダーに受注されたりすることがあったとしても、それ自体は競争が実質的に制限されていることを否定する事由とはならない。また、「事業者が他の事業者と共同して対価を協議・決定する等相互にその事業活動を拘束すべき合意をした場合において、右合意により、公共の利益に反して、一定の取引分野における競争が実質的に制限されたものと認められるときは、独禁法89条1項1号の罪は直ちに既遂に達し、右決定された内容が各事業者によって実施に移されることや決定された実施時期が現実に到来することなどは、同罪の成立に必要でないと解すべきである」(石油価格協定刑事事件(最高裁判決昭和59年2月24日)[29])ので、競争が実質的に制限されたというためには、合意の内容が実施に移されたことは要件ではない。競争の実質的制限とは、あくまで前記のとおり、市場を支配することができる

---

[27] 令和4年度重要判例解説・経済法2事件217頁。
[28] 経済法百選〔第2版〕4事件10頁。
[29] 経済法百選〔第2版〕29事件60頁。

状態（市場支配的な状態）がもたらされることをいうのである。多摩談合事件（最高裁判決平成24年2月20日）[30]においても、「「一定の取引分野における競争を実質的に制限する」とは、当該取引に係る市場が有する競争機能を損なうことをいい、本件基本合意のような一定の入札市場における受注調整の基本的な方法や手順等を取り決める行為によって競争制限が行われる場合には、当該取決めによって、その当事者である事業者らがその意思で当該入札市場における落札者及び落札価格をある程度自由に左右することができる状態をもたらすことをいうものと解される」としており、基本合意の当事者、内容等によれば基本合意はそのような状態をもたらし得るものであったとした上で、対象工事のうち相当数について受注調整が行われたこと等を踏まえ、その基本合意が事実上の拘束力を持って有効に機能し、前記の状態をもたらしていたと認定している。すなわち、市場支配的な状態がもたらされたことがいえれば、競争の実質的制限が存在することとなり、その結果、価格の上昇がどれだけあったかなかったか、あるいは違反行為が価格の上昇にどれだけ影響を与えたか、といった事実は、競争の実質的制限の有無とは無関係である。シャッターカルテル事件東京高裁判決（東京高裁判決令和5年4月7日）においても、「合意により一定の取引分野における実質的な制限があったか否かは、……意思の連絡によって判断されるものであり、意志の連絡に基づく個別の実施行為によって判断されるものではない」とされている。このため、不当な取引制限においては、一般に、過半あるいはそれに準じる大きな市場シェアを有する当事者が競争を制限する内容の合意を行えば、一定の取引分野における競争が実質的に制限されると認定されることとなる（そもそも市場シェアが小さい事業者がこのような合意を行ったとしても、それを維持することは不可能であると考えられる）。一方で、合意によって競争を実質的に制限できるのは、違反行為者のシェアが高い場合に限定されるものではなく、合意をした事業者のシェアがそれほど高くない場合であっても、違反行為に参加している事

---

[30] 経済法百選〔第2版〕20事件42頁。

業者以外の競合他社の多くが違反行為者の価格設定に追随する価格戦略を採っていること等の事情があれば、その合意が行われたことによって競争が実質的に制限されたと認定されることとなる。このため、一般的に、合意とそれによって生じた価格引上げ等の結果についての因果関係の立証は求められていない。モディファイヤーカルテル事件（東京高裁判決平成22年12月10日）では、原告が値上げ活動とその結果生じた価格との間に相関関係が低いとして経済分析を提出したが、これについて、「そもそも「競争の実質的制限」を認定するためには、前記(1)で述べたような[31]市場支配的状態がもたらされていれば足りるのであって、原告カネカの主張する合意による値上げ活動とその結果生じた価格との間の相関関係は問題とならない。また、上記分析（審A第1－1号証）が指摘するように原料価格の上昇等が価格上昇の要因であるとしても、それによって、前記(1)で述べた合意による市場支配的状態がもたらされ、実質的競争制限が生じたとの認定が左右されるものではない」と、その主張を退けている。

　入札談合に代表される受注調整事案では、違反行為者の基本的な合意を受けて個別の物件ごとの調整行為が行われるので、違反行為が行われていた期間中に一定の取引分野で発注された個別物件のうち、どの程度の物件について実際に合意を受けて競争が制限された状態となったかが考慮されている。ただし、競争の実質制限の意義は前記のとおり市場における競争の機能が阻害されることにあるので、多摩談合事件（最高裁判決平成24年2月20日）においても、違反行為期間中に発注された基本的な合意の対象物件のうち、違反行為者が受注したものは件数ベース

---

[31] 本件東京高裁判決が競争の実質制限について「独占禁止法2条6項における「一定の取引分野における競争の実質的制限」というためには、一定の取引分野における競争を完全に排除し、価格等を完全に支配することまで必要なく、一定の取引分野における競争自体を減少させ、特定の事業者又は事業者集団がその意思で、ある程度自由に、価格、品質、数量、その他各般の条件を左右することによって、市場を支配することができる状態をもたらすことで足り、このような趣旨における市場支配的状態を形成・維持・強化することをいうものと解される（前掲東京高等裁判所昭和28年12月7日判決等参照）」と述べた箇所を指している。

では過半に満たなかったものの、違反行為者を含むゼネコンが指名業者に選定される可能性が高かったこと、違反事業者以外のゼネコンや地元業者についても協力または競争回避行動が期待できる状況の下にあったこと等を踏まえ、「本件対象期間中に発注された公社発注の特定土木工事のうち相当数の工事において本件基本合意に基づく個別の受注調整が現に行われ、そのほとんど全ての工事において受注予定者とされた者又はJVが落札し、その大部分における落札率も97％を超える極めて高いものであったことからすると、本件基本合意は、本件対象期間中、公社発注の特定土木工事を含むAランク以上の土木工事に係る入札市場の相当部分において、事実上の拘束力をもって有効に機能し、上記の状態をもたらしていたものということができる。そうすると、本件基本合意は、法2条6項にいう「一定の取引分野における競争を実質的に制限する」の要件を充足するものというべきである」と、競争の実質制限の成立を認定している。受注調整事案との関係では、必ずしもすべての入札参加者が違反行為者ではない場合があり、1社でも受注調整に参加していない事業者（入札談合に限らず、違反行為者ではないものの違反行為が行われている取引分野で事業活動を行っている競合他社は「アウトサイダー」などと呼ばれることが多い）が個別物件の応札者に加わっていると受注調整は成立しないので競争の実質的制限は成立しないとの主張がなされることがある。しかし、アウトサイダーが存在しても、このアウトサイダーから協力を得る仕組みがあったり、このアウトサイダーに十分な受注能力がない、といったことは一般的であり、アウトサイダーが存在する多くの事案で違反行為者は実際に多くの物件を受注している。仮にアウトサイダーの存在によって受注調整が成立していないのであれば、そもそもそのような違反行為が継続して行われていること自体合理的とはいえないであろう。

　競争の実質的制限との関係で、「競争」は正当な競争であることが必要であるかどうかが論点となる場合がある。たとえば、麻薬等の違法物資の売買は禁止されているため、そうした違法物質の売買に係る競争を制限する行為は、ここでいう「競争の実質的制限」にそもそも該当しな

いとの考え方があり得る。一方、許認可により料金が定められ、この料金の収受が義務付けられている場合に、この料金以下の料金を収受することはそれ自体違法であるので、この料金以下での販売を制限する行為は、競争の実質的制限に該当しない可能性があるものの、許認可料金が実態から乖離していることもあり、そのような場合にまでこれを下回る競争を競争の実質的制限に該当しないとする必然性はないと考えられる。大阪バス協会事件（審判審決平成7年7月10日）[32]においては、「その価格協定が制限しようとしている競争が刑事法典、事業法等他の法律により刑事罰等をもって禁止されている違法な取引（典型的事例として阿片煙の取引の場合）又は違法な取引条件（例えば価格が法定の幅又は認可の幅を外れている場合）に係るものである場合に限っては、別の考慮をする必要があり、このような価格協定行為は、特段の事情のない限り、独占禁止法第2条第6項、第8条第1項第1号（筆者注：現行法では、第8条第1号）所定の「競争を実質的に制限すること」という構成要件に該当せず、したがって同法による排除措置命令を受ける対象とはならない、というべきである」として、決定した最低運賃等が下限運賃等以下であったものについて独占禁止法に違反しないと判断した。一方で、収受が義務付けられた料金に係る競争の制限であっても競争の実質的制限に当たる場合として、「ⅰ．事業法等他の法律の禁止規定の存在にもかかわらず、これと乖離する実勢価格による取引、競争が継続して平穏公然として行われており（中略）、かつ、ⅱ．その実勢価格による競争の実態が、公正かつ自由な競争を促進し、もって、一般消費者の利益を確保するとともに、国民経済の民主的で健全な発達を促進する、という独占禁止法の目的の観点から、その競争を制限しようとする協定に対し同法上の排除措置を命ずることを容認し得る程度までに肯定的に評価される（中略）とき」を挙げている（第9章3(2)ア(ウ)参照）。

---

32)　経済法百選〔第2版〕36事件74頁。

(8) 立証上の問題

　実際の不当な取引制限事案においては、前記の「意思の連絡」を立証した上で、参加者のシェア等により競争の実質的制限を立証していくこととなるが、不当な取引制限に限らず、独占禁止法は、市場における競争への弊害を除去することを目的としていることから、問題となる行為が市場にどのような影響を与えるかが判断基準となる。このため、行為者の主観や目的は要件ではなく、違反行為の立証に当たってもこうした事実の立証は必要とされていない。また、不当な取引制限の立証に当たっては、遅くとも特定の時期以降に当事者間の意思の連絡により市場における競争が制限されている状態が発生していることが立証できていればよいので、ある合意を違反行為として認定する場合であっても、その合意の成立過程について逐一立証する必要はない。実際の事案でも、古くから行われているカルテル、入札談合ほどその合意の形成過程や形成時期は明らかではないことが多い。このため、違反行為の開始時期についても「遅くとも○年○月頃以降」といった認定がなされることが多い。不当な取引制限の立証に当たっては合意の形成過程や成立時期についての立証が必要であるとする主張に対して、元詰種子カルテル事件（東京高裁判決平成20年4月4日）[33] では、「原告らは、本件合意の形成過程や成立時期等について実質的証拠の欠缺を主張する（第3の2(2)）が、不当な取引制限において必要とされる意思の連絡とは、複数事業者間で相互に同内容又は同種の対価の引上げを実施することを認識し、ないしは予測し、これと歩調をそろえる意思があることをもって足りるものというべきである（東京高裁平成7年9月25日判決・判例タイムズ906号136頁）から、このような意思が形成されるに至った経過や動機について具体的に特定されることまでを要するものではなく、本件合意の徴表や、その成立時期、本件合意をする動機や意図についても認定することが必要であることを前提とする原告らの上記主張は、その余の点について判断するまでもなく理由がない」とされた。

---

[33] 経済法百選〔第2版〕25事件52頁。

3 違反行為の始期と終期に関する議論

(1) 始期

　不当な取引制限がどの時点で既遂に達するかについては、前記の石油価格協定刑事事件（最高裁判決昭和59年2月24日）[34]によれば、合意で決定された内容が実施に移されることや価格引上げが実現したことは要件ではない。すなわち、違反行為の始期は合意の時点ということになる。また、カルテルの合意に途中から参加する事業者が存在するが、こうした事業者にとっての違反行為の始期は、その合意を認識し、自らがその合意に従って事業活動を行うことを認容した時点である。

(2) 終期

　違反行為の終期については、違反行為自体は継続している状態でそのうち1社が不当な取引制限の要件を満たさなくなること、すなわち、違反行為からの離脱に関する論点と、違反行為そのものの全体としての消滅に関する論点が存在する。

　いずれの場合であっても、意思の連絡（合意）は内心の意思に基づく行為で合意を維持していることを表明し続けなくてもこれを維持することは容易であり、かつ競争を制限する内容の合意はそれを維持することが合意の参加者にとってお互いに利益をもたらすものと当事者間で認識されているからこそ行われるものなので、当事者間に単に一定期間接触の機会がなかった、あるいは一時的に接触を避けたというだけで合意が自動的に消滅する、あるいは合意の特定の構成員が合意から離脱したことになるわけではない。

　このため、違反行為そのものの終了、あるいは特定の事業者の合意からの離脱が認められるためには、原則として合意の相手方がうかがい知ることができる徴表（この徴表のことを「外部的徴表」と呼ぶことがある）が必要である。入札談合事件に関して「本件のように受注調整を行う合意から離脱したことが認められるためには、離脱者が離脱の意思を参加

---

[34] 経済法百選〔第2版〕29事件60頁。

者に対し明示的に伝達することまでは要しないが、離脱者が自らの内心において離脱を決意したにとどまるだけでは足りず、少なくとも離脱者の行動等から他の参加者が離脱者の離脱の事実を窺い知るに十分な事情の存在が必要であるというべきである」と判示されている（岡崎管工事件（東京高裁判決平成15年3月7日）[35]）。また、仮に経営者の意思として合意を破棄する旨を他社に伝えたとしても、営業担当者等が引き続き合意を順守している場合には、事業者の行為としては合意から離脱したことにはならない。

なお、一般に刑事事件においては、共同謀議からの離脱に係る考え方から、違反行為からの離脱に関しては行政処分以上に厳格な考え方が採られており、留意が必要である。鋼橋工事談合刑事事件（東京高裁判決平成19年9月21日）[36]では、「不当な取引制限の罪においても、犯行継続中における共犯関係からの離脱が認められるためには、行為者が犯行から離脱する旨の意思を表明し、これに対して他の共犯者らが特段の異議をとなえなかったというのみでは足りず、行為者において客観的に見て犯行の継続阻止に十分な措置をとることが必要というべきである」と、離脱の意思を他の事業者が窺い知ることができるのみではなく、違反行為の継続阻止に十分な措置をとることが必要であるとしている。

調査開始前に課徴金減免申請（第6章1(2)エ(エ)参照）を行った事業者について、他の違反行為者から離脱の意思を窺い知り得る特段の事情が存在しなかったにもかかわらず違反行為からの離脱を認めた事案（自動車メーカーが発注するヘッドランプ等事件（排除措置命令平成25年3月22日）[37]等）が存在するが、これは、課徴金減免申請を行えばその行為について調査が開始され、何らかの行政処分等が行われることが見込まれる状況下で、会社として課徴金減免申請後も違反行為を継続させることは通常は考えにくいことを踏まえ、現在も継続している違反行為につい

---

[35] 経済法百選〔第2版〕30事件62頁。
[36] 経済法百選〔第2版〕125事件250頁。
[37] 経済法百選〔第2版〕108事件216頁。

て自らその事実を公正取引委員会にその調査開始前に報告し、違反行為を行っていた担当者にもその違反行為を行わないよう指示しているという特別な事実を、課徴金減免申請者が違反行為を継続することを困難にさせるものと推認させる事実として評価したものであり、一般的には、他の違反行為者から離脱の意思を窺い知ることができる事情がない場合に、特定の事業者について社内での違反行為の取りやめの指示等を行ったことのみをもって違反行為からの離脱が認められるものではないと考えられる。

　また、違反行為そのものの消滅に関しても、価格カルテルについて、「不当な取引制限は、各事業者が違反行為の相互拘束に反する意思の表明等相互拘束が解消されたと認識して事業活動を行うまで継続するのであり、いわゆる価格カルテルについては、事業者間の合意が破棄されるか、破棄されないまでも当該合意による相互拘束が事実上消滅していると認められる特段の事情が生じるまで当該合意による相互拘束は継続するというべきである」と判示したもの（モディファイヤーカルテル事件（東京高裁判決平成22年12月10日））がある。

　不当な取引制限では、競争が制限されている状態をもたらすことが違反行為であるので、合意により競争が実質的に制限されている間は不当な取引制限は継続していると考えることができる。また、特定の商品について原材料の価格動向の変化等に応じて、第2次、第3次の価格引上げ、あるいは価格維持の合意を行う場合があるが、このような場合、たとえば、最初の「〇円値上げする」との合意は、それを実施した後には、もとの自由な競争に戻るということを念頭に置いているとは想定し難く、特に問題が発生しない以上は、引き上げた価格を可能な限り維持するということを当然含んでいると考えられるので、合意の内容が変化しつつ継続している、1つの違反行為であると理解することが適当である。すなわち、同様の範囲の商品について第2次、第3次の値上げや値下げ防止等の合意がなされる事案では、個々の合意は、それが実施された後、あるいは次の合意が成立した時点で、違反行為がいったん終了する訳ではない。第2次の合意の後には、第1次の合意の内容につい

ての値上げ交渉は行われていないとして、第1次の合意は既に消滅しているとの主張に対して、前記モディファイヤーカルテル事件東京高裁判決では、「平成11年の合意及び平成12年の合意はともに、国内の塩化ビニル樹脂向けモディファイヤーの販売価格の引上げについての合意としての意思の連絡として認められるものであって、価格維持も合意の内容と考えることができるところ、期間を限定したものとはいえないし、平成12年の合意は、平成11年の合意の下における3社間の協調関係を前提とするものであることからすれば、平成12年の合意がなされたからといって、平成11年の合意による相互拘束を事実上消滅させるものではないというべきである」とされた。

　ただし、何らかの外部的な要因によって合意自体が事実上消滅することにより、合意の当事者の間で合意の破棄に関する意思の確認が行われていなくても違反行為そのものが事実上消滅するケースも存在する。実際のカルテル・談合事件においては、公正取引委員会の立入検査を契機として、取引先等にもそのカルテル・談合等の存在が知られること等により、当事者間のカルテルの合意が事実上消滅した、あるいはそれ以降受注予定者を決めて受注予定者が受注できるようにする行為が行われなくなったとして違反行為の終了を認定していることが多い。課徴金算定のための実行期間の認定が争点となった事例であるが、日本ポリプロ事件（審判審決平成19年6月19日）[38]では「本件においては、本件合意成立後3か月弱で立入検査が行われ、その間、被審人らを含む本件違反行為の参加者が値上げに成功した取引先はごくわずかであって、合意に基づく値上げの浸透はいまだその実現途上にあったところ、本件立入検査がなされ、その旨が新聞等で報道された結果、本件合意に基づく値上げを実現することが客観的に困難になり、同日以降、被審人らを含む本件違反行為参加者による値上げの実現状況を確認する等のための会合は開かれなくなり、また、本件合意に基づく値上げ交渉を行ったとの事実も具体的に認めることができないのである。このような事情を総合する

---

[38] 経済法百選〔第2版〕103事件206頁。

と、本件においては、立入検査時以降は、違反行為者全員が、本件合意を前提とすることなく、これと離れて事業活動を行う状態が形成されて固定化され、本件合意の実効性は確定的に失われたと認められる」と、当事者間の違反行為の取りやめに関する決議や連絡が必ずしも行われなかったものの、違反行為そのものの終了が認められた。

4　拘束の内容の具体性に関する議論

　不当な取引制限に該当する合意は、事業者の活動を拘束する内容のものであるが、その内容は必ずしも合意の時点で販売価格等事業活動の内容を一意的に定めるものである必要はない。たとえば、今後価格等について一定の枠組みの中で協議して決定していくことを合意する場合があるが、この場合、この合意をして以降の価格設定は、この合意に基づく枠組みの中で行われる協議により決定されるのであり、そのような協議に従って合意の参加者が価格を設定していくことを相互に認識し、事業活動を行っていくに当たっての他社の事業活動についての予測可能性を高め、競争の本来期待される機能が十全に発揮されることを阻害しているのであるから、このような合意であっても不当な取引制限に該当することとなる。元詰種子カルテル事件（東京高裁判決平成20年4月4日）[39]では、討議研究会において今後定める基準価格に基づいて各社が価格設定をしていく旨の合意について「本来、商品・役務の価格は、市場において、公正かつ自由な競争の結果決定されるべきものであるから、具体的な販売価格の設定が可能となるような合意をしていなくても、4種類の元詰種子について、いずれも9割以上のシェアを有する32社の元詰業者らが、本来、公正かつ自由な競争により決定されるべき価格表価格及び販売価格を、継続的に、同業者団体である日種協元詰部会の討議研究会において決定した基準価格に基づいて定めると合意すること自体が競争を制限する行為にほかならないものというべきである。すなわち、価格の設定に当たっては、本来、各社が自ら市場動向に関する情報を収

---

[39] 経済法百選〔第2版〕25事件52頁。

集し、競合他社の販売状況や需要者の動向を判断して、判断の結果としてのリスクを負担すべきであるところ、本件合意の存在により、自社の価格表価格を基準価格に基づいて定めるものとし、他の事業者も同様の方法で価格表価格を定めることを認識し得るのであるから、基準価格に基づいて自社の価格表価格及び販売価格を定めても競争上不利となることがないものとして価格設定に係るリスクを回避し、減少させることができるものといえ、これをもって価格表価格及び販売価格の設定に係る事業者間の競争が弱められているといえるのである」と、不当な取引制限に該当することを認めている。

5 入札談合事案の位置付け

　官公庁が行う競争入札において、入札参加者の間で受注すべき者を決定し、受注すべき者以外は受注すべき者が受注できるよう協力するという入札談合に代表される受注調整事案は、従来から不当な取引制限に該当する行為として独占禁止法の規制の対象とされてきた。受注調整は、入札に参加する事業者の事業活動（入札に参加するか否か、入札に参加する場合の入札価格等）を相互に制限する行為である。2条6項の不当な取引制限の定義によれば、受注調整は、「取引の相手方」を制限しているとみることも、具体的な例として挙げられていない行為の1つであると理解することも可能である。

　受注調整事案においては、個別の発注物件ごとに受注予定者を決める調整行為が行われる（あらかじめ定められたルール（順番制、特定の事業者が同一の物件について継続的に受注するルール等）の下で明示的な話合いが行われないケースもあるが、このようなケースにおいても黙示的には個別の物件ごとに受注予定者が決められているということができる）。特定の個別物件のみでの調整行為では、調整に応じる者と応じない者との間で利害が一致しないことから、継続して行われている受注調整の背後には、受注調整に参加している事業者の間で継続して受注調整を行うために必要な一定の基本的な合意が存在することが通常である。これまでの受注調整事案においても、個々の受注調整の背後にある基本的な合意が認定

されている。このような基本的な合意と個別の物件ごとに行われる受注調整行為が存在する事案においては、個別の受注調整行為が違反行為そのものではないかとみられがちであるが、前記4で取り上げた、今後一定の枠組みに従って価格を決定していくことを合意するカルテルの場合と同様に、受注調整における個別物件での調整は、基本的な合意に基づいて実施されているにすぎないので、個別物件での調整は、基本合意を認定するための間接事実の1つと位置付けられる。このため、違反行為を立証する上で、個別の受注調整行為が継続的に行われていることは、違反行為の存在を示す有力な間接事実となるが、個別物件の受注調整への参加が具体的に認定できないことが直ちに違反行為への参加が認定されないこととなるわけではないことに留意が必要である。

　入札談合事案において不当な取引制限が成立することの立証のためには個別の物件についての調整の事実が立証されなければならないとの主張に対して、公用車管理業務談合事件（審判審決（課徴金の納付を命ずる審決）平成22年12月14日）は、「本件のような入札談合事件においては、基本合意の下に受注予定者を決定し受注予定者が受注できるようにしていたことが違反行為であって、本件においても、同様の違反行為のとらえ方をしていることは、前記……のとおりである。そのような場合においては、公正取引委員会は、基本合意の下に受注予定者を決定し受注予定者が受注できるようにしていたことを主張・立証すれば足り、そのために個別の物件の受注調整についても主張・立証することがあるものの、すべての個別物件について逐一具体的に受注調整を主張・立証することは必要ではない」としている。また、課徴金について争われた事案ではあるが、賀数建設事件（東京高裁判決平成20年9月12日）によれば、個別の受注調整の位置づけについて、「本件においても、本件基本合意自体が「不当な取引制限」に該当する行為というべきであり[40]（117社もの建設業者が本件のような基本合意をなすこと自体、相互にその事業活

---

[40]　多摩談合事件（最高裁判決平成24年2月20日）においても、基本合意が不当な取引制限に当たると判示している。

動を拘束して競争を実質的に制限する効果を生じさせているものである。)、したがって、その後に沖縄県から入札に付される個々の物件について本件基本合意に従った個別の受注調整行為（談合）がなされることは、「不当な取引制限」の成立・完成のためには不必要な行為というべきである。通常は、基本合意が存在し、これに従って個別の受注調整行為が行われ、この個別の受注調整行為によって受注予定者が決定されて、この決定された受注予定者が受注できるように基本合意の合意者が協力するものであるが、「不当な取引制限」の成立・完成のためには必ずしも個別の受注調整行為が行われることまでは必要ないものである」。

6 発注者の関与に係る論点

特に入札談合事案においては、発注者が一定の関与をする場合がある。このような場合に事業者側から、発注者の関与をもって、保護されるべき競争は既に失われた、あるいは事業者間の意思の連絡が存在しなくなったとして、不当な取引制限が成立しないとの主張がなされることがある。また、カルテルも行政指導を背景として行われることがあり、そのような場合にこれをもって違法性が阻却されるとの主張がなされることがある。

入札談合に係る発注者の特定の関与については、以下の7で取り上げる入札談合等関与行為としてそれ自体公正取引委員会による改善措置要求の対象となるが、これ以外のものも含め、少なくとも公共調達において発注者は、競争入札の方法による発注が会計法上も義務付けられており、これに反する方向での関与は許されない。したがって、発注者から何らかのこうした指導があったとしても、事業者側は、これに従う義務はないので、発注者の関与によって競争性が排除されることにはならない（防衛庁石油製品談合刑事事件（東京高裁判決平成16年3月24日）[41]）し、それによって事業者間の意思の連絡が存在しなくなるものでもない（郵便区分機談合審決取消請求事件（差戻審）（東京高裁判決平成20年12月

---

41) 経済法百選〔第2版〕28事件58頁。

19日)[42])。

　行政指導については、日本では特に「護送船団行政」と呼ばれるような脱落者を作らないことを前提とした業界育成策が一部でとられてきたこともあり、不当な取引制限等の原因となりやすい行政指導が行われることがあった。「行政指導に関する独占禁止法上の考え方」(平成6年公取委) によれば、行政指導の相手方が個々に自主的に判断して行政指導に従う限りにおいては、この行政指導の相手方の行為は独占禁止法上の問題とならないが、この行政指導に誘発された行為であっても、何らかの意思の連絡によるなど独占禁止法違反行為の要件に該当する場合には、法令に具体的な根拠のある行政指導であるか具体的な根拠規定のない行政指導であるかにかかわらず、その行為に対する独占禁止法の運用は妨げられない (第9章2参照)。具体的には、価格、数量、生産設備、営業方法等様々な内容の行政指導が行われているが、こうした行政指導を受けて、それを受け入れるか否か、あるいはどのような形で受け入れるかについては個々の事業者が自らの立場で自主的に判断する必要がある。一方、同業者間での相談や事業者団体を通じた周知や調整等を行い、それに基づいて各事業者が行動する場合には、通常、「意思の連絡」があったものとして扱われ、独占禁止法上問題となり得ることとなるであろう。

　なお、発注者自身は相互拘束の対象となる事業者ではないため、不当な取引制限の違反行為者として排除措置命令、課徴金納付命令の対象となることはないが、刑事法上は発注者の担当者が不当な取引制限の従犯 (幇助) または身分なき共謀共同正犯として刑事責任を問われることはある (下水道事業団談合刑事事件 (東京高裁判決平成8年5月31日)[43]、旧道路公団鋼橋工事談合刑事事件 (東京高裁判決平成19年12月7日)[44])。

42) 経済法百選〔第2版〕23事件48頁。
43) 経済法百選〔第2版〕124事件248頁。
44) 経済法百選〔第2版〕126事件252頁。

7 官製談合

(1) 経緯

　官公庁が発注する物件の受注調整事案において、発注者またはその担当者が事業者の行為に関与するケースがみられる。このような発注者の職員の関与を伴う入札談合は、一般に「官製談合」と呼ばれ、発注者またはその職員の行為は「入札談合等関与行為」と呼ばれることがある。発注者の職員は、計画通りの予算執行や、再就職への思惑、あるいはトラブルの回避といった様々な事情によりこのような行為に及ぶことがあり、こうしたケースは従来から入札談合事案の中でたびたび見られた。入札談合をなくすためには発注者自身の関与行為をなくすことが必要であるとの観点から、入札談合等関与行為の排除及び防止に関する法律（平成14年法律第101号）（入札談合等関与行為防止法、官製談合防止法）が制定され、平成15年1月6日から施行された。その後、入札等の妨害の罪の創設等を内容とする改正が行われ、法律名も「入札談合等関与行為の排除及び防止並びに職員による入札等の公正を害すべき行為の処罰に関する法律」に改められ、平成19年3月14日から施行されている。

(2) 規制の対象範囲

　入札談合等関与行為防止法において「入札談合等」とは、「国、地方公共団体又は特定法人（以下「国等」という）が入札、競り売りその他競争により相手方を選定する方法（以下「入札等」という）により行う売買、貸借、請負その他の契約の締結に関し、当該入札に参加しようとする事業者が他の事業者と共同して落札すべき者若しくは落札すべき価格を決定し、又は事業者団体が当該入札に参加しようとする事業者に当該行為を行わせること等により、私的独占の禁止及び公正取引の確保に関する法律第3条又は第8条第1号の規定に違反する行為」（同法2条4項）である。

　「特定法人」とは、ⅰ）国または地方公共団体が資本金の2分の1以上を出資している法人、ⅱ）特別の法律により設立された法人のうち、

国または地方公共団体が法律により、常時、発行済み株式の総数または総株主の議決権の3分の1以上に当たる株式の保有を義務付けられている株式会社（政令により、日本電信電話㈱および日本郵政㈱を除く）のいずれかをいうので、国、地方公共団体のほか、公庫、事業団、機構、研究所、大学校等で国または地方公共団体の出資が過半を超えれば、発注機関として対象となる。また、株式会社であっても対象となり得る[45]。

　また、「入札談合等」は、前記のとおり「（独占禁止法）第3条又は第8条第1号の規定に違反する行為」であり、「入札談合等関与行為」は、国・地方公共団体等の職員等が「入札談合等」に関与する行為であって、入札談合等関与行為防止法2条5項各号のいずれかに該当するもの（後記(3)参照）なので、公正取引委員会は、事業者の独占禁止法違反行為を認定した上で、発注機関の職員等の関与行為を認定することになる。

　なお、入札談合等関与行為防止法での関与行為に当たらない発注者の行為としては、発注者の職員が事業者に入札談合をすることを唆したものの事業者は実際に入札談合を行うには至らなかったような場合や、個別の入札物件における調整に対する発注者の担当者の関与がみられるものの一定の取引分野における競争を制限する合意の存在までは立証できないような場合が考えられるが、このような場合における発注者の担当者の関与についても、後記(5)のとおり入札等の公正を害する行為として処罰の対象となる。

(3) 入札談合等関与行為

　入札談合等関与行為防止法が定める「入札談合等関与行為」とは次の4つである。

ア　入札談合等をさせること

　「事業者又は事業者団体に入札談合等を行わせること」である（入札談合等関与行為防止法2条5項1号）。典型的には、発注者の担当者が入

---

[45] 成田国際空港㈱、東京地下鉄㈱、東日本、西日本等の高速道路㈱等（令和4年4月現在）。

札に参加する事業者や事業者団体に入札談合を行うよう指示することであり、たとえば、発注者の担当者が事業者ごとの年間受注目標額を提示し、事業者にその目標を達成するよう指示すること等が該当する。これ以外にも、入札が行われる個別の物件の多くについて、この者が受注すべきであるといった指名や示唆をする（後記イに該当する行為）結果、その指名や示唆に従って受注すべきであるとされた者が確実に受注できるようにするためには、入札に参加する事業者または入札に参加する事業者が構成する事業者団体が事実上入札談合を行わざるを得ないような場合には、明示的に入札談合を行うよう指示しなくても「入札談合を行わせる行為」に該当する（茨城県境土地改良事務所談合事件（排除措置命令平成23年8月4日）、航空自衛隊什器談合事件（排除措置命令平成22年3月30日）、札幌市電気設備工事談合事件（排除措置命令平成20年10月29日）、旧道路公団鋼橋工事談合事件（勧告審決平成17年11月18日）、岩見沢市談合事件（勧告審決平成15年3月11日））。

　イ　受注すべき者に関する意向の教示または示唆

　「契約の相手方となるべき者をあらかじめ指名することその他特定の者を契約の相手方となるべき者として希望する旨の意向をあらかじめ教示し、又は示唆すること」であり（入札談合等関与行為防止法2条5項2号）、たとえば、個別の入札物件について、発注担当職員が受注者を指名、あるいは発注担当職員が希望する事業者名を示唆すること等が該当する。明示的に指名する場合は当然「意向」に当たるが、それ以外にも事業者側の確認に応じるような行為や事実上の意向であると事業者や事業者団体に理解されるような情報を伝達する行為も意向の教示または示唆に該当する（茨城県境土地改良事務所談合事件（排除措置命令平成23年8月4日）、航空自衛隊什器談合事件（排除措置命令平成22年3月30日）、札幌市電気設備工事談合事件（排除措置命令平成20年10月29日）、地方整備局水門談合事件（排除措置命令平成19年3月8日）、岩見沢市談合事件（勧告審決平成15年3月11日））。

　ウ　入札談合等を容易にする秘密情報の漏えい

　「入札又は契約に関する情報のうち特定の事業者又は事業者団体が知

ることによりこれらの者が入札談合等を行うことが容易となる情報であって秘密として管理されているものを、特定の者に対して教示し、又は示唆すること」である（入札談合等関与行為防止法2条5項3号）。これに該当する情報としては、たとえば、非公表とされている入札予定価格に関する情報や、入札に参加する業者の氏名、評価点等の情報は、一般的に入札談合を行うことが容易になる情報であると考えられる（岩見沢市談合事件（勧告審決平成15年3月11日）、新潟県談合事件（勧告審決平成16年9月17日）、旧道路公団鋼橋工事談合事件（勧告審決平成17年11月18日）、公用車談合事件（排除措置命令平成21年6月23日）、土佐国道事務所談合事件（排除措置命令平成24年10月17日）、鉄道建設・運輸施設整備支援機構談合事件（排除措置命令平成27年10月9日）、東京都浄水場排水処理施設運転管理作業受注調整事件（排除措置命令令和元年7月11日））。

エ 入札談合等の幇助

「特定の入札談合等に関し、事業者、事業者団体その他の者の明示若しくは黙示の依頼を受け、又はこれらの者に自ら働きかけ、かつ、当該入札談合等を容易にする目的で、職務に反し、入札に参加する者として特定の者を指名し、又はその他の方法により、入札談合等を幇助すること」であり（入札談合等関与行為防止法2条5項4号）、たとえば、特定の入札談合等を容易にする目的で、指名競争入札において事業者から依頼を受け特定の事業者を入札参加者として指名し入札談合を容易にする行為、事業者の作成した割付表を承認し入札談合を容易にする行為や、分割発注の実施や発注基準を引き下げるなど発注方法を変更し入札談合を容易にする行為等が該当する。特定の行為類型に限定されているわけではないので、幇助の形態としては様々なものがあり得るが、ⅰ）事業者側からの依頼または自らの働きかけによるものであること、ⅱ）入札談合等を容易にする目的であること、ⅲ）職務に反して行われるものであること、が必要である。

「入札談合等を容易にする目的であること」の要件が付されているのは、別の目的で行われた行為が結果として入札談合等を容易にする結果にもなることがあり得ることから、このような行為を除くためであるが、

一方で入札談合等を容易にする目的以外に何の目的もないということまで要求しているものではない。

「職務に反し」の要件が付されているので、職務上必要な行為として行われたものについては該当しないことになる。

具体的には、指名業者をグループ分けして常に同じ指名業者の組合せとなるようにした行為（青森市談合事件（排除措置命令平成22年4月22日））や、順番に基づき受注予定者を決める入札談合を行っていることを認識した上で、その順番に基づき受注すべき業者を入札参加者として指名するようにしていた行為（茨城県境舗装工事談合事件（排除措置命令平成23年8月4日））がこれまで幇助行為に当たると認定されている。このほか、事業者から依頼を受けて特定の事業者を入札参加者として指名する行為や、事業者が受注調整がしやすいように分割発注を行ったりする行為も幇助行為に当たるものと考えられる。

(4) 改善措置要求

入札談合等関与行為が認められた場合、公正取引委員会は、発注機関の長に対して、その入札談合等関与行為を排除するために必要な入札や契約に関する事務に係る改善措置を講ずべきことを求めることができる（入札談合等関与行為防止法3条1項、2項）。

この改善措置を求められた発注機関の長は、必要な調査を行い、入札談合等関与行為があり、またはあったことが明らかとなったときは、調査の結果に基づいて、入札談合等関与行為を排除し、または排除されたことを確保するために必要と認める改善措置を講じなければならない（入札談合等関与行為防止法3条4項）。また、この調査に基づいて発注機関の損害の有無について調査し、故意・重過失により損害が生じたと認めるときは、速やかに損害賠償を求めなければならならず（同法4条5項）、その職員が懲戒事由に該当するか否かについても調査しなければならない（同法5条）。

⑸ 入札等の公正を害する行為

発注機関の職員個人に対しては、「職員が、その所属する国等が入札等により行う売買、賃貸、請負その他の契約の締結に関し、その職務に反し、事業者その他の者に談合を唆すこと、事業者その他の者に予定価格その他の入札等に関する秘密を教示すること又はその他の方法により、当該入札等の公正を害すべき行為を行ったときは、5年以下の懲役又は250万円以下の罰金に処する」（入札談合等関与行為防止法8条）。ここで処罰の対象とされている行為は「入札談合等関与行為」に限定されるわけではなく、また入札談合が存在することを前提としているわけでもない。このため、独占禁止法違反行為の存在が認定されない場合であっても、談合を唆す行為等があれば対象となり得る。また、実際には、公正取引委員会による独占禁止法違反行為の調査とは無関係に、捜査当局（検察庁、警察）が独自に捜査を行うことが通常である。

> **column　業務提携に関するガイドライン**
>
> 　不当な取引制限との関係が議論になる事業者の行為として、複数事業者による業務提携があるが、業務提携そのものは競争制限効果を持たないことも多いなど、競争関係にある事業者間で行われるものであってもそれ自体が不当な取引制限として問題となるものではない。事業者間の業務提携については、共同研究開発、共同調達、共同生産、共同物流等、様々な類型が存在するが、これらの業務提携一般に関する独占禁止法上の考え方を示した公取委初のガイドラインと評価し得るものとして、「グリーン社会の実現に向けた事業者等の活動に関する独占禁止法上の考え方」（令和5年公取委）（グリーンガイドライン）がある。グリーンガイドラインは、「地球温暖化対策計画」（令和3年10月22日閣議決定）において2030年度や2050年度の温室効果ガスの削減目標が示されたことを踏まえ、事業者・事業者団体による温室効果ガス削減に向けた取組みを後押しすることを目的として定められたものである。グリーンガイドラインの対象は、事業者等の温室効果ガス削減に向けた取組みに限定されているものの、同ガイドラインは、業務提携のほか、取引先事業者の事業活動に対する制限・取引先の選択に係る行為、優越的地位の濫用行為や企業結合についての考え方を示すものとなっている。

第3章 事業者団体に関する規制

1 事業者団体

(1) 規制の目的

　事業者団体は、事業者がその利益を図るために構成する団体であり、その構成員、趣旨目的等からみても様々なものがあるが、日本においては、戦前の産業統制の手段として事業者団体が用いられ、同業者に団体を構成させた上で団体を通じて戦争に協力させる手法がとられたこともあり、同業者団体の活動が活発に行われてきた。このため、事業者団体については、事業者団体が持つ拘束力の強さという固有の性格のゆえに、事業者の行為と比べて競争に及ぼす潜在的な危険性が大きいことから[1]、戦後、事業者団体法により特別に規制の対象とされてきたが、昭和28年に同法が廃止されて、同法の規定の一部が独占禁止法に規定され、以後は同法で規制されている。

　なお、事業者の行為については、競争の実質的制限または公正な競争を阻害するおそれ（不公正な取引方法。第5章参照）がある場合に規制の対象となるが、事業者団体については、必ずしもこれらの要件を満たさないものについても規制の対象となっている。

(2) 事業者団体の要件

　事業者団体の定義は、2条2項で以下のとおり定められている。

　この法律において「事業者団体」とは、事業者としての共通の利益を増

---

[1]　岩本章吾編著『事業者団体の活動に関する新・独禁法ガイドライン』25頁（商事法務研究会、1996）。

> 進することを主たる目的とする二以上の事業者の結合体又はその連合体を
> いい、次に掲げる形態のものを含む。ただし、二以上の事業者の結合体又
> はその連合体であつて、資本又は構成事業者の出資を有し、営利を目的と
> して商業、工業、金融業その他の事業を営むことを主たる目的とし、かつ、
> 現にその事業を営んでいるものを含まないものとする。
>   一 二以上の事業者が社員(社員に準ずるものを含む。)である社団法
>   人その他の社団
>   二 二以上の事業者が理事又は管理人の任免、業務の執行又はその存立
>   を支配している財団法人その他の財団
>   三 二以上の事業者を組合員とする組合又は契約による二以上の事業者
>   の結合体

　独占禁止法での「事業者団体」は、以下のアからウの要件を満たすものである。

　ア　「事業者としての共通の利益を増進することを主たる目的とする」

　「事業者としての共通の利益」とは、構成事業者の経済活動上の利益に直接または間接に寄与するものであればよく、事業者個々の利益であるか、業界一般の利益であるかは問わない。「事業者団体の活動に関する独占禁止法上の指針」(平成7年公取委)(事業者団体ガイドライン)では、この要件から、事業者としての共通の利益の増進を目的に含まない学術団体、社会事業団体、宗教団体等は事業者団体に当たらないとしている。ただし、「主たる目的」はいくつかの目的のうち主要なものの1つであればよく、定款、約款等に定められている必要もない。このため、「主たる目的」に該当しないとの理由で事業者団体に該当しないとされるケースは、事業者団体ガイドラインに明示されているもの以外には、あまり想定されない。

　イ　「2以上の事業者の結合体又はその連合体」

　「2以上の事業者の結合体又はその連合体」という場合の「事業者」には、2条1項の事業者の定義において「事業者の利益のためにする行為を行う役員、従業員、代理人その他の者は、次項又は第3章の規定の適用については、これを事業者とみなす」と定められていることにより、事業者の利益のために活動する役員、従業員、代理人等も含まれる。

このため、団体の構成員が形式上は事業者そのものではなく事業者の役員や従業員個人であっても、事業者としての共通の利益を増進することを主たる目的とするものであれば事業者団体に当たる。また、「結合体」ということから、単に2以上の事業者が共同して何らかの活動を行っているというのみではなく、これらの事業者とは別の存在であることが必要である。結合体であるといえるためには、必ずしも形式的な要素が必要というわけではないので、法人格がない、定款・約款がない、常設の事務局が存在しない、といった場合であっても事業者団体であり得るし、事業者団体の下部組織である支部、委員会といったものも、それ自体が独自の行動をしている場合などには、事業者団体に該当し得る（愛知県石油商業組合緑支部に対する件（勧告審決平成9年1月21日）、日本ガスメーター工業会石油ガスメーター部会に対する件（勧告審決平成4年10月28日））。連合体は、2以上の事業者の結合体が連合したものであるので、たとえば「〇〇連合会」といった2以上の事業者団体自体が構成員となる事業者団体がこれに当たる。

　連合体や結合体には、①2以上の事業者が社員（社員に準ずるものを含む）である社団法人その他の社団、②2以上の事業者が理事または管理人の任免、業務の執行またはその存立を支配している財団法人その他の財団、③2以上の事業者を組合員とする組合または契約による2以上の事業者の結合体を含む（2条2項の本文と各号）。

　ウ　「資本又は構成事業者の出資を有し、営利を目的として商業、工業、金融業その他の事業を営むことを主たる目的とし、かつ、現にその事業を営んでいるもの」に当たらないこと

　「資本又は構成事業者の出資を有し、営利を目的として商業、工業、金融業その他の事業を営むことを主たる目的」とする事業者団体は、通常、事業者として独占禁止法の規制に服することとなるので、事業者団体としての規制を行う必要はない。このため、事業者団体の定義から除かれているものとみられる。一方、事業者団体の要件に該当し、かつ事業者としての活動も併せて行っている者も存在するが、そのような者が行う行為については、事業者の行為であると評価できる場合には事業者

として独占禁止法の規制に服し、事業者団体としての行為であると評価できる場合は事業者団体として独占禁止法の規制に服する（8条の適用を受ける）こととなる。

(3) 事業者団体の行為

今では、事業者団体の活動が独占禁止法上の問題を引き起こす可能性については広く認識されているので、たとえば、事業者団体の機関決定等事業者団体の正式な活動として独占禁止法上問題となるような行為が行われることは少なくなってきている。一方で、事業者団体の場を接触の機会として利用していて、事業者の行為であるか、事業者団体の行為であるかの区別が微妙な場合がある。「事業者団体の何らかの機関で決定がされた場合において、その決定が構成員により実質的に団体の決定として遵守すべきものとして認識されたときは、定款又は寄付行為上その機関が団体の正式意思決定機関であるか否かに係わりなく、その決定を団体の決定というのに妨げはないと解するのが相当である」（大阪バス協会事件（審判審決平成7年7月10日）[2]）から、事業者団体の決定といえるためには、その決定をする正式の権限を有する機関による行為である必要はない。一方で、何らかの事業者団体の場を利用して行われたカルテル行為がすべて事業者団体の行為となるわけではない。

また、事案の内容によっては、事業者による不当な取引制限にも、事業者団体による不当な取引制限にも該当し得るということも考えられる。事業者の行為として3条に基づく措置が採られたのに対し、これは事業者団体の行為であり、いずれの法条を適用するかについて、公正取引委員会に裁量はないとして争われた事案で、「上記(2)の事実[3]のみでは、32社以外の事業者を含む事業者団体である日種協元詰部会が、討議研究会で決定した基準価格に基づいて構成事業者の価格表価格及び販売価

---

2) 経済法百選〔第2版〕36事件74頁。
3) 原告らを含む32社が、平成10年から13年までの間、毎年3月に開催される討議研究会においてその構成員になる中で、作柄、市況等について情報交換を行い、等級等に応じた区分ごとに基準価格を決定していたことを指す。

格の設定がなされるよう構成事業者を拘束して、一定の取引分野の競争を実質的に制限していた（独占禁止法8条1項1号（筆者注：現行法では、8条1号））、あるいは、価格表価格及び販売価格等を設定することに関する活動等を不当に制限していた（同条1項4号（筆者注：現行法では、同条4号））ものとまで認めることには疑問が残るし、仮に、このように（筆者注：事業者団体の行為でもあると）認定することができるとしても、少なくとも、32社が本件合意をしていたことを推認することが妨げられないことは上記のとおりであるから、独占禁止法3条所定の行為が存在する以上、事業者らに対し行政処分を課すことができることは当然であって、事業者団体に独占禁止法8条1項（筆者注：現行法では、8条）所定の行為があり、事業者らにも同法3条所定の行為があるものと認定し得る場合に事業者団体にしか行政処分を課すことができないと解すべき同法上の根拠は見当たらず、これを相当とすべき事情が存在することも認められない」（元詰種子カルテル事件（東京高裁判決平成20年4月4日）[4]）とされた。また、刑事事件であるが、不当な取引制限行為が事業者団体によって行われた場合であっても、これが同時に団体を構成する事業者の従業者等によりその業務に関連して行われたと観念し得る事情があるときは、刑責を団体のほか事業者に対して問うことも許され、いずれに刑責を問うかは公取委ないし検察官の合理的な裁量に委ねられているとする裁判例（石油価格協定刑事事件（最高裁判決昭和59年2月24日）[5]）も存在する。

　すなわち、事業者団体と事業者のいずれの行為と認定されるかについては、事業者団体が構成員の事業活動について拘束・制限を行っていると評価できるか否かを踏まえて判断される。事業者団体の行為であるとともに事業者の行為としても評価できるような場合には、事業者団体と個々の構成事業者のいずれに排除措置をとらせることが適当かといった点も考慮に入れた上で判断されることとなる。

---

[4] 経済法百選〔第2版〕25事件52頁。
[5] 経済法百選〔第2版〕35事件72頁。

2 禁止行為

(1) 8条1号

　8条1号は、事業者団体が一定の取引分野における競争を実質的に制限する行為を禁止している。一定の取引分野の画定をめぐる論点や競争の実質的制限をめぐる論点は、不当な取引制限や私的独占の場合と同様であるが、同号では、手段として用いられる行為に限定がないことに違いがある。このため、事業者団体が構成員の販売価格を決定したり（広島県石油商業組合広島市連合会事件（審判審決平成9年6月24日）[6]、全国モザイクタイル工業組合事件（勧告審決平成6年5月30日）等）、構成員の中から受注予定者を決定するような不当な取引制限に相当する行為（那智勝浦町建設業組合事件（勧告審決平成9年11月17日）、山梨県建設業協会各支部事件（勧告審決平成6年5月16日）等）はもちろん、支配型私的独占（第4章3参照）に相当する行為（石油連盟東京支部事件（勧告審決昭和45年1月21日））や、事業者団体が知的財産権を保有し、そのライセンスを付与するに当たって、団体の構成員であることと共同販売事業を通じて販売することを要件とし、事業者団体と顧客の間に入って販売する事業者の販売価格や販売すべき事業者を決定するといった様々な行為を組み合わせて行う行為（群馬県GBX工業会事件（警告平成23年1月19日）[7]）についても、8条1号の適用がある。

(2) 8条2号

　8条2号は、事業者団体が6条に規定する国際的協定または国際的契約をすることを禁じている。6条は、事業者が不当な取引制限または不公正な取引方法に該当する国際的協定または契約をすることを禁止しているが、事業者団体も同様の行為を行う可能性があることからこの規定が置かれている。

---

6) 経済法百選〔初版〕36事件74頁。
7) 事業協同組合群馬県GBX工業会に対する警告について（公取委報道発表平成23年1月19日）。

(3) 8条3号

　8条3号は、一定の事業分野における現在または将来の事業者の数を制限することを禁じている。これは、事業者団体が特に公的規制等との関係を有し、事業者団体への加入制限や新規事業の審査、構成員の取引先に圧力をかける行為等により、一定の事業分野における現在または将来の事業者の数を制限することが可能であることを踏まえた規定である。同号は、競争の実質制限に至らなくても競争政策上看過することができない影響を競争に及ぼすこととなる場合を対象としている（神奈川県LPガス協会事件（東京高裁判決令和3年1月21日）[8]）。たとえば、医師会に加入せずに開業することは困難な状況にある中で、医療機関の開設について申請を行わせ、既存の医師の権益を守るための利害調整を行うことにより事業者の数の制限を行っているとされた判決（観音寺市三豊郡医師会事件（東京高裁判決平成13年2月16日）[9]）や、県内のみで販売事業を行おうとする者にとって協会団体保険に加入するために県協会に加入することの必要性が高い中で、切替営業を行う者の入会を拒否していた事例（前掲神奈川県LPガス協会事件（東京高裁判決令和3年1月21日））、生コンクリート製造業者の事業者団体が間接の取引拒絶を手段として非組合員が製造設備の新増設を行うことを制限した事例（滋賀県生コン工業組合事件（勧告審決平成5年11月18日）[10]）がある。

(4) 8条4号

　8条4号は、事業者団体が、構成事業者の機能または活動を不当に制限する行為を禁じている。構成事業者の機能または活動を制限することにより一定の取引分野における競争が実質的に制限される場合には、同条1号が適用されることとなるので、同条4号は、同条1号の予防的規制としての性格を有している。ただし、機能または活動の制限は不当

---

[8] 令和3年度重要判例解説・経済法2事件212頁。
[9] 経済法百選〔第2版〕37事件76頁。
[10] 経済法百選〔第2版〕38事件78頁。

なものでなければならないが、その不当性は、競争を減殺することはないか、あるいは競争者を排除することはないかといった点から判断されることとなる。たとえば、水先人会が各会員自らの判断による水先の引き受けを制限し、各会員に代わって収受した水先料をプールして基本的に頭割りで配分していた行為（東京湾水先区水先人会事件（排除措置命令平成27年4月15日））や、薬剤師会が薬剤師の属する事業者の広告に販売価格を記載させないように制限した行為（滋賀県薬剤師会事件（排除措置命令平成19年6月18日））や、医師会が会員の増床等を制限していた行為（四日市医師会事件（勧告審決平成16年7月27日））、社会保険労務士会が会員の広告活動等を制限していた行為（三重県社会保険労務士会事件（勧告審決平成16年7月12日）[11]）、実勢料金と乖離した届出料金について決定した行為（日本冷蔵倉庫協会事件（審判審決平成12年4月19日）[12]）がある。

(5) 8条5号

8条5号は、事業者団体が事業者に不公正な取引方法に該当する行為をさせるようにすることを禁止している。ここで不公正な取引方法に該当する行為をさせられる「事業者」は、同条4号が「構成事業者の機能又は活動を不当に制限すること」とされていることと比べれば、事業者団体の構成事業者に限定されないことは明らかであり、実際にも構成事業者に不公正な取引方法に該当する行為をさせた例（構成事業者に拘束条件を付けて卸売業者と取引させた例として、東京都電機小売商業組合玉川支部事件（勧告審決昭和51年1月16日）、構成事業者に対して間接の共同取引拒絶を行わせた例として、仙台港輸入木材調整協議会事件（勧告審決平成3年1月16日））のほか、構成事業者以外の事業者に不公正な取引方法に該当する行為をさせた事例がある。この例としては、構成事業者以外の事業者に対して、事業者団体またはその事業者団体の構成事業者

---

[11] 経済法百選〔第2版〕40事件82頁。
[12] 経済法百選〔第2版〕39事件80頁。

の競争者に対する取引を拒絶させることが問題となった例が多い（製造業者の団体が卸業者をして小売業者に団体非会員の製造業者との取引を拒絶させた例として、日本遊戯銃協同組合事件（東京地裁判決平成9年4月9日）[13]、資機材の提供業者に対して新規参入者に資機材を提供しないようにさせた例として、東日本おしぼり協同組合事件（勧告審決平成7年4月24日）[14]）が、このほか、たとえば、拘束条件付取引を行わせた例（北海道歯科用品商協同組合事件（勧告審決昭和62年8月11日））、再販売価格維持行為をさせた例（再販売価格維持契約励行委員会事件（勧告審決昭和35年5月13日））、取引条件等の差別的取扱いをさせた例（需要者団体協議会事件（勧告審決昭和39年1月16日））がある。

3　事業者団体の主要な活動類型と考え方

　事業者団体は、構成事業者への教育・研修、情報の収集・提供、政府への要望や意見の表明等様々な活動を行っており、このような活動を行う過程で競争を制限し、または阻害するおそれのある活動が行われる懸念があることから、公正取引委員会は、事業者団体がどのような活動を行った場合に独占禁止法上問題となるかを示した事業者団体ガイドラインを公表している。

　事業者団体ガイドラインで取り上げて考え方を示しているのは、(1)以下の類型である。

　なお、公正取引委員会は、事業者団体の活動に関して事前相談という形で独占禁止法上問題となる行為であるか否かについて相談に応じており、毎年そのうち主要な事例を公表している（独占禁止法に関する相談事例集（相談事例集））。ただし、個別の市場における状況や当事者の市場における地位等によって独占禁止法上問題となるかどうかの結論は異なるので、相談事例を参考にするに当たっては、個々の事例の具体的な事情を十分に考慮して自らが行おうとする行為との関係を判断する必要が

---

[13]　経済法百選〔第2版〕43事件88頁。
[14]　経済法百選〔第2版〕41事件84頁。

ある。

(1) **価格制限行為**

　価格制限行為は、そもそも事業者にとって最も重要な競争手段である価格を制限するものであり、この行為によって競争を実質的に制限すれば8条1号に該当し、競争を実質的に制限するとまではいえない場合でも、原則として同条4号（構成事業者の機能・活動の制限）または同条5号（事業者に不公正な取引方法をさせる行為）に違反する。

　たとえば、構成事業者が販売する商品の価格を決定することや、その維持・引上げを決定することのほか、標準価格・目標価格といった価格設定の基準を決定したり、具体的な数値や係数により構成事業者に共通の具体的な目安を与える価格算定方式を設定することは、原則として同条4号に該当し、また、構成事業者に対して再販売価格の拘束に当たる行為（第5章4(2)参照）を行わせれば原則として同条5号に違反する。さらに、これらにより、一定の取引分野における競争が実質的に制限されれば、同条1号に違反する。相談事例であるが、電子コンテンツに係る著作権者等を会員とする団体が、会員が電子コンテンツを利用して事業を営む者から収受する許諾料の算定の基礎となる掛け率の目安を示すことは、独占禁止法上問題となるおそれがあると回答したものがある（平成22年度相談事例集【事例7】）。一方、価格に関するものであっても、特定の業態の小売業者を会員とする団体が、レジ袋有料化の義務付けに伴い、会員は今後環境負荷の小さいレジ袋を単価3円で提供することを内容とするガイドラインを策定することについて、独占禁止法上問題となるものではないと回答したものがある（令和元年度相談事例集【事例12】）。

　価格制限行為では、その実効を確保するために、事業者団体が定めた内容に従うよう要請・強要し、従わない事業者に対して取引拒絶や差別的取扱い等を行うことがあり得る。こうした手段を用いない場合でも価格制限行為それ自体が違法となるが、このような手段を用いる場合は、価格制限行為と併せて一体として、または行為によってはそれ自体独立

して違法となる場合がある。たとえば、事業者団体の決定に従わない構成員に金銭的負担を強いたり、事業者団体を脱会させたり、事業者団体が定めた価格に合わない安値品の買い上げを行うといった行為や、事業者団体の決定事項の順守状況を監視するための情報交換活動等の行為は、価格制限行為と一体の行為として8条1号に該当し得る。また、たとえば、価格制限の実効を確保するために協力しない事業者に対する取引拒絶をさせるような行為は、それ自体独立して同条5号違反となる場合がある。以上のことは、価格制限行為以外の行為である以下の(2)～(12)でも同じである。

(2) 数量制限行為

数量は、価格と同じく、極めて重要な競争手段であり、価格に与える影響も直接的である。しかも競争制限以外にこれを制限する理由は一般的には見当たらないことから、数量制限行為は、価格制限行為と同様に、原則として8条4号に違反し、さらに、これにより、競争が実質的に制限されれば、同条1号に違反する。

たとえば、構成事業者の出荷数量を前年同月の一定率に制限するような決定は、これに当たる。また、供給数量を直接的に制限するものでなくても、原材料の購入量制限、設備の運転制限や、数量の限度を具体的に示唆するような基準を設定することも数量制限行為に当たる。相談事例であるが、食料品加工業者を会員とする団体が、不作により原材料の市況価格が高騰した場合に、その原材料を加工した食料品の小売業者による特売を自粛するルールの徹底を小売業者の団体に要請することについて、独占禁止法上問題となるおそれがあるとしたものがある（平成25年度相談事例集【事例11】）。一方、交通インフラ工事業者を会員とする団体が、政府の働き方改革を踏まえ、会員による週休2日制の実現に向けて、特定の曜日を休業日とする運動を推進することについて、独占禁止法上問題となるものではないと回答したものがある（平成29年度相談事例集【事例11】）。

⑶　**顧客、販路の制限**

　顧客、販路の制限についても、価格や数量の制限と同様に、原則として8条4号に違反し、さらに、これにより、一定の取引分野における競争が実質的に制限されれば、同条1号に違反する。

　たとえば、他の構成事業者の顧客とは取引しないといった決定や、各構成事業者が事業活動を行う地域や商品・役務の種類を制限したり（市場分割）、事業者団体で受注予定者を決定したりする行為がこれに当たる。相談事例であるが、医療機器メーカーを会員とする団体が、会員に対して、中古品の医療機器のユーザーへの消耗品の販売を禁止することについて、独占禁止法上問題となるおそれがあるとしたものがある（平成26年度相談事例集【事例12】）。

⑷　**設備または技術の制限行為**

　設備または技術の制限は、供給量の制限につながったり、新技術による競争を失わせる行為であり、原則として8条4号に違反し、さらに、これにより、一定の取引分野における競争が実質的に制限されれば、同条1号に違反する。

　たとえば、設備の運転制限や新設禁止を定めることや、新たな技術の開発を制限することがこれに当たる。

⑸　**参入制限行為等**

　参入制限行為は、新しい事業者が市場に入ってくることができないようにしたり（新規参入阻止）、これを困難にするものであり、原則として8条3号、4号または5号に違反し、さらに、これにより、一定の取引分野における競争が実質的に制限されれば、同条1号に違反する。

　たとえば、構成事業者やその取引先事業者に対して、特定の事業者に商品を供給しない、あるいは特定の事業者から商品を購入しないようにさせる行為や、団体に加入しないと事業活動を行うことが困難な状況において加入を制限したり、団体から除名することがこれに当たる。

　なお、団体への加入制限には、加入を拒否することのみではなく、加

入に過大な条件を付すこと（過度に高額の入会金、競合する構成員の同意を得ることを要件とすること等）も含まれる。

　相談事例であるが、バス事業者を会員とする団体が、駅前バスターミナルの管理と運用を行うに当たり、①県内に営業所を有しない非会員のバス事業者に新たにバスターミナルを利用させないことについて、独占禁止法上問題となるおそれがあり、②既にバスターミナルを利用している会員と非会員との間で、バスターミナル維持管理費の負担額に合理的な範囲内の差を設けることについては、独占禁止法上問題となるものではないと回答したものがある（平成24年度相談事例集【事例7】）。

(6)　不公正な取引方法

　事業者団体が、構成事業者であるか否かにかかわらず、事業者に不公正な取引方法に当たる行為をさせることは、8条5号に違反する（前記2(5)参照）。

　なお、事業者団体が事業者として活動している場合には、事業者団体自身が不公正な取引方法に該当する行為を行うことがあるが、この場合、その事業者団体は、事業者として19条に違反することとなる。

(7)　種類、品質、規格等に関する制限

　商品の種類、品質、規格等は、事業者間の競争手段となり得るものなので、事業者団体がこれを制限して競争を阻害すると、8条3号、4号または5号に違反する。さらに、市場分割の目的で商品の種類を制限することなどで、一定の取引分野における競争が実質的に制限されると、同条1号に違反する。

　一方、事業者団体が環境の保全や安全の確保等の社会公共的な目的のため、商品・役務の種類、品質、規格等に関して、自主規制等や自主認証・認定等の活動を行うことがある。このような活動については、独占禁止法上の問題を特段生じないものも多いが、多様な商品の開発・供給等に係る競争を阻害することとなる場合もある。このため、自主規制等については、その自主規制が、①競争手段を制限し需要者の利益を不

当に害するものではないか、および②事業者間で不当に差別的なものではないかとの判断基準に照らし、③社会公共的な目的等正当な理由に基づいて合理的に必要とされる範囲内のものかという要素も勘案しつつ判断される。

また、自主認証・認定等については、これら①～③に加え、自主認証・認定等を受けないと事業活動が困難な状況において、非構成事業者など特定の事業者に対して、その利用を正当な理由なく制限していないか、という点も考慮して判断される。

なお、自主規制等と自主認証・認定等の双方とも、その利用・遵守については、構成事業者の任意の判断に委ねられるべきであり、事業者団体がこれを構成事業者に強制することは、一般的に独占禁止法上問題となるおそれがある。

相談事例であるが、建築資材メーカーを会員とする団体が、地球温暖化防止を目的として、温室効果を有さない新型品の商品化に伴い、温室効果を有する化学物質を原材料とする建築資材の製造販売を停止するよう取り決めることについて、独占禁止法上問題となるものではないと回答したものがある（平成24年度相談事例集【事例9】）。

(8) 営業の種類、内容、方法等に関する行為

営業の種類、内容、方法等は、事業者間の競争手段となり得るものなので、事業者団体がこれを制限して競争を阻害すると、8条3号、4号または5号に違反する。さらに、競争制限の目的で販売方法を制限することなどで、一定の取引分野における競争が実質的に制限されると、同条1号に違反する。

営業の種類、内容、方法等については、前記の種類、品質、規格等と同様に、事業者団体が、消費者の商品選択を容易にするため、表示・広告等に関する自主的な基準を設定したり、環境保全や未成年者の保護等の社会公共的な目的や労働問題への対処のため営業方法等についての自主規制等を行うことがある。このような活動については、独占禁止法上の問題を特段生じないものも多いが、こうした営業の種類、内容、方法

に関する自主規制等が競争を阻害するかどうかは、前記(7)の①～③に照らして判断される。

たとえば、相談事例であるが、検査機器のメーカーを会員とする団体が、検査機器の安全性を確保するために、会員による検査機器の販売方法に関する自主基準を策定することは、独占禁止法上問題となるものではないと回答したものがある（平成22年度相談事例集【事例9】）。

(9) 情報活動

事業者団体が、商品知識、技術動向、経営知識、市場環境、産業活動実績、立法・行政の動向、社会経済情勢等について客観的な情報を収集し、これを構成事業者や関連産業、消費者等に提供する活動については、独占禁止法上特段の問題を生じないものの範囲が広いが、一方で、競争関係にある事業者間において現在または将来の事業活動に係る価格等重要な競争手段の具体的な内容に関して、相互間での予測を可能にするような効果を生ぜしめる場合がある。すなわち、構成事業者の商品・役務の価格・数量の具体的な計画や見通し、顧客との取引や引き合いの個別具体的な内容、予定する設備投資の限度等、各構成事業者の現在または将来の事業活動における重要な競争手段に具体的に関連する内容の情報活動は、違反となるおそれがある。

事業者団体ガイドラインは、①消費者への商品知識等に関する情報の提供、②技術動向、経営知識等に関する情報の収集・提供、③事業活動に係る過去の事実に関する情報の収集・公表、④価格に関する情報の需要者等のための収集・提供、⑤価格比較の困難な商品または役務の品質等に関する資料等の提供、⑥概括的な需要見通しの作成・公表、⑦顧客の信用状態に関する情報の収集・提供を、原則として違反とならない行為として挙げている。しかしながら、これらの行為も、価格制限行為の実効確保のための情報交換として行われているのであれば、当然独占禁止法上問題となる。また、形式上はこれらの行為に該当する場合であっても、事業者に現在または将来の価格についての共通の目安を与えることとなる場合には価格制限行為として、需給見通しの公表等が各自の供

給量についての目安を与えることとなる場合には、数量制限行為として8条1号または4号に違反する可能性がある。相談事例であるが、役務を提供する事業者を会員とする団体が、法改正後の会員の役務提供に係る料金に関する情報を収集し、会員ごとの料金が具体的に分かるような形で会員等に提供することについて、独占禁止法上問題となるおそれがあるとしたものがある（平成27年度相談事例集【事例10】）。一方で、相談事例として、事業者団体が、会員事業者の供給製品の原材料等に係る市況の推移、コストや価格転嫁の状況等の調査を実施し、個々の会員事業者や個別具体的な商品の価格等の状況を明らかにすることのない形で公表することについて、独占禁止法上問題となるものではないとしたものがある（令和4年度相談事例集【事例7】）。また、顧客の信用情報等に関する情報の共有であっても、これが特定の事業者とのみ取引をする、または取引をしないことについての合意を生ぜしめる場合には、構成事業者の取引先の選択を制限しているとして8条4号に、または事業者に取引拒絶をさせているとして同条5号に該当する可能性が生じることとなる。したがって、情報活動に当たっては、それが事業者の行動にどのような影響を与え、その行動が競争にどのような影響を与えることとなるかを十分に検討した上で実施する必要がある。

⑽ **経営指導**

　中小企業者は、経営に関する知識等が相対的に不足する面があることから、中小企業者の団体がその構成事業者に経営指導を行うことは、本来独占禁止法上問題となるものではない。たとえば、一般的な知識の普及と技能の訓練、構成事業者の求めに応じた個別的な経営指導、原価計算の一般的な方法の作成（事業者間に価格や積算金額について共通の目安を与えることとならないもの）は、原則として違反とならない。一方、経営指導であっても、統一的なマークアップ基準等を示す方法による原価計算指導等のように、事業者の現在または将来の事業活動に係る価格等重要な競争手段の具体的な内容について目安を与えるような指導を行うことは違反となるおそれがある。相談事例であるが、特定の工法の普及

活動等を行う団体が、会員である施工業者から収集したデータを基に土木工事用の単位面積当たりの作業員の人数と作業時間を示す標準的な工数を定めて公表することについて、独占禁止法上問題となるものではないと回答したものがある（令和元年度相談事例集【事例9】）。

(11) 共同事業

　事業者団体が行う共同事業（構成事業者の共同による事業活動の性格を持つ事業）には、競争促進的な効果を持つものや、社会文化活動のような競争と直ちに関係のないものも多いが、事業者団体が単一の事業主体となって行う事業として競争に影響を与えたり、参加する個々の事業者の事業活動の制限につながったりするおそれもある。このため、事業者団体による共同事業が独占禁止法上問題となるかどうかについては、①共同事業の内容（価格、数量等の競争手段に影響を与えるものであるか）、②共同事業参加事業者のシェアの合計等、③共同事業の態様（事業者団体の構成員への利用強制、事業の利用についての差別的取扱いの有無）を総合的に勘案して判断される（独占禁止法の適用除外となる一定の組合の行為については、第9章1(1)ア参照）。

　事業者団体ガイドラインは、違反となるおそれのある行為として、①商品または役務に係る共同販売、共同購買または共同生産の事業、②共同運送、共同保管を行う場合の対象商品の価格、数量、取引先等への関与、③共同事業への参加強制や参加・利用についての差別的取扱いを挙げ、一方、原則として違反とならない行為として、①参加事業者のシェアが市場における競争に影響を与えない程度に低い共同事業、②顧客の利便のための共同駐車場、共同展示施設等の共同事業、③その産業全体への理解増進のための広報宣伝活動、福利厚生活動、社会文化活動等、競争への影響の乏しい共同事業を挙げている。相談事例であるが、国際航空貨物利用運送事業者等を会員とする団体が、A空港・B空港間の共同物流事業を行うことは、独占禁止法上問題となるものではないと回答したものがある（平成22年度相談事例集【事例10】）。また、メーカーを会員とする団体が、機器とその構成部品に係る原産地証明のためにオン

ラインによる共通調査システムを構築することについて、独占禁止法上問題となるものではないと回答したものがある（令和元年度相談事例集【事例10】）。

(12) 公的規制、行政等に関連する行為

公的規制、行政等に関連して事業者団体が行う行為のうち、事業者団体ガイドラインは、以下のものを独占禁止法に違反するとして挙げている。

第1に、許認可、届出等に関連する制限行為として、①構成事業者の事業活動に係る許認可等の申請や届け出の制限、②許認可料金の中における料金の水準に係る決定、③許認可料金が形骸化している場合における許認可料金以下の料金の収受をしないことの決定、④届出料金等について、構成事業者が収受する料金やその維持、引上げの決定、第2に、公的規制分野における規制されていない事項に係る制限行為として、料金についての公的規制が撤廃された後に、事業者団体が構成事業者間の情報交換等を踏まえて、その料金を決定することなど、第3に、公的事業の実施のための業務が事業者団体に委託された場合に関連する違反行為として、①公的業務の実施において特定の事業者に対して事業活動を不当に拘束する条件を付ける等不公正な取引方法を用いること、②公的業務の実施に際して団体への加入や承認が求められている場合に特定の事業者を不当に差別的に取り扱うなどにより新たな事業者が参入することを制限することである（行政指導と独占禁止法の関係については、第9章2参照）。

相談事例であるが、小売業者を会員とする団体が、会員に対し、特定の商品の販売の際に会員が顧客に付与するポイントの点数を、団体が示す付与率を用いて計算されるもの以下とするよう要請することは、独占禁止法上問題となるおそれがあると回答したものがある（平成22年度相談事例集【事例11】）。

第4章 私的独占

1 概要
(1) 私的独占規制の趣旨

　ある事業者が市場から退出することを余儀なくされたり、市場に参入することができなかったとしても、それが公正かつ自由な競争の結果であれば独占禁止法上問題となることはない。しかし、事業者単独の場合であれ、複数の事業者による共同の場合であれ、不当な人為的手段によって新規事業者の市場参入を妨げるなど競争者の事業活動を困難にしたり、他の事業者の事業活動を自己の意思に従わせたりすることにより、市場における競争機能が損われるときは、その行為を独占禁止法上規制する必要がある。このような行為は「私的独占」（2条5項）と呼ばれ、3条で禁止されている。

　私的独占は、不当な取引制限（第2章）、不公正な取引方法（第5章）とともに独占禁止法制定当時から存在する最も主要な違反行為の1つであり、世界各国において一貫して規制されている行為類型である。独占禁止法制定以来、公正取引委員会が法的措置をとった私的独占事件は20件に満たないが、その大部分が平成8年以降に集中しており、近年は公正取引委員会による運用が活発化している（図表4-1）。市場支配力を持った事業者が、規制緩和やグローバル化、経済のデジタル化が進む中で新規参入阻害や競争相手への妨害を行う場合に問題となりやすいことが一因といえる。このような市場の独占につながる排除行為については、その規制の難しさから事件数こそ多くないものの、典型的な競争法上の違反行為として、積極的な取締りの対象となっている。

[図表4-1] 公正取引委員会が法的措置を採った私的独占事件（平成8年以降）

事件名	命令・審決・判決
日本医療食協会事件	勧告審決平成8年5月8日
ぱちんこ機製造特許プール事件	勧告審決平成9年8月6日
パラマウントベッド事件	勧告審決平成10年3月31日
ノーディオン事件	勧告審決平成10年9月3日
北海道新聞社事件	同意審決平成12年2月28日
有線ブロードネットワークス事件	勧告審決平成16年10月13日
インテル事件	勧告審決平成17年4月13日
ニプロ事件	審判審決平成18年6月5日（違法宣言審決）
NTT東日本事件	審判審決平成19年3月26日（違法宣言審決）
	東京高裁判決平成21年5月29日（請求棄却）
	最高裁判決平成22年12月17日（上告棄却）
日本音楽著作権協会（JASRAC）事件	排除措置命令平成21年2月27日
	審判審決平成24年6月12日（全部取消審決）
	東京高裁判決平成25年11月1日（請求一部認容）
	最高裁判決平成27年4月28日（上告棄却）
福井県経済連事件	排除措置命令平成27年1月16日
日本メジフィジックス事件	確約計画認定令和2年3月12日
マイナミ空港サービス事件	排除措置命令令和2年7月7日 課徴金納付命令令和3年2月19日
	東京地裁判決令和4年2月10日（請求棄却）
	東京高裁判決令和5年1月25日（請求棄却）

(2) **成立要件**

　私的独占とは、「事業者が、単独に、又は他の事業者と結合し、若しくは通謀し、その他いかなる方法をもつてするかを問わず、他の事業者の事業活動を排除し、又は支配することにより、公共の利益に反して、一定の取引分野における競争を実質的に制限すること」である（2条5項）。すなわち、私的独占の成立要件は、①行為主体が「事業者」（2条1項）であること、②他の事業者の事業活動を排除し、または支配すること、③一定の取引分野における競争を実質的に制限すること、④前記

1　概要　79

②と③の間に因果関係が認められること（「により」に該当する要件）、⑤公共の利益に反していることの5つである。このうち①③⑤は、不当な取引制限（第2章）の成立要件と共通している。

私的独占は、排除行為による私的独占（排除型私的独占）と支配行為による私的独占（支配型私的独占）に区別することができる。両者は、平成18年1月以降、課徴金算定上区別する必要が生じているが、それ以前の事例においても法令を適用する上で区別されてきた経緯がある。

行為主体は単に「事業者」であればよく、市場支配力を有する事業者であることは要件とはされていない。しかし、問題となる市場において支配力を持たない事業者が主体となる場合には、「排除」や「支配」が行われたとしても、必ずしも競争が実質的に制限されるわけではない。競争的な市場であれば、参入しようとする事業者を妨害しても、市場支配力の形成につながらない場合もあり得る。そこで、排除型私的独占ガイドライン[1]では、競争への影響という事業者からは予見しにくい指標について一定の目安を提示すべく、公正取引委員会が事件審査を行う際の執行方針として、①行為開始後において行為者が供給する商品のシェアが概ね2分の1を超える事案であって、②国民生活に与える影響が大きいと考えられるものを優先的に取り扱う旨が示されている。

なお、市場支配力の形成・維持・強化をもたらさない排除行為や支配行為は、不公正な取引方法（第5章）として規制の対象となり得る。

2　排除行為

(1)　総論

排除行為とは、他の事業者の事業活動の継続を困難にさせたり、新規参入者の事業開始を困難にさせたりする行為であって、一定の取引分野における競争を実質的に制限することにつながる様々な行為をいう（排除型私的独占ガイドライン第2の1(1)）。

排除行為に該当するためには、他の事業者の事業活動が現実に市場か

---

[1]　「排除型私的独占に係る独占禁止法上の指針」（平成21年公取委）。

ら駆逐されたり、新規参入が阻止されたりする結果が現実に発生していることまで必要とされるわけではない。つまり、他の事業者の事業活動の継続を困難にさせたり、新規参入者の事業開始を困難にさせたりする蓋然性の高い行為であれば足りる（ニプロ事件（審判審決平成18年6月5日・図表4-9)[2])。また、事業者が排除されることではなく、事業者の事業活動が排除されることが要件なのであって、事業者が倒産したり、事業経営全体に支障が生ずることまで要求されているわけではない。

　他方、行為の結果だけを見て排除行為該当性を評価すると、通常の競争過程において他の事業者の商品（役務を含む。以下同じ）が市場から淘汰されることは当然に起こる以上、そのような結果を引き起こした競争的な事業活動も排除行為となってしまうことがあり得る。このことに配慮し、排除型私的独占ガイドラインは、事業者が自らの効率性の向上等の企業努力により低価格で良質な商品を提供したことによって、競争者の非効率な事業活動の継続が困難になったとしても、排除行為には該当しないとする。最高裁も、排除効果の有無とともに、「自らの市場支配力の形成、維持ないし強化という観点からみて正常な競争手段の範囲を逸脱するような人為性を有するもの」といえるか否かを排除行為該当性の判断要素としている（NTT東日本事件（最高裁判決平成22年12月17日・図表4-15)[3]、日本音楽著作権協会（JASRAC）事件（最高裁判決平成27年4月28日)[4])。

　最高裁のいう「人為性」とは、「排除する意図」や「制裁を加える目的」といった主観的要素を意味するものではない。NTT東日本事件では、排除効果を通じた市場支配力の形成・維持・強化を考慮しない限り、本来的に自己の利益とはならない行為であったという、行為に本質的に内在する客観的要素から「人為性」が認定されたようである。客観的にみて、行為者にとって利益が生ずるのが競争を制限した場合だけなので

---

2) 経済法百選〔初版〕13事件28頁。
3) 経済法百選〔第2版〕7事件16頁。
4) 経済法百選〔第2版〕8事件18頁。

あれば、その行為が持つ排除効果は自らの効率性を向上させる過程に随伴して生じたものとはいえないことになる。もっとも、ここで考慮された「人為性」だけが、排除行為の唯一の識別基準だとされているわけではない。市場における競争条件や具体的な行為態様などを踏まえ、違法とすべき人為的ないし濫用的要素が客観的に見出せればよいことに留意する必要がある。JASRAC事件でも、排除効果の有無とは別に「人為性」の有無を判断する実益がほとんどなく、特段の事情がない限り、両者は一体的に判断されることを認めている。排除行為該当性判断における「人為性」の有無については、ニプロ事件（東京高裁判決平成24年12月21日・図表4-9)[5]といった私訴でも認定されており、概念的には排除効果と区別されている。

　それでは、排除行為かどうかを判断するに当たって、競争制限を目的とする意図という主観的要素の認定には、何の意味もないのだろうか。確かに、NTT東日本事件（審判審平成19年3月26日）によれば、主観的な意図は必要ではなく、客観的に排除行為が認められれば足りるとされている。しかし、このことは、主観的要素としての意図が要件とされていないことを確認したにとどまり、意図に関する客観的な証拠が、排除戦略の内容やその効果を立証する材料となり得ることを否定するものではない。また、排除する意図の下に複数の競争制限に向けた行為が行われた場合に、これらの行為をまとめて一連かつ一体的な行為であると認定することは可能である（事例として、ニプロ事件（図表4-9）やマイナミ空港サービス事件（東京高裁判決令和5年1月25日)[6]）。さらに、競争制限を目的とする意図が認められれば、「消費者利益の確保に関する特段の事情」（後記4(2)参照）が認められる余地はもはやなくなるのであって、主観的要素も要件該当性を判断する上で一定の機能を果たしているといえる。

---

5) 経済法百選〔第2版〕13事件28頁。
6) 原審（東京地裁判決令和4年2月10日）については、令和4年度重要判例解説・経済法1事件215頁。

(2) **排除行為の類型**

　排除行為の典型は、不公正な取引方法と同様の行為類型であり、取引拒絶（一般指定2項）や排他条件付取引（一般指定11項）は排除行為となり得る。しかし、これまでの事件で認定された排除行為は、必ずしも不公正な取引方法と同様の行為に限られていない。たとえば、北海道新聞社事件（同意審決平成12年2月28日）[7]での排除行為には、自ら使用する計画のない新聞題字についての商標登録出願が含まれていたが、これを競争者に対する取引妨害（一般指定14項）とするのは難しい。また、日本医療食協会事件（勧告審決平成8年5月8日・図表4-2）では、医療用食品の製造業者間や販売業者間で競争を生じさせないようにするため、医療用食品の登録・認定制度を利用した行為が排除行為とされたが、制度を運用する者自身によるこのような行為は、不公正な取引方法として規制するのが困難である。

　結局、このような非典型的な行為まですべてを類型化して具体的に摘示することは不可能である。しかし、可能な限り典型的な排除行為を類型化して行為類型ごとに判断要素を掲げることは、法運用の透明性の確保と事業者の予見可能性の向上の観点から有益である。このような観点から、排除型私的独占ガイドラインでは、排除行為として典型的な行為を、コスト割れ供給（後記(3)）、排他的取引（後記(4)）、抱き合わせ（後記(5)）と供給拒絶・差別的取扱い（後記(6)）の4つに類型化し、それぞれの行為類型ごとに排除行為該当性について記載している。

　これら4つの行為類型に当てはまらない排除行為としては、たとえば、競争者と競合する販売地域または顧客に限定して行う価格設定行為（有線ブロードネットワークス事件（勧告審決平成16年10月13日）[8]）や、直接的に競争者の事業活動を妨害する行為（東洋製罐事件（勧告審決昭和47年9月18日・図表4-3）がある。

---

[7] 経済法百選〔初版〕14事件30頁。
[8] 経済法百選〔第2版〕11事件24頁。

[図表 4-2] 日本医療食協会事件（勧告審決平成 8 年 5 月 8 日）[9]

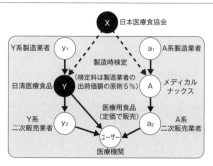

医療用食品の唯一の検査機関である協会 X と医療用食品を販売する Y は、Y の独占的供給体制を確立・維持して医療用食品の価格維持を図り、X の検定料収入を安定的に確保する目的から、A との間で締結した協定と医療用食品の登録方針に従い、医療用食品の登録制度、製造業者認定制度、販売業者認定制度の各制度を実施することにより、①医療用食品を製造または販売しようとする事業者の参入を制限するなど、これらの事業者の事業活動を排除し、また、②医療用食品の製造業者の販売先および二次販売業者の仕入先を Y と A に限定するとともに、医療用食品の販売業者（A を含む）の販売価格、販売地域等を制限するなど、これらの事業者の事業活動を支配した。

[図表 4-3] 東洋製罐事件（勧告審決昭和 47 年 9 月 18 日）[10]

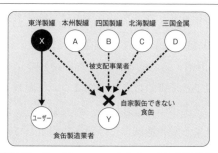

わが国における総供給量の約 56％のシェアを有する食缶製造業者である X は、①役員派遣、株式保有、契約規定等を通じて A、B、C、D の 4 社（X のシェアに加えると合計約 74％となる）を自己の意向に従って営業させており、これら 4 社の事業活動を支配し、また、②缶詰製造原価の引下げを目的として自家消費用の食缶の製造（自家製缶）を企図する缶詰製造業者に対し、自家製缶できない食缶の供給を停止するなどの措置により、缶詰製造業者の自家製缶についての事業活動を排除した。

---

9) 経済法百選〔第 2 版〕14 事件 30 頁。
10) 経済法百選〔第 2 版〕16 事件 34 頁。

(3) コスト割れ供給[11]（図表4-4）

　自由競争経済は、需給の調整を市場メカニズムに委ね、事業者が市場の需給関係に適応しつつ価格決定を行う自由を有することを前提とするものであり、企業努力による価格引下げ競争は、本来、良質・廉価な商品を提供して顧客を獲得する競争（能率競争）の中核をなすものであって、独占禁止法により維持・促進しようとする競争政策に沿うものである。このことを踏まえれば、公正かつ自由な競争を促進する独占禁止法の目的に照らし、価格引下げ競争に対する介入は最小限にとどめられるべきである。しかし、一般に、商品を供給しなければ発生しない費用さえ回収できないような対価を設定すれば、その商品の供給が増大するにつれ損失が拡大することとなるため、このような行為は、競争者が排除される効果に着目しない限り、経済合理性のないものである。

ア 「商品を供給しなければ発生しない費用」

　実務上の費用基準として採用している「商品を供給しなければ発生しない費用」とは、概念的には平均回避可能費用[12]に相当するものである

[図表4-4] コスト割れ供給

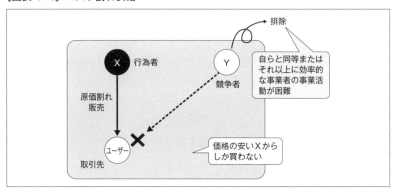

---

11) 排除型私的独占ガイドライン第2の2。「商品を供給しなければ発生しない費用を下回る対価設定」として記述されている。
12) 平均回避可能費用（Average Avoidable Cost: AAC）とは、行為者が商品の追加供給をやめた場合に生じなくなる商品固有の固定費用および可変費用を合算した費用を追加供給量で除することによって得られる商品一単位当たりの費用をいう。

（不当廉売ガイドライン[13]においても同一の費用基準が採用されている）。平均回避可能費用は、供給量の増加という廉売の影響そのものに着目しており、また、固定費用と可変費用の区別の必要もなくなるというものであるため、これらの点について問題が指摘されてきた従来の費用基準（平均可変費用）の弱点を補う優れた特徴を持つと評価されている。そのため、略奪的な廉売であるかどうかを判別する費用基準として、平均可変費用に代えて、欧米の競争当局において用いられつつある。

実際にどのような費用が「商品を供給しなければ発生しない費用」となるかについては、実情に即して合理的と考えられる期間において、①商品の供給量の変化に応じて増減する費用であるか否か、②商品の供給と密接な関連性を有する費用であるか否かという観点から判断される。

①の観点からは、実質的にみて商品の供給量の変化に応じて増減する費用であれば、商品を供給すれば発生する費用に当たることになる。たとえば、変動費（操業度に応じて総額において比例的に増減する原価）は、「商品を供給しなければ発生しない費用」に当たる。明確に変動費であると認められなくても、費用の性格上、供給量の変化に応じてある程度増減するとみられる費用は、「商品を供給しなければ発生しない費用」と推定される。

また、②の観点からは、企業会計上の費用項目のうち、商品の供給と密接な関連性を有する費用項目であるかが判断される。たとえば、製造原価（商品の製造に要した費用の合計額）や仕入原価（値引き・リベート等を考慮した商品の実質的な仕入価格と商品仕入れに付随する諸経費（運送費・検収費等）の合計額）は「商品を供給しなければ発生しない費用」と推定される。また、販売経費のうち運送費、倉庫費等の注文の履行に要する費用は、「商品を供給しなければ発生しない費用」となる。一方、人事部や経理部といった本社部門の人件費等は、一般管理費として「商品を供給しなければ発生しない費用」とはならないし、広告費、市場調査費等の注文の獲得に要する費用は、特段の事情がない限り、「商品を

---

[13] 「不当廉売に関する独占禁止法上の考え方」（平成21年公取委）。

供給しなければ発生しない費用」には該当しないと推定される[14]）。

　また、廉売行為はただ単に価格を安くするのではなく、これまでよりも大量に商品を供給することによって競合品のシェアを奪うものであるため、たとえば、製造業であれば、追加的に製造施設や原材料の仕入れの能力を強化することが必要となる。そのために必須となる投資費用については、たとえこれが①の観点からは固定費に分類されるものであっても、②の観点から商品の供給と密接な関連性を有する費用として「商品を供給しなければ発生しない費用」に当たることとなる。

　イ　排除効果

　ある商品について、前記アの「商品を供給しなければ発生しない費用」さえ回収できないような対価を設定することで競争者の顧客を獲得することは、企業努力や正常な競争過程を反映せず、自らと同等またはそれ以上に効率的な事業者の事業活動を困難にさせ、競争に悪影響を及ぼす場合がある。このような場合には、その行為は排除行為となる。

　自らと同等またはそれ以上に効率的な事業者の事業活動を困難にさせるかどうかを判断するに当たっては、①商品の特性、規模の経済、商品差別化の程度、市場の動向等の商品市場全体の状況、②行為者や競争者の市場における地位（商品のシェア、その順位、ブランド力、供給余力、事業規模等）、③行為の期間と商品の取引額・数量、④行為者の意図・目的、廉売に係る行為者の評判等の行為の態様といった事項が総合的に考慮される。特に、ディープポケットを用いている場合（事業規模の大きな事業者が、他の商品や他の地域での販売利益その他の資金を投入して損失を補填している場合）や評判効果が認められる場合（行為者によるさらなる廉売を警戒して他の事業者が新規参入を躊躇するような効果を持つ評判が客観的に認められる場合）には、自らと同等またはそれ以上に効率的な事業者の事業活動を困難にさせる可能性が高い。

　また、「商品を供給しなければ発生しない費用」以上の対価を設定する場合には排除効果を持つ可能性は低いといえるが、これが総販売原価

14）　不当廉売ガイドライン3(1)ア(エ)b(c)（注7）と（注8）。

[図表 4-5] ゼンリン事件（警告平成 12 年 3 月 24 日）

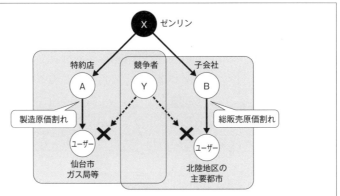

Xは、国内における住宅地図等の大部分を販売している事業者であり、それまで仙台市住宅地図等の販売をしていたのはXのみであった。北陸地区において住宅地図等の販売を行っているYが仙台市住宅地図等の販売活動を開始したため、Xは、Yによる販売活動を困難にさせる意図の下、①Xの特約店をして、仙台市ガス局等が指名競争入札の方法等により発注した仙台市住宅地図を製造原価を大幅に下回る価格で受注させ、また、②Xの全額出資子会社をして、Yの主な販売区域である北陸地区の主要都市において、総販売原価を下回る価格（一部に製造原価を下回る価格を含む）で平成 10 年版の住宅地図等を販売させた。

（平均総費用）を下回っているのであれば注意が必要なときがある。たとえば、医薬品やソフトウェアについては、研究開発に多額の投資が必要な反面、いったん開発されてしまえば、商品を廉売するに当たって追加的に必要となる費用はごく少額にとどまることも多い。しかし、研究開発費のように、商品の供給期間よりも前に一括して計上される費用については、行為者が実情に即して合理的な期間においてその費用を回収することとしていると認められる場合には、その期間にわたって費用の配賦を行った上で総販売原価の算定を行うこととされている[15]。そのため、このような商品の対価設定については、「商品を供給しなければ発生しない費用」以上の対価であっても、総販売原価を下回る対価を設定するときは、自らと同等またはそれ以上に効率的な事業者の事業活動を困難にさせる可能性がある。

15) 不当廉売ガイドライン 3(1)ア(ウ)(注 2)参照。

(4) **排他的取引**[16]（図表4-6）

　事業者が、相手方に対し、自己の競争者から商品の供給を受けないことを取引の条件としたとしても、競争者がその相手方に代わり得る取引先を容易に見いだすことができる場合には、競争者は、価格、品質等による競争に基づき市場での事業活動を継続して行うことができる。しかし、競争者が代替的な取引先を確保することができなければ、その取引機会が減少し、競争に悪影響を及ぼす場合がある。このように、相手方に対し、自己の競争者との取引を禁止したり、制限することを取引の条件とする行為を「排他的取引」という。

　排他的取引の典型例である専売店制には、取引先事業者に対し、広告、資金提供、人的訓練などの支援を行うことで、販路を広げて需要を刺激する効果があることが知られている。これらの支援が自社の商品ではなく競争者の商品の販売のために利用されれば、フリーライダー問題が発生するため、専売店制でなければ積極的に行われないからである。このように、排他的効果をもつ取引であっても競争に対する促進効果が認められるのであれば、市場における競争に悪影響を与えない場合も多い。このため、排除型私的独占ガイドラインでは、排他的取引のうち市場閉鎖効果が強いものに限って典型行為として取り上げている。

[図表4-6] 排他的取引

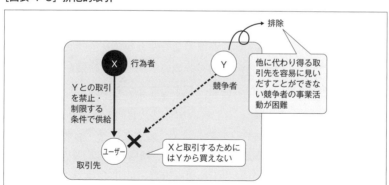

16) 排除型私的独占ガイドライン第2の3。

ア 取引の排他性

　排他的取引は、自己の競争者と取引しないことを明示的な契約上の義務として定めている場合だけを問題とするものではない。契約によらずとも、事実上、自己の競争者との取引を禁止したり、制限したりすることが取引の条件となっている場合も含まれる。つまり、自己の競争者と取引した場合に何らかの不利益を課したり、自己とのみ取引する場合に経済上の利益を与えるなどの人為的手段によって、競争者と取引させないようにする効果を実質的に生じさせているときには、排他的取引となる。たとえば、自己との取引について一定の取引数量を達成することを条件とする際に、その取引数量を取引先の取扱能力の限度に近い水準に設定する場合には、自己の競争者との取引を禁止し、または制限することを実質的に取引の条件としているとみることができる。また、自己の競争者と取引することについて事前に承諾を得ることを要求する場合や競争者と取引した分だけ追加的な経済的負担が生じる場合なども、排他的取引として問題となり得る。

　競争品の取扱いを制限する効果を有するリベートを供与する行為も、「排他的リベートの供与」として排他的行為に該当することがある。リベート自体は、一般的な商慣行の中で広く用いられているものであり、通常は販売促進や仕切価格の修正としての機能を果たし、需要を刺激したり、価格の一要素として市場の実態に即した価格形成を促進させたりするという競争促進的な効果も有する。しかし、相手方に対し、自己の商品をどの程度取り扱っているかなどを条件としてリベートを供与する場合には、取引先に対する競争品の取扱いを制限する効果を有するものとして、排他的取引と同様の機能を有することがある。

　「排他的リベートの供与」といえるかどうかを判断するに当たっては、①リベートの金額や供与率の水準、②リベートを供与する基準（取引先の個別事情に応じて基準が設定されているか、達成可能な範囲内で高い水準に設定されているか）、③リベートの累進度（一定期間における取引数量等に応じて累進的にリベートの水準が設定されているか）、④リベートの遡及性（リベートの供与基準を超えた分だけでなく、リベートがそれまでの取引

数量等の全体を対象として供与されるか）が総合的に考慮される[17]。たとえば、インテル事件（勧告審決平成17年4月13日・図表4-7）で用いられた占有率リベートは、取引数量によるボリューム・ディスカウントと異なり、取引先の取扱能力に応じてリベートの供与水準が設定されている点で問題がある。また、遡及的リベートそれ自体には、通常、競争促進的な効果は認められず、競争品の取扱い制限を実質的に取引の条件としているリベートであると推認することができる。

   イ　排除効果

　排他的取引または排他的リベートの供与が、他に代わり得る取引先を容易に見いだすことができない競争者の事業活動を困難にさせる場合には、その行為は排除行為となる。これを判断するに当たっては、①商品市場全体の状況（市場集中度、商品の特性、規模の経済、商品差別化の程度、流通経路等）、②行為者と競争者の市場における地位（商品のシェア、その順位、ブランド力、供給余力等）、③行為の期間と相手方の数・シェア、④行為の態様（取引の条件・内容、行為者の意図・目的等）が総合的に考慮される。また、排他的リベートの供与については、競争品の取扱制限効果の判断要素（前記ア①〜④）も踏まえることとなる。

　考慮要素のうち特に排除効果に結びつくのが、「③行為の期間と相手方の数・シェア」である。排他的取引の対象者の数が少なく、その市場シェアが低い場合には、競争者は有効な競争を行うのに十分な取引先を確保することができる一方、市場シェアの大部分を占める多数の取引先事業者に対して長期間の全量購入契約が実施されれば、競争者が効果的に競争できる余地は非常に小さいものとなる（事例として、ノーディオン事件（勧告審決平成10年9月3日・図表4-8））。これまでの事例をみる限り、排他的取引の相手方の数やシェアが過半を超える場合には、強い市場閉鎖効果があらわれることが多い（第5章4(3)ウ参照）。ただし、相手方の数・シェアには、取引の条件・内容も影響するので、注意が必要である。たとえば、自己の商品が相手方の購入量全体の80％を超えた

---

17)　排除型私的独占ガイドライン第2の3(3)。

場合にリベートが遡及的に供与されるのであれば、排他的リベートの対象となる相手方の市場シェアが5割の場合、市場閉鎖効果が生じるのは市場シェアの約4割の部分（5割の80％）となる。

他に代わり得る取引先を容易に見いだすことができない競争者の事業活動を困難にさせるという基準は、「抱き合わせ」（後記(5)）や「供給拒絶・差別的取扱い」（後記(6)）と共通するものであり、その判断要素も基本的に共通する。つまり、「排他的取引」が自己の競争者への排除効果を捉えようとするのに対し、「供給拒絶・差別的取扱い」は川下市場における特定の事業者への排除効果を問題にし、「抱き合わせ」は隣接する別市場における競争者への排除効果を問題にする点において、排除効果を検討する市場が異なるにすぎない。

[図表4-7] インテル事件（勧告審決平成17年4月13日）[18]

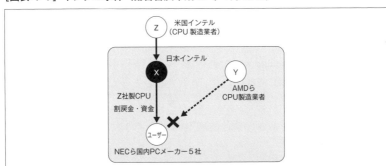

Xが販売するZ製CPUは、国内のパソコン製造販売業者に対するCPUの総販売数量の大部分を占めており、強いブランド力を有している。Xは、CPUを購入している国内のパソコン製造販売業者5社（合計でCPUの国内総販売数量の約77％）に対し、①製造販売するパソコンに搭載するCPUの数量のうちZ製CPUの数量が占める割合（占有率）を100％とし、Y製CPUを採用しないこと、②占有率を90％とし、Y製CPUの割合を10％に抑えること、③生産数量の比較的多いパソコンに搭載するCPUについてY製CPUを採用しないことのいずれかを条件として、割戻金または資金を提供することを約束した。

18) 経済法百選〔第2版〕12事件26頁。

[図表4-8] ノーディオン事件（勧告審決平成10年9月3日）[19]

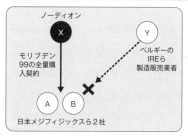

Xは、専ら放射性医薬品の原料として使用されるモリブデン99の世界における生産数量の過半を製造し、世界における販売数量の大部分を販売していた。この放射性医薬品は、モリブデン99以外の原料によって製造することはできない。日本においてモリブデン99を購入して放射性医薬品を製造している事業者は2社であり、これら2社はモリブデン99の全量をXから購入してきた。Xは、これら2社との間で、その取得、使用、消費または加工するモリブデン99の全量をXから購入しなければならない旨の規定を含む10年間の契約を締結することにより、他のモリブデン99の製造販売業者がこれら2社との取引をできないようにした。

[図表4-9] ニプロ事件（東京高裁判決平成24年12月21日）[20]

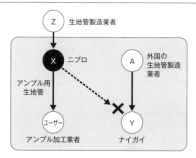

Zは、注射液等の容器として使用されるアンプル用生地管の日本で唯一の製造業者である。アンプル用生地管の加工業者は、需要者である製薬会社が使用を望むZ製生地管を取り扱うことが必要不可欠であった。このような状況の下で、Zから西日本における供給を一手に受けているXは、A等から輸入生地管を購入し加工して製薬会社に販売するYグループに対し、輸入生地管の取扱いの継続または拡大を牽制し、これに対して制裁を加える目的で、Z製生地管の販売価格を一方的に値上げし、Yグループが輸入している生地管と同品種のアンプル用生地管の供給を拒絶するなどした。

19) 経済法百選〔初版〕9事件20頁 。
20) 経済法百選〔第2版〕13事件28頁 。公正取引委員会が法的措置をとった事件は、審判審決平成18年6月5日 経済法判例百選〔初版〕13事件28頁 。

(5) 抱き合わせ[21]（図表4-10）

　複数の商品を組み合わせることにより、新たな価値を加えて相手方に商品を提供することは、技術革新・販売促進の手法の１つであって、一般的な商慣行でもある。しかし、相手方に対し、ある商品（主たる商品）の供給に併せて他の商品（従たる商品）を購入させるような抱き合わせは、従たる商品の市場において他に代わり得る取引先を容易に見いだすことができない競争者の事業活動を困難にさせ、従たる商品の市場における競争に悪影響を及ぼす場合がある。

　ア　「抱き合わせ」

　「抱き合わせ」に該当するか否かを分けるポイントの１つは、ある商品の供給に併せて購入させる商品が「他の商品」といえるか否かである。この点については、東芝昇降機サービス事件（大阪高裁判決平成５年７月30日・図表4-11）と藤田屋事件（審判審決平成４年２月28日）[22]において、組み合わされた商品がそれぞれ独自性を有し、独立して取引の対象とされているか否かという観点から判断されると判示されている。

　具体的には、判断に当たって、それぞれの商品について、需要者が異なるか、内容・機能が異なるか（組み合わされた商品の内容・機能が抱き

[図表4-10] 抱き合わせ

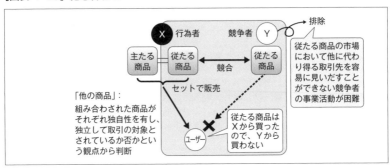

---

21)　排除型私的独占ガイドライン第２の４。
22)　経済法百選〔初版〕69事件140頁。

合わせ前のそれぞれの商品と比べて実質的に変わっているかを含む）、需要者が単品で購入することができるか（組み合わされた商品が通常 1 つの単位として販売または使用されているかを含む）等の点が総合的に考慮される。

　もう 1 つのポイントとなるのが、実質的に他の商品を購入させているといえるか否かである。たとえば、行為者の主たる商品と従たる商品を別々に購入することができる場合であっても、抱き合わせによって組み合わされた商品の価格が行為者の主たる商品と従たる商品を別々に購入した場合の合計額よりも低くなるため多くの需要者が引き付けられるときは、実質的にみて他の商品を購入させているといえる場合がある。ただし、主たる商品と従たる商品のセットを割安な価格で供給する場合には、セット商品同士の販売競争（Bundle-to-Bundle）が成立するときがある。このような場合には、競争関係が成立しているセット販売について、前記(3)の行為類型に該当するか否かとの観点から、セット価格がいわゆるコスト割れになっているかどうかを判断すれば足りる[23]。

　イ　排除効果

　「抱き合わせ」が、従たる商品の市場において他に代わり得る取引先を容易に見いだすことができない競争者の事業活動を困難にさせる場合には、その行為は排除行為となる。判断に当たっては、①主たる商品市場および従たる商品市場全体の状況（両市場における集中度、商品の特性、規模の経済、商品差別化の程度、流通経路等）、②主たる商品市場における行為者の地位（商品のシェア、その順位、ブランド力等）、③従たる商品市場における競争者の地位（商品のシェア、その順位、ブランド力等）、④行為の期間と抱き合わせの対象となる取引の相手方の数・取引数量、⑤行為の態様（抱き合わせの条件・強制の程度、行為者の意図・目的等）が総合的に考慮される。この点、不公正な取引方法の事案であるが、日本マイクロソフト抱き合わせ事件（勧告審決平成 10 年 12 月 14 日・図表 4-12）では、考慮要素②④を重視して排除効果が認定されている。

---

[23]　排除型私的独占ガイドライン第 2 の 4(1)（注 16）。

［図表 4-11］ 東芝昇降機サービス事件（大阪高裁判決平成 5 年 7 月 30 日）[24]

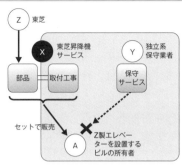

Xは、エレベーターの製造販売業を営むZの子会社であり、主としてZ製エレベーターの保守点検業を営むとともに、Z製エレベーターの部品を一手に販売していた。Aは、Z製エレベーターを設置するビルを所有し、独立系保守業者Yとの間で保守点検契約を締結していた。A所有のZ製エレベーターを修理するには部品の交換が必要であるため、AがXに部品を注文した。しかし、Xは、部品のみの販売はしない、部品の取替え・修理・調整工事をXに併せて発注するのでなければ注文には応じない、また、部品の納期は 3 か月先である旨の回答をし、その後、注文にもかかわらず、Aに部品を供給しなかった。

［図表 4-12］ 日本マイクロソフト抱き合わせ事件（勧告審決平成 10 年 12 月 14 日）[25]

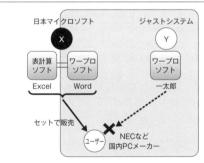

XとYはパソコン用ソフトウェアの開発とライセンスの供与に係る事業を営む者である。Xの表計算ソフトとYのワープロソフトは、それぞれ、市場シェア第 1 位であった。Xは、自社と競合するYのワープロソフトのみがパソコン本体に搭載されて販売されることは、Xのワープロソフトの市場シェアを高める上で重大な障害となるものと危惧し、主要なパソコン製造販売業者に対し、Xの表計算ソフトとワープロソフトを併せてパソコン本体に搭載して出荷する契約を受け入れさせた。こうした契約に基づく出荷は 3 年以上にわたっている。

24) 経済法百選〔第 2 版〕64 事件 130 頁。
25) 経済法百選〔第 2 版〕63 事件 128 頁。

(6) 供給拒絶・差別的取扱い[26]（図表 4-13）

　事業者が独立した事業主体として行った供給先の選択や供給に係る取引条件の設定は、基本的には、事業者による自由な事業活動として尊重される。このため、事業者が独立した経営判断として行った商品の供給先の選択や取引条件の設定の結果、相手方の事業活動が困難になったとしても、それだけで直ちに排除行為となるものではない。しかし、ある事業者が、供給先事業者が市場（川下市場）で事業活動を行うために必要な商品を供給する市場（川上市場）において、合理的な範囲を超えて、供給の拒絶、供給に係る商品の数量や内容の制限、供給の条件や実施についての差別的な取扱いをすることは、川上市場においてその事業者に代わり得る他の供給者を容易に見いだすことができない供給先事業者の川下市場における事業活動を困難にさせ、川下市場における競争に悪影響を及ぼす場合がある。

ア　合理的な範囲を超えて必要な商品の供給を拒絶すること

　「供給拒絶・差別的取扱い」が一般的な商慣行と区別されるのは、①供給する商品が、供給先事業者が市場（川下市場）で事業活動を行うために「必要な商品」であり、かつ、②これについて供給拒絶等をすることが「合理的な範囲」を超えている場合には、「自らの市場支配力の形

[図表 4-13] 供給拒絶・差別的取扱い

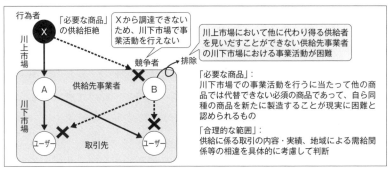

---

26) 排除型私的独占ガイドライン第 2 の 5。

成、維持ないし強化という観点からみて正常な競争手段の範囲を逸脱するような人為性を有する」といえるからである。

　①については、供給先事業者が川下市場で事業活動を行うに当たって他の商品では代替できない必須の商品であって、自ら投資、技術開発等を行うことにより同種の商品を新たに製造することが現実的に困難と認められるものであるか否かという観点から、「必要な商品」といえるかが判断される。ぱちんこ機製造特許プール事件（勧告審決平成9年8月6日・図表4-14）では、拒絶の対象となった特許権等の実施許諾を受けることなく、法規制に適合するぱちんこ機を製造することは困難であったこと等が認定されている。また、川下市場において販売網等の流通経路を有する者が、川上市場の製造業者等に対して購入の拒絶や差別的な取扱いをする場合も、同様の観点から、問題となる流通経路が川上市場で事業活動を行うために必要かを判断することになる。

　②については、供給に係る取引の内容や実績、地域による需給関係等の相違が「合理的な範囲」か否かの判断に当たって具体的に考慮される。たとえば、行為者が一部の供給先事業者に対して供給する川上市場における商品の価格が、他の供給先事業者との取引数量の相違等に基づく正当なコスト差を著しく超えて廉価となっている場合には、このような価格の差は合理的な範囲を超えているといえる。他方、川上市場における商品について行為者が長期間にわたって継続的に供給を行ってきた事業者に対する決済条件、配送条件その他の供給に係る条件が、新規に供給を受けようとする事業者に対する条件と異なっている場合であっても、それが過去の実績の相違に基づく正当なものであるときは、このような取扱いの差は合理的な範囲を超えているとはいえない。独立した事業主体として行った取引先の選択や取引条件の設定が、経済合理性の観点から説明ができる範囲内のものであれば、通常、「正常な競争手段の範囲を逸脱するような人為性」を有さないからである（前記(1)参照）。

　ところで、川下市場で事業活動を行うために必要な商品を供給する川上市場における事業者が、自ら川下市場においても事業活動を行っている場合に、供給先事業者に供給する川上市場における商品の価格につい

て、自らの川下市場における商品の価格よりも高い水準に設定したり、供給先事業者が経済的合理性のある事業活動によって対抗できないほど近接した価格に設定したりする行為（いわゆるマージンスクイーズ）により、供給先事業者の川下市場における事業活動が排除されることも考えられる。このような行為についても、「供給拒絶・差別的取扱い」と同様の観点から排除行為に該当するか否かが判断される[27]。

イ 排除効果

「供給拒絶・差別的取扱い」により、川上市場においてその事業者に代わり得る他の供給者を容易に見いだすことができない供給先事業者の川下市場における事業活動を困難にさせる場合には、当該行為は排除行為となる。これを判断するに当たっては、①川上市場および川下市場全体の状況（両市場における集中度、商品の特性、規模の経済、商品差別化の程度、流通経路等）、②川上市場における行為者と競争者の地位（商品のシェア、その順位、ブランド力、供給余力等）、③川下市場における供給先事業者の地位（商品のシェア、その順位、ブランド力、供給余力等）、④行為の期間、⑤行為の態様（川上市場における商品の価格、供給先事業者との取引条件・内容、行為者の意図・目的等）が総合的に考慮される。

NTT東日本事件（最高裁判決平成22年12月17日・図表4-15）では、事業の規模によって効率が高まり、かつ、一度顧客と契約を締結すれば競争者への乗換えが生じにくいという商品特性（考慮要素①）、行為者と競争者との間には地位や競争条件の格差があり、競争者の供給余力に地域的な限界が存在していたこと（考慮要素②③）、1年10か月という違反行為期間の長さ（考慮要素④）等を重視して、排除効果を判断している。

---

[27] 排除型私的独占ガイドライン第2の5(1)(注17)。

[図表 4-14] ぱちんこ機製造特許プール事件 （勧告審決平成 9 年 8 月 6 日）[28]

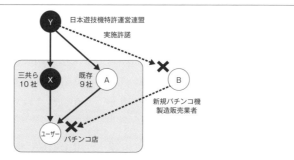

X（10 社）は、パチンコ機の製造に関する多くの特許権等を所有すると同時に、国内において販売されるパチンコ機のほとんどを供給する製造販売業者である。Xは、パチンコ機の製造を行う上で必須の特許権等の管理を連盟 Y に委託するとともに、これらに係る発明等の実施許諾の意思決定に実質的に関与していた。X と Y は、パチンコ機の製造分野（川下市場）への参入を排除する旨の方針に基づき、Y 連盟が所有または管理運営する特許権等の集積を図り、これらに係る発明等の実施許諾に係る市場（川上市場）において、既存のパチンコ機製造業者以外の者に対しては実施許諾を拒絶するなどにより、参入を希望する事業者がパチンコ機の製造を開始できないようにした。

[図表 4-15] NTT 東日本事件（最高裁判決平成 22 年 12 月 17 日）[29]

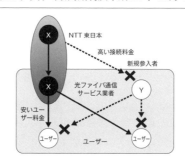

X は、東日本地区のほぼ全域において極めて大きなシェアを占めていたため、加入者光ファイバ設備を保有しない者にとって、戸建て住宅向け光ファイバ通信サービス市場（川下市場）においてサービスを提供するには、X の保有する加入者光ファイバ設備に接続することが極めて重要であった。しかし、X は、自ら光ファイバ通信サービスを提供するに当たり、他の電気通信事業者が X に支払う接続料金を下回るユーザー料金を設定した。このため、新規事業者は、ユーザーを獲得するためには、X に接続料金を支払いながら X のユーザー料金に対抗するユーザー料金を設定しなければならず、逆ざやが生じて大幅な赤字を負担せざるを得ないこととなり、事業開始が著しく困難となった。

28) 経済法百選〔第 2 版〕10 事件 22 頁。
29) 経済法百選〔第 2 版〕7 事件 16 頁。

3　支配行為

　支配行為とは、他の事業者の事業活動についての自主的な決定をできなくし、自己の意思に従わせる行為である。野田醤油事件（東京高裁判決昭和32年12月25日・図表4-16）では、「他の事業者の事業活動を支配するとは、原則としてなんらかの意味において他の事業者に制約を加えその事業活動における自由なる決定を奪うことをいう」として、制圧を加えるという積極的要素がなければ支配に当たらないとするのは狭きに失すると判断し、特殊な市場環境等を考慮して間接的な支配行為も認めた。一定の人為性は必要としつつも、自己の意思を実現できるように他の事業者の自主的な決定に事実上の制約を加えるものであれば、直接的な働きかけがなくとも行為要件を充足するという点で、何らかの人為的手段によってその行為の実効性が確保されていれば足りるとする、再販売価格の拘束（2条9項4号）や拘束条件付取引（一般指定12項）における「拘束」の概念と似ている。

[図表 4-16] 野田醤油事件（東京高裁判決昭和32年12月25日）[30]

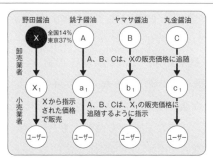

　地廻り以外の醤油に関しては、慣習的に格付があり、Xのキッコーマン、Aのヒゲタ、Bのヤマサ、Cのマルキンが最上四印の評価を受けていた（4社は、全国生産量の23.3％、東京都内の出荷量の68.5％を占めていた）。醤油の格付・品質・価格の間には三位一体の関係が認められ、X以外の3社は自社の格付を維持するため、Xの価格引上げに追随せざるを得ない状況にあった。Xは、卸売業者の販売先・数量・価格のすべてを掌握して、Xによる指示価格を守らない小売業者には供給停止などの措置を講じて再販売価格を維持することにより、これと同一価格を定めざるを得ない3社の価格決定を支配した。

---

30)　経済法百選〔初版〕18事件38頁。

[図表 4-17] パラマウントベッド事件（勧告審決平成 10 年 3 月 31 日）[31]

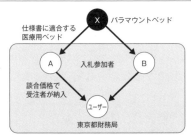

国・地方公共団体が発注する病院向け医療用ベッドのほとんどすべてを製造しているXは、東京都財務局が指名競争入札等の方法により発注する都立病院向け医療用ベッドについて、①入札事務担当者に対し、X製ベッドのみが適合する仕様書の作成を働きかけるなどによって、X製ベッドのみが納入できる仕様書入札を実現して他の医療用ベッド製造業者の事業活動を排除した後、②仕様に適合する医療用ベッドを製造できる唯一の事業者として、落札予定者や落札予定価格を決定するとともに、入札参加者に対して入札価格を指示し、当該価格で入札させて、これらの事業活動を支配した。

　具体的な支配の手段として想定される行為は、典型的には、①株式保有、役員兼任等の企業結合（事例として、東洋製罐事件（図表4-3））や②取引上の地位の不当利用（事例として、日本医療食協会事件（図表4-2））などである。いずれの手段であっても、行為の対象となるのは競争者に限られない。その意味でも、①は企業結合規制（第7章）と、②は優越的地位の濫用（2条9項5号）と重なる点が多い。しかし、企業結合規制が株式取得と役員兼任を分けて規定しているのに対し、支配行為は両者をまとめて評価し、また、他の考慮要素も含めて総合的に評価することを許容しているなど、必ずしも規制が重複しているとは言い難いところがある。

　なお、支配型私的独占に課徴金が導入される際には、パラマウントベッド事件（勧告審決平成10年3月31日・図表4-17）のように被支配事業者にカルテル・談合をさせる行為が念頭に置かれていた。実際、福井

---

31) 経済法百選〔第2版〕15事件32頁。

県経済連事件（排除措置命令平成27年1月16日）[32]では、農協が競争入札により発注する工事について、受注予定者を指定するとともに、指示した価格で入札させていた行為が「支配」と認定されている。

4　一定の取引分野における競争を実質的に制限すること
(1) 一定の取引分野

　私的独占は、排除行為や支配行為によりもたらされた競争への影響を見ようとするものであって、企業結合とは異なり、行為を基点として一定の取引分野を検討することが可能である。したがって、まずは、具体的行為や取引の対象・地域・態様等に応じて、排除行為や支配行為に係る取引およびそれにより影響を受ける範囲を検討し、その競争が実質的に制限される範囲の画定が試みられる。

　しかし、排除型私的独占については、単独の事業者によって行われることも多く、加えて、排除行為は多種多様であり、排除行為として複数の行為がなされることもある。このため、合意により行為の影響を及ぼそうとする対象がある程度明確となる不当な取引制限よりも、行為そのものから一定の取引分野を画定するのが困難な場合も予想される。このような場合には、需要者（必要に応じて、供給者）にとって取引対象商品（排除行為が「抱き合わせ」の場合は従たる商品を指し、「供給拒絶・差別的取扱い」の場合は川下市場における商品を指す）と代替性のある商品の範囲または地理的範囲を検討することになる。

(2) 競争の実質的制限

　「「一定の取引分野における競争を実質的に制限する」（独禁法2条5項）とは、当該取引に係る市場が有する競争機能を損なうことをいい、特定の事業者又は事業者集団がその意思で当該市場における価格、品質、数量、その他各般の条件をある程度自由に左右することができる状態をもたらすこと、すなわち市場支配力の形成、維持ないし強化という結果

---

[32] 経済法百選〔第2版〕17事件36頁。

が生じることをいうものと解される」(マイナミ空港サービス事件(東京高裁判決令和5年1月25日))もっとも、競争者が排除されて競争が減少すれば、経験則上、通常は競争の実質的制限の状態が生じると事実上推認することも可能であろう[33]。

この競争の実質的制限の存否は、一律に特定の基準によって判断されるのではなく、個別具体的な事件ごとに、①行為者の地位と競争者の状況(行為者の市場シェアとその順位、市場における競争の状況、競争者の状況)、②潜在的競争圧力(制度上の参入障壁の程度、実態面での参入障壁の程度、参入者の商品と行為者の商品との代替性の程度)、③需要者の対抗的な交渉力、④効率性(競争促進効果)、⑤消費者利益の確保に関する特段の事情の各事項を総合的に考慮した上で判断される[34]。

これらの事項のうち、「潜在的競争圧力」に関して、たとえば、コスト割れ供給により有力な競争者がすべて排除された後、行為者が廉売対象商品の価格を引き上げたとしても、法令等に基づく規制や立地、技術、原材料調達等の諸条件による参入障壁が低いため、有効な牽制力のある事業者が短期間のうちに参入することが現実的に見込める場合には、行為者が廉売対象商品の価格、品質、数量その他の取引条件をある程度自由に左右することはできない。このような場合には、競争を実質的に制限するものであるとは判断されないこととなる[35]。

また、「効率性」の指標は、行為者の排除行為に付随して、規模の経済、工場の専門化、輸送費用の削減、研究開発体制の効率化等により、事業活動の効率性の向上がもたらされ、これに基づいて行為者が競争的な行動をとることが見込まれる場合の競争促進効果を評価するものである。競争促進効果は、ⓐ行為者の排除行為に固有の効果として効率性が

---

[33] 『最高裁判所判例解説民事篇＜平成22年度(下)＞』827頁(法曹会、2014)〔岡田幸人〕。

[34] 排除型私的独占ガイドライン第3の2(2)。

[35] これは、結果として、米国連邦最高裁がいう「損失埋め合わせ要件」(略奪的価格設定を違法とするには、コスト割れによって生じた損失を埋め合わせる合理的可能性があることが必要とされる)と同様の機能を果たすことになる。

向上し、それがより競争制限的でない他の方法によっては生じ得ないものであることが認められ、かつ、ⓑこの効率性の向上に伴って行為者が競争的な行動をとることにより、商品の価格の低下、品質の向上、新商品の提供等の成果が需要者に還元され、需要者の厚生が増大する場合に認められる[36]。たとえば、ある種の「抱き合わせ」では、複数の商品がセット販売で安く提供されることにより、需要者の利益に資するだけでなく、供給量の拡大にもつながって社会厚生自体が改善することがある。このように効率性が高まることで競争促進が期待できるのであれば、競争の実質的制限ということにはなりにくくなる。ただし、「効率性」が認められれば直ちに競争の実質的制限が否定されるわけではなく、あくまでも競争制限効果と競争促進効果とを比較衡量した結果、競争促進効果が上回る場合や競争制限効果が上回るけれども市場支配力がもたらされるとはいえない場合に、その排除行為によって競争が実質的に制限されていないとされるにすぎない。排除行為の結果、その事業者の独占となり、競争者が全く存在しないか、競争者が存在するとしても、競争がほとんど消滅してしまうような場合には、通常、競争を実質的に制限すると判断されることとなろう。

　排除型私的独占ガイドラインに掲げられた「消費者利益の確保に関する特段の事情」は、独占禁止法の究極目的に資するものについて、競争の実質的制限の判断に際して正当化事由が考慮されるものである。実際、形式的には排除行為に当たり得る行為であっても、安全・健康のような独占禁止法の究極目的からみて首肯される正当な理由に基づく行為であって、目的を実現するための合理的かつ妥当な手段を用いているのであれば、そもそも競争に与える影響は限定的な範囲にとどまることが多い。たとえば、被災地において大規模小売業者が食料品・日用品をただ同然で販売するなどの行為を行ったとしても、被災者の救済のために必要な期間内で行うのであれば、市場における競争に悪影響を与えるとは到底考えられない。

---

36) 排除型私的独占ガイドライン第3の2(2)エ。

(3) 因果関係

　私的独占事件においては、しばしば、行為と競争制限状態との間に因果関係があるかが争点になる。これについて、最高裁は、①行為を停止した後に競争者が市場への新規参入を行っていること、②その前後を通じて競争力に変動があったことを示すような特段の事情は窺われないことを理由に、競争制限状態と行為との間には因果関係があるとした（NTT東日本事件（最高裁判決平成22年12月17日・図表4-15））。ただし、この判示は、具体的事件に即して判断したにすぎず、新規参入の有無ということが因果関係を立証するための必要的考慮事項とされているのではない。通常、市場支配力を有する事業者が排除行為を行うのは、他の事業者の事業活動を困難にすれば自己の市場支配力の維持・強化に寄与するからであって、不当な人為的手段によって排除効果を及ぼしても市場における競争に悪影響がないという特段の事情がない限り、行為と競争制限状態との間の因果関係は認められるといえる（事例として、ニプロ事件（東京高裁判決平成24年12月21日・図表4-9））。

5　法的措置[37]

(1) 排除措置命令

　公正取引委員会は、違反行為を排除するために必要な措置を命ずることができるが、その具体的内容は事案に即して決定される。これまでの事件においては、被支配事業者の発行済株式総数の5%を超える株式の処分を命じた事例（東洋製罐事件（図表4-3））、取引に関する契約を修正するよう命じた事例（ノーディオン事件（図表4-8））、違反認定の地理的範囲を越えた再販売価格維持の禁止（野田醤油事件（図表4-16））などの特徴的な排除措置がある。7条1項に排除措置の例示として「事業の一部の譲渡」が挙げられているが、こうした構造的措置をどこまで命ずることができるかは、1つの論点である。

---

[37]　詳しくは、第6章参照。

(2) 課徴金納付命令

　支配型私的独占については、経済実態としてカルテル等が行われた場合と同様の競争制限効果が生じているとして、不当な取引制限と同じ算定率である10%が課される（7条の9第1項）[38]。これに対し、排除型私的独占については、独寡占市場における市場占有率の上位企業や過去の事案における違反事業者の売上高営業利益率を参考にして6%の算定率が設定されている（同条2項）[39]。そのため、課徴金の算定上、支配型私的独占と排除型私的独占とを区別する必要がある。

　この点、東洋製罐事件（図表4-3）や日本医療食協会事件（図表4-2）のように支配行為と排除行為が混在している事案では、支配行為による私的独占とも排除行為による私的独占ともいえるため、どちらの課徴金規定の対象となるかが問題となる[40]。このような混合型私的独占については、7条の9第2項が「他の事業者の事業活動を排除することによるものに限り、前項の規定に該当するものを除く」と規定していることから、同条1項の各号（対価要件）のいずれかに該当するものについては支配型私的独占として、そのいずれにも該当しないものについては排除型私的独占として、課徴金が算定される。

　いずれの私的独占についても、売上額が課徴金の算定基礎となることから、私的独占が商品・役務の供給を受けることに係るものである場合（事例として、雪印乳業・農林中金事件（審判審決昭和31年7月28日）[41]）や、対象となる売上額がゼロとなる場合（事例として、福井県経済連事件（排除措置命令平成27年1月16日））には、課徴金の納付は命じられない。排除型私的独占に該当するとして、マイナミ空港サービス事件（課徴金

---

38) 諏訪園貞明編著『平成17年改正独占禁止法』55頁（商事法務、2005）。
39) 伊永大輔「平成21年独占禁止法改正の概説」金融法務事情1886号31頁（2009）。
40) この点、パラマウントベッド事件（図表4-17）では、法令の適用で明示してあるように、支配型私的独占と排除型私的独占が両者成立しており、混合型私的独占とはいえない。
41) 経済法百選〔第2版〕9事件20頁。

納付命令令和3年2月19日）では初の課徴金納付命令が行われた。

(3) **刑事罰**

　私的独占に対しては刑事罰（89条、95条）も規定されており、平成21年に改正された告発方針[42]には、告発対象となる行為類型の1つとして私的独占が加えられた。ただし、これまでに私的独占事件として刑事告発された例はない。

> **column　市場支配力を有する事業者の「ノブレス・オブリージュ」**
>
> 　欧米社会においては、身分の高い者はそれ相応の社会的責任と義務を負うという、ノブレス・オブリージュ（noblesse oblige）と呼ばれる基本的な道徳観があるといわれる。こうした道徳観を背景として、EUの競争法では、市場支配的地位にある事業者は、市場における競争をこれ以上歪めないように振る舞うという特別な責任（special responsibility）を負っているのであり、市場の競争機能をさらに弱める行為はそれだけで問題となるとの判例が確立している。こうした考えは、我が国の独占禁止法にも当てはまるものなのだろうか。
>
> 　「私的独占」（2条5項）では、「事業者」が違反行為主体とされ、EU競争法のように「市場支配的事業者」のみを対象とした規制となっていない。しかし、排除型私的独占ガイドラインにあるように、実効的な排除行為を通じて強い競争制限効果を及ぼすことができるのは、通常、市場の過半を支配する事業者である。これまで公正取引委員会が排除行為を問題とした事件をみても、市場支配力を有する事業者が排除行為を行ったといえる事例がほとんどである。
>
> 　この点に関し、日本音楽著作権協会（JASRAC）事件の最高裁判所判例解説には、次のような興味深い説示がある。「市場に対する影響力の小さな事業者が行う場合や、拘束される相手方が少数であったり、拘束期間が短期間である場合などには、競争者の取引機会への影響も限定的であり、未だ正常な競争手段の範囲を超えていないと評価される可能性がある。これに対して、市場に対する影響力の大きい事業者は、他の事業者の取引機会を不当に減少させないように配慮すべきものといえるから、これに反す

---

[42] 「独占禁止法違反に対する刑事告発及び犯則事件の調査に関する公正取引委員会の方針」（平成17年公取委）。

るような態様（多数の相手方を拘束したり、拘束期間を長期にわたるものとするなど）で相手方の自由を制約する取引を行う場合には、もはや正常な競争手段の範囲を逸脱したものとして人為性が認められることとなろう」（清水知恵子・法曹時報 69 巻 8 号 2278 頁（2017）。傍点は筆者）。また、NTT 東日本事件についても、行為者と競争者との間で競争条件の同等性が確保されていたとはいえないこと（競争上の差違）を踏まえて排除行為に該当すると判断された旨の解説（『最高裁判所判例解説民事篇＜平成 22 年度（下）＞』819 〜 824 頁（法曹会、2014）〔岡田幸人〕）がある。

　考えてみれば、競争の実質的制限とは、市場支配力の形成、維持ないし強化（NTT 東日本事件）をいうところ、既に市場支配力を有する事業者がその競争者の事業活動を困難にするというのだから、必然的に、その市場支配力は維持ないし強化されることになる。そうすると、市場支配力を持つ事業者の存在によって既に弱まっている市場の競争機能が、排除行為によってさらに弱められるという事態を避けるには、市場支配力を有する事業者は競争上の一定の配慮をせざるを得ない立場にあるといえる。単なる市場のプレーヤーであれば課されることのない、この配慮義務を「ノブレス・オブリージュ」あるいは「特別の責任」と呼ぶかどうかは別にして、競争法上求めている点で EU と日本とは共通点があるとはいえないだろうか。

　もっとも、我が国の独占禁止法が問題にしているのは市場における競争制限効果であって、EU 競争法を支える道義的価値観を共有しているとまではいい切れない。しかし、EU におけるこの種の議論は、個別具体的な状況下における市場へのインパクトを実質的に取り入れるための解釈上の方便であって、競争制限効果の発生を要件とする規制構造を備える独占禁止法には不要なロジックであるとも考えられる。今後、デジタル・エコノミーを支配する巨大 IT 企業等に対し、我が国における競争秩序を維持・促進する上で、市場支配力を有する事業者の特別な責任といった法的概念が確立していくのか、私的独占規制をめぐる議論から目が離せない。

第5章 不公正な取引方法

1　総論
(1)　不公正な取引方法規制の趣旨

　不公正な取引方法とは、2条9項1号から5号に該当する行為（法定5類型）と、同項6号イからヘに該当する行為であって、公正な競争を阻害するおそれのあるもののうち、公正取引委員会が指定するものをいう。法定5類型は、平成21年までは「不公正な取引方法」（昭和57年公取委告示第15号）（一般指定）に規定されていたが、課徴金制度の対象とするに当たり、独占禁止法自体に規定された。この立法経緯、条文の規定方法、一般指定の改正内容等に照らして、これまでの審判決等における考え方は、そのまま法定5類型にも引き継がれるべきものと解されている[1]。

　事業者が不公正な取引方法に該当する行為を用いた場合、19条の規定に違反し、排除措置命令（20条）の対象となる。また、不公正な取引方法に該当する事項を内容とする国際的協定または国際的契約の締結（6条および8条2号。第10章参照）、事業者団体による不公正な取引方法の勧奨（8条5号。第3章2(5)参照）、不公正な取引方法を用いた企業結合（10条1項、13条2項、14条、15条1項2号、15条の2第1項2号、16条1項および17条）が禁止されており、違反行為はそれぞれ排除措置命令（7条、8条の2および17条の2）の対象となる。また、不公正な

---

[1] 注釈独占禁止法877頁。公正取引委員会は、法定5類型となったことに伴って既存のガイドライン等を改正したが、形式的な修正に留まり、考え方についての変更は行っていない。

取引方法を違法とする排除措置命令等が確定した場合、違反事業者は故意・過失がなかったとして損害賠償責任を免れることができない（25条、26条）。さらに、法定5類型は、課徴金納付命令（20条の2～20条の6）の対象である。ただし、法定5類型のうち優越的地位の濫用（2条9項5号）以外の行為類型については、課徴金対象となるのは10年以内に同じ行為類型で排除措置命令等を受けている場合に限られ、これまでのところ適用例はない。近年では、不公正な取引方法事案のほとんどが確約手続（48条の2以下。第6章1(2)ウ参照）で処理されている。

公正取引委員会による措置とは別に、私訴を提起することもできる。不公正な取引方法によって利益を侵害され、または侵害されるおそれがある者は、これにより著しい損害を生じ、または生ずるおそれがあるときは、その利益を侵害する事業者または事業者団体に対し、その侵害の停止や予防を裁判所に請求することができる（24条。第6章3(2)イ参照）。また、不法行為に基づく損害賠償請求（民法709条）も可能である。

不公正な取引方法が禁止されているのは、主として、私的独占および不当な取引制限の禁止を補完するとともに、これらの行為を未然に防止するためと理解されているが、後述のように、欺瞞的顧客誘因や優越的地位の濫用など、私的独占や不当な取引制限との関係が直接的とは言い難い類型についても規制対象となっている。

(2) 指定制度

公正な競争を阻害するおそれのある行為は様々であり、「不公正な取引方法は、複雑かつ流動的な取引社会のうちに生ずる経済現象であるから、このような経済現象を対象として規制するには、その規制に可能な限り弾力性をもたせる必要があり、そのために、規制の前提となる経済実態とその変動の把握およびこれに即応した規制基準の設定、変更を、行政機関である当委員会において行なわしめるのが妥当である」（森永商事事件（審判審決昭和43年10月11日）[2]）との理由から、公正取引委

---

[2] 経済法百選〔初版〕50事件102頁。

員会が規制対象行為を具体的に指定することとなっている（2条9項6号）。ただし、その指定できる範囲には限定がある。すなわち、①不当に他の事業者を差別的に取り扱うこと、②不当な対価をもって取引すること、③不当に競争者の顧客を自己と取引するように誘引したり、強制すること、④相手方の事業活動を不当に拘束する条件をもって取引すること、⑤自己の取引上の地位を不当に利用して相手方と取引すること、⑥自己または自己が株主か役員である会社と国内において競争関係にある他の事業者とその取引の相手方との取引を不当に妨害すること等（同号イ～ヘ）のいずれかに該当する行為であって、公正な競争を阻害するおそれのあるものでなければならない。

ア　一般指定と特殊指定

公正取引委員会は、この限定の範囲内で、「一般指定」と呼ばれる業種横断的に適用される指定[3]と「特殊指定」と呼ばれる特定の事業分野（現在は、新聞業・大規模小売業・物流業の3事業分野がある。図表5-1）に適用される指定を行っている。

特殊指定が、特定の業界の実情に即して、その業界において行われる可能性のある不公正な取引方法の類型を具体的に捉えて規制しようとするものであるのに対し、一般指定は、わが国の経済事情に対処し、広くあらゆる業界において行われる可能性のある不公正な取引方法の類型を一般的に捉えて規制しようとするものである。そのため、一般指定は、その性質上、特殊指定に比してある程度抽象的な文言となっているが、2条9項6号に定められた各行為類型をより個別的・具体的に特定しているのであり、流動する経済情勢の下ですべての事業分野に一般的に適用することを予定したものとしては、法の委任の趣旨に反するものとはいえない（和光堂事件（最高裁判決昭和50年7月10日）[4]）。

---

[3] 「不公正な取引方法」（昭和57年公取委告示第15号）。平成21年公取委告示第18号により全部改正された。

[4] 経済法百選〔第2版〕66事件134頁。

[図表5-1] 現行の特殊指定

告示名	通称	内容
新聞業における特定の不公正な取引方法	新聞特殊指定（平成11年公取委告示第9号）	○新聞発行業者が地域・相手方により異なる定価を設定して販売すること等を禁止（第1項） ○新聞販売店が地域・相手方により定価を割り引いて販売することを禁止（第2項） ○新聞発行業者による販売店への押し紙行為を禁止（第3項）
特定荷主が物品の運送又は保管を委託する場合の特定の不公正な取引方法	物流特殊指定（平成16年公取委告示第1号）	荷主と物流事業者の取引における優越的地位の濫用を効果的に規制
大規模小売業者による納入業者との取引における特定の不公正な取引方法	大規模小売業告示（平成17年公取委告示第11号）	大規模小売店と納入業者の取引における優越的地位の濫用を効果的に規制

イ 指定の手続

特殊指定を制定・改正しようとする場合、問題となる事業分野における事業者の意見を聴くとともに、一般の意見を聴くために公聴会を開催した上で、これらの意見を十分に考慮することが求められる（71条）。これに対し、一般指定の制定・改正・廃止または特殊指定の廃止は、このような手続の対象外だが、不公正な取引方法の指定が「告示」によって行われ（72条）、本告示は処分の要件を定めるものとして法律に基づく命令となることから意見公募手続（パブリック・コメント）がとられる（行政手続法2条8号イ、39条以下）。

(3) **公正競争阻害性**

不公正な取引方法は、「公正な競争を阻害するおそれ」（公正競争阻害性）のあるものであり、この公正競争阻害性とは、「公正な競争秩序に悪影響を及ぼすおそれのあること」をいう。そして、ここにいう「公正

な競争」とは、次のような状態である[5]。

　第1に、事業者相互間の自由な競争が妨げられていないこと、および事業者がその競争に参加することが妨げられていないこと（自由な競争の確保）。

　第2に、自由な競争が価格・品質・サービスを中心としたもの（能率競争）であることにより、自由な競争が秩序付けられていること（競争手段の公正さの確保）。

　第3に、取引主体が取引の諾否および取引条件について自由かつ自主的に判断することによって取引が行われているという、自由な競争の基盤が保持されていること（自由競争基盤の確保）。

　したがって、①自由な競争、②競争手段の公正さ、③自由競争基盤の確保の3つの条件が保たれていることが公正な競争秩序であり、このような公正な競争秩序に対し悪影響を及ぼすおそれがあることが公正競争阻害性があると理解されている。

　ア　「正当な理由がないのに」と「不当に」

　不公正な取引方法の規定には、例外なく、「正当な理由がないのに」「不当に」「正常な商慣習に照らして不当に（な）」との文言のいずれかが含まれている。これらの文言は、専ら公正な競争秩序維持の観点から解釈すべきものであって、公正な競争を阻害するおそれがあることを意味している[6]。

　「不当に」や「正常な商慣習に照らして不当に（な）」については、行為要件を満たしただけでは公正競争阻害性があるとはいえず、個別に公正競争阻害性の有無を判断する必要がある行為類型に用いられている。これに対し、「正当な理由がないのに」は、原則として違法となること

---

[5] 独占禁止法研究会「不公正な取引方法に関する基本的な考え方（1）」公正取引382号34頁（1982）。

[6] たとえば、和光堂事件（最高裁判決昭和50年7月10日）経済法百選〔第2版〕66事件134頁、明治商事事件（最高裁判決昭和50年7月11日）経済法百選〔初版〕73事件148頁、都営芝浦と畜場事件（最高裁判決平成元年12月14日）経済法百選〔第2版〕59事件120頁。

を示唆しており、着うた事件（審判審決平成20年7月24日）[7]では、2条9項1号の共同の取引拒絶は「正当な理由がない」限り不公正な取引方法に該当するものと定めており、この定めは、「その行為を正当化する特段の理由がない限り、公正競争阻害性を有するものとするもの」と解している。つまり、成立要件についての立証責任がすべて公正取引委員会側にあることは変わらないものの、正当化事由については行為者が具体的事実を摘示して主張しなければ、公正競争阻害性が推定される行為類型と整理していることになる。

イ 公正な競争を阻害するおそれ

「公正な競争を阻害するおそれ」とは、具体的に競争阻害効果が発生していることやその蓋然性が高いことまでは必要でなく、ある程度において自由競争を妨げるおそれがあると認められる場合であれば足りるが、「この「おそれ」の程度は、競争減殺効果が発生する可能性があるという程度の漠然とした可能性の程度でもって足りると解すべきではなく、当該行為の競争に及ぼす量的又は質的な影響を個別に判断して、公正な競争を阻害するおそれの有無が判断されることが必要である」（マイクロソフト非係争条項事件（審判審決平成20年9月16日）[8]、クアルコム事件（審判審決平成31年3月13日）[9]）。

また、私的独占や不当な取引制限との棲み分けについては、「競争制限的作用の有無をもってする場合に、その競争の制限が、一定の取引分野における競争を実質的に制限するものと認められる程度のものである必要はなく、ある程度において公正な自由競争を妨げるものと認められる場合で足りるものと解すべきで、かく解することは、私的独占等の予防措置として不公正競争方法を禁止している法意からみて妥当なものといわなければならない」（第一次大正製薬事件（審判審決昭和28年3月28日））とされている。

---

[7] 経済法百選〔第2版〕51事件104頁。
[8] 経済法百選〔第2版〕93事件188頁。
[9] 令和元年度重要判例解説・経済法7事件242頁。

ウ 正当化事由

　独占禁止法の究極目的である一般消費者の利益という観点からみて「正当な理由」がある行為であれば、公正競争阻害性が認められないこともあり得る。東芝昇降機サービス事件（大阪高裁判決平成5年7月30日）[10] では、「商品の安全性の確保は、直接の競争の要因とはその性格を異にするけれども、これが一般消費者の利益に資するものであることはいうまでもなく、広い意味での公益に係わるものというべきである。したがって、当該取引方法が安全性の確保のため必要であるか否かは、右の取引方法が「不当に」なされたかどうかを判断するに当たり、考慮すべき要因の1つである」として、安全性の確保が「正当な理由」となる余地を認めている。ただし、「正当な理由」とは、専ら公正な競争秩序維持の見地からみた観念であって、単に通常の意味において正当のごとくみえる場合、すなわち競争秩序の維持とは直接関係のない事業経営上または取引上の観点等からみて合理性ないし必要性があるにすぎない場合などは、ここにいう「正当な理由」があるとすることはできない（和光堂事件ほか）。

　日本遊戯銃協同組合事件（東京地裁判決平成9年4月9日）[11] では、「自主基準設定の目的が、競争政策の観点から見て是認しうるものであり、かつ、基準の内容及び実施方法が右自主基準の設定目的を達成するために合理的なものである場合には、正当な理由があり、不公正な取引方法に該当せず、独禁法に違反しないことになる余地があるというべきである」と判示している。そこでは、独占禁止法上認められる「正当な理由」といえるためには、少なくとも、①目的の正当性（消費者利益に合致するか）、②内容の合理性（目的の達成に必要なものか）、③手段の相当性（他に適当な方法が存在せず、社会的に相当な手段といえるか）の3つがすべて充足されなければならないとする。別の言い方をすれば、これら3つの条件をすべて充足することが証明された場合には、行為の有する

---

10) 経済法百選〔第2版〕64事件130頁。
11) 経済法百選〔第2版〕6事件14頁。

競争制限効果が「正当な理由」がもたらす消費者利益を上回ることが示されない限り、公正競争阻害性は認められないものと考えられる。

再販売価格の拘束が問題となったハマナカ毛糸事件（東京高裁判決平成23年4月22日）[12]では、中小小売業者の生き残りを図るという目的については、「中小小売業者が自由な価格競争をしないことで生き残りを図るというのであるから、公正かつ自由な競争秩序維持の見地からみて正当性がないことは明らかであり、国民経済の民主的で健全な発展の促進という独占禁止法の目的に沿うともいえない」とし、また、産業・文化としての手芸手編み業を維持するという目的については、「一般的にみて保護に値する価値とはいえるものの、それが一般消費者の利益を確保するという独占禁止法の目的と直接関係するとはいえない上、同法23条の指定[13]も受けていない商品について、上記の目的達成のために相手方の事業活動における自由な競争を阻害することが明らかな本件行為という手段を採ることが、必要かつ相当であるとはいえない」とした。一方、特殊事情を反映した例外的判断にとどまるが、共同の取引拒絶の「正当な理由」を認めた事例として、遊技機保証書拒絶事件（東京地裁判決令和3年3月30日）[14]がある。また、東京手形交換所事件（東京高裁判決昭和58年11月17日）[15]では、取引停止処分が、「信用取引の安全を守り、手形制度の信用維持を図るという公益目的に資するものとして、手形交換業務と密接に関連し、相伴って重要な役割を果たしている」ことを踏まえ、公正競争阻害性を否定した。

エ　正常な商慣習に照らして不当に

「正常な商慣習に照らして不当に（な）」とは、「不当に」と同様に専ら公正な競争秩序維持の観点から解釈すべきものであるが、これを判断

---

12) 経済法百選〔第2版〕69事件140頁。
13) 諸般の事情を考慮し、価格維持を許すのが相当であると認めて公正取引委員会が指定した商品については、再販売価格を決定し、これを維持するためにする正当な行為に限り、独占禁止法が適用されない（第9章1(1)イ参照）。
14) 令和4年度重要判例解説・経済法4事件221頁。
15) 経済法百選〔第2版〕42事件86頁。

するに当たっては、その事業分野における正常な商慣習を加味することとなる。たとえば、不当な利益による顧客誘引（一般指定9項）が問題となった野村證券事件（勧告審決平成3年12月2日）[16]では、証券会社による顧客の損失補塡は、「投資家が自己の判断と責任で投資をするという証券投資における自己責任原則に反し、証券取引の公正性を阻害するものであって、証券業における正常な商慣習に反する」とした上で、「正常な商慣習に照らして不当な利益」であったとした。同事件に関する株主代表訴訟の上告審（野村證券株主代表訴訟事件（最高裁判決平成12年7月7日））[17]でも、前記損失補塡行為は「証券業界における正常な商慣習に照らして不当な利益の供与というべきである」とされた。ただし、「正常な商習慣」とされているように、現に存在する商習慣に合致しているからといって、直ちに行為が正当化されることにはならない。

> **column　公正競争阻害性の3分類再考**
>
> 　公正な競争を阻害するおそれ（公正競争阻害性）には、①自由競争の減殺、②競争手段の不公正さ、③自由競争基盤の侵害の3つがあると考えられており、不公正な取引方法といえるためには、少なくともいずれかの要素を満たす必要があるといわれている。
> 　しかし、行為類型ごとに必要となる公正競争阻害性が異なり、場合によっては複数の公正競争阻害性の要素が同時に存在し、同じ行為類型の中でも事案によって自由競争の減殺が問題となったり、競争手段の不公正さが問題となったりするのだから、混乱するのは当然である。たとえば、一般指定10項の抱き合わせ販売は、取引強制の典型例という位置付けから競争手段の不公正さが問題とされると理解されてきたが、近時では、自由競争の減殺として公正競争阻害性を判断した方が適切だとする見解が有力である。さらには、従たる商品市場を観念できないような事案（たとえば、藤田屋事件（審判審決平成4年2月28日））は不要商品強要型として、優越的地位の濫用を適用すべきとする見解も現れた。3分類でのいずれの要素から公正競争阻害性を判断すべきか、容易には結論を導けない。公正競争阻害性の分類は、公正な競争秩序に対する悪影響を判断するための

---

16)　経済法百選〔初版〕66事件134頁。
17)　経済法百選〔第2版〕123事件246頁。

分析ツールとして機能することが期待されてきたように思うが、その機能を十分に発揮することができない事例も増えてきた。

　本質に立ち返り、こうは考えられないだろうか。まず、行為に付随する影響を突き詰めて考えても自由競争が減殺されるおそれが全くないのであれば、公正競争阻害性は認められない。しかし、自由競争が減殺されるおそれがあるかどうかは、市場画定を踏まえた分析が必要であり、具体的事例でこれを認定するのは簡単でない。そもそも不公正な取引方法は私的独占となる萌芽を摘むための規制として生まれたことを考えれば、より簡易迅速に違反行為を捉え、排除措置を命ずる必要もあろう。そのため、自由競争が減殺されるおそれがあると類型的に認められる不公正な取引方法については、市場における影響分析を必要とせず、行為の悪性などの観点から類型別の競争上の評価を行うことにより、競争手段として不公正であるといえるものに公正競争阻害性を認めていると考えるのである。これに対し、自由競争の減殺につながる行為の悪性を類型化できない不公正な取引方法については、現時点では、事案に応じて個別具体的に自由競争が減殺されるおそれがあるかを判断しなければ、公正競争阻害性を認定することは難しいように思う。

　このように考えると、競争手段の不公正さを問題とする行為類型において「行為の広がり」が要求されることがあるのも、自由競争が減殺されるおそれが生じる水準まで違法性を高める必要があるからだと納得がいく。不公正な取引方法には複数の公正競争阻害性の要素が同時に認められる行為類型も多いが、それは、これらが同一線上に並んでいるからだとすれば、その本質を理解しやすいのではないだろうか。

(4) 不公正な取引方法の行為類型

　法定5類型と一般指定で定められている不公正な取引方法について、本章では、競争に与える影響プロセスの観点から、大きく6つに分類して説明する。すなわち、①取引拒絶型（取引拒絶、差別的取扱い）、②不当対価型（不当廉売、差別対価）、③拘束条件型（排他条件付取引、再販売価格拘束、拘束条件付取引）、④搾取濫用型（優越的地位の濫用）、⑤取引強制型（不当顧客誘引、抱き合わせ販売）、⑥取引妨害型（不当干渉、取引妨害、内部干渉）であり、条文との関係は図表5-2のとおりである。

　なお、平成21年までに行われた違反行為を参照する際には、適用法条に注意が必要である。平成21年までの旧一般指定（平成21年告示改

[図表 5-2] 各行為類型と条文の対応関係

分類	行為類型	独占禁止法	一般指定
取引拒絶型	共同の取引拒絶	2条9項1号	1項
	その他の取引拒絶		2項
	取引条件等の差別取扱い		4項
	事業者団体における差別取扱い等		5項
不当対価型	差別対価	2条9項2号	3項
	不当廉売	2条9項3号	6項
	不当高価購入		7項
取引強制型	欺瞞的顧客誘引		8項
	不当な利益による顧客誘引		9項
	抱き合わせ販売等		10項
拘束条件型	排他条件付取引		11項
	再販売価格の拘束	2条9項4号	
	拘束条件付取引		12項
搾取濫用型	優越的地位の濫用	2条9項5号	
	取引の相手方の役員選任への不当干渉		13項
取引妨害型	競争者に対する取引妨害		14項
	競争会社に対する内部干渉		15項

正前の昭和57年公取委告示第15号をいう）では、「共同の取引拒絶」はすべて1項に、「差別対価」はすべて3項に、「不当廉売」はすべて6項に、「再販売価格の拘束」は12項に、「優越的地位の濫用」は14項に規定されていた。これらが独占禁止法2条9項各号に移った結果、現行の一般指定では条ズレが生じ、旧一般指定13項であった「拘束条件付取引」が12項に、旧一般指定15項であった「競争者に対する取引妨害」が14項に繰り上がるなどした。平成21年以前の判決・審決はもとより、経過措置の対象となる平成22年以後の判決・審決も旧一般指定の規定に基づくことになるため、適用法条が現行法とは必ずしも一致しないことに留意する必要がある。

(5) 成立要件

　不公正な取引方法の各行為類型に共通して、①主体要件、②行為要件、③公正競争阻害性のすべての要件が充足されなければ、独占禁止法違反とはならない。

　主体要件（事業者性）は 19 条の規定から導き出されるもので、行為が禁止されるのは「事業者」（2 条 1 項）に限られる。この「事業者」の概念については、不当な取引制限などと共通する（第 1 章 2(1)参照）。

2　取引拒絶型

(1)　意義

　事業者が、誰に商品を供給するか、どのような条件で商品を供給するかは、基本的には事業者の自由である。したがって、事業者が独立した事業主体として、商品の供給先を選択し、供給先事業者との間で供給に係る取引の内容、実績等を考慮して供給の条件を定めることは、原則として独占禁止法違反となるものではない。

　しかし、事業者が競争者と共同して他の事業者に対し取引を拒絶する行為などは、自由な競争を減殺することも多い。また、たとえ事業者が単独で取引を拒絶する場合であっても、その目的がカルテル協定に従わない取引先を市場から排除するためのようなものであれば、競争への悪影響が認められる。

　取引を拒絶するところまで至らなくとも、商品の数量や内容を制限することによって、同様の競争への影響が生じることもある。商品の質や量以外の商品に係る取引条件に差を設けて特定の事業者を不利に扱うことによっても、同じ効果が見込める。さらに、自ら取引を拒絶しなくても、他の事業者に取引を拒絶させる場合も同様の影響が生じる。

　このように、不当に他の事業者を差別的に取り扱う行為（2 条 9 項 6 号イ）に該当する取引拒絶型の不公正な取引方法としては、共同の取引拒絶（2 条 9 項 1 号、一般指定 1 項）、その他の取引拒絶（一般指定 2 項）、差別対価（一般指定 3 項）、差別的取扱い（一般指定 4 項、5 項）がある。取引拒絶は、差別的取扱いの究極形態である。

(2) 共同の取引拒絶

2条9項1号は、正当な理由がないのに、競争者と共同して、供給を拒絶することを、一般指定1項は、正当な理由がないのに、自己と競争関係にある他の事業者と共同して、供給を受けることを拒絶することを、それぞれ不公正な取引方法としている。すなわち、事業者が、供給者の立場や需要者の立場において、①競争者と共同して、②取引を拒絶すること（または他の事業者に取引を拒絶させること）により、③公正競争阻害性（「正当な理由がないのに」）が認められる場合には、その行為は不公正な取引方法として違法となる。

ア 競争者と共同して

共同の取引拒絶は、「拒絶者集団が意思の連絡をもって共同で取引を拒絶する行為が被拒絶者の市場における事業活動を不可能又は著しく困難にし、ひいては不公正な取引につながる弊害があるため、その弊害を除去すること」（着うた事件（東京高裁判決平成22年1月29日・図表5-3））に規制の趣旨を置いている。そのため、事業者の経済活動の自由に対する過度の規制とならないように、複数事業者が行った取引拒絶の外形が結果的に一致しているという事実だけでなく、これらの者の間に相互に取引拒絶を共同でする意思、すなわち取引拒絶を行うことについての「意思の連絡」がなければ、「共同して」には該当しない。

この場合の「意思の連絡」とは、「複数事業者が同内容の取引拒絶行為を行うことを相互に認識ないし予測しこれを認容してこれと歩調をそろえる意思であることを意味し、「意思の連絡」を認めるに当たっては、事業者相互間で明示的に合意することまでは必要ではなく、他の事業者の取引拒絶行為を認識ないし予測して黙示的に暗黙のうちにこれを認容してこれと歩調をそろえる意思があれば足りる」（着うた事件）をいう。

また、共同する相手は「競争者（自己と競争関係にある他の事業者）」に限定されており、共同の取引拒絶に競争者以外の者が混じっている場合には、その者については一般指定2項（その他の取引拒絶）が適用される（事例として、ロックマン工事施工業者事件（勧告審決平成12年10月31日・図表5-4））。ここにいう「競争者」は2条4項に規定する「競

争」を前提にした概念であり、潜在的な競争関係にある者であっても「競争者」に該当する。

なお、意思の連絡から離脱したというためには、「離脱者が離脱の意思を他の参加者に対して明示的に伝達することまでは要しないものの、離脱者が自らの内心において離脱を決意したにとどまるだけでは足りず、少なくとも離脱者の行動等から他の参加者において離脱者の離脱の事実を窺い知ることができる十分な事情の存することが必要である」（着うた事件）とされており、不当な取引制限と同じ規範となっている。

イ　取引を拒絶すること

たとえば、次のような行為は、「ある事業者に対し、供給を拒絶し、又は供給に係る商品若しくは役務の数量若しくは内容を制限すること」（2条9項1号イ）といえるだろうか。川上市場におけるA、B、C、Dの4社（4社でシェア90％）は、取引の申込みを受けてもこれを受け入れない旨を相互に確認しており、それぞれ、他の事業者に対して新規の取引を行わない旨を明らかにしている場合において、Eは、4社との取引の申込みをしても拒否されることが明白であるため、取引の申込みをしていないとする。このような場合、4社の行為はEに対して取引を拒絶しているといえるだろうか。また、同様の場合において、Fから取引の申込みを受けているが、正当な理由なく6か月以上回答を留保し、4社との取引が実現していない場合はどうだろうか。

取引に係る商品・役務の性質や市場における競争状況にもよるが、いずれについても、4社の行為は取引拒絶と評価することができると考えられる。実際の事件も、このような考えに基づいて処理がなされている（新潟タクシー共通乗車券事件（排除措置命令平成19年6月25日・図表5-5））。

また、「他の事業者に、ある事業者に対する供給を拒絶させ、又は供給に係る商品若しくは役務の数量若しくは内容を制限させること」（2条9項1号ロ）といえるには、他の事業者に取引を拒絶させるという強制の事実が必要となる。新潟タクシー共通乗車券事件では、違反行為者となった21社が共通乗車券事業者3社を設立し、その株式の全部を所有している関係から、共通乗車券事業者3社をして低額運賃のタク

シー事業者に対して取引を拒絶させることができた。

なお、拒絶は条文上「事業者」に対して行われる場合に限られ、一般消費者に対する取引拒絶を2条9項1号や一般指定1項で取り扱うことはできない。

ウ　公正競争阻害性

共同の取引拒絶は、拒絶される事業者にとっては取引先を奪われ、市場から閉め出されるおそれの強い行為であり、取引拒絶に参画する事業者の側においても取引先選択の自由を相互に制限する要素が加わることから、原則として、公正な競争を阻害するおそれがある行為とされる[18]。

共同の取引拒絶の公正競争阻害性は、主として自由な競争状態を侵害するかどうかの観点から判断される（関西国際空港新聞販売拒絶事件（大阪高裁判決平成17年7月5日）[19]）。具体的には、拒絶された事業者が他に代わり得る取引先を容易に見いだすことができる場合には、公正競争阻害性は認められないこととなる。たとえば、競争者が多数存在している市場において、ごく少数の競争者が共同して取引を拒絶しても、拒絶された事業者がその市場において容易に代替的な取引先を見いだすことが可能であれば、結局のところ自由な競争状態は侵害されていないといえる。

なお、流通・取引慣行ガイドライン[20]では、行為者の数、市場における地位、商品・役務の特性等からみて、事業者が市場に参入することが著しく困難となり、または市場から排除されることとなる場合には、私的独占または不当な取引制限として違法となるとしている[21]。

---

18)　田中寿編著『不公正な取引方法――新一般指定の解説』41頁（商事法務研究会、1982）。
19)　経済法百選〔初版〕122事件242頁。
20)　「流通・取引慣行に関する独占禁止法上の指針」（平成3年公取委事務局）。
21)　流通・取引慣行ガイドライン第2部第2の1。

[図表 5-3] 着うた事件（東京高裁判決平成 22 年 1 月 29 日）[22]

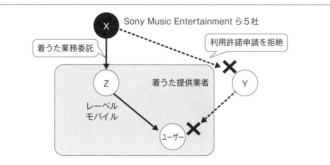

レコード会社 X（5 社）は、原盤権を保有している X の優位な立場を利用し、レコード会社以外の者の参入を排除して原盤権に基づく利益を確保することを意図して、携帯電話向けウェブサイトを運営する Z を共同出資により設立し、Z に着うたの配信業務を委託するとともに、他の着うた提供業者によって着うた配信価格の安定が脅かされることのないよう、これらに対して楽曲の原盤権の利用許諾は行わないようにすることとした。実際、他の着うた提供業者 Y は、着うたの配信価格を設定できる利用許諾の形態での楽曲の提供をほとんど受けていない。

[図表 5-4] ロックマン工事施工業者事件（勧告審決平成 12 年 10 月 31 日）[23]

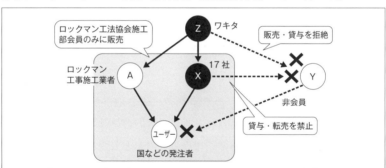

土木工事業を営む X（17 社）とロックマン工法に用いる機械の販売業者である Z は、すでに機械を保有する者以外の者から購入希望がある場合には X と Z で対応を協議し、反対する施工業者がいるときは、Z はロックマン機械を販売しないようにしていた。その後、X は、ロックマン工法協会施行部会を設立し、非会員が新たにロックマン工事を施工可能となって会員との間で受注競争が生じることを阻止するため、非会員に対するロックマン機械の貸与・転売の禁止などの細則を定めた上、会員に遵守する旨の同意書を提出させた。また、Z は、細則の原案作成などに積極的に関与し、非会員に対してロックマン機械の販売・貸与を行わないこととしていた。

2 取引拒絶型 125

[図表5-5] 新潟タクシー共通乗車券事件（排除措置命令平成19年6月25日)[24]

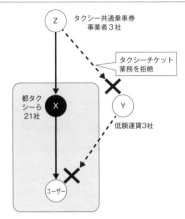

タクシー業を営むX（21社）は、低額なタクシー運賃等を適用しているタクシー事業者が共通乗車券事業に係る契約を締結することができないようにすることを目的として、新潟ハイタクセンターを解散させるとともに、新たに共通乗車券事業者Z（3社）を設立し、Zと低額運賃タクシー事業者Y（3社）との間の共通乗車券事業に係る契約締結を認めないようにすることとした。Xは、これに基づき、共同して、新潟ハイタクセンターの臨時株主総会において同社の解散を決議し、後日解散させるとともに、Zを設立した。これにより、Yと新潟ハイタクセンターとの間の共通乗車券事業にかかる契約は終了し、また、Zは、Yとの間の新潟交通圏における共通乗車券事業に係る契約を締結していない。

(3) その他の取引拒絶

一般指定2項は「不当に、ある事業者に対し取引を拒絶し若しくは取引に係る商品若しくは役務の数量若しくは内容を制限し、又は他の事業者にこれらに該当する行為をさせること」を不公正な取引方法としている。すなわち、事業者が、供給者の立場や需要者の立場において、①取引拒絶をすること（または他の事業者に取引拒絶をさせること）により、②公正競争阻害性（「不当に」）が認められる場合には、その行為は不公正な取引方法として違法となる。

---

22) 経済法百選〔第2版〕51事件104頁。
23) 経済法百選〔第2版〕52事件106頁。
24) 経済法百選〔第2版〕53事件108頁。

なお、直接の取引拒絶だけでなく、間接の取引拒絶も対象となっている（一般指定2条後段）ことから、後述の排他条件付取引（一般指定11項）や拘束条件付取引（一般指定12項）と規制の範囲が重なっている。

ア　取引を拒絶すること

前記(2)イと同様である。

イ　公正競争阻害性

流通・取引慣行ガイドラインによれば、直接の取引拒絶が独立して違法となるのは、①独占禁止法上違法な行為の実効を確保するための手段として取引を拒絶する場合や、②市場における有力な事業者が、競争者を市場から排除するなどの独占禁止法上不当な目的を達成するための手段として取引を拒絶し、取引を拒絶された事業者の通常の事業活動が困難となるおそれがある場合である[25]。

このうち、①の場合については、カルテル破りをしている事業者に対する制裁措置として供給停止する場合が典型例であり、拒絶行為の公正競争阻害性は、カルテルの実効性に寄与する限り、当然に認められる。

これに対し、②の場合については、他の事業者の独占禁止法違反行為に協力して取引拒絶を行う場合（事例として、雪印乳業・農林中金事件（審判審決昭和31年7月28日）[26]）、従来から取引している流通業者が安売りしたことを理由に出荷停止を行う場合[27]など例外的な場合にとどまる（違反を否定した事例として、東京スター銀行事件（東京地裁判決平成23年7月28日）[28]）。さらに、流通・取引慣行ガイドラインによれば、市場における有力な事業者が行う行為でなければ、通常、競争への影響が認められず、違法とはならない。「市場における有力な事業者」に当たるかどうかについては、市場シェア20％を超えることが一応の目安と

---

[25]　流通・取引慣行ガイドライン第2部第3の1および2。
[26]　経済法百選〔第2版〕9事件20頁。
[27]　流通・取引慣行ガイドライン第1部第2の4(4)。取引拒絶の理由が安売りにあったかどうかは、他の流通業者への対応等取引の実態から客観的に判断される。
[28]　経済法百選〔第2版〕54事件110頁。

なる[29]。この基準は、「市場における有力な事業者」に当たらなければ原則として違法とならないという意味で、事実上のセーフハーバーとして機能しているといえる。

　取引先事業者に競争者との取引を間接的に拒絶させる行為が違法となるのは、市場閉鎖効果が生じる場合である。「市場閉鎖効果が生じる場合」とは、新規参入者や既存の競争者にとって、代替的な取引先を容易に確保することができなくなり、事業活動に要する費用が引き上げられる、新規参入や新商品開発等の意欲が損なわれるといった、新規参入者や既存の競争者が排除されるまたはこれらの取引機会が減少するような状態をもたらすおそれが生じる場合をいう[30]。これを判断するに当たっては、行為者が「市場における有力な事業者」であることを前提として、①ブランド間競争の状況（市場集中度、商品特性、製品差別化の程度、流通経路、新規参入の難易性等）、②ブランド内競争の状況（価格のバラツキの状況、当該商品を取り扱っている流通業者等の業態等）、③行為者の市場における地位（市場シェア、順位、ブランド力等）、④対象となる取引先事業者の事業活動に及ぼす影響（制限の程度・態様等）、⑤対象となる取引先事業者の数および市場における地位が総合的に考慮される[31]。

　流通・取引慣行ガイドラインによれば、卸売業者に対し、安売りを行うことを理由に小売業者へ販売しないようにさせることは、事業者が市場の状況に応じて自己の販売価格を自主的に決定するという事業者の事業活動において最も基本的な事項に関与する行為であるため、通常、価格競争を阻害するおそれがあり、原則として違法となる[32]。松下電器産業事件（勧告審決平成13年7月27日）[33]において、継続的な取引契約を

29）　流通・取引慣行ガイドライン第1部3(4)。
30）　流通・取引慣行ガイドライン第1部3(2)ア。
31）　流通・取引慣行ガイドライン第1部3(1)。ブランド間競争とブランド内競争は、相俟って市場における公正かつ自由な競争を構成している（同第1部2参照）。
32）　流通・取引慣行ガイドライン第1部第2の4(4)。前掲注28）参照。
33）　経済法百選〔第2版〕55事件112頁。

締結していない廉売小売店に対する販売を代理店等に拒絶させていた行為が違法と判断されたのは、「多くの家庭用電気製品において販売額第1位の地位を占めるなど我が国の家庭用電気製品の販売分野における有力な事業者であり、また、松下製電気製品は、一般消費者の間において高い人気を有していること」から、他のブランドからの価格引下げ圧力を受けにくい状況にあったことが影響している（後記4(2)ウおよび4(4)イ参照）。

なお、一般指定2項に規定する取引拒絶は、ⓐ自らが行う直接の取引拒絶（前段）とⓑ他の事業者にさせる間接の取引拒絶（後段）とが区別されているだけでなく、ⓒ単独で行う取引拒絶とⓓ競争者以外の者と共同して行う取引拒絶とに区別することもできる。このうち、単独かつ直接の取引拒絶については、事業者の取引先選択の自由と緊張関係にあるため、公正競争阻害性を有するかどうかの判断は特に慎重に行われる必要がある[34]。しかし、ⓑ間接の取引拒絶（事例として、岡山県南生コン協同組合事件（勧告審決昭和56年2月18日）[35]）やⓓ競争者以外の者と共同して行う取引拒絶（事例として、ロックマン工事施工業者事件・図表5-4）については、もはや自由かつ自主的な経済活動とは一線を画す行為といえ、そのような配慮の必要はない[36]。

(4) 差別的取扱い

一般指定4項は「不当に、ある事業者に対し取引の条件又は実施に

---

[34] ノエビア化粧品事件（東京高裁判決平成14年12月5日）経済法百選〔初版〕127事件252頁では、他に容易に取引先を見出し得ないような事情の下に、取引相手方の事業活動を困難に陥らせる以外に格別の理由がなく取引を拒絶したとしつつも、一般指定2項に該当するおそれがあるとして、19条違反の明言を避けている。

[35] 経済法百選〔初版〕55事件112頁。

[36] ロックマン工事施工業者事件では、土木工事業者17社とメーカー1社とが共同して行った取引拒絶につき、メーカー1社による「その他の取引拒絶」が、土木工事業者17社による「共同の取引拒絶」とは別の行為として、それぞれ不公正な取引方法に該当するものとして違法とされた。

ついて有利な又は不利な取扱いをすること」を不公正な取引方法としている。すなわち、事業者が、供給者の立場や需要者の立場において、①事業者に対して差別的取扱いをすることで、②公正競争阻害性（「不当に」）が認められる場合には、その行為は不公正な取引方法として違法となる。

ア　差別的取扱い

ここにいう「差別的取扱い」とは、「不当に……取引の条件又は実施について有利な又は不利な取扱いをすること」を意味する。すなわち、単に合理的な差別かどうかということではなく、公正な競争秩序を維持する観点から、取引条件についての有利・不利が不当なものかを考えることになる。したがって、取引量や配送条件等の取引条件が取引先事業者ごとに違うのは当然にあり得るし、これらを反映して異なる価格を設定することも、公正な競争秩序を維持する観点から不当に差別的なものとはいえない。このように考えれば、ここでは前述の取引拒絶と同様の効果をもたらすような差別的取扱いが問題とされていることがわかる。

また、後述の差別対価（一般指定3項）とは異なり、差別的取扱いを受ける相手は「事業者」に限定されている。これは、2条9項6号イが「不当に他の事業者を差別的に取り扱うこと」を掲げ、この規定に基づいて指定されているためである（これに対して、一般指定3項の差別対価は、主として2条9項6号ロの「不当な対価をもつて取引すること」に基づいて指定されている）。

差別的取扱いの対象となる「取引の条件」には、商品または役務の品質、内容、規格、数量（回数）、決済手段、取引時期、保証条件などが含まれる。「取引の実施」には、市況や販売実績などの情報提供、陳列場所や陳列方法など、取引の条件とはされていないが事実上取引に付随して行われる種々の取扱いが広く含まれる。ここにいう「取引の条件」には「対価」も含まれるため、後述の差別対価が差別的取扱いに付随して行われ、差別対価とそれ以外の差別的な取引条件が相俟ってはじめて競争上の弊害を引き起こしている場合には、行為を包括的に捉えることにより差別的取扱いとして一体的に処理することも可能である（ただし、

差別的取扱いを受ける相手が事業者である場合に限る）。オートグラス東日本事件（勧告審決平成12年2月2日）[37]では、東日本における補修用ガラスの卸売市場において第1位の事業者が、積極的に輸入品を取り扱う取引先ガラス商に対し、社外品（純正品以外の国内製品）の卸売価格を引き上げ、配送の回数を減らす行為を行ったことが、対価と配送回数の差別的取扱いとされた。

イ　公正競争阻害性

基本的に、前記(3)イと同様である。

第二次大正製薬事件（勧告審決昭和30年12月10日）では、有力メーカーが、取引の相手方に対し、自己の競争者と取引しない旨の義務を課し、その不遵守を理由として割戻金の交付、取引保証金の没収等の利益・不利益を与える規定を規約等に設けているのは、正当な理由がないのに相手方の取扱いに著しい差別を設けたものであるとして違反とされた。近年の大分県農協事件（排除措置命令平成30年2月23日）[38]でも、部会からの除名、ブランド銘柄での販売禁止、集出荷施設の利用禁止等によって組合員に農協以外への出荷を抑制させることで、競争者である商系業者の取引機会が減少するといった市場閉鎖効果が生じる点に着目して公正競争阻害性が認められたものと説明できる。

なお、事業者団体における差別的取扱い等（一般指定5項）の事例としては、浜中村主畜農協事件（勧告審決昭和32年3月7日）がある。そこでは、農業協同組合が、その組合員に対し、特定の工場に生乳を出荷しないことを理由として、生乳の販売委託を受けつけず、資金貸出を拒否し、組合施設の利用に関して現金取引としたことを「事業者団体の内部において特定の事業者を不当に差別的に取り扱うことにより、その事業者の事業活動に著しく不利益を与えるもの」と、組合からの脱退を勧告したことを「事業者団体から特定の事業者を排斥し、その事業者の事業活動に著しく不利益を与えるもの」と判断した。この事件における公

---

[37] 経済法百選〔第2版〕58事件118頁。
[38] 平成30年度重要判例解説・経済法7事件248頁。

正競争阻害性も前記と同様であったと説明できる。ただし、一般指定 5 項は、一般指定 4 項と異なり、現実に事業活動を困難にさせることが条文上要求されている点に注意が必要である。

3　不当対価型
(1)　意義

　不当対価が規制されているのは、「自由競争経済は、需給の調整を市場機構に委ね、事業者が市場の需給関係に適応しつつ価格決定を行う自由を有することを前提とするものであり」、価格を手段とする競争は、「本来、競争政策が維持・促進しようとする能率競争の中核をなすもの」にもかかわらず、不当な対価をもって取引することは、「企業努力又は正常な競争過程を反映せず、競争事業者の事業活動を困難にさせるなど公正な競争秩序に悪影響を及ぼすおそれが多い」からである（都営芝浦と畜場事件（最高裁判決平成元年 12 月 14 日）[39]）。また、「自己の商品、役務をどのような価格で販売するかは、商品、役務の品質決定とともに、本来的には、市場における需要動向、自らの生産性、同業者の価格設定等を踏まえた当該事業者の自由な販売戦略に委ねられているものであり、このような個々の事業者の活動を通じて市場における競争の活性化がもたらされ、消費者利益の増大が図られるもの」（ニチガス事件（東京高裁判決平成 17 年 5 月 31 日）[40]）と考えられるため、市場外からの安易な価格介入はすべきでなく、不当対価型の違法判断基準もこの点を踏まえて判断される必要がある。

　なお、ここでいう「対価」とは、経済的利益の給付に対する経済的価値の反対給付を意味する。そのため、表示されている商品の価格とは異なる場合があり、たとえば、値引きした場合や配送料を売り手が負担した場合には、実質的な反対給付は表示価格よりも低くなり、これが商品の「対価」となる。同様に、割戻金（リベート）が設定されている場合

---

[39]　経済法百選〔第 2 版〕59 事件 120 頁。
[40]　経済法百選〔第 2 版〕56 事件 114 頁。

には、これを控除したものが「対価」となる。

不当な対価をもって取引する行為（2条9項6号ロ）に該当する不当対価型の不公正な取引方法としては、差別対価（2条9項2号、一般指定3項）、不当廉売（2条9項3号、一般指定6項）、不当高価購入（一般指定7項）がある。

(2) 不当廉売

2条9項3号は、「正当な理由がないのに、商品又は役務をその供給に要する費用を著しく下回る対価で継続して供給することであつて、他の事業者の事業活動を困難にさせるおそれがあるもの」を不公正な取引方法としている。また、一般指定6項は、「不当に商品又は役務を低い対価で供給し、他の事業者の事業活動を困難にさせるおそれがあること」を不公正な取引方法と指定している。すなわち、事業者が、①コスト割れ対価で、②継続して供給すること（継続性）が、③他の事業者の事業活動を困難にさせるおそれ（事業活動困難性）を有し、④公正競争阻害性（「正当な理由がないのに」「不当な」）が認められる場合には、その行為は不公正な取引方法として違法となる。

ア　コスト割れ対価

独占禁止法上問題となるコスト割れ対価については、廉売行為者にとって明らかに経済合理性のない対価設定であるかどうかを判断することができる基準を設定することが適切である。これにより、事業者が採算に合うと考えて設定した価格が違法とされることを懸念して事業活動が萎縮する可能性をできるだけ少なくすることができる。

(ア)　2条9項3号

仮に、廉売行為者自らと同等に効率的な事業者、たとえば、廉売行為者と同じ費用で商品を供給することができる事業者が存在し、または参入を検討していたとしても、商品の供給が増大するにつれ損失が拡大するような対価でしか供給することができないのであれば、むしろ、供給をしない方が費用の負担を免れることができることから、供給を継続せずに撤退し、または参入を断念する方がよいことになる。つまり、廉売

行為者自身がその費用すら下回る対価で供給を行えば、他の事業者も廉売行為者と同じ対価で供給せざるを得なくなり、仮に、他の事業者が同じ費用で供給することができたとしても、早晩、撤退または参入断念を余儀なくされることを意味する。このように、廉売行為者自らと同等に効率的な事業者の事業の継続等に係る判断に影響を与える対価であるかどうかは、それがその廉売行為者自身にとって直ちに損失をもたらす水準にあるかどうかに左右されることになる。

一方で、事業者が自らの企業努力や正常な競争過程を反映した価格設定を行うことは妨げられていない。たとえば、商品の対価が「その供給に要する費用」、すなわち総販売原価を下回っていても、供給を継続した方がその商品の供給に係る損失が小さくなるときは、その対価で供給することは合理的である。

このような観点から、商品の供給が増大するにつれ損失が拡大するような対価設定行動は、特段の事情がない限り、経済合理性のないものといえる。そうであれば、総販売原価を下回っている程度が著しいといえるかという曖昧な基準で違法性を判断するのではなく、廉売対象商品を供給しなければ発生しない費用（可変的性質を持つ費用）を下回る収入しか得られないような対価であれば、「供給に要する費用を著しく下回る対価」に該当すると認める方が、規制を受ける事業者にとって予見可能性に優れているといえる。

以上を踏まえ、不当廉売ガイドライン[41]では、2条9項3号の「供給に要する費用を著しく下回る対価」とは可変的性質を持つ費用を下回る対価を意味し、可変的性質を持つ費用に該当するかは、①廉売対象商品の供給量の変化に応じて増減する費用か、②廉売対象商品の供給と密接

---

[41] 業種横断的に不当廉売についての一般的な考え方を示した「不当廉売に関する独占禁止法上の考え方」（平成21年公取委）を指す。このほかに特定の事業分野における不当廉売の考え方を示した「酒類の流通における不当廉売、差別対価等への対応について」（平成21年公取委）、「ガソリン等の流通における不当廉売、差別対価等への対応について」（平成21年公取委）、「家庭用電気製品の流通における不当廉売、差別対価等への対応について」（平成21年公取委）がある。

な関連性を有する費用かという観点から評価して判断するとしている。可変的性質を持つ費用は、排除型私的独占の典型行為類型の「コスト割れ供給」における「商品を供給しなければ発生しない費用」と同じ費用概念である（①および②の観点も、第 4 章 2(3)アを参照されたい）。

なお、濱口石油事件（排除措置命令平成 18 年 5 月 16 日）では、運送費を含む実質的仕入価格に廉売店における人件費等の販売経費を加えた額を下回る価格での販売行為をも問題とされているが、ここでいう販売経費には広告費のような注文の獲得に要する費用が含まれている可能性があり、当該価格での廉売が 2 条 9 項 3 号に該当するかは留保を要する（本件でも旧一般指定 6 項が前段・後段の区別なく包括的に適用されている）。

(イ) 一般指定 6 項

可変的性質を持つ費用以上の対価を設定している場合には、通常、不当廉売として問題にならない。しかし、医薬品やソフトウェアのような研究開発に多額の投資を要するものについては、廉売対象商品の供給と密接な関連性を有する費用と明確にいえない場合も存在する。このような場合には可変的性質を持つ費用はゼロに近くなり、これを下回っていないだけで経済合理性のない対価を放置しておけば、不当対価規制の趣旨を全うできないことも考えられる。

ヤマト運輸郵政公社事件（東京高裁判決平成 19 年 11 月 28 日）[42] によれば、一般指定 6 項は、「役務等の供給の対価が総販売価格を下回るが、その程度が著しくない場合又は供給の態様が継続的でない場合でも、公正な競争秩序の維持という観点から不当と認められる対価での役務等の供給を不公正な取引としたもの」と解されており、「商品又は役務の対価が営業原価に販売費及び一般管理費を加えた総販売原価を上回るときは、事業者の効率性によって達成した対価とみることができるのに対し、商品又は役務の対価が総販売原価を下回るときは、通常は、採算を度外視した競争阻害的な効果を有すると考えられる」。したがって、総販売原価を下回ることを条件に、一定の廉売行為については、一般指定 6

---

42) 経済法百選〔第 2 版〕62 事件 126 頁。

項で措置の対象となっている。

　総販売原価には、販売費や一般管理費のように複数の事業に共通する費用も含まれるが、これが各事業にどのように配賦されるかが問題となる。企業会計上は、その費用の発生により各事業が便益を受ける程度等に応じ、各事業者が実情に即して合理的に選択した配賦基準に従って配賦されることが一般的であり、不当廉売ガイドラインでは、各事業者が用いている配賦基準に基づき各事業に費用の配賦を行った上で、総販売原価の算定を行うとしている[43]。また、研究開発費等のように一括して計上される費用については、廉売行為者が実情に即して合理的な期間においてその費用を回収することとしていると認められる場合には、そのような期間にわたって費用の配賦を行った上で、廉売対象商品の総販売原価の算定を行う。

　外部から援助を受けている場合は、「原価を形成する要因が、そのいわゆる企業努力によるものでなく、当該事業者の場合にのみ妥当する特殊な事情によるものであるときは、これを考慮の外におき、そのような事情のない一般の独立の事業者が自らの責任において、その規模の企業を維持するため経済上通常計上すべき費目を基準としなければならない」(中部読売新聞社事件(東京高裁決定昭和50年4月30日)[44])。

(ウ) 安値入札

　公共入札における安値入札については、通常の不当廉売規制とは異なる配慮も必要となる。たとえば、複数の会計年度にわたって一連のものとして行われる役務提供等について、①単年度の予算に分割して入札に付したり、②機器・機材等のハード部分とソフト・メンテナンス部分の業務について、ハードの部分を競争入札に付し、ソフト・メンテナンス

---

[43] ヤマト運輸郵政公社事件では、スタンドアローンコスト方式(競争分野の事業について、独占領域の事業と共通する費用部分についてはすべて競争分野の事業に配賦して算定する方式)は、特定の事業についてのみ競争政策的観点から変更を加えるものであり、一般指定6項の適用に係る法解釈として、直ちに採用することはできないとされた。

[44] 経済法百選〔第2版〕60事件122頁。

部分の業務を随意契約により当該ハードの部分の落札業者に委託したりすることがある。①の場合は、各年度の落札価格についてコストとの関係を吟味すればよいが、②の場合は、これらの業務を一体として捉えてコストとの関係を吟味する必要があり、仮に、入札に付された業務の落札価格がその部分のコストを下回っていたとしても、不当廉売に該当しない場合がある[45]。たとえば、林野庁衛星携帯電話安値入札事件（公取委報道発表平成25年4月24日）では、衛生携帯電話の端末について1円で応札した行為は、明らかな仕入原価割れであったが、落札事業者との間で通信サービスに係る契約が締結されることを前提に得られる事後の収入を考慮した結果であることを踏まえると、供給に要する費用を著しく下回る対価（2条9項3号）や不当に低い対価（一般指定6項）とはいえないものであったとされた。

また、公共建設工事における「供給に要する費用」には「工事原価＋一般管理費」が相当するとされ、「供給に要する費用を著しく下回る対価」かどうかについては、「工事原価（直接工事費＋共通仮設費＋現場管理費）」を下回る価格であるかどうかが1つの基準となっている[46]。

イ　継続性

「継続して」とは、相当期間にわたって繰り返して廉売を行い、または廉売を行っている事業者の営業方針等から客観的にそれが予測されることである。そのため、毎日継続して行われることを要さず、毎週末・毎月5のつく日（5日・15日・25日）等の日を定めて行う廉売であっても、需要者の購買状況によっては、継続して供給しているとみることができる場合がある。

逆にいえば、何日間の廉売であったかを商品特性や購買状況と切り離して評価することはできない。いわゆる買いだめやまとめ買いができる商品・役務であれば、比較的短期間でも継続していると認められやすい

---

[45] 「最近の地方公共団体等が行った入札における安値応札について」（公取委報道発表平成10年3月11日）。
[46] 「公共建設工事に係る低価格入札問題への取組について」（公取委報道発表平成16年4月28日）。

が、ガソリンや野菜のように保存管理の問題から買いだめが困難な商品を廉売する場合には、需要者の購買状況に応じてある程度の期間がなければ継続性要件を満たさない場合もある[47]。

　ウ　事業活動困難性

　「他の事業者の事業活動を困難にさせるおそれがある」にいうところの「他の事業者」とは、通常、競争者を意味するが、廉売の態様によっては、競争関係にない者が含まれる場合もあり得る（酒類卸売業者警告事件（公取委報道発表平成24年8月1日））。

　また、「事業活動を困難にさせるおそれがある」とは、現に事業活動が困難になることは必要なく、諸般の状況からそのような結果が招来される具体的な可能性が認められる場合を含む。不当廉売ガイドラインによれば、このような可能性の有無は、他の事業者の実際の状況のほか、廉売行為者の事業の規模および態様、廉売対象商品の数量、廉売期間、広告宣伝の状況、廉売対象商品の特性、廉売行為者の意図・目的等を総合的に考慮して、個別具体的に判断される。このうち、廉売の程度（廉売行為者の態様）および廉売期間は、不当廉売の典型例である2条9項3号において「供給に要する費用を著しく下回る対価」と「継続して」が重要な要件になっていることからして、「他の事業者の事業活動を困難にさせるおそれ」の判断における考慮要素の中でも特に重要な要素となる（ダイコク事件（東京高裁判決平成16年9月29日））。また、不当廉売の規制趣旨が公正な競争秩序を維持することにあることからして、前記に加え、廉売の方法や廉売によって影響を受けるとされる他の事業者の事業の規模および態様も考慮に入れて判断するのが相当である[48]。

47）　公正取引委員会の審査開始によって、ガソリン廉売が10日間で取りやめられたこと等（常滑市石油小売業者警告事件（公取委報道発表平成27年12月24日））、キャベツ等の1円販売が8日間で取りやめられたこと等（カネスエ商事・ワイストア警告事件（公取委報道発表平成29年9月21日））により、違反の疑いにとどまって行政指導に当たる「警告」となった事案がある。

> **column**　「事業活動を困難にさせるおそれ」の要件は必要？

　不当廉売ガイドラインでは、廉売行為者自らと同等に効率的な事業者の事業の継続等に係る判断に影響を与える価格であるとして、廉売対象商品を供給しなければ発生しない費用でさえ回収できないような低い価格を「供給に要する費用を著しく下回る対価」としている。このような価格を設定すれば、廉売対象商品の供給が増大するにつれ損失が拡大するため、特段の事情がない限り、経済合理性のないものといえるからである。

　そうだとすると、1つの素朴な疑問が湧かないだろうか。廉売対象商品を供給しなければ発生しない費用を下回る価格で供給するときには、廉売行為者自らと同等に効率的な事業者の事業活動が困難になるのだから「他の事業者の事業活動を困難にさせるおそれ」は必ず認められるのではないかとの疑問である。「他の事業者の事業活動を困難にさせるおそれ」との要件は、実際に事業活動が困難になった事業者がいることや、廉売行為者よりも非効率的な事業者の事業活動を困難にさせるかどうかを問題にしたものではないからである。

　この疑問に対しては、次のような反論が考えられる。すなわち、「他の事業者の事業活動を困難にさせるおそれ」との要件は、同等に効率的な事業者の事業活動を困難にさせる価格水準を問題にしている2条9項3号においても、2つの点で違法性のある行為を絞るフィルタリングの役割を果たしているというものである。

　1つは、価格が廉売対象商品を供給しなければ発生しない費用を下回る場合であっても、市場価格以上なのであれば、「他の事業者の事業活動を困難にさせるおそれ」は廉売行為者の設定した価格によって引き起こされることはないため、この要件を充足しないとする考えである。この点は、「不当廉売を規制した趣旨が公正な競争秩序の維持の観点から役務又は商品の対価を規制することにあることからすれば、市場価格を超える対価は、競争事業者を排除する競争阻害的効果を有しないから、ここでの規律の対象とする理由はない」(ヤマト運輸郵政公社事件（東京高裁判決平成19年11月28日）) や「独占禁止法上一般に不公正な取引方法を構成するいわゆる不当廉価とは、単に市場価格を下回るというのではなく、その原価を下回る価格をいう」(中部読売新聞社事件（東京高裁決定昭和50年4月30日）)との考えと符合する。

---

48) ヤマト運輸郵政公社事件の東京高裁判決において引用されている原判決（東京地裁判決平成18年1月19日）。

もう1つは、廉売対象商品と代替関係にある他の商品を含めて事業活動を捉えたとき、廉売対象商品について同等に効率的な事業者であっても事業活動全体としては困難にならないことも考えられるため、そのような場合を違反としない趣旨で設けられたとする考えである。たとえば、あるケーキ屋がショートケーキの極端な廉売を継続して行ったとしても、その周辺に位置する他のケーキ屋のケーキ全体（チーズケーキやアップルパイが含まれる）の販売事業を困難にさせるおそれがあるとは言い切れない。これは、「他の事業者の事業活動を困難にさせるおそれ」との要件を充足するかを判断するには、何らかの市場画定が必要であるとの考えと軌を一にするものである。

　このように考えると、不当廉売ガイドラインで「他の事業者にとって経営上重要な商品を集中的に廉売する場合は、一般的には、他の事業者の事業活動に影響を与えると考えられる」とされていることも理解できる。つまり、ここでいう「経営上重要な商品」とは、他の商品に代替できない差別化された商品や市場の売上の多くを占める主力商品を意味し、これらの商品が集中的にコスト割れ販売されれば、その商品市場において同等に効率的な事業者であっても対抗が困難となることが想定されるからである。

エ　公正競争阻害性

　2条9項3号の「正当な理由がないのに」または一般指定6項の「不当に」という要件に当たるかどうかは、専ら公正な競争秩序維持の見地に立ち、具体的な場合における行為の意図・目的、態様、競争関係の実態および市場の状況等を総合考慮して判断すべきとされている（都営芝浦と畜場事件）。したがって、自由な競争が減殺されるおそれがあることが不当廉売の公正競争阻害性であることからすれば、他の事業者の事業活動を困難にさせるおそれが認められる場合には、前記考慮事項に照らしても、廉売を正当化する特段の事情がない限り、公正な競争を阻害するおそれがあることとなる。

　「正当な理由」がある場合としては、たとえば、生鮮食料品のようにその品質が急速に低下するおそれがあるものや季節商品のようにその販売の最盛期を過ぎたものについて、見切り販売をする必要がある場合[49]など、需給関係から廉売対象商品の販売価格が低落しているときや、廉

売対象商品の原材料の再調達価格が取得原価より低くなっている場合において、商品や原材料の市況に対応して低い価格を設定したときが考えられる（不当廉売ガイドライン3(3)）。きず物、はんぱ物その他の瑕疵のある商品について相応の低い価格を設定する場合も同様に「正当な理由」がある。このような特段の事情が認められる場合には、公正競争阻害性を満たさず、不当廉売として違反となることはない。これに対し、いわゆる対抗廉売であっても「正当な理由」には該当しない（事例として、シンエネ・東日本宇佐美事件（排除措置命令平成19年11月27日）[50]、マルエツ・ハローマート事件（勧告審決昭和57年5月28日）[51]）。

(3) 差別対価

2条9項2号は、「不当に、地域又は相手方により差別的な対価をもつて、商品又は役務を継続して供給することであつて、他の事業者の事業活動を困難にさせるおそれがあるもの」を不公正な取引方法としている。また、一般指定3項は、「不当に、地域又は相手方により差別的な対価をもつて、商品若しくは役務を供給し、又はこれらの供給を受けること」を不公正な取引方法と指定している。すなわち、事業者が同一の商品・役務について、①地域や相手方による差別的な対価で、②継続して取引すること（継続性）が、③他の事業者の事業活動を困難にさせるおそれ（事業活動困難性）を有し、④公正競争阻害性（「不当に」）が認められる場合には、その行為は不公正な取引方法として違法となる。

ア　差別的な対価

経済活動において、取引数量の多寡、決済条件、配送条件等の相違を反映して取引価格に差が設けられることは、広く一般にみられることで

---

[49] 季節商品を売り切る目的での値下げ販売について、保管ないし廃棄する場合のコスト等を考慮して正当な理由があると認めた事案として、ファーストリテイリング事件（知財高裁判決平成19年4月5日）や平成22年度相談事例集「大量の在庫品の原価割れ販売（事例1）」がある。

[50] 経済法百選〔第2版〕61事件124頁。

[51] 経済法百選〔初版〕64事件130頁。

ある。また、地域による需給関係の相違を反映して取引価格に差異が設けられることも通常である。

このような観点からすれば、取引価格や取引条件に差異が設けられても、それが取引数量の相違等正当なコスト差に基づくものである場合や、商品の需給関係を反映したものである場合等においては、そもそも公正な競争を阻害するおそれがあるとはいえない[52]。すなわち、「一般に、市場において商品又は役務に価格差が存在することは、それぞれの商業地域の事業者間において、能率競争が行われ、市場における需給調整が機能していることの現れとみることができるのであり、特に、行為者の設定価格がコスト割れでない……場合においては、それが不当な力の行使であると認められるなど特段の事情が認められない限り、……公正競争阻害性があるものと非難することはできない」(トーカイ事件(東京高裁判決平成17年4月27日)[53])。

しかし、たとえば、有力な事業者が、競争者を排除するため、その競争者と競合する販売地域または顧客に限って廉売を行い、公正な競争秩序に悪影響を与える場合は、独占禁止法上問題となる。したがって、「不当な差別対価とは、価格を通じた能率競争を阻害するものとして、公正競争阻害性が認められる価格をいい、当該売り手が自らと同等あるいはそれ以上に効率的な業者(競争事業者)が市場において立ち行かなくなるような価格政策をとっているか否かを基準に判断するのが相当であり、その際不当な差別対価に当たるかどうかの判断においては原価割れの有無がその要素になる」(ニチガス事件(東京高裁判決平成17年5月31日)[54])(ただし、ここにいう「原価」とは、総販売原価を意味する)。

また、差別対価を差別的取扱いの典型例として捉えた場合には、取引拒絶型の差別対価も問題となり得る。再販売価格維持契約や専売店契約を遵守しない取引相手に対して高い価格(不利な取引条件)で販売する

---

52) 不当廉売ガイドライン5(1)イ(ア)。
53) 経済法百選〔第2版〕56①事件114頁。
54) 経済法百選〔第2版〕56②事件114頁。

一方、これらを遵守する取引相手に対しては低い価格（有利な取引条件）で販売することにより、高い価格で購入した事業者が市場において十分な競争圧力を発揮できなくなって商品の価格が維持される場合が典型な問題例である。カルテルの実効性確保手段として差別対価を用いた東洋リノリューム事件（勧告審決昭和55年2月7日・図表5-6）は、この取引拒絶型の差別対価が問題となったものである。

　イ　継続性

前記3(2)イと同様である。

　ウ　事業活動困難性

前記3(2)ウと同様である。

　一般指定3項では事業活動困難性が明文上要件となっていないが、不当対価型の差別対価については、公正競争阻害性（「不当に」）の判断において同様の考察を行うこととなろう。他方、取引拒絶型の差別対価については、違法性判断基準が異なり、事業活動困難性の考察は必ずしも必要でない。

　エ　公正競争阻害性

　公正競争阻害性のある差別対価に該当するかは、個別具体的な事案において、行為者の意図・目的、取引価格・取引条件の格差の程度、供給に要する費用と価格との関係、行為者および競争者の市場における地位、取引の相手方の状況、商品の特性、取引形態等を総合的に勘案し、市場における競争秩序に与える影響を勘案した上で判断される（不当廉売ガイドライン5(1)イ(イ)）。

　前掲ニチガス事件においては、「公正競争阻害性の認定に当たっては、市場の動向、供給コストの差、当該小売業者の市場における支配力、価格差を設けた主観的意図等を総合的に勘案することとなるが、……同一業者の供給する商品、役務に存在する価格差が不当廉売を含むことが明らかな場合は格別そうでない事案においては、小売業者による需要の動向や供給コストの差に応じた価格決定を萎縮させ、価格の硬直化と市場の需給調整力の衰退を招くことのないよう慎重に認定を行う必要がある」としている。この点につき、前掲トーカイ事件では、「既に一定の

市場において大きなシェアを占め、強大な競争力を有していると認められる事業者が、その力を背景として、地域又は相手方により価格に大きな差を設ける方法によって、ねらう市場の競争事業者から顧客を奪取し、その市場の支配力を強めることにより、市場の競争を減殺しようとするなどの場合」には、「市場の構造ないし動向、行為者の市場における地位（マーケットシェア）、行為者と競争事業者との供給コストの差及び価格差を設けた行為者の主観的意図等を総合的に勘案して」不当な力の行使に当たるかどうかを判断するとした。

　また、「新聞業における特定の不公正な取引方法」（新聞特殊指定）では1項および2項において差別対価を規制しているが、「不当に」といった文言は規定されていない。しかし、2条9項6号に基づいて指定されるものである以上、不公正な取引方法といえるためには公正競争阻害性が認められることが必要である。これまでのところ、新聞発行業者による差別対価に当たるとして緊急停止命令の申立てが認められた事例として、第二次北国新聞社事件（東京高裁決定昭和32年3月18日)[55]がある。また、「販売業者に自己の指示する部数を注文させ、当該部数の新聞を供給すること」（新聞特殊指定3項2号）に該当し、いわゆる押し紙による独占禁止法違反を認めた私訴として、佐賀新聞事件（佐賀地裁判決令和2年5月15日）がある。

---

[55] 経済法百選〔初版〕57事件116頁。

[図表 5-6]　東洋リノリューム事件（勧告審決昭和 55 年 2 月 7 日）[56]

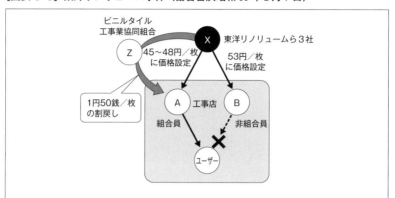

X（3 社）と他の 1 社（4 社）は、わが国におけるビニルタイル市況品の製造販売数量の大部分を占めている。Xは、ビニルタイルの販売価格の維持に資することから、各地区内の工事店を組合員とする協同組合Zの設立と運営を援助しており、工事店のZ加入を促進するため、ビニルタイル市況品の販売価格について組合員と非組合員との間に 5 円／枚の格差を設けることを検討し、非組合員には 53 円／枚に設定するなどした。その後、Xは、組合員に対し、Zを通じて 1 円 50 銭／枚の割戻しを行った。なお、4 社は、ビニルタイル市況品の販売価格を引き上げ維持したとしてカルテルでも処分されている。

(4)　不当高価購入

　一般指定 7 項は、「不当に商品又は役務を高い対価で購入し、他の事業者の事業活動を困難にさせるおそれがあること」を不公正な取引方法と指定している。すなわち、事業者が、①不当に高い対価で購入することが、②他の事業者の事業活動を困難にさせるおそれ（事業活動困難性）を有し、③公正競争阻害性（「不当に」）が認められる場合には、その行為は不公正な取引方法として違法となる。

　不当廉売の禁止が供給者についての不当対価型規制であったのに対し、不当高価購入の禁止は需要者についての不当対価型規制である。これまでのところ、本項については適用例がなく、「不当に高い対価」とはどのような基準によって判断されるか明らかでないが、不当廉売における規制趣旨を敷衍すれば、同等に効率的な競争者でも採算が合わないよう

---

56)　経済法百選〔第 2 版〕57 事件 116 頁。

な高価格で購入する場合には、通常、競争者を排除する以外には経済合理性が認められないため、「不当に高い対価」の要件を充足するものと考えられる。また、公正競争阻害性は自由競争の減殺の観点から判断される点も、不当廉売と同じであろう。

4 拘束条件型

(1) 意義

　相手方の事業活動を不当に拘束する条件をもって取引する行為が規制されるのは、「公正な競争を促進する見地からすれば、取引の対価や取引先の選択等は、取引の本質的内容をなすものとして、当該取引の当事者が経済効率を考慮し自由な判断によって個別的に決定すべきものである」（明治商事事件（最高裁判決昭和50年7月11日）[57]）にもかかわらず、「相手方の事業活動を拘束する条件を付けて取引すること、とりわけ、事業者が自己の取引とは直接関係のない相手方と第三者との取引について、競争に直接影響を及ぼすような拘束を加えることは、相手方が良質廉価な商品・役務を提供するという形で行われるべき競争を人為的に妨げる側面を有しているからである」（資生堂東京販売事件（最高裁判決平成10年12月18日）[58]）。その反面、拘束の内容は様々であるから、取引の形態や拘束の程度等に応じて公正な競争を阻害するおそれを判断し、それが公正な競争秩序に悪影響を及ぼすおそれがあると認められる場合に、はじめて相手方の事業活動を「不当に」拘束する条件を付けた取引に当たるものというべきとされている（資生堂東京販売事件）。

　このように、相手方の事業活動を不当に拘束する条件をもって取引する行為（2条9項6号ニ）に該当する拘束条件型の不公正な取引方法としては、再販売価格の拘束（2条9項4号）、排他条件付取引（一般指定11項）、拘束条件付取引（一般指定12項）がある。拘束条件付取引は、再販売価格の拘束と排他条件付取引に該当する行為「のほか……するこ

---

[57]　経済法百選〔初版〕73事件148頁。
[58]　経済法百選〔第2版〕71①事件144頁。

と」と規定されており、拘束条件型の包括的一般条項となっている。

(2) 再販売価格の拘束

2条9項4号は、自己の供給する商品を購入する相手方に、正当な理由がないのに、ⓐ相手方に対しその販売する商品の販売価格を定めてこれを維持させることその他相手方の商品の販売価格の自由な決定を拘束すること（同号イ）、またはⓑ相手方に対して前記ⓐの行為をさせること（同号ロ）の条件を付けて、商品を供給することを不公正な取引方法としている。すなわち、事業者が、①自己の供給する商品を購入する相手方に対し、②その商品の販売価格の自由な決定を拘束する条件を付けることで、③公正競争阻害性（「正当な理由がないのに」）が認められる場合には、その行為は不公正な取引方法として違法となる。

ア　自己の供給する商品を購入する相手方

「自己の供給する商品を購入する相手方」とは、直接の取引先だけでなく、間接の取引先であっても、自己の子会社や営業部門に相当する販売会社を通じて小売業者に販売した場合や、卸売業者を通じて販売しているものの、小売業者の取引条件等は自ら決定している場合など、実質的に小売業者を相手方として取引をしていると認められる限り、「自己の供給する商品を購入する相手方」に当たるとされてきた。たとえば、日産化学工業事件（排除措置命令平成18年5月22日・図表5-7）では、形式的には間接の取引先である小売業者に対して行った拘束が2条9項4号イに該当すると整理されている。

しかし、事業者（委託者）の危険負担と計算において行われている委託販売や、事業者（メーカー）が決めた納入価格での物流と代金回収の責任を負う卸売販売など、事業者の直接の取引先が単なる取次ぎとして機能しており、実質的にみて当該事業者が販売していると認められる場合には、取引先に対して価格を指示しても、通常、違法とはならない[59]。これは、価格を指示された取引先が、そもそも「自己の供給する商品を

---

59) 流通・取引慣行ガイドライン第1部第1の2(7)。

購入する相手方」に該当しないこと、あるいは、拘束の対象となる販売価格の決定権限を持たないこと、がその根拠となる。このため、コンテンツ提供業者オンライン・プラットフォーム運営業者との間で自社の指示価格で販売すると定めた委託販売契約を締結しても、運営業者が自らの計算においてポイント還元等により実質的な販売価格が引き下がるサービス等を提供することまでを禁止しなければ、直ちに独占禁止法上問題となるものではない[60]。

　これまでのところ、代金回収の危険負担や所有権の移転形態からみて「真正の委託販売」とは認められない（明治乳業事件（審判審決昭和52年11月28日））、返品が自由に認められても、需要量がある程度固定的で販売回転率が比較的高い商品であるため、数量を合理的に算定して仕入れる限り、不良品以外の返品の必要は生じないことからすれば、委託者に指値の権利が認められる委託販売に準ずるものとはいえない（和光堂事件（審判審決昭和43年10月11日））とする判断がある一方で、商品の売れ残りリスク、在庫保管リスク、代金回収リスク等からみて、直接の取引先が単なる取次ぎとして機能している[61]などとする判断がある。

イ　商品の販売価格の自由な決定の拘束

　「拘束」があるというためには、「必ずしもその取引条件に従うことが契約上の義務として定められていることを要せず、それに従わない場合に経済上なんらかの不利益を伴うことにより現実にその実効性が確保されていれば足りる」とする和光堂事件（最高裁判決昭和50年7月10日・図表5-8）が先例となり、その後の審判決もこの考えに従っている。

　流通・取引慣行ガイドラインによれば、①文書によるか口頭によるか

---

[60]　平成16年度相談事例集「音楽配信サービスにおけるコンテンツプロバイダーによる価格の指定（事例3）」。

[61]　平成13年相談事例集「単なる取次として機能する卸売業者の再販売価格の指示（事例2）」、平成21年度相談事例集「代理店の再販売価格の拘束（事例2）」、平成28年度相談事例集「メーカーによる小売業者への販売価格の指示（事例1）」、令和元年度相談事例集「家電メーカーによる小売業者への販売価格の指示（事例5）」、令和4年度相談事例集「医療機器等の販売事業者による卸売業者への販売価格の指示（事例3）」。

を問わず、流通業者との間に合意がある場合、②リベート等の経済上の利益や価格監視等、何らかの人為的手段を用いることによって、指示価格で販売するようにさせている場合だけでなく、③指示価格で売れ残った商品は値引き販売せずに買い戻すことを取引の条件とする場合も、「実効性が確保されている」と判断される。他方で、メーカーが設定する希望小売価格や建値は、流通業者に対して単なる参考として示されているものである限りは、それ自体は問題とはならない。しかし、参考価格として単に通知するだけにとどまらず、その価格を守らせるなど流通業者の価格を拘束する場合には、再販売価格の拘束に当たる[62]。

　拘束の有無を判断するに当たり、ソニー・コンピュータエンタテインメント（SCE）事件（審判審決平成13年8月1日）[63]では、「本件値引き販売禁止行為のような再販売価格の拘束行為が消滅したか否かを判断するに当たっては、当該再販売価格の拘束の手段・方法とされた具体的行為が取りやめられたり、当該具体的行為を打ち消すような積極的な措置が採られたか否かという拘束者の観点からの検討に加え、拘束行為の対象とされた販売業者が制約を受けずに価格決定等の事業活動をすることができるようになっているかという被拘束者の観点からの検討が必要である。さらに、これを補うものとして、当該商品の一般的な価格動向等の検討も有用である」とし、①拘束者の観点と②被拘束者の観点の両面から検討を行い、③補助的に一般的な価格動向等も検討するのが有用としている。多くの事件において、拘束者の観点から、小売価格の調査や安売り業者に対する出荷停止などの措置が認定されるとともに、被拘束者の観点から、対象商品を品揃えに加えておくことが重要（アップリカ事件（排除措置命令令和元年7月1日）ほか）あるいは不可欠（コールマンジャパン事件（排除措置命令平成28年6月15日）[64]ほか）といった事情が認定されている。

---

[62] 流通・取引慣行ガイドライン第1部第1の1(2)。
[63] 経済法百選〔第2版〕70事件142頁。
[64] 平成28年度重要判例解説・経済法6事件266頁。

また、拘束の対象は「商品の販売価格の自由な決定」であるため、販売価格を一定額に拘束する場合のみが対象となるわけではない（ハマナカ毛糸事件（審判審決平成22年6月9日）では、販売価格の下限を定める場合も独占禁止法2条9項4号の「販売価格を定め」に含まれると解している）。そのため、事業者の事前の承認を得た価格や近隣店の価格を下回らない価格といった価格の定め方を拘束する場合も、当然に対象となる。

　さらに、2条9項4号ロでは、「拘束の条件」が付される者と「販売価格の自由な決定を拘束」される者とは別であり、前者との間で拘束の条件を付ける行為が、後者を拘束する行為とは別に必要となる[65]。ただし、競争秩序を維持する上での主たる関心は小売価格の拘束にあり、卸売業者にこれをさせる行為は、小売価格の拘束の効果をもたらすようなものであれば十分である。

　なお、条文上、2条9項4号の対象となるのは「商品」の再販売価格を拘束する場合だけであり、「役務」に関する価格拘束行為は、拘束条件付取引（一般指定12項）の対象となる（事例として、20世紀フォックス事件（勧告審決平成15年11月25日・図表5-11））。

　ウ　公正競争阻害性

　再販売価格の拘束が実効性をもって行われると、取引相手である販売業者間の価格競争は必然的に制限される。和光堂事件では、シェアが低いメーカーによる再販売価格維持行為はブランド内競争を制限するとしてもブランド間競争を促進することとなるため公正競争阻害性を有しないとの事業者側の主張に対して、「再販売価格維持行為により、行為者とその競争者との間における競争関係が強化されるとしても、それが、必ずしも相手方たる当該商品の販売業者間において自由な価格競争が行われた場合と同様な経済上の効果をもたらすものでない以上、競争阻害性のあることを否定することはできない」として、原則違法であることを明確にした。

---

65)　金子晃ほか『新・不公正な取引方法──新一般指定の研究』145頁、153頁（青林書院新社、1983）参照。

このような裁判所の判断は、拘束の対象となった商品がブランドとして確立しており、再販売価格が拘束されても、他のブランドとの間で多くの需要者が切り替わらないことが前提となっている。そのため、再販売価格の拘束が問題となった事件においては、拘束の対象となった商品の知名度が高く、一般消費者の中には指名して購入したり、継続して購入する者が少なくないこと（日産化学工業事件）や拘束者が市場において有力な地位を占めており、拘束の対象となった商品は一般消費者の間において高い人気を有していること（ナイキジャパン事件（勧告審決平成10年7月28日）[66]）、また、「その商品の特性から、銘柄間に価格差があつても、消費者は特定の銘柄を指定して購入するのが常態であり、使用後に他の銘柄に切り替えることは原則としてない」こと（和光堂事件）などが認定されている。

　正当化事由については、「専ら公正な競争秩序維持の見地からみた観念」（和光堂事件）であるところ、競争の中核をなす価格について拘束が行われる場合には、それ自体競争政策と全く相容れないものとして「正当な理由」を認め得る場合はほとんどない[67]。ハマナカ毛糸事件（東京高裁判決平成23年4月22日・図表5-9）では、中小小売業者の保護や産業・文化の維持も「正当な理由」があるとはいえないとされた。ただし、需要が急拡大している商品について、小売業者が不当な高価格を設定しないよう期間を限定して、メーカー等が小売業者に対して一定の価格以下で販売するよう指示する行為は、かえって商品の小売価格の上昇を招くような場合を除き、消費者の利益となるため、正当な理由があると認められる[68]。また、流通・取引慣行ガイドラインによれば、「正当な理由」は、いわゆる「フリーライダー問題」の解消等を通じ、実際に競争促進効果が生じてブランド間競争が促進され、それによって商品の需要

---

[66] 経済法百選〔第2版〕68事件138頁。
[67] 『最高裁判所判例解説民事篇＜昭和50年度＞』296頁（法曹会、1976）〔佐藤繁〕。
[68] 公正取引委員会ウェブサイト（新型コロナウイルス感染症への対応のための取組に係る独占禁止法に関するQ&A）。

[図表 5-7] 日産化学工業事件（排除措置命令平成 18 年 5 月 22 日）[69]

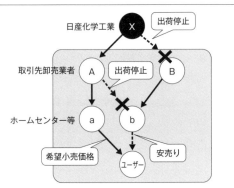

Xは、米国モンサント社が製造する除草剤「ラウンドアップハイロード」を一手に輸入し販売している。本商品は他の除草剤と比べて知名度が高く、一般消費者の中には指名買いをするものも少なくないため、ホームセンター等にとって品揃えしておくことが不可欠な商品となっている。Xは、500 mlボトル、5 lボトル、500 mlボトル 3 本入りの 3 品目について希望小売価格を定め、小売価格が希望小売価格を下回ることのないように、自らまたは取引先卸売業者を通じて①3 品目を希望小売価格で販売するよう要請し、②小売価格を把握するとともに、ロット番号を利用するなどして安売り店に供給する取引先卸売業者を調査し、③調査や通報に基づき、安売りに関わったホームセンターや取引先卸売業者に対して出荷停止等を行っている。

が増大し、消費者の利益の増進が図られ、そうした競争促進効果が、再販売価格の拘束以外のより競争阻害的でない他の方法によっては生じ得ないものである場合において、必要な範囲と必要な期間に限り、認められる。もっとも、フリーライダー問題が懸念される場合であっても、発生するような状況には至っていないことも多い[70]。

エ　排除措置

再販売価格の拘束の事件では、違反行為に付随した実効性確保措置についても排除措置を命ずることがある。たとえば、日産化学工業事件（図表 5-7）では、小売価格の制限をする目的で、再販売価格拘束の対象となった商品の小売価格を把握する行為や商品ボトルに付されている

---

(69) 経済法百選〔第 2 版〕67 事件 136 頁。
(70) 一例として、「コールマンジャパン株式会社に対する件（再販売価格拘束事件）事後評価報告書」（令和 2 年 6 月公取委）40 頁。

[図表 5-8] 和光堂事件（最高裁判決昭和 50 年 7 月 10 日）[71]

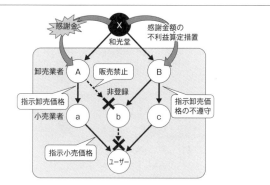

育児用粉ミルクの販売を行う X は、商品の価格維持を図るため、あらかじめ卸売価格および小売価格を指定するとともに、①小売業者については登録制をとり、指示小売価格を守らなかったときは登録を取り消すこと、②卸売業者については販売価格と同額の指示卸売価格で販売させ、卸売業者の利潤は感謝金名義の歩戻金をもって後払いするが、卸売業者が指示卸売価格を守らず、または登録小売業者以外の小売業者と取引したときは、感謝金の額の算定につき不利益な措置をとること、③卸売業者の販売価格および販売先を確認するために個々の商品ごとの流通経路を明らかにさせることなどの販売対策を決定し、これを販売業者に通知して実施させた。

ロット番号等を利用して小売業者に供給している取引先卸売業者を調査する行為を行ってはならないと命じている。なお、商品にロット番号を付す行為それ自体については、商品の品質管理やトラブル処理のために必要なこともある。そのため、商品のロット番号を禁止することまでは不要であることが多い。

(3) 排他条件付取引

一般指定 11 項は「不当に、相手方が競争者と取引しないことを条件として当該相手方と取引し、競争者の取引の機会を減少させるおそれがあること」を不公正な取引方法としている。すなわち、事業者が、①競争者と取引しないことを取引条件（排他条件）として、②相手方の事業活動を拘束することで、③公正競争阻害性（「不当に」「競争者の取引の機

---

71) 経済法百選〔第 2 版〕66 事件 134 頁。

[図表 5-9] ハマナカ毛糸事件（東京高裁判決平成 23 年 4 月 22 日)[72]

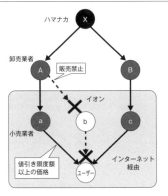

Xが販売するハマナカ毛糸は、知名度が高く、指名して購入する一般消費者が少なくないため、手芸手編み糸を取り扱う小売業者にとって品ぞろえに加えておくことが重要な商品となっている。大規模小売店がセールでハマナカ毛糸を大幅な値引き価格で販売した際の小売業者からの苦情を契機に、Xは、希望小売価格の 10％引き等の価格を下限とし、この値引き限度価格以上の価格で販売させる方針に基づいて小売業者に申入れをするとともに、申入れに従わない場合には直接または卸売業者を通じてハマナカ毛糸の供給を停止するなどして、申入れに応じさせていた（小売業者 b は、申入れに応じなかったため買上げや出荷停止をされた）。また、X はインターネット小売業者 15 社にも同様の申入れをし、これらの者が販売価格を引き上げ、他も追随した結果、その販売価格は概ね希望小売価格の 10%引きの価格となった。

会を減少させるおそれがある」）が認められる場合には、その行為は不公正な取引方法として違法となる。

ア 排他条件

競争者と取引しないことを条件として相手方と取引する典型例は、ある商品を自己のみから購入すること（全量購入）や競合品を一切取り扱わないことを条件として取引することである。過去の事例をみると、自己と競争関係にあるすべての事業者との取引を一般的に禁止した大分県酪農業協同組合事件（勧告審決昭和 56 年 7 月 7 日)[73] が排他条件付取引とされたのに対し、他に競争者がいる中で、特定の競争者と取引しない

---

72) 経済法百選〔第 2 版〕69 事件 140 頁。
73) 経済法百選〔初版〕71 事件 144 頁。

ことのみを条件として取引した大分大山町農業協同組合事件（排除措置命令平成21年12月10日）[74]は、排他条件付取引ではなく、拘束条件付取引（一般指定12項）として扱われた。

排他条件を内容とする取引としては、全量購入契約（事例として、ノーディオン事件（勧告審決平成10年9月3日・図表4-8）[75]）のほか、専売店制（あるメーカーの商品のみを積極的に販売し、競争者の商品を取り扱わない旨を合意し、継続的商品供給契約を締結すること）、一手販売契約（ある事業者からその販売する商品の全部を一手に購入する契約を締結し、他の販売業者には取り扱わせないようにすること）などがある。

　イ　相手方の事業活動の拘束

一般指定11項には「拘束」との文言はない。しかし、一般指定11項は2条9項6号ニの「相手方の事業活動を不当に拘束する条件をもつて取引すること」との規定に基づいて指定されたものであるから、前記(2)イと同様の「拘束」があることが必要である。もっとも、相手方が遵守せず実効性がないのであれば、「条件として……取引し」ているとはいえず、競争者の取引機会を減少させることもかなわないので、一般指定11項の指定が不適切なわけではない。

また、「相手方」は直接の取引相手を指すことが多いが、メーカーが卸売業者を通じて小売業者に供給している場合であっても、小売業者の事業活動を直接的に拘束しているときには、その小売業者が実質的に取引の相手方と認められることとなる。

　ウ　公正競争阻害性

排他条件付取引の不当性については、「一般に相手方が自己の競争者から物資等の供給を受けないことを条件としてこれと取引することは、それ自体は違法ではない。ある事業者Aがかかる競争方法をとつても、その競争者たる別の事業者Bにとって、Aと取引ある者を除外してこれに代るべき取引の相手方を容易に求めることができるかぎり、Bはこれ

---

74)　経済法百選〔第2版〕74事件150頁。
75)　経済法百選〔初版〕9事件20頁。

との取引を通じて価格、品質、数量、サービス等のいわゆる能率による本来の競争により、その市場への進出は少しも妨げられないところであるから、Ａのかかる競争方法はなんらＢに対して脅威となるものでなく、結局において公正な競争を妨げるものといい得ないこととなるであろう。しかしそうでない限り、Ｂはその競争の条件においてすでに不利益を受け、本来の競争による市場進出はＡによつて人為的に妨げられることとなるわけであるから、Ａのかかる競争方法は不当なものとならざるを得ないのである」（北海道新聞社事件（東京高裁判決昭和29年12月23日）[76]）と考えられてきた。そして、東洋精米機製作所事件（東京高裁判決昭和59年2月17日）[77] では、「公正競争阻害性の有無は、結局のところ、行為者のする排他条件付取引によつて行為者と競争関係にある事業者の利用しうる流通経路がどの程度閉鎖的な状態におかれることとなるかによつて決定されるべきであり、一般に一定の取引の分野において有力な立場にある事業者がその製品について販売業者の中の相当数の者との間で排他条件付取引を行う場合には、その取引には原則的に公正競争阻害性が認められるものとみて差し支えない」と判示された。これは、市場において有力な事業者が相当数の取引相手と排他条件付取引を行えば、競争者が代替的供給ルートを見いだせない状況となり、その取引機会が減少する場合が多いことに着目したものである。

　これらを踏まえ、流通・取引慣行ガイドラインでは、市場における有力な事業者（前記2(3)イ参照）が相手方に排他条件を付けて取引することによって、市場閉鎖効果が生じる場合を違法とする[78]。「市場閉鎖効果が生じる場合」に当たるかどうかについては、前記2(3)イに挙げられた5つの要素を総合的に考慮して判断される。

　流通・取引慣行ガイドラインによれば、①制限の相手方の数の多さだけでなく、②強いブランド力を有する商品が対象の場合、③制限の期間

---

[76] 本判決は、最高裁（最高裁判決昭和36年1月26日）でも維持されている。
[77] 経済法百選〔第2版〕65事件132頁。
[78] 流通・取引慣行ガイドライン第1部第2の2(1)イ。

が長期間にわたる場合、④競争者の供給余力が総じて小さい場合、⑤競争者にとって制限の相手方との取引が重要である場合には、そうでない場合と比較して、市場閉鎖効果が生じる可能性が高くなる。過去の事例においては、ベッドの小売市場シェア40％の事業者が、販売店2525名のうち有力な1139名と類似品の取扱いを禁止する条項を含む契約を長期間にわたって締結していることを問題としたフランスベッド事件（勧告審決昭和51年2月20日）などがある。排他条件付取引による市場閉鎖効果を分析するのであるから、閉鎖される部分の量だけでなく質も重要であるし、閉鎖される期間も重要となる（第4章2(4)イ参照）。また、競争者が有効な競争を行い得るかが問題なのであるから、競争者の地位（ブランド力、供給余力、事業規模等）も考慮すべき場合がある[79]。

ただし、新規参入者や市場シェアの小さい事業者がアフターサービスや専門的能力の発揮等を目的として専売店制等の排他的取引を行うことによって、安定した販路を確保でき、より有効な競争単位として機能することも考えられる[80]。これは、全量購入契約のような取引条件には、契約当事者双方の販売費用の節約、需給変動や価格変動のリスクの回避、安定した取引関係の下での生産・販売の計画性の確保などの経済合理性が考えられるためである。一般指定11項においては、「正当な理由がないのに」ではなく「不当に」と規定された趣旨を踏まえて、公正競争阻害性が判断される必要がある。

また、流通・取引慣行ガイドラインでは、独占禁止法上正当と認められる理由があるため「不当に」に当たらず、違法とはならない場合として、ⓐ完成品メーカーが部品メーカーに原材料を支給し、その原材料を使用して製造した部品を自己のみに販売させること、ⓑ完成品メーカーが部品メーカーにノウハウを供与して部品を製造させている場合に、そのノウハウの秘密保持と流用防止のために必要と認められる場合に、自己のみに販売させること（事例として、メディオン対サンクス製薬事件

---

79) 排除型私的独占ガイドライン第2の3(2)ウ参照。
80) 田中・前掲注18) 67頁。

（大阪地裁判決平成 18 年 4 月 27 日））を挙げている[81]。メーカーが販売店に対して投資やノウハウの供与を行う場合も、ⓑの場合と同様に、流用防止等の目的のために必要といえるか（必要以上の制限となっていないか）をみて正当化事由を判断することができる。

なお、複数の事業者がそれぞれ並行的に自己の競争者との取引の制限を行う場合には、一事業者のみが行う場合に比べ市場全体として市場閉鎖効果が生じる可能性が高くなる[82]。競争者の取引機会の減少が一定の取引分野における競争の実質的制限にまで至る程度に達する場合には、排除型私的独占に該当する可能性がある。

(4) 拘束条件付取引

一般指定 12 項は、「相手方とその取引の相手方との取引その他相手方の事業活動を不当に拘束する条件をつけて、当該相手方と取引すること」を不公正な取引方法と指定している。すなわち、事業者が、①相手方の事業活動を拘束することで、②公正競争阻害性（「不当に」）が認められる場合には、その行為は不公正な取引方法として違法となる。

ア　相手方の事業活動の拘束

前記(2)イと同様の拘束が必要となる。

拘束条件の内容としては、販売地域の制限、販売先の制限、販売方法の制限などがある。

㋐　販売地域の制限

流通・取引慣行ガイドラインによれば、商品の効率的な販売拠点の構築やアフターサービス体制の確保等のため、流通業者に対し、①一定の地域を主たる責任地域として定め、その地域内において、積極的な販売活動を行うことを義務付けること（責任地域制）、②店舗等の販売拠点の設置場所を一定地域内に限定したり、販売拠点の設置場所を指定すること（販売拠点制）、③新商品のテスト販売や地域土産品の販売に当たり販

---

81)　流通・取引慣行ガイドライン第 1 部第 2 の 2(1)ウ。
82)　流通・取引慣行ガイドライン第 1 部 3(2)アと第 2 の 2(1)イ。

売地域を限定することは、通常、これによって価格維持効果が生じることはなく、違法とはならない。しかし、流通業者に対し、④一定の地域を割り当て、地域外での販売を制限すること（厳格な地域制限）や⑤一定の地域を割り当て、地域外の顧客からの求めに応じた販売を制限すること（地域外顧客への受動的販売の制限）は、これによって価格維持効果が生じる場合がある。ただし、厳格な地域制限については、市場における有力な事業者（前記2(3)イ参照）が行うのでなければ、通常、違法とはならない。これに対し、地域外顧客への受動的販売の制限は、地域外の顧客からの求めに応じた販売をも制限している分だけブランド内競争を制限する効果が大きく、セーフハーバーは設けられていない[83]。

もっとも、これまでのところ、地域制限のみで拘束条件付取引に該当するとして違法とされた事例はない。競合品の取扱い制限や小売価格の維持と併せて厳格な地域制限が違法とされた事件としては、富士写真フイルム事件（勧告審決昭和56年5月11日）[84]がある。

(イ) 販売先の制限

販売先の制限としてメーカーが取引の相手方である流通業者に対して課すものには、①帳合取引の義務付け（一店一帳合制を含む）、②仲間取引の禁止（横流し禁止）、③安売り業者への販売禁止（前記2(3)イ参照）などがある。一店一帳合制とは、小売業者の仕入れ元たる卸売業者が1つに限定される場合などをいうが、卸売業者に対して帳合取引や仲間取引の禁止が義務付けられると、取引先の選択が自由になされないこととなり、流通段階での競争へ悪影響が出やすい（事例として、白元事件（勧告審決昭和51年10月8日））。

(ウ) 販売方法の制限

販売方法の制限とは、広告・表示の方法、商品の説明販売、品質管理、商品の陳列場所等について、取引の相手方に制限を課すことをいう。これらの制限は、商品の安全性の確保、品質の保持、商標の信用の維持等、

---

83) 流通・取引慣行ガイドライン第1部第2の3(3)と(4)。
84) 経済法百選〔第2版〕72事件146頁。

商品の適切な販売のために必要なこともあり、販売地域の制限や販売先の制限に比べ、競争に与える影響も限定的であることが多い。資生堂東京販売事件（最高裁判決平成 10 年 12 月 18 日・図表 5-10）では、化粧品の卸売業者が、小売業者に対し、顧客に対して化粧品の使用方法を説明し、顧客からの相談に応ずることを義務付けたことが販売方法の制限に当たるため問題となったが、最終的に違法とはならなかった。ただし、こうした説明義務が商品の品質保持等の理由から必要となる場合であっても、インターネットを利用した販売を全面禁止するなど、消費者利益の観点から合理的といえる制限を超えれば問題となる[85]。

　一方、商品・役務の価格表示についての制限を行うことは、事業者が市場の状況に応じて自己の販売価格を自主的に決定するという事業活動において最も基本的な事項に関与する行為であるため、「再販売価格の拘束」に準じて取り扱われ、原則として違法となる[86]。映画館の入場料を配給会社が定めていた 20 世紀フォックス事件（勧告審決平成 15 年 11 月 25 日・図表 5-11）のほか、ジョンソン・エンド・ジョンソン事件（排除措置命令平成 22 年 12 月 1 日）[87] では、自社のコンタクトレンズの販売に関して、取引先小売業者に対し、広告において販売価格の表示をしないようにさせていたこと、松下エレクトロニクス事件（勧告審決平成 5 年 3 月 8 日）では、グループ会社が製造した家電製品について、家電量販店に対し、参考価格を下回る価格での価格表示を行わせないようにしていたことが、それぞれ拘束条件付取引とされた。

　イ　公正競争阻害性

　一般指定 12 項（拘束条件付取引）は、2 条 9 項 4 号（再販売価格の拘束）と一般指定 11 項（排他条件付取引）の包括的一般条項であることから、「価格維持効果が生じる場合」や「市場閉鎖効果が生じる場合」に、

---

85) 平成 23 年度相談事例集「医薬品メーカーによる対面での販売の義務付け（事例 2）」、平成 26 年度相談事例集「電子機器メーカーによる対面での説明の義務付け（事例 5）」。流通・取引慣行ガイドライン第 1 部第 2 の 5。
86) 流通・取引慣行ガイドライン第 1 部第 2 の 6(3)。
87) 経済法百選〔第 2 版〕75 事件 152 頁。

公正競争阻害性が認められる。

　たとえば、店頭やチラシ広告において一般消費者に対する販売価格の目安として定めた参考価格等を表示するよう拘束していたジェイフォン事件（勧告審決平成15年9月4日）では、価格が維持されるおそれが問題となり、青果用段ボール箱等の製造業者が定められた供給経路以外のルートを通じて販売しないようにさせていた全国農業協同組合連合会事件（勧告審決平成2年2月20日）[88]や、会員農業協同組合の農薬および肥料の仕入高全体に占める自己からの仕入高の比率等を基準に奨励金（リベート）を支給していた山口県経済連事件（勧告審決平成9年8月6日）[89]では、競争者が代替的な流通ルートを確保することが困難となるおそれが問題となった。

　この点については、通常、自己の競争者との取引や競争品の取扱いを制限する場合には、排他条件付取引の公正競争阻害性に準じて市場閉鎖効果が生じるかどうかに着目する一方、取引先事業者の販売活動を制限する場合には、再販売価格の拘束の公正競争阻害性に準じて価格維持効果が生ずるかどうかを問題としていると考えればよいだろう。たとえば、なす等の農産物を農協以外の青果卸売業者を通じて出荷しないように拘束していた土佐あき農業協同組合事件（東京高裁判決令和元年11月27日）[90]では、「本件行為による拘束条件は、その性質上、組合員の自由な意思による系統外出荷を抑止する効果が強く、組合員の相当数が本件行為の対象となっていたことからすると、商系業者にとって、土佐あき農協と取引をしている組合員に代わる取引先を確保することは容易ではなく、その取引機会が減少するおそれがあることは明らかであり……、市場閉鎖効果が生じることを否定できない」とし、ソニー・コンピュータエンタテインメント（SCE）事件（審判審決平成13年8月1日・図表5-12）では、「本件の横流し禁止は、販売業者の取引先という、取引の基

---

88) 経済法百選〔第2版〕73事件148頁。
89) 経済法百選〔初版〕80事件162頁。
90) 令和2年度重要判例解説・経済法5事件206頁。

本となる契約当事者の選定に制限を課すものであるから、その制限の形態に照らして販売段階での競争制限に結び付きやすく、この制限により当該商品の価格が維持されるおそれがあると認められる場合には、原則として……拘束条件付取引に該当する」として、それぞれ、公正競争阻害性があると判断している。

　流通・取引慣行ガイドラインでは、販売地域の制限、販売先の制限、販売方法の制限は、いずれも「価格維持効果が生ずる場合」に公正競争阻害性が認められるとする。ここでいう「価格維持効果が生じる場合」とは、行為の相手方とその競争者間の競争が妨げられ、行為の相手方がその意思で価格をある程度自由に左右し、商品の価格を維持または引き上げることができるような状態をもたらすおそれが生じる場合をいう[91]。その該当性判断に当たっては、前記2(3)イの「市場閉鎖効果が生じる場合」と同様、①ブランド間競争の状況（市場集中度、商品特性、製品差別化の程度、流通経路、新規参入の難易性等）、②ブランド内競争の状況（価格のバラツキの状況、当該商品を取り扱っている流通業者の業態等）、③行為者の市場における地位（市場シェア、順位、ブランド力等）、④対象となる取引先事業者の事業活動に及ぼす影響（制限の程度・態様等）、⑤対象となる取引先事業者の数および市場における地位が総合的に考慮される。市場の寡占化や商品・役務の差別化が進んでいてブランド間競争が十分に機能しにくい状況の下で行われる場合には、ブランド内の価格競争が阻害されやすいといえる（前記2(3)イおよび(2)ウ参照）。

　正当化事由について、一定の地域を一流通業者のみに割り当てるような販売地域の制限に競争促進効果があると認められるのは、流通業者が実施する販売促進活動が商品知識を十分にもたない多数の新規顧客の利益につながり、販売地域の制限がない場合に比べて購入量が増大することが期待できる場合など、商品に特有の販売促進活動や設備投資を行わずに販売する他の流通業者に、喚起された需要が奪われるという「フ

91）　流通・取引慣行ガイドライン第1部3(2)イ。

リーライダー問題」の解消に有効となる場合である[92]。

　販売先の制限については、販売政策として一般的・客観的な合理性が認められるとしても、それだけでは公正な競争に悪影響を及ぼすおそれがないということはできず、問題となった行為の目的やその目的を達成する手段としての必要性・合理性の有無・程度等からみて、その行為が公正な競争秩序に悪影響を及ぼすおそれがあるとはいえない特段の事情が認められるときには、その公正競争阻害性はないものと判断すべきである（SCE事件）。ただし、自社商品に対する顧客の信頼（いわゆるブランドイメージ）を高めるために、一定の基準を満たす流通業者に限定して商品を取り扱わせようとする「選択的流通」が問題となる場合、商品の品質の保持や適切な使用の確保等、消費者の利益の観点からそれなりの合理的な理由に基づく基準であると認められ、かつ、商品の取扱いを希望する他の流通業者に対しても同等の基準が適用されるのであれば、通常、問題とはならない[93]。その他、新商品の販売促進、新規参入の容易化、品質やサービスの向上などの競争促進効果が考慮され得る。

　他方、販売方法の制限は、「メーカーや卸売業者が販売政策や販売方法について有する選択の自由は原則として尊重されるべきであることにかんがみると、これらの者が、小売業者に対して、商品の販売に当たり顧客に商品の説明をすることを義務付けたり、商品の品質管理の方法や陳列方法を指示したりするなどの形態によって販売方法に関する制限を課することは、それが当該商品の販売のためのそれなりの合理的な理由に基づくものと認められ、かつ、他の取引先に対しても同等の制限が課せられている限り、それ自体としては公正な競争秩序に悪影響を及ぼすおそれはなく、……相手方の事業活動を「不当に」拘束する条件を付けた取引に当たるものではないと解することが相当である」（資生堂東京販売事件）。すなわち、①商品の安全性の確保、品質の保持、商標の信用の保持等、その商品の適切な販売のためのそれなりの合理的な理由が認

---

[92]　流通・取引慣行ガイドライン第1部3(3)アとウ。
[93]　流通・取引慣行ガイドライン第1部3(3)オと第1部第2の5。

められ、かつ、②他の小売業者に対しても同等の制限が課されている場合において、③その販売方法の制限が販売価格や取引先等を制限する手段となっていないのであれば、独占禁止法上問題とはならない[94]。これは、商品説明の義務付けや品質管理・陳列方法の指示などの制限形態によっては販売段階での競争制限とは直ちに結び付くものではなく、もともと、こうした販売方法についてはメーカー等に選択の自由を幅広く認めたとしても、公正な競争の確保の観点からは問題が生じにくいと考えられることによる（SCE事件）。この趣旨を踏まえると、説明の義務付けを口実としたインターネット販売の禁止など、直ちに競争制限をもたらすおそれがあるものについては、販売方法の制限であるからという理由で正当化されることはない。

---

94) 流通・取引慣行ガイドライン第1部第2の6(2)。

[図表5-10] 資生堂東京販売事件（最高裁判決平成10年12月18日)[95]

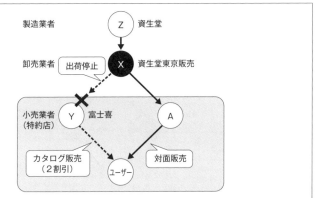

X（Zの販売会社）は、小売業者Yと特約店契約を締結して長年取引を継続してきた。本契約に基づき、特約店は、Z化粧品専用コーナーの設置、X主催の美容セミナーの受講等とともに、販売に際して化粧品の使用方法を説明し、相談に応じる対面販売を義務付けられている。Yは、カタログの商品を電話で注文を受けて配達する方法によりZ化粧品を2割引で販売していたところ、Xから対面販売を定めた本契約に違反するとして再三の是正勧告を受けたがやめなかった。そこで、Xは、本契約に基づく解約の通告をし、出荷を停止した（最終的にXの違反は認められなかった)。

[図表5-11] 20世紀フォックス事件（勧告審決平成15年11月25日)[96]

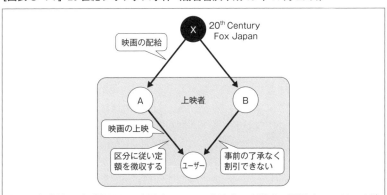

米国の親会社の映画作品を日本国内において上映する事業者に配給するXは、上映者との基本契約や付属契約において、①想定される映画作品の人気の程度、映画館が所在する地域における入場料の実態等を勘案した上で、大人、大学生・高校生、中学生・小学生、60歳以上等に区分し、それぞれ定められた入場料を徴収すること、②毎週特定の曜日における女性の入場者、一定の時刻以降の上映時における入場者、映画館において配布される割引券を持参する入場者等に対して入場料の割引を行う場合には、上映者に事前の申し出をさせてXの了承を受けることを定め、上映者が入場者から徴収する入場料について制限をしている。

4 拘束条件型

[図表 5-12] ソニー・コンピュータエンタテインメント（SCE）事件（審判審決平成 13 年 8 月 1 日）[97]

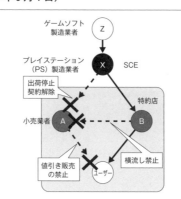

Xは、家庭用ゲーム機である PS の製造販売業を営むとともに、PS ゲームソフトをほぼ一手に仕入販売しており、PS ゲームソフトの供給面で独占的地位にあった。小売業者の見込み発注に基づき、ゲームソフトの過剰在庫が生じているため、このような在庫処分の方法として値引販売、横流し、抱き合わせ販売、品切れによる中古ソフトの販売が用いられていた。そこで、Xは、①値引き販売の禁止（希望小売価格での販売強制）、②中古品取扱い禁止、③横流し禁止（小売業者同士の取引の禁止）という 3 つの販売方針をとることとし、特約店契約を結んで遵守させた。これに違反する小売業者に対しては、出荷停止や契約解除を行った。

> **column** プラットフォーム事業者が用いる最恵国待遇条項（MFN 条項）
>
> 　最恵国待遇（Most Favored Nation：MFN）条項とは、商品・役務の供給者が、取引の相手方やその顧客に対し、最も有利な条件で取引することを義務付ける条項などと説明される。MFN 条項のほかに、同等性条件、最恵顧客待遇条項、プラットフォーム間均等条項などの用語が用いられることもあるが、基本的には MFN 条項と同様の問題を取り扱っている。
> 　プラットフォームに関する MFN 条項には、いくつかのバリエーションがある。まず、プラットフォーム上の販売価格の決定権が誰にあるかということに起因して、MFN 条項によって拘束する価格が、プラットフォーム事業者への販売価格（卸売価格）の場合（ホールセール・モデル）とプ

---

95) 経済法百選〔第 2 版〕71 ①事件 144 頁。
96) 経済法百選〔初版〕81 事件 164 頁。
97) 経済法百選〔第 2 版〕70 事件 142 頁。

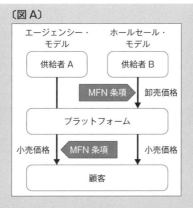

〔図A〕

ラットフォーム上の販売価格（小売価格）の場合（エージェンシー・モデル）とで区別される（図A参照）。デジタル・プラットフォームの場合に問題となるMFN条項は、プラットフォームを介して顧客に販売する事業者に対し、プラットフォーム上の販売価格（小売価格）が最も有利であることを義務付けるものがほとんどである。この場合、MFN条項によって最も有利な待遇が保証されるのは、プラットフォーム事業者というよりも、そこで商品を購入する顧客（通常は消費者）となる。

MFN条項の対象は価格だけに限られず、数量、品揃え等の価格以外の取引条件の場合もある。たとえば、アマゾンジャパン・マーケットプレイス事件（公取委報道発表平成29年6月1日）では、出品者が他の販売経路で販売する同一商品の販売価格と販売条件のうち最も有利なものと同等以上とする条件を付けて取引するとともに、一部の出品者に対しては、色やサイズ等の全バリエーションにわたって品揃えをも同等以上とする条件も付けられていた。価格に関するMFN条項に加え、他の同等性条件が並行して用いられていれば、その競争制限効果は一層強くなる。

そのほか、MFN条項のバリエーションとしては、①ある時点で同等に有利な条件を求める「同時型」と、過去に遡って同等に有利な条件を求める「遡及型」といった区別、②他の者と同等の条件を求める「均等待遇型」と、同等の条件にとどまらず他の者よりも有利な条件を要求する「追加優遇型」（MFNプラス）といった区別、③供給業者の自社サイトでの販売価格との同等性のみを求める「ナローMFN」と、供給業者の自社サイトのみならず他の販売経路での販売価格をも同等性条件の対象に加える「ワイドMFN」という区別などがある（図B参照）。一般的には、同時型よりも遡及型が、均等待遇型よりも追加優遇型が、ナローMFNよりもワ

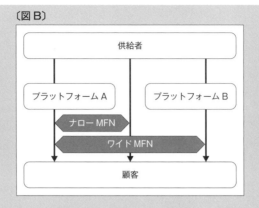

〔図B〕

イドMFNが、それぞれ、より競争制限効果が強いと考えられる。

　価格に関するMFN条項には、通常、競争制限効果が備わっているが、その多くは、ⓐプラットフォーム事業者間の価格競争の減殺、ⓑプラットフォーム市場への新規参入阻害といった排除効果、ⓒプラットフォームに係るイノベーション意欲の減退、ⓓ供給業者間の小売価格あるいはプラットフォーム間の手数料に係る共謀の促進効果によるものである。競争制限効果は、単独で生じる以外に、並行的にMFN条項が実施される結果、累積的効果となって生じることもある。

　これらの競争制限効果は、本来、各プラットフォームの特性や手数料を踏まえ、自由かつ独立して決定されるべきプラットフォーム上の販売価格が、MFN条項により、他のプラットフォーム上の販売価格との関係で決められてしまうことに由来する（特にⓐの競争制限効果）。また、プラットフォームには間接ネットワーク効果が働いているため、新規参入しようとするプラットフォーム事業者にとっては、有効な競争を行うのに必要な規模（クリティカルマス）の顧客を集めることが困難になれば、排除効果（ⓑの競争制限効果）も鮮明になる。このようなⓐとⓑの競争制限効果を前提にすれば、プラットフォームを改善・改良して質を高める意欲は生じにくい（ⓒの競争制限効果）。さらに、MFN条項は、プラットフォーム上の販売価格の遵守状況を監視する能力を高めることで供給業者間の共謀を促進する場合や、また、プラットフォーム手数料を下げても販売価格が下がらないため、プラットフォーム間の共謀を促進する場合もある（ⓓの競争制限効果）。

　一方、プラットフォームは、商品を一覧化したり、顧客レビュー等の情報を提供したりするなど、顧客による商品の探索や比較を容易にして取引

費用を削減し、商品の購入や切り替えを促進する効果を持つことが多い。また、プラットフォーム上で販売する供給業者にとっても、個別に広告宣伝するよりも安いコストで、より広範囲の顧客にアクセスできるようになる効果が期待できる。これらは、一般消費者の利益になると同時に、プラットフォーム上の販売者間の競争が促進されることにつながる。これらの競争促進効果をより高めるMFN条項であれば、競争制限効果を正当化することができる可能性もある。

代表的な正当化事由は、フリーライダー問題の解消である。消費者は、プラットフォームにおいて検索結果と必要な情報を得た後、より有利な条件を提示する他の流通経路（たとえば、自社ウェブサイト、競合プラットフォーム、実売店舗）から商品を購入するのが合理的な場合がある。このようなフリーライダー問題が現実に生じる場合には、より良いプラットフォームにするための投資を行わなくなるなど、商品の供給が十分になされなくなって消費者利益を損なうことが懸念される。

この点、一般的には、ナローMFNは、フリーライダー問題が現実に生じるリスクを大幅に減らす一方で、ワイドMFNほどの競争制限効果はないため、正当化事由が認められやすい。これを評価するに当たっては、㋐フリーライダー問題発生の蓋然性（合理的な投資インセンティブに大きな影響を与えるものか）、㋑プラットフォーム間競争への影響（同じ供給者がプラットフォーム間で価格差を付けているか、新規参入が可能か）、㋒供給者・需要者によるプラットフォームの利用行動（マルチホーミングの程度、各販売経路の利用割合）、㋓利用者の利益にとっての不可欠性（より競争制限的でない他の手段によって実現可能な客観的利益か）などの個別具体的な事情を考慮することになろう。楽天トラベル事件（確約計画認定令和元年10月25日）において、ワイドMFNだけでなくナローMFNを含め、今後3年間行わない旨の確約計画が認定されたのは、こうした個別事情を反映した具体的評価の結果と考えられる。

近年では、ランキングアルゴリズムその他の掲載順位を決定する仕組みを利用することによって、MFN条項と同様の効果を実現することも懸念されている。Booking.com事件（確約計画認定令和4年3月16日）では、確約計画の潜脱を行う意思がないことの現れとして、このような迂回行為を行わないことが措置に盛り込まれている。

5 取引強制型

(1) 意義

　顧客の勧誘は競争の本質的な要素であり、それ自体非難されるものではないけれども、取引内容その他取引に関する事項を誤認させたり、本来的な取引対象である商品・役務以外の経済上の利益を提供したりすることにより、顧客を誘引する不公正な競争手段が用いられると、商品・役務の価格や品質による本来の能率競争が行われないおそれがあるばかりか、消費者による適正な商品・役務の選択が歪められるおそれがある[98]。不公正な取引方法として規制されるのは、このように顧客が良質廉価な商品・役務を自由に選択することを妨げるおそれのある行為は競争手段として不公正であるからとされる[99]。また、抱き合わせ販売を含む取引強制も、同様の視点から規制されてきた経緯がある。

　不当に競争者の顧客を自己と取引するように誘引・強制する行為（2条9項6号ハ）に該当する不公正な取引方法としては、欺瞞的顧客誘引（一般指定8項）、不当な利益による顧客誘引（一般指定9項）、抱き合わせ販売その他取引強制（一般指定10項）がある。

(2) 欺瞞的顧客誘引

　一般指定8項は、「自己の供給する商品又は役務の内容又は取引条件その他これらの取引に関する事項について、実際のもの又は競争者に係るものよりも著しく優良又は有利であると顧客に誤認させることにより、競争者の顧客を自己と取引するように不当に誘引すること」を不公正な取引方法としている。すなわち、①事業者が表示主体となり、②優良誤認・有利誤認させて競争者の顧客を誘引することで、③公正競争阻害性（「不当に」）が認められる場合には、その行為は不公正な取引方法として違法となる。

---

[98] ヤマト運輸郵政公社事件（東京高裁判決平成19年11月28日）において引用する原判決（東京地裁判決平成18年1月19日）の不当な利益による顧客誘引に関する判示部分参照。

[99] 田中・前掲注18) 58頁。

なお、欺瞞的顧客誘引のうち消費者に対するものについては、独占禁止法の特例を定める景品表示法[100]によって規制されていたが、この法律は、平成21年9月に設立された消費者庁に移管されたことに伴い、公正な競争を確保するものから、一般消費者による自主的かつ合理的な選択を阻害するおそれのある行為の制限および禁止を定めるものに位置付けが変わることとなった。

ア　表示主体

　不当表示の主体は、メーカーなど商品の製造者に限られない。ビームス事件（東京高裁判決平成19年10月12日）[101]では、「不当表示をした事業者とは、公正な競争を確保し、一般消費者の利益を保護する観点から、メーカー、卸売業者、小売事業者等いかなる生産・流通段階にある事業者かを問わず、一般消費者に伝達された表示内容を主体的に決定した事業者はもとより、当該表示内容を認識・認容し、自己の表示として使用することによって利益を得る事業者も、表示内容を間接的に決定した者として、これに含まれると解するのが相当である」としている。

　また、ベイクルーズ事件（東京高裁判決平成20年5月23日）[102]においては、商品を購入しようとする一般消費者にとっては、通常は、商品に付された表示という外形のみを信頼して情報を入手するしか方法はないのであるから、そのような一般消費者の信頼を保護するためには、「表示内容の決定に関与した事業者」が景品表示法4条1項の「事業者」（不当表示を行った者）に当たるものと解すべきであり、そして、「表示内容の決定に関与した事業者」とは、「自ら若しくは他の者と共同して積極的に表示の内容を決定した事業者」のみならず、「他の者の表示内容に関する説明に基づきその内容を定めた事業者」（他の事業者が決定したあるいは決定する表示内容についてその事業者から説明を受けてこれを了承しその表示を自己の表示とすることを了承した事業者）や「他の事業者に

---

[100]　不当景品類及び不当表示防止法（昭和37年法律第134号）。同法の内容・運用については、西川康一編著『景品表示法〔第6版〕』（商事法務、2021）を参照。
[101]　経済法百選〔第2版〕128①事件256頁。
[102]　経済法百選〔第2版〕128②事件256頁。

その決定を委ねた事業者」（自己が表示内容を決定することができるにもかかわらず他の事業者に表示内容の決定を任せた事業者）も含まれると解した。ただし、この判断は、あくまでも一般消費者を前提とした景品表示法についてなされたものであって、一般指定 8 項の適用に際して行われたものではないことに注意が必要である。

イ　優良誤認・有利誤認

景品表示法 5 条の規定にみられるように、「優良誤認」は主に商品・役務の品質、規格その他の内容についての著しい誤認、「有利誤認」は主に商品・役務の価格その他の取引条件についての著しい誤認として使い分けられている。

「「誤認」とは、実際のものと一般消費者が当該表示から受ける印象との間に差が生じること」をいい、「一般消費者がそれによって受ける全体としての印象を通して形成される合理的な期待の内容が問われている」のであって、「現実に一般消費者の誤認が生じたことは要件ではない」と解されている（宇多商会事件（審判審決平成 11 年 10 月 1 日））。誤認の程度が「著しく」となっていることについて、カンキョー事件（東京高裁判決平成 14 年 6 月 7 日）[103]では、「「著しく」とは、誇張・誇大の程度が社会一般に許容されている程度を超えていることを指しているものであり、誇張・誇大が社会一般に許容される程度を超えるものであるかどうかは、当該表示を誤認して顧客が誘引されるかどうかで判断され、その誤認がなければ顧客が誘引されることは通常ないであろうと認められる程度に達する誇大表示であれば「著しく優良であると一般消費者に誤認される」表示に当たると解される」としており、また、ヤマダ対コジマ事件（東京高裁判決平成 16 年 10 月 19 日）[104]では、「一般に広告表示においてはある程度の誇張や単純化が行われる傾向があり、健全な常識を備えた一般消費者もそのことを認識している」ことを前提に、「「著しく有利」であると一般消費者に誤認される表示か否かは、当該表示が、

---

103)　経済法百選〔初版〕135 事件 268 頁。
104)　経済法百選〔初版〕137 事件 272 頁。

一般的に許容される誇張の限度を超えて、商品又は役務の選択に影響を与えるような内容か否かによって判断される」と判示した。

いずれの事件も景品表示法に関するものであり、一般指定8項の保護対象は「顧客」であって「一般消費者」に限定されていないなどの違いはあるが、景品表示法が独占禁止法の特例法であった時期の事件であること等からすれば、一般指定8項でも同様の判断基準によるものと考えられる。景品表示法の対象とされず、一般指定8項が適用された例として、ホリディ・マジック事件（勧告審決昭和50年6月13日）[105]がある。

　ウ　公正競争阻害性

一般指定8項における公正競争阻害性は、競争手段の不公正さにある[106]。顧客を誘引する手段として事業者が自己の供給する商品・役務の取引について行う表示で「実際のものよりも著しく優良であると一般消費者に誤認される」ものは、通常「公正な競争を阻害するおそれがある」と解される（日本交通公社事件（審判審決平成3年11月21日）[107]）。

他方、ビームス事件では、「不当な表示や過大な景品類の提供による不当顧客誘因行為が行われると、消費者が商品・サービスを選択する際に悪影響を与えることはもちろん、後続の事業者が同様の不当顧客誘因行為を行うという波及的、昂進的な誘因効果をもたらすことなどにより、公正な競争が阻害されることになる」としており、いわゆる「行為の広がり」を公正競争阻害性の文脈で捉えていることから、公正競争阻害性の判断において「行為の広がり」を加味することは、判決においても認められているといえる。

(3) 不当な利益による顧客誘引

一般指定9項は、「正常な商慣習に照らして不当な利益をもって、競

---

105) 経済法百選〔初版〕65事件132頁。
106) オーシロ事件（審判審決平成21年10月28日）、ミュー事件（審判審決平成21年10月28日）。
107) 経済法百選〔初版〕139事件275頁。

争者の顧客を自己と取引するように誘引すること」を不公正な取引方法と指定している。すなわち、①競争者の顧客を誘引する利益供与をすること、②その利益供与が正常な商慣習に照らして不当であること（公正競争阻害性）の各要件が充足される場合には、事業者によるその行為は不公正な取引方法として違法となる。

　ここでいう「利益」とは経済上の利益をいい、「不当な利益」とは取引誘引の方法としての利益供与の態様としての不当性を意味する（ヤマト運輸郵政公社事件）。欺瞞的顧客誘引と同様、実際に競争者の顧客を誘引しているかどうかは、要件上必要とされていない。また、「正常な商慣習に照らして不当な利益」であるかどうかは、問題となる取引が行われている業界における正常な商慣習かどうかが加味されて判断されることとなる（前記1(3)エ参照）。教科書発行者警告事件（公取委報道発表平成28年7月6日）では、教科書発行者による利益供与を禁じた教科書宣伝行動基準（平成19年教科書協会）や文部科学省通知（平成19年初等中等局長）を加味して公正競争阻害性を判断している。

　なお、不当な利益による顧客誘引の典型例である景品や懸賞については、景品表示法によって規制されてきており、一般指定9項が適用されることはほとんどなかった。景品表示法の対象とされず、不当な不利益による顧客誘引とされた例としては、綱島商店事件（勧告審決昭和43年2月6日）[108]がある。

(4) 抱き合わせ販売その他取引強制

　一般指定10項は、「相手方に対し、不当に、商品又は役務の供給に併せて他の商品又は役務を自己又は自己の指定する事業者から購入させ、その他自己又は自己の指定する事業者と取引するように強制すること」を不公正な取引方法と指定している。傍点の部分は「抱き合わせ販売」

---

[108] 経済法百選〔初版〕134事件266頁。本件は、「不公正な取引方法」（昭和28年公取委告示第11号）6号に基づくが、同号は一般指定9項に相当し、今でも先例となっている。

と呼ばれ、「取引強制」の典型例とされており、①主たる商品・役務と従たる商品・役務が別個の商品・役務であること、②取引の強制があること、③公正競争阻害性（「不当に」）が認められることの各要件が充足されれば、事業者によるその行為は不公正な取引方法として違法となる。前記①の別個の商品が問題になっていない場合は、前記②および③の観点から一般指定10項の傍点以外の部分に該当するかどうかが検討される[109]。

ア　別個の商品

ある商品（主たる商品）の供給に併せて購入させる商品（従たる商品）が「他の商品」といえるか否かについては、組み合わされた商品がそれぞれ独自性を有し、独立して取引の対象とされているか否かという観点から判断される（東芝昇降機サービス事件（大阪高裁判決平成5年7月30日・図表4-11)[110]ほか)。具体的には、判断に当たって、それぞれの商品について、需要者が異なるか、内容・機能が異なるか（組み合わされた商品の内容・機能が抱き合わせ前のそれぞれの商品と比べて実質的に変わっているかを含む)、需要者が単品で購入することができるか（組み合わされた商品が通常1つの単位として販売または使用されているかを含む）等の点が総合的に考慮される[111]。

あるプリンタの印刷機能を発揮するには特定の仕様のインクカートリッジを使用する必要があるなど、主たる商品を購入した後に必要となる消耗品等の補完的商品（従たる商品）の抱き合わせが問題となる場合については、両者が別々に販売され、従たる商品のみでも購入することができること（その価格も無償に近い低額ではない)、従たる商品を販売

---

109) 2条9項6号ハは「自己と取引するように誘引し、又は強制すること」としていることから、一般指定10項のうち、「自己の指定する事業者」との取引強制については、2条9項6号ニ（「相手方の事業活動を不当に拘束する条件をもつて取引すること」）に基づくものと解されている（今村成和『独占禁止法入門〔第4版〕』145頁（有斐閣、1993))。
110) 経済法百選〔第2版〕64事件130頁。
111) 流通・取引慣行ガイドライン第1部第2の7(3)。

する複数の事業者が競合し、価格等について能率競争が行われていることを踏まえ、独立して取引の対象となっている別個の商品であるとしたエコリカ対キヤノン事件（大阪地裁判決令和5年6月2日）がある。

イ　取引の強制

従たる商品を「購入させる」とは、従たる商品を購入しなければ主たる商品を供給しないという関係にあることをいい、明白な強要行為は必要ない。「購入させること」に当たるには、「ある商品の供給を受けるのに際し、客観的にみて少なからぬ顧客が他の商品の購入を余儀なくされるような抱き合わせ販売であることが必要である」（藤田屋事件（審判審決平成4年2月28日）[112]）。

この点、排除型私的独占ガイドラインによれば、行為者の主たる商品と従たる商品を別々に購入することができる場合であっても、従たる商品とは別に購入することができるその行為者の主たる商品の供給量が少ないため、多くの需要者がその行為者の主たる商品とともにその従たる商品をも購入することとなるときや、「抱き合わせ」によって組み合わされた商品の価格が別々に購入した場合の合計額よりも低くなるため多くの需要者が引き付けられるときは、実質的に他の商品を購入させているといえる場合がある[113]。

ウ　公正競争阻害性

抱き合わせの公正競争阻害性については、①顧客の選択の自由を妨げるおそれがあり、価格・品質・サービスを中心とする能率競争の観点からみて競争手段として不当であるという側面からは、主たる商品の市場力や従たる商品の特性、抱き合わせの態様のほか、行為の対象とされる相手方の数、行為の反復・継続性、行為の伝播性等の「行為の広がり」が考慮される。一方、②主たる商品の市場における有力な事業者（前記2(3)イ参照）が抱き合わせを行うことにより、従たる商品の市場における市場閉鎖効果が生じるという側面からは、前記2(3)イに挙げられた5

---

[112]　経済法百選〔初版〕69事件140頁。
[113]　排除型私的独占ガイドライン第2の4(1)。

つの要素が考慮される。個別事案ごとに両側面のいずれを重視するか判断される[114]。

藤田屋事件では、一般指定 10 項に規定する「不当」とは、「公正な競争を阻害するおそれがあることを意味すると解されるが、右公正な競争を阻害するおそれとは、当該抱き合わせ販売がなされることにより、買手は被抱き合わせ商品の購入を強制され商品選択の自由が妨げられ、その結果、良質・廉価な商品を提供して顧客を獲得するという能率競争が侵害され、もって競争秩序に悪影響を及ぼすおそれのあることを指すものと解するのが相当である」として、競争手段の不公正さを問題とした。日本マイクロソフト抱き合わせ事件（勧告審決平成 10 年 12 月 14 日・図表 4-12）[115] では、表計算ソフトという主たる商品市場でシェア 1 位の有力な地位を前提に、ワープロソフトやスケジュール管理ソフトという従たる商品市場における競争の減殺を問題としており、エレコム対ブラザー工業事件（東京地裁判決令和 3 年 9 月 30 日）[116] では、需要者からみた商品の代替性の観点から、特定のプリンタにおいて使用可能なカートリッジ等の市場（アフターマーケット）を従たる商品市場とした上で、この市場から互換品カートリッジ販売業者を排除するおそれがあると認定している。

6 搾取濫用型
(1) 意義

優越ガイドライン[117] では、「事業者がどのような条件で取引するかについては、基本的に、取引当事者間の自主的な判断に委ねられるものである。取引当事者間における自由な交渉の結果、いずれか一方の当事者の取引条件が相手方に比べて又は従前に比べて不利となることは、あらゆる取引において当然に起こり得る」と認めている。しかし、「自己の

---

114) 田中・前掲注 19) 63 頁。
115) 経済法百選〔第 2 版〕63 事件 128 頁。
116) 令和 3 年度重要判例解説・経済法 7 事件 223 頁。
117) 「優越的地位の濫用に関する独占禁止法上の考え方」（平成 22 年公取委）。

取引上の地位が相手方に優越している一方の当事者が、取引の相手方に対し、その地位を利用して、正常な商慣習に照らして不当に不利益を与える場合、当該取引の相手方の自由かつ自主的な判断による取引を阻害するとともに、当該取引の相手方はその競争者との関係において競争上不利となる一方、行為者はその競争者との関係において競争上有利となるおそれがあり、このような行為は、公正な競争を阻害するおそれがあることから、不公正な取引方法の1つとして規制することとなるものと解される」（ラルズ事件（東京高裁判決令和3年3月3日）[118]）。

このように、自己の取引上の地位を不当に利用して相手方と取引する行為（2条9項6号ホ）に該当する搾取濫用型の不公正な取引方法としては、優越的地位の濫用（2条9項5号）と取引の相手方の役員選任への不当干渉（一般指定13項）がある[119]。

また、下請法[120]も、搾取濫用型行為を規制する上で、独占禁止法の補完法としての機能を果たしている。たとえば、下請事業者の責めに帰すべき理由がないのに、委託発注後に下請代金を減額したと認める場合には、公正取引委員会により、速やかに代金支払をするよう勧告（下請法7条）が行われる。そうすると、同一事案に対する独占禁止法に基づく優越的地位の濫用規制との適用関係が問題となるが、この点については、独占禁止法と下請法の法目的の相違や違反行為の排除に係る効率性の観点などを考慮して、通常、適用可能な場合であれば下請法を用いることとされており[121]、同法による勧告に従った場合には独占禁止法の規定は適用されない（下請法8条）。

---

[118] 令和3年度重要判例解説・経済法6事件220頁。優越ガイドライン第1の1とほぼ同じ内容である。

[119] このほか、特殊指定によっても優越的地位の濫用に相当する行為が不公正な取引方法として規制されている（図表5-1参照）。

[120] 下請法の内容・運用については、鎌田明編著『下請法の実務〔第4版〕』（公正取引協会、2017）、鎌田明編著『はじめて学ぶ下請法』（商事法務、2017）を参照。

[121] 「優越的地位の濫用に関する独占禁止法上の考え方」（原案）に対する意見の概要とこれに対する考え方」（公取委報道発表平成22年11月30日）6頁。

(2) 優越的地位の濫用

2条9項5号は、自己の取引上の地位が相手方に優越していること（優越的地位）を利用して、正常な商慣習に照らして不当に、ⓐ継続して取引する相手方に対して、その取引に係る商品・役務以外の商品・役務を購入させること（購入・利用強制）（2条9項5号イ）、ⓑ継続して取引する相手方に対して、自己のために金銭、役務その他の経済上の利益を提供させること（協賛金等の負担要請、従業員等の派遣要請等）（同号ロ）、ⓒ取引の相手方からの取引に係る商品の受領を拒むこと（受領拒否）、取引の相手方から取引に係る商品を受領した後その商品をその取引の相手方に引き取らせること（返品）、取引の相手方に対して取引の対価の支払を遅らせたり、その額を減じたりすること（支払遅延、減額）、その他取引の相手方に不利益となるように取引の条件を設定・変更したり、取引を実施すること（取引の対価の一方的決定、やり直しの要請等）（同号ハ）を不公正な取引方法としている。すなわち、①優越的地位にある事業者が、②その地位を利用して、③相手方に不利益を与えること（不利益行為）で、④公正競争阻害性（「正常な商慣習に照らして不当に」）が認められる場合には、その行為は不公正な取引方法として違法となる。

ア 優越的地位

前記(1)の規制意義を考慮すると、「自己の取引上の地位が相手方に優越していること」（優越的地位）には、「行為者が市場支配的な地位又はそれに準ずる絶対的に優越した地位にある必要はなく、取引の相手方との関係で相対的に優越した地位にあれば足りるものと解され、また、優越した地位にあるとは、取引の相手方にとって行為者との取引の継続が困難になることが事業経営上大きな支障を来すため、行為者が取引の相手方にとって著しく不利益な要請等を行っても、取引の相手方がこれを受け入れざるを得ないような場合をいうものと解される」（ダイレックス事件（東京高裁判決令和5年5月26日）[122]）。

---

[122] 判決では、優越ガイドライン第2の1が参照されている。

行為者Aが相手方Bに対して優越的地位にあるかどうかの判断に当たっては、①BのAに対する取引依存度（一般に、Bの全体の売上高におけるAに対する売上高の割合）の大きさ、②Aの市場における地位（市場シェア、その順位等）、③Bの取引先変更の可能性（BがA以外の事業者との取引開始や取引拡大をする可能性、BがAとの取引に関連して行った投資等）の有無、④その他BがAと取引することの必要性を示す具体的事実（Aとの取引の額、Aの今後の成長可能性、取引の対象となる商品・役務を取り扱うことの重要性、Aと取引することによるBの信用の確保、事業規模の相違等）が総合的に考慮される[123]。これらの要素が認められれば、BはAと取引を行う必要性が高くなるといえるからである。

　取引関係にある当事者間の取引を巡る具体的な経緯や態様には、当事者間の相対的な力関係が如実に反映されることが少なくないから、実際に取引の相手方が行為者による客観的に不利益な行為を受け入れている場合には、これを受け入れるに至った経緯や態様等を総合的に勘案して、行為者の優越的地位該当性を判断することが合理的であるといえる（ダイレックス事件）。また、トイザらス事件（審判審決平成27年6月4日）[124]によれば、仮にBがAにとって必要かつ重要な取引先であったとしても、それだけでAがBに対して優越的地位にあるとの認定を覆すことはできない。

　各考慮要素の重要度について、独占禁止法研究会報告書（昭和57年7月8日）は、「相手方が他の取引先を容易に選択することができるならば、不利益を押し付けられても容易に転換が可能であるから、事業活動の自主性が侵害されるおそれは少ない。このため相手方に取引先選択の可能性が小さいことを要する」とする。民事訴訟においては、取引依存

---

[123] 優越ガイドライン第2の2。「フランチャイズ・システムに関する独占禁止法上の考え方について」（平成14年公取委）3 (1)(注3)では、フランチャイズ契約の特性に配慮し、①の取引依存度については、本部による経営指導等への依存度、商品および原材料等の本部または本部推奨先からの仕入割合等とし、③の取引先変更の可能性については、初期投資の額、中途解約権の有無およびその内容、違約金の有無およびその金額、契約期間等としている。

[124] 経済法百選〔第2版〕79事件160頁。

度が高くないことに着目して優越的地位を否定する判断が示されることが少なくない[125]。

なお、ここでいう取引の「相手方」には消費者も含まれる。対消費者優越ガイドライン[126]によれば、デジタル・プラットフォーム事業者が提供するサービスを利用する際に、その対価として自己の個人情報等を提供していると認められる場合には、消費者は「取引の相手方」に該当する。

イ 利用して

優越的地位にあるとしても、これを「利用して」いなければ、独占禁止法の問題とはならない。もっとも、優越的地位にある者が、取引の相手方に対して不利益行為を行えば、通常、「利用して」行われたと認められる（具体的な検討事例として、エディオン事件（審判審決令和元年10月2日））。

ウ 不利益行為

不利益行為の類型としては、①購入・利用強制、②協賛金等の負担要請、③従業員等の派遣要請、④受領拒否、⑤返品、⑥支払遅延、⑦減額、⑧取引の対価の一方的決定等がある。

①購入・利用強制の例としては、映画の前売入場券、花火大会の入場券、海外旅行パックのような自社開発等をした商品を購入させた三越事件（同意審決昭和57年6月17日）[127]、閑散期における稼働率の向上と収益確保を目的として、一定期間に限りそのホテルで使用できる宿泊券を購入させたカラカミ観光事件（勧告審決平成16年11月18日）、金利スワップの購入が融資を行うことの条件である旨や、金利スワップを購入しなければ融資に関して通常設定される融資の条件よりも不利な取扱いをする旨を明示するなどにより、融資先事業者に金利スワップの購入を

---

[125] 知財高裁判決平成18年4月12日、東京地裁判決平成18年8月2日ほか。
[126] 「デジタル・プラットフォーム事業者と個人情報等を提供する消費者との取引における優越的地位の濫用に関する独占禁止法上の考え方」（令和元年公取委）。
[127] 経済法百選〔初版〕85事件172頁。

させた三井住友銀行事件（勧告審決平成 17 年 12 月 26 日）[128]）がある。

②協賛金等の負担要請の例としては、主要納入業者に対し、提供する合理的理由がなく、金額について特段の算出根拠のない金銭提供をさせ、また、取扱い優先順位の高い標準棚割商品を 1 円納入させたローソン事件（勧告審決平成 10 年 7 月 30 日）[129]）、店舗の粗利益を確保するため、事前に算出根拠、目的等を明確に説明することなく、「即引き」と称して、開店に当たって特定商品の納入価格を通常の納入価格より低い価格とすることにより、その差額に相当する経済上の利益を提供させていたエコス事件（排除措置命令平成 20 年 6 月 23 日）など多数の例がある。

③従業員等の派遣要請の例としては、新規開店、全面改装等に際し、あらかじめ納入業者との間でその従業員等の派遣の条件について合意することなく、その納入業者が納入する商品であるか否かを問わず、商品の陳列、補充、撤去等の作業を行わせるために通常必要な費用を負担することなく、その従業員等を派遣させたラルズ事件やドン・キホーテ事件（同意審決平成 19 年 6 月 22 日）[130]）など多数の例がある。

⑤返品の例としては、売上不振商品等を納入した納入業者に対し、納入業者の責めに帰すべき事由がなく、購入に当たって納入業者との合意により返品の条件を定めておらず、かつ、返品を受けることが納入業者の直接の利益とならず、返品によって納入業者に通常生ずべき損失を負担することなく、返品を受け入れさせたトイザらス事件など多数の例がある。

⑦減額の例としては、商品回転率が低いこと、店舗を閉店することとしたこと、季節商品の販売時期が終了したこと、または陳列棚からの落下等により商品が破損したことを理由として割引販売を行う商品について、割引販売前の価格の半額等をその納入価格から値引きさせたマルキョウ事件（排除措置命令平成 20 年 5 月 23 日）など多数の例がある。

128) 経済法百選〔第 2 版〕76 事件 154 頁。
129) 経済法百選〔第 2 版〕77 事件 156 頁。
130) 経済法百選〔初版〕83 事件 168 頁。

⑧取引の対価の一方的決定の例としては、特別感謝セールおよび火曜特売セールに際し、売上げ増加等を図るため、仲卸業者に対し、セールの用に供する青果物について、あらかじめ仲卸業者との間で納入価格について協議することなく、仲卸業者の仕入価格を下回る価格で納入するよう一方的に指示するなどして、等級、産地等からみて同種の商品の一般の卸売価格に比べて著しく低い価格をもって通常時に比べ多量に納入させたユニー事件（勧告審決平成 17 年 1 月 7 日）がある。

④受領拒否、⑥支払遅延については、これまで適用された例はない。

なお、優越的地位の濫用として問題となるのは、これらの行為類型に限られるものではない。たとえば、不法に高い金利を得る目的の下に、貸付金の一部を定期預金とすることを条件として貸し付けた岐阜商工信用組合事件（最高裁判決昭和 52 年 6 月 20 日）[131]、コンビニエンスストアで廃棄された商品の原価相当額の全額が加盟者の負担となる仕組みの下で、加盟者に対し、加盟店基本契約の解除等の不利益な取扱いをする旨を示唆するなどして、デイリー商品の見切り販売を行わないようにさせ、もって、加盟者が自らの合理的な経営判断に基づいて廃棄に係るデイリー商品の原価相当額の負担を軽減する機会を失わせていたセブン−イレブン事件（排除措置命令平成 21 年 6 月 22 日）[132]、飲食店ポータルサイトにおいて、複数店舗を運営している飲食店（チェーン店）の評点を下げるアルゴリズムの変更を一方的に実施した食べログ事件（東京地裁判決令和 4 年 6 月 16 日）[133] などでは、取引の相手方に不利益となる取引条件を設定・実施したことが問題となった。

優越的地位の濫用として問題となる行為を未然に防止するためには、取引の対象となる商品・役務の具体的内容や品質に係る評価の基準、納期、代金の額、支払期日、支払方法等について、取引当事者間であらかじめ明確にし、書面で確認するなどの対応が望ましい[134]。たとえば、

---

[131] 経済法百選〔第 2 版〕122 事件 244 頁。

[132] 経済法百選〔第 2 版〕78 事件 158 頁。その後の独禁法 25 条訴訟（東京高裁判決平成 25 年 8 月 30 日）については、経済法百選〔第 2 版〕115 事件 230 頁。

[133] 令和 4 年度重要判例解説・経済法 7 事件 227 頁。

公正取引委員会は、東京電力に対し、既存取引先に対する電気料金の引上げ等の取引条件を変更するに当たっては、その理由について必要な情報を十分に開示した上で説明するよう注意している[135]。

エ　公正競争阻害性

「正常な商慣習に照らして不当に」とは、優越的地位の濫用の有無が、公正な競争秩序の維持・促進の観点から個別の事案ごとに判断されることを示すものである[136]。「正常な商慣習」とされているのは、取引上の地位の不均衡を基礎に形成された商慣行も存在する以上、現に存在する商慣習に合致しているからといって、直ちにその行為が正当化されることにはならないからである（具体的な検討事例として、斎川商店対セコマ事件（札幌高裁判決平成31年3月7日）[137]）。「正常な商慣習に照らして不当に」といえるかどうかは、この文言が加えられた趣旨に従い、問題となった業界における取引実態を加味しつつ、専ら公正な競争秩序維持の観点から判断されることとなる（前記1(3)エ参照）。

「正常な商慣習に照らして不当に」との文言は、「不利益行為」の要件とも密接に関連する。たとえば、量販店等の小売業者が従業員等の派遣要請を行い、これを受け、メーカーや卸売業者が納入商品の販売業務を行わせるためにその従業員等を派遣した場合であっても、消費者ニーズを直接把握するなど直接の利益の範囲内であるとして、自由な意思で行われる場合には、優越的地位の濫用には該当しない。実際に受ける利益と負担を考慮し、自由かつ自主的に従業員派遣を判断したのであれば、「正常な商慣習に照らして不当」とはいえないからである。このように、個々の具体的な行為が「不利益行為」に該当するかを判断するに当たっては、「正常な商慣習に照らして不当に」不利益を与えているといえるかどうかを検討する必要がある。

---

[134] 優越ガイドライン第4。
[135] 東京電力株式会社に対する独占禁止法違反被疑事件の処理について（公取委報道発表平成24年6月22日）。
[136] 優越ガイドライン第3。
[137] 令和元年度重要判例解説・経済法9事件247頁。

このような観点を踏まえ、①取引の相手方にあらかじめ計算できない不利益を与えることとなる場合や②取引の相手方が得る直接の利益等を勘案して合理的であると認められる範囲を超えた負担となり、不利益を与えることとなる場合に、正常な商慣習に照らして不当に不利益を与えることとなる[138]。たとえば、協賛金等の負担要請についていえば、協賛金の負担額、算出根拠、使途等が事前に明らかにされておらず、取引の相手方にあらかじめ計算できない不利益を与えることとなる場合に「正常な商慣習に照らして不当に」の要件を満たし、協賛金の負担の条件があらかじめ明確であっても、取引の相手方が納入する商品の販売促進につながるなどの実際に生じる利益等を勘案して合理的であると認められる範囲を超えた負担となり、相手方に不利益を与えることとなる場合には、「正常な商慣習に照らして不当に」の要件を満たすといえる[139]。

　また、どのような場合に公正な競争を阻害するおそれがあると認められるのかについては、問題となる不利益の程度、行為の広がり等を考慮して、個別の事案ごとに判断することになる[140]。優越ガイドラインによれば、①行為者が多数の取引の相手方に対して組織的に不利益を与える場合、②特定の取引の相手方に対してしか不利益を与えていないときであっても、その不利益の程度が強い、またはその行為を放置すれば他に波及するおそれがある場合には、公正な競争を阻害するおそれがあると認められやすい。

---

138) 優越ガイドライン第4の2(1)アおよび(2)ア、3(2)ア。また、平成17年3月16日の公正取引委員会事務総長定例会見では、優越的地位の濫用行為として問題となる場合は、大きく2つに分かれるとした上で、1つ目は、あらかじめ取引条件を明確に取り決めることなく、一方的に金銭その他の負担を求める場合、2つ目は、たとえ当事者間で合意されていても、本来納入業者が負担すべきではない負担を押し付けた場合と説明している。

139) ラルズ事件では、これらの場合に該当すれば、「公正な競争秩序の維持、促進の観点から是認されるものに照らして相当でないことが明らかであるから、本件各行為は、正常な商慣習に照らして不当になされたものと認めるのが相当である」と端的に認定している。

140) 優越ガイドライン第1の1。

(3) 取引の相手方の役員選任への不当干渉

一般指定 13 項は、「自己の取引上の地位が相手方に優越していることを利用して、正常な商慣習に照らして不当に、取引の相手方である会社に対し、当該会社の役員の選任についてあらかじめ自己の指示に従わせ、又は自己の承認を受けさせること」を不公正な取引方法と指定している。すなわち、①優越的地位にある事業者が、②その地位を利用して、③取引先会社に対し、役員選任に関する指示・承認を受けさせることが、④公正競争阻害性(「正常な商慣習に照らして不当に」)を持つ場合には、その行為は不公正な取引方法として違法となる。

本項の適用事例としては、日本興業銀行事件(勧告審決昭和 28 年 11 月 6 日)や三菱銀行事件(勧告審決昭和 32 年 6 月 3 日)があるが、近年では法的措置の実績がない。

7 取引妨害型
(1) 競争者に対する取引妨害

競争者に対する取引妨害は、競争関係にある事業者同士の私的紛争という性格を持つ行為のうち、放置すると競争秩序に影響を与えるようなものを特に規制するとの趣旨に基づいて、昭和 28 年から一般指定で不公正な取引方法として指定されている。競争者に対する妨害と評価できる行為であれば、不公正な取引方法の他の類型に該当するものであっても取引妨害として問題とし得るという意味で、一般条項的・補完的な性格を有していると位置付けられる。

一般指定 14 項は、「自己又は自己が株主若しくは役員である会社と国内において競争関係にある他の事業者とその取引の相手方との取引について、契約の成立の阻止、契約の不履行の誘引その他いかなる方法をもってするかを問わず、その取引を不当に妨害すること」を不公正な取引方法と指定している。すなわち、①妨害の対象となる取引の一方当事者と国内において競争関係にある事業者が、②その取引を妨害することで、③公正競争阻害性(「不当に」)が認められる場合には、その行為は不公正な取引方法として違法となる。

ア　国内における競争関係

　競争関係にあるかどうかは、2条4項の「競争」の定義に基づいて判断する（神鉄タクシー事件（大阪高裁判決平成26年10月31日）[141]）。競争関係は、潜在的競争も含めて実質的に判断されるものであり、広く認められる余地がある。たとえば、日本テクノ事件（東京高裁判決平成17年1月27日）では、妨害の対象となった取引が自己と直接競争関係にある事業者とその相手方とのものではなかったが、競争関係に立つ者からの委託を受け、これと意思を通じて販売活動を行っていたことから、競争関係を認める余地があるとした。

　また、取引妨害の行為者が競争関係にある場合だけでなく、行為者が株主か役員となっている会社について競争関係が認められればよいとされている（アメアジャパン事件（確約計画認定令和4年3月25日）[142]では、親会社のウイルソンも違反被疑者として確約計画の措置主体となっている）。もっとも、行為者が事業者でない場合には、「事業者」を規制の対象としている19条の規定の対象とはならない。この場合、行為者が取引妨害によって会社の株式を取得または所有したのであれば、不公正な取引方法による株式保有（14条）として独占禁止法違反となり得る。

イ　取引の妨害

　取引妨害の行為態様としては、①物理的な迫害を加える取引妨害、②契約過程に不当な介入をする取引妨害、③部品・原材料等の独占供給による取引妨害、④相手方に取引拒絶させる取引妨害、⑤商品の供給元を断つ間接的な取引妨害など多種多様である。このように、問題となる取引妨害が多岐に及んでいるため、妨害の方法については、「その他いかなる方法を持ってするかを問わず」と特に限定されていない。

　①物理的な迫害を加える取引妨害の例としては、競争者を排除する目的で、競争者のせり場の周囲にバリケードを築くとともに監視員を配置して、買受人が競争者のせりに参加できないようにした熊本魚事件（勧

---

[141]　経済法百選〔第2版〕86事件174頁。
[142]　令和4年度重要判例解説・経済法8事件229頁。

告審決昭和35年2月9日）、タクシー待機場所を公道上に整備した事業者の乗務員が、乗り入れた競争者のタクシーの前に立ちはだかったり、自社タクシーを割り込ませるなどして、待機場所を利用させないようにした神鉄タクシー事件がある。

②契約過程に不当な介入をする取引妨害の例としては、東北農政局が一般競争入札により発注する土木一式工事について、その評価担当者に依頼した添削・助言を踏まえて技術提案書を作成・提出し、入札前に他の参加申請者の技術評価点と順位を聞き出して入札をしたフジタ事件（排除措置命令平成30年6月14日）[143]、ウェブサイトをリニューアルする業務の発注を検討している市町村等に対し、オープンソースソフトウェアではないコンテンツ管理システム（CMS）が情報セキュリティ対策上必須である旨を記載した仕様書等の案を配付するなどして、オープンソースソフトウェアのCMSを取り扱う事業者が業務の受注競争に参加することを困難にさせる要件を盛り込むよう働き掛けたサイネックス・スマートバリュー事件（確約計画認定令和4年6月30日）がある。また、自己の顧客が競争者に切替えを希望する場合には、まず自己との交渉をさせ希望する取引条件を提示できなかったときのみ解除が可能となる契約を締結すること（不当な交渉機会の義務付け）[144]等も問題となる。

③部品・原材料等の独占供給による取引妨害の例としては、故障等が発生したときには迅速な修理等が求められる機械式駐車装置について、専用の保守用部品を一手に供給する者が、競争者たる独立系保守業者等に対し、必要となる保守用部品の納期は受注日から3か月後を目処とすること、販売価格を自社の契約先管理業者等向けの価格の1.5倍から2.5倍を基準とする等の販売方針を決定し、実施した東急パーキングシステムズ事件（勧告審決平成16年4月12日）[145]がある。

④相手方に取引拒絶させる取引妨害の例としては、競争者を徹底的に

---

143) 平成30年度重要判例解説・経済法8事件250頁。
144) 「適正な電力取引についての指針」（令和元年公取委・経済産業省）第2部Ⅰ2(1)①イⅷ。
145) 経済法百選〔第2版〕81事件164頁。

攻撃していくという意図の下、子会社に管理楽曲の使用許諾契約の更新を拒絶する旨の文書を送付させ、競争者の取引先に今後管理楽曲の一部が使えなくなると組織を挙げて告知した第一興商事件（審判審決平成21年2月16日・図表5-13）、有力なソーシャルゲーム提供事業者に対し、競争者と取引すれば自社のプラットフォーム上にリンクを掲載しないなどとしたディー・エヌ・エー事件（排除措置命令平成23年6月9日）[146]がある。

⑤商品の供給元を断つ間接的な取引妨害の例としては、一手販売権を付与された日本の総代理店が、競争者たる輸入販売店に並行輸入品を取り扱わせないようにするため、並行輸入品の輸出国の総代理店に対して輸入業者に販売しないよう製造販売元に要請させた星商事事件（勧告審決平成8年3月22日・図表5-14）がある。このような行為は、総代理店が取り扱う商品と並行輸入品との価格競争を減少・消滅させるものであり、総代理店制度が機能するために必要な範囲を超えている[147]。

また、複合的な一連の行為を取引妨害とした例としては、競合する輸入品の販売機会を減少させ、自社等の売上や利益の確保を図るため、ⓐ競技大会主催者等に対し、競争者から協賛を受けず、競合品を大会使用球としないよう要請し、ⓑ競合品に顧客を奪われている取引先小売業者に限定して廉価な商品を取り扱わせ、ⓒ競合品を取り扱う場合には、廉価な商品を供給しない旨示唆するなどしたヨネックス事件（勧告審決平成15年11月27日）[148]がある。

ウ　公正競争阻害性

取引妨害の公正競争阻害性については、「その手段において不当であると認められない限り、被控訴人が競争者とその取引の相手方との取引を妨害したと評価することはできない」とする判決（ヤマト運輸郵政公社事件（東京高裁判決平成19年11月28日）[149]）にみられるように、「競争

---

[146] 経済法百選〔第2版〕85事件172頁。
[147] 流通・取引慣行ガイドライン第3部第2の2(1)。
[148] 経済法百選〔第2版〕84事件170頁。

手段の不公正さ」を中心に判断される事例が多い。

　他方、第一興商事件では、価格・品質・サービス等の取引条件を競い合う能率競争を旨とする公正な競争秩序に悪影響をもたらす不公正な競争手段であるとともに、競争者の通信カラオケ機器の取引に重大な影響を及ぼし、その取引機会を減少させる蓋然性が高いとして市場閉鎖効果をも踏まえて公正競争阻害性を認定している。また、流通・取引慣行ガイドラインでは、真正商品の並行輸入は一般に価格競争を促進する効果を有するものであり、価格を維持するためにこれを阻害する場合には独占禁止法上問題となるとして、一般指定 14 項の不当性を価格維持効果に求めている[150]。

　一般指定 14 項が適用されたこれまでの事例をみると、自由競争の減殺をもたらす行為について、他の不公正な取引方法の行為類型に当たらない場合に、同項が適用されている点で、自由競争減殺型の行為の補完規定または一般条項として利用されていると考えられる[151]。

---

149) 経済法百選〔第 2 版〕62 事件 126 頁 (ただし、取引妨害については該当箇所で触れられていない)。
150) 流通・取引慣行ガイドライン第 3 部第 2 の 1(1)。
151) 注釈独占禁止法 522 頁 参照。

[図表 5-13] 第一興商事件（審判審決平成 21 年 2 月 16 日）[152]

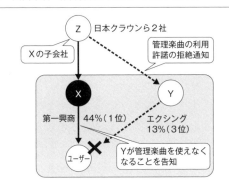

Xは、業務用通信カラオケ機器を販売・賃貸する有力な事業者であり、レコード会社のZ（2社）は、カラオケで中高年層が好んで歌う人気楽曲を管理するXの子会社である。Yは、新たに開発された通信カラオケ機器を携えて参入してきた事業者であるところ、Xは、ZにYに対する管理楽曲の利用許諾を拒絶する旨の通知を行わせるとともに、卸売業者やユーザーに対してYが今後Zの管理楽曲を使えなくなると組織を挙げて告知することで、Yとの取引を妨げた。

[図表 5-14] 星商事事件（勧告審決平成 8 年 3 月 22 日）[153]

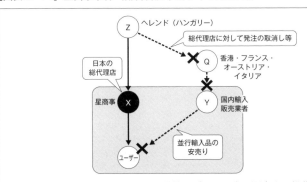

Xは、Z製の食器類をZから一手に供給を受け、日本で販売する総代理店である。Zは、主要輸出国別にそれぞれ国内におけるZ製品の一手販売権を付与した総代理店を定めている。Xは、並行輸入品が希望小売価格を相当程度下回る価格で大量に販売されるようになり、小売価格の維持その他自己の営業活動に影響を及ぼすおそれが生じてきたことから、安価な並行輸入品について店頭調査を行い、Z製品の底部に付された国番号から輸出国を突き止めてZに通報し、Z製品を輸入販売業者に供給しないようにさせる方針を決定した。たとえば、Xは広島市所在の輸入販売業者がZ製品を40％引きの価格で販売したことについて通報し、Zは輸出国のフランス総代理店から受注を受けた製品のうち日本向けのものの発注を取り消した。

(2) **競争会社に対する内部干渉**

　一般指定15項は、「自己又は自己が株主若しくは役員である会社と国内において競争関係にある会社の株主又は役員に対し、株主権の行使、株式の譲渡、秘密の漏えいその他いかなる方法をもつてするかを問わず、その会社の不利益となる行為をするように、不当に誘引し、そそのかし、又は強制すること」を不公正な取引方法と指定している。すなわち、事業者が、①国内において競争関係にある会社の株主・役員に対し、②不当に不利益となる誘引・教唆・強制を行うことで、③公正競争阻害性（「不当に」）が認められる場合には、その行為は不公正な取引方法として違法となる。

　本項については、これまでのところ適用例がない。

---

152) 経済法百選〔第2版〕82事件166頁。
153) 経済法百選〔第2版〕83事件168頁。

第6章 独占禁止法違反事件の手続と措置

1 行政手続
(1) 手続
ア 調査手続

　公正取引委員会では独占禁止法違反の疑いのある事実を発見するために様々な情報を収集している。事件の調査を開始する手掛かりとなる違反行為に関する情報を「事件の端緒」というが、この入手方法としては、公正取引委員会が独自に収集するもの（職権探知）（45条4項）のほか、一般からの報告（「申告」と呼ばれている）（同条1項）、課徴金減免制度に基づく課徴金減免申請（後記(2)エ(エ)参照）、中小企業庁からの措置請求（中小企業庁設置法）がある。公正取引委員会は、実態調査の過程において情報提供を呼びかけるほか、実態調査において得られた情報について提供者の了承を得て活用する方針を明らかにしており[1]、こういった情報が端緒となる可能性もある。これらのうち、最も数が多いのは、申告であり、何人も、独占禁止法の規定に違反する事実があると考えるときは公正取引委員会に対しその事実を報告し適当な措置をとるよう求めることができる（45条1項）。ただし、独占禁止法45条1項は、報告者に対して、公正取引委員会に適当な措置をとることを要求する具体的請求権を付与したものではない（エビス食品企業組合不作為違法確認請求事件（最高裁判決昭和47年11月16日））。

---

1) 「デジタル化等社会経済の変化に対応した競争政策の積極的な推進に向けて――アドボカシーとエンフォースメントの連携・強化」（公取委報道発表令和4年6月16日）（ステートメント）3.。

[図表 6-1] 公正取引委員会の事件処理の流れ

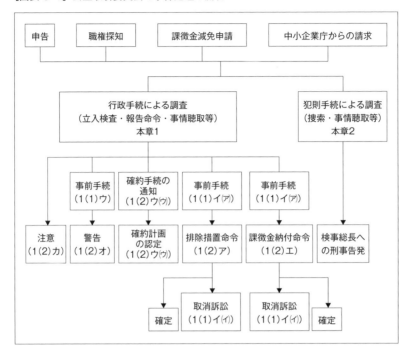

　このような端緒から、違反行為の存在を疑うに足る事実があると判断した場合、公正取引委員会は、さらに詳しく調査を行う。公正取引委員会が行う調査としては、法的権限を行使して行う調査（「正式審査」と呼ばれることがある）と、法的権限を行使せずに関係者の任意の協力を得て行う調査（「任意調査」と呼ばれることがある）がある。

　調査のために公正取引委員会が用いる手続としては、後記2において説明する犯則手続のほかは行政手続が利用されており、行政手続を利用して調査を行う場合に用いることができる法的権限としては、①事件関係人（違反行為を行っていることが疑われる事業者とその事業者の役員・従業員）または参考人（取引先、競合他社等事件関係人以外の事業者とその事業者の役員・従業員）に出頭を命じて行う審尋（47条1項1号）、②これらの者からの意見や報告の徴収（報告命令）（同号）、③鑑定人に出頭を命じて行う鑑定（同項2号）、④帳簿書類その他の物件の所持者に対

して行う物件の提出命令と提出物件の留置（同項3号）、⑤事件関係人の営業所その他必要な場所への立ち入りと検査（立入検査）（同項4号）がある。

　実際には、公正取引委員会は、事務総局の職員を審査官に指定し、審査官にこれらの処分を行わせる（47条2項）。一般的には、まず立入検査（前記⑤）を行って、関係書類等を検査の上必要なものを留置する（前記④）ことにより調査を開始し、必要に応じて事件関係人に対して書面で報告を求める（前記②）とともに、事件関係人や取引先の役員・従業員等に対して事情聴取を行う。

　47条の規定に基づくこれらの調査権限の行使のうち、公正取引委員会が帳簿書類その他の物件の提出を命じることについて、課徴金減免制度をより機能させるとともに、事業者の外部の弁護士との相談に係る法的意見等についての秘密を実質的に保護し、適正手続を確保する観点から、不当な取引制限に係る違反被疑行為をした事業者と弁護士の間で秘密に行われた通信の内容が記載された物件について、その不当な取引制限被疑行為に係る事件に関する公正取引委員会の行政調査手続において所定の手続により一定の条件を満たすものであることが確認されたものは、審査官がその内容に接することなく、事件の終結を待つことなくその事業者に還付することとしている（審査規則23条の2〜5）。具体的にこの取扱いの対象となる通信・物件や弁護士の範囲、対象となる物件か否かを判別するための手続等については、判別手続ガイドライン[2]が定められている。

　なお、実際の事件においてどのような権限を用いて調査を行うかは公正取引委員会の裁量に委ねられているが（豊田商法国家賠償請求訴訟（大阪地裁判決平成5年10月6日））、特に立入検査は、法的権限に基づくものとはいえ、これを行うためには、一般的に違反の可能性があるという程度では足りず、ある程度具体的な疑いがあることが必要であると考え

---

[2] 「事業者と弁護士との間で秘密に行われた通信の内容が記録されている物件の取扱指針」（令和2年公取委）。

られる。

　これらの調査権限は、これに従わない場合には刑事罰を科するという間接強制により実効性が確保されている。47条の規定に基づく処分に反して出頭しなかったり、陳述をしなかったり、虚偽の陳述をした者や、報告をしなかったり、虚偽の報告をした者は、1年以下の懲役または300万円以下の罰金に処することとされている（94条）。具体的には、立入検査の拒否、報告命令に対する回答拒否等がこれに当たる。

　また、実際の事件調査においては、法的措置（排除措置命令等）がとられた事件では、通常、これらの刑事罰により担保された行政調査権限を行使して行う調査が行われているが、その他の事件では、任意の協力を求めて行う調査の方式がとられることが多い。ただし、このような任意の協力を求めて行う調査の結果、具体的な違反行為の疑いが把握できた場合や、被疑事業者が任意の協力を拒否する場合には、法的権限に基づく調査に移行する場合がある。

　これらの行政手続における調査手続については、調査手続の適正性をより一層確保する観点から、これまでの実務を踏まえて調査手続の標準的な実施手順や留意事項等を明確化した「独占禁止法審査手続に関する指針」（平成27年12月25日公取委決定）が策定され、独占禁止法違反被疑事件の行政手続による調査に携わる職員に周知徹底されるとともに、同様の観点から、調査手続の透明性を高め、事件調査の円滑な実施に資するよう、その内容が公表されている。

　また、デジタル・プラットフォーム事業者に対する事件等において、情報収集を効率的・効果的に行う必要がある場合は、公表に伴う審査活動等への影響も慎重に比較衡量した上で、個別事件の審査の初期段階等であっても、事件の概要を公表して、広く第三者から情報・意見を募集する[3]。

　このほか、独占禁止法に基づく公正取引委員会の行政手続上の調査権限として、40条に基づくものがある。この40条に基づく調査権限は、

---

[3]　ステートメント4.(1)。

具体的な独占禁止法違反被疑事件の調査とはかかわりなく、公正取引委員会が職務を行うために必要があるときには用いることができるものである。経済実態調査や独占禁止法違反被疑事件の審査を開始するかどうかを判断するための情報収集に当たって、任意の調査では情報収集が困難な場合には、40条の規定に基づく調査権限を用いる旨の方針が明らかにされており[4]、複数の経済実態調査の報告書において、同条に基づく命令が行われた旨が明らかにされている。40条の規定による処分に反して出頭しなかったり、報告、情報や資料を提出しなかった者、または虚偽の報告、情報や資料を提出した者は、300万円以下の罰金に処することとされている（94条の2）。

イ　命令の手続・取消訴訟

(ア)　事前手続

独占禁止法の排除措置命令や課徴金納付命令（排除措置命令の手続を62条4項により準用）を行う場合、命令を行う前に命令の名宛人となることが見込まれる事業者（以下「当事者」という）に意見を述べさせ、適切な行政処分を行うため、命令に先立つ事前手続として、当事者に対して意見聴取手続が行われる。意見聴取手続は、公正取引委員会が指定する職員（意見聴取官）（その事前手続の対象となる事件の調査に関する事務に従事したことのある者を指定することはできない）がこれを主宰する（53条）。

公正取引委員会からは、意見聴取を行う期日より相当程度前に、当事者に対して、①予定される命令の内容、②公正取引委員会の認定した事実とこれに対する法令の適用、③意見聴取の期日と場所、④意見聴取の事務を所掌する組織の名称・所在地が通知される（50条1項）。また、この際、意見聴取の期日に出頭して（または出頭しないで）意見陳述、証拠提出をすることができることと、通知の日から意見聴取が終了するまでの間、証拠の閲覧・謄写を求めることができることが教示される（同条2項）が、併せて閲覧・謄写の対象となる証拠の目録が送付され

---

4)　ステートメント 2.(3)と4.(2)。

る（公正取引委員会の意見聴取に関する規則（平成27年公取委規則第1号）（意見聴取規則）9条）。この通知を受けた当事者は、弁護士等の代理人を選任することができ、代理人は意見聴取に関する一切の行為をすることができる（51条）。

　前記の証拠の閲覧・謄写では、公正取引委員会の認定した事実を立証する証拠について、当事者は閲覧・謄写（謄写については、謄写を求める事業者とその従業員の提出した証拠物やその従業員の供述を録取した調書等に限定されている（52条1項、意見聴取規則13条1項））を求めることができる。公正取引委員会は、第三者の事業秘密や個人情報等を開示することとなるなど第三者の利益を害するおそれがあるときその他正当な理由がある場合を除き、これを認めることとなる（52条1項）。証拠の閲覧・謄写は1回に限られず、また、意見聴取の進行に応じて必要となった証拠の閲覧・謄写についても、求めることができる（同条2項）。公正取引委員会は、いずれの場合も、閲覧・謄写の日時と場所（同条3項）に加え、その方法（意見聴取規則12条2項、13条2項）を指定することができる。閲覧・謄写の申請は利用目的等を記載した書面により行われ（意見聴取規則12条1項、13条2項、様式第1号）、閲覧・謄写の日時等は当事者による意見陳述等の準備を妨げないよう配慮して指定される（意見聴取規則12条3項、13条2項）。

　意見聴取官が指定した期日には、審査官やその事件の調査に関する事務に従事した職員（審査官等）は、予定している排除措置命令や課徴金納付命令の内容、認定した事実とそれを立証する証拠のうち主要なものと、認定した事実に対する法令の適用について説明する（54条1項）。当事者は、これに対して意見の陳述、証拠の提出（物証または供述者が署名押印した陳述書（意見聴取規則18条））を行うことができるほか、意見聴取官の許可を得て審査官等に対して質問を発することができる（54条2項）。当事者の質問を意見聴取官の許可に係らしめているのは、事前手続をいたずらに遅延させるような行為が行われることを防止するた

めであり[5]、意見聴取官は期日において行う予定の質問を期日に先立って書面で提出するよう求めることができる（意見聴取規則16条）。

　意見聴取官は、意見聴取の期日において、当事者の主張や審査官等の説明が不十分である、あるいは期日におけるやりとりをさらに整理する必要がある等と認める場合には、当事者に質問をしたり、意見の陳述や証拠の提出を促したり、審査官等に対して追加の説明を求めることができる（54条3項）ほか、意見聴取の期日に出頭した者が意見聴取に係る事件の範囲を超えて意見陳述または証拠提出をするときその他意見聴取の適正な進行を図るためにやむを得ないと認めるときは意見の陳述や証拠の提出を制限することができ、期日における秩序を維持するために意見聴取の進行を妨害する者に退場を命ずる等必要な措置をとることができる（意見聴取規則17条）。

　この意見聴取は期日を設けて行われるが、非公開である（54条4項）。これは、意見聴取で取り上げられる内容には事業者の秘密や従業員のプライバシーに係る情報が含まれていることにも配慮したものである。

　当事者は、この意見聴取の期日に出頭することなく、これに代えて意見聴取の期日までに意見聴取官に対して陳述書と証拠を提出することも可能である（55条）。正当な理由なく期日に事業者が出頭せず、陳述書や証拠も提出しない場合や、それら以外の場合においても、予定された期日後に意見聴取官が定めた期限までに陳述書や証拠の提出を行わない場合には、意見聴取官は意見聴取手続を終結することができる（57条）。

　意見聴取の期日において、審査官からの予定される命令等についての説明やこれを踏まえた当事者側の意見陳述等が行われた結果、なお期日を設ける必要があると意見聴取官が認める場合には、さらに期日が設けられることがある（56条1項）が、命令の事前手続としての性格から、当事者の意見を聴取するために必要な範囲で追加の期日の指定は行われる。

　意見聴取官は、意見聴取の期日における当事者による質問や審査官等

---

[5] 参議院経済産業委員会（平成25年12月6日）における杉本公正取引委員会委員長答弁。

による説明の経過、意見陳述や証拠の提出等の経緯等を記載した調書を期日ごとに作成し（58条1項、2項、意見聴取規則20条1項）、この調書には当事者から提出された証拠を添付するとともに（58条3項）、意見聴取の終結後速やかにこの意見聴取に係る事件の論点を整理し、整理された論点を記載した報告書を作成し、期日ごとに作成した調書とともに公正取引委員会に提出する（58条4項、意見聴取規則20条4項）。

　なお、当事者の主張に理由があるか否かの判断は合議制の専門機関である公正取引委員会が行うものであり、意見聴取官が作成する報告書は、意見聴取に係る事件の論点を整理し、当事者の意見も踏まえて公正取引委員会が適切な命令をすることができるようにするためのものである。このため、この報告書は論点ごとの判断や命令案の妥当性についての意見聴取官の判断や意見を記載するものではない。

　意見聴取官は、調書と報告書を閲覧に供する旨を当事者に通知し（意見聴取規則21条）、当事者は、これらの調書と報告書の閲覧を求めることができる（58条5項）。公正取引委員会が排除措置命令や課徴金納付命令を行うときは、これらの調書と報告書の内容を十分に参酌しなければならない（60条）。また、公正取引委員会は、意見聴取手続の終結後に生じた事情により、必要があると認める場合には、意見聴取官に意見聴取の再開を命じることができる（59条）。

　なお、この手続は、被処分者が文書閲覧や意見陳述、審査官等への質問等を行えるようにすることで、命令を受けようとする者の反論・防御のために手厚い保障を与えているものであることから、これらの事前手続を経て行われる排除措置命令と課徴金納付命令については、行政手続法第2章、第3章と行政不服審査法の適用が除外されている（70条の11、70条の12）。

　(ｲ)　取消訴訟

　排除措置命令や課徴金納付命令を受けた事業者は、命令があったことを知った日から6か月以内に、裁判所にそれらの命令（行政処分）の取消訴訟を提起することができる（行政事件訴訟法14条）。通常の行政処分と異なり、独占禁止法違反事件は複雑な経済事案を対象としており、

専門性が高いことを踏まえ、取消訴訟はすべて東京地方裁判所に提起することとされており（85条1号）、これにより判断の合一性を確保し、裁判所における専門的知見の蓄積を図ることとしている。

　また、専門機関である公正取引委員会が合議により行った命令に係る抗告訴訟であることも踏まえ、東京地方裁判所は、3名の裁判官の合議により審理と裁判を行い、必要な場合には5名の裁判官の合議により裁判を行うこともできることとされている（86条）。東京地方裁判所がした抗告訴訟の判決に対する控訴審となる東京高等裁判所では、通常は3人の裁判官の合議体で審理と裁判を行うが、5人の裁判官の合議体で審理と裁判を行うこともできる（87条）。

　排除措置命令等に対する訴えの提起は、排除措置命令等の執行を妨げるものではないが、処分の取消しの訴えがあった場合において、処分の執行によって生じる重大な損害（損害の回復の困難の程度を考慮し、損害の性質や程度、処分の内容や性質をも勘案して判断される）を避けるため緊急の必要があると認めるときは、裁判所は、申立てにより、決定をもって、命令の全部または一部の執行を停止することができる（行政事件訴訟法25条。後記(2)ア(カ)参照）。

　㈦　平成25年改正前に存在した審判手続

　平成25年の改正前の独占禁止法においては、審判手続が定められており、公正取引委員会が審決という形の行政処分を行っていた。この審判手続は公正取引委員会が行った排除措置命令や課徴金納付命令に対して命令を受けた者が不服がある場合、公正取引委員会に審判を請求することにより行われるものであり、公正取引委員会が命令を受けた者と審査官の双方に主張立証を尽くさせた上で命令の適法性と妥当性について改めて判断を行うものであった。この審決は裁判の第一審判決に相当する位置付けを与えられており、これに対する取消訴訟は東京高等裁判所に提起されることとされていた。

　平成17年の独占禁止法改正（平成17年改正）前は、審判は行政処分の事前手続として行われていた。具体的には、公正取引委員会は、違反行為を排除しようとする場合は違反行為者に違反行為を排除するために

必要な措置をとるよう「勧告」し、勧告を事業者が応諾した場合は、勧告と同趣旨の審決（勧告審決）をし（これが行政処分に当たる）、事業者が勧告を応諾しない場合には審判手続が開始され、審判を経て審決（同意審決または審判審決）という形で行政処分が行われ、そこで排除措置が命じられることとされていた[6]。課徴金については、排除措置に関する審決が行われた後で、意見聴取手続を経ていったん課徴金納付命令が行われるが、名宛人事業者がこれを争う場合にはその命令は失効し、審判を経て課徴金の納付を命じる審決という形で行政処分が行われていた。

　ウ　警告の手続

　公正取引委員会がとる措置としては、排除措置命令のほか、3条、6条、8条、または19条の規定に違反するおそれがある行為がある、またはあったと公正取引委員会が認める場合に、事業者または事業者団体に対して、その行為を取りやめることその他必要な事項を指示する「警告」という措置がある（審査規則26条）。

　「警告」は、違反行為がある、またはあったことを認定するものではなく、行政手続法上は行政指導に当たるものである（すなわち、行政処分ではない）が、名宛人に対して、一定の作為・不作為を求めるものであることから、一定の事前手続が定められている。具体的には、名宛人となるべき者に対して、あらかじめ意見を述べ、証拠を提出する機会を付与する（審査規則26条3項）。この際、意見を述べ、証拠を提出することができる期限までに相当の期間（1週間程度[7]であることが多い）をおいて、①予定される警告の趣旨・内容と、②公正取引委員会に対し、①について文書により意見を述べ、証拠を提出することができる旨とその期限を書面により通知しなければならない（審査規則26条5項）。実務的には、公正取引委員会は、警告の名宛人となるべき者に警告書の案

---

6)　審決のうち、「平成○年（勧）第○号」といった番号が付されているものは勧告審決であり、「平成○年（判）第○号」といった番号が付されているものが審判審決（平成17年改正後の審判審決を含む）である。

7)　独占禁止法改正法の施行等に伴い整備する関係政令等について（公取委報道発表平成21年10月23日）。

を送付した後、警告書の内容とその根拠となる公正取引委員会が認定した事実を説明している。

意見申述等は、特に口頭で意見を述べさせる必要があると公正取引委員会が判断した場合を除き、文書によって行わなければならない（審査規則28条）。

(2) 措置

ア 排除措置命令[8]

(ア) 目的

独占禁止法の規定に違反する行為があると認めるときは、公正取引委員会は、事業者に対し、その行為の差止め、事業の一部の譲渡その他これらの規定に違反する行為を排除するために必要な措置を命ずることができる（7条）。公正取引委員会が措置を命ずるか否か、あるいは命じる措置の内容については、独占禁止法の運用機関として専門的な裁量が認められている。

また、排除措置命令に違反したものは50万円以下の過料に処することとされ（97条）、さらに、排除措置命令が確定した後にこれに従わない場合は2年以下の懲役または300万円以下の罰金に処するとされており（90条3号）、これらにより命令の実効性が担保されている。

(イ) 名宛人

公正取引委員会は、独占禁止法に違反する行為を現に行っている事業者を名宛人として排除措置命令を行うことができる（7条1項）ほか、その独占禁止法違反行為が既になくなっている場合にも、特に必要があると認める場合には、①違反行為をした事業者、②違反行為をした法人事業者が合併により消滅した場合の存続法人または新設法人、③違反行

---

[8] 前記(1)イ(ウ)のとおり、平成17年改正までは「排除措置命令」という制度はなく、公正取引委員会が一定の排除措置をとるべきことを命じる審決がこれに代わるものとして存在していた（命じることができる内容等は、現在の排除措置命令と変わらない）。このため、平成17年改正前の独占禁止法に基づく審決や、判決であっても、参考となるものは特に区別せず引用している。

1 行政手続 203

為をした法人事業者から分割により事業の全部または一部の譲渡を受けた事業者、④違反行為をした事業者からその行為に係る事業の全部または一部を譲り受けた事業者を名宛人として排除措置命令を行うことができる（7条2項）。

　違反行為を行った事業者が既に違反行為を取りやめている場合であっても、違反行為が長期にわたり行われていたり、違反行為が自発的に取りやめられたものとはいえないといった事情によって、特に排除措置を命じる必要があると認められる場合（後記(オ)参照）は、排除措置命令の名宛人となる。

　(ウ)　排除措置の内容

　排除措置として命じることができるのは、違反行為が現に行われているときは、「当該行為の差止め、事業の一部の譲渡その他これらの規定に違反する行為を排除するために必要な措置」であり（7条1項）、違反行為が既になくなっている場合には、「当該行為が既になくなつている旨の周知措置その他当該行為が排除されたことを確保するために必要な措置」である（7条2項）。それらの内容については、独占禁止法の運用機関としての見地から広く専門的な裁量が認められている。このため、公正取引委員会は、単に存在する違反行為の取りやめを命じることのみでなく、同種、類似の違反行為の発生を視野に入れて、実際に違反行為と認定された行為の対象商品・役務に必ずしも厳密に限定されない形の排除措置も命じている。第一次育児用粉ミルク（明治商事）事件（東京高裁判決昭和46年7月17日）によれば、「審決の本質はあくまで法に違反する事実があつて経済社会における公正な競争秩序が阻害されている場合に、公正取引委員会が、みずから調査、審判の上、審決によりこれを排除しもつて右秩序の回復、維持を図ることを目的とする行政処分であるから、被告が審決で排除措置を命ずるにあたつても、右被疑事実そのものについて排除措置を命じ得るだけではなく、これと同種、類似の違反行為の行われるおそれがあつて、前述の行政目的を達するため現に、その必要性のある限り、これらの事実についても相当の措置を命じ得るものであり、むしろ命ずべきものである」。

具体的には、公正取引委員会は、通常、①その行為の取りやめまたは違反行為が排除されたことの確認を命じるとともに、②その違反行為と同様の行為を再び行わないことを命じ、③②の実効を確保するために必要な体制整備を命じることが多い。

①の違反行為の取りやめについては、違反行為を取りやめる（既に取りやめている場合には、取りやめている）旨の確認（取締役会設置会社であれば、取締役会決議）を行わせるとともに、その内容を他の違反行為者、取引先事業者、自社の従業員等に対して通知すること等を命じることが多い。この確認については、「○月○日以降行っていた〜の行為を取りやめている旨」の確認を求める文言であるため、刑事訴訟の被告人となっていた事業者が、違反行為の自認を求めるもので憲法違反であるとして争った事例があるが、この決議は、違反行為による残存効果を自ら確認を行わせることにより排除しようとするものであり、かつ、このような行政上の命令に基づいて行う決議は法的に違反行為の自認としての効果を持つものではない（石油カルテル審決不履行過料事件（最高裁決定昭和52年4月13日））。

②の同様の行為を再び行わないことを命じる（不作為命令）ことについては、これに反してその行為を再び行った場合は刑事罰が科される（本章2(2)ア参照）。不作為命令の範囲は、個々の違反行為に応じて決定されることとなるので、原則として排除措置命令の対象となった行為（取りやめを命じた違反行為の範囲）と同一の範囲であるが、違反行為終了後に取引形態の変更等があったり、これが見込まれる場合など単に同一の行為を繰り返さないことを命じるだけでは不作為命令としての実効性が期待できない場合には、より広い範囲で不作為命令をすることがある（たとえば、指名競争入札物件に係る入札談合で排除措置を命じるに当たり、指名競争に限らず、他の方法による調達についても不作為命令を行ったものがある）。また、再び同様の行為が行われることのないよう、従業員に対する独占禁止法に係る研修や独占禁止法遵守マニュアルの整備等の再発防止措置を命じることが多い。

違反行為を排除するために必要な措置は、特定の内容に限られるもの

ではなく、違反行為の態様や市場の状況等に応じて様々なものが命じられている。これまで、カルテル合意の破棄やその取引先への通知といった典型的な措置以外にも、たとえば、取引先との価格の再交渉（コーテッド紙事件（勧告審決昭和48年12月26日））、事業者団体の解散（酢酸エチル協会事件（勧告審決昭和48年10月18日））[9]、株式の処分（東洋製罐事件（勧告審決昭和47年9月18日））[10]、営業責任者の配置転換（旧道路公団鋼橋工事談合事件（勧告審決平成17年11月18日））、独占禁止法違反行為に係る通報者に対する免責等実効性のある社内通報制度の整備（地方整備局水門談合事件（排除措置命令平成19年3月8日））、価格の改定に関する情報交換の禁止（エアセパレートガス事件（排除措置命令平成23年5月26日））、特定の契約条項の削除や破棄（ぱちんこ機製造特許プール事件（勧告審決平成9年8月6日））[11] が命じられている。

　なお、排除措置命令で命じた作為や不作為の義務については、通常、その期間は設けられていないが、市場の状況によっては、こうした作為・不作為を義務付け続ける必要がなくなることも考えられる。このため、公正取引委員会は、経済事情の変化その他の事由により排除措置命令を維持することが不適当であると認めるときは、決定でこれを取り消し、または変更することができる（70条の3）。これまでに、醤油の再販売価格について名義・形式・方法を問わず名宛人製造業者の意思を表示することを禁止した事案で、表示自体を禁止する必要はなくなったとして主文のその箇所を取り消したことがある（キッコーマン審決変更事件（一部取消審決[12] 平成5年6月28日）[13]）。

---

9)　経済法百選〔第2版〕97事件196頁。
10)　経済法百選〔第2版〕16事件34頁。
11)　経済法百選〔第2版〕10事件22頁。
12)　旧法において行われていた公正取引委員会による行政処分の一形態であり、排除措置命令や課徴金納付命令の取消しを求めて審判が行われた後に行われていた「審決」とは異なり、審判手続を前提とするものではないが、このような行政処分も「審決」と呼ばれていた。
13)　経済法百選〔初版〕100②事件201頁。

(エ)　除斥期間

　独占禁止法に違反する行為がなくなった日から7年を経過したときは、排除措置命令を行うことはできない（7条）。不当な取引制限等の複数の事業者が共同して行う行為については、違反行為そのものは継続している中で、一部の事業者のみが離脱することがあるが、この場合には、個々の事業者ごとに違反行為がなくなったか否か、いつなくなったかが判断される。また、違反行為がなくなったということには、自ら違反行為を取りやめた場合のほか、事業からの撤退や事業の譲渡によるものも含まれるので、除斥期間の判断に当たっては、違反行為がなくなった理由や動機は考慮されない。

　(オ)　既往の違反行為について特に措置を命じる必要がある場合

　違反行為が既になくなっている場合（既往の違反行為）であっても、「特に必要があると認めるとき」には、公正取引委員会は排除措置を命じることができる（7条2項）。ごみ焼却炉談合事件（東京高裁判決平成20年9月26日）によれば、「「特に必要があると認めるとき」とは、審決の時点では既に違反行為はなくなっているが、当該違反行為が繰り返されるおそれがある場合や、当該違反行為の結果が残存しており競争秩序の回復が不十分である場合などをいうものと解される。そして、この規定の趣旨が、必要に応じて排除措置を命ずることにより、当該違反行為に係る市場のあるべき競争秩序の回復・維持を図る目的を達成することにあることからすれば、排除措置を命ずる場合に対象となる違反行為には、措置の必要性の観点からみて既に行われた違反行為と同一性を有する違反行為も含めて、措置の必要性を判断することができるものと解するのが相当である。本件違反行為は、受注の均等化を図るための受注調整行為として違法と評価されるものであるが、措置の必要性の観点からみたときには、単に価格の低落防止を目的とする受注調整行為として違法な行為も、本件違反行為と同一性を有すると解し得るというべきである。……そして、上記の「特に必要があると認めるとき」の要件に該当するかどうかの判断においては、我が国における独占禁止法の運用機関として競争政策について専門的な知見を有する被告の専門的な裁量が認めら

れるものというべきであるから、被告の上記要件に該当するとの判断について合理性を欠くものであるといえないときは、被告の裁量権の範囲を超え又はその濫用があったものということはできないと解すべきである（最判平成19年4月19日裁判集民事224号123頁[14]）」。すなわち、どのような場合に既往の違反行為について、「特に必要があると認めるとき」に該当するかについては、①違反行為の残存効果が存在するか否か、②違反行為の再発可能性があるか否か、を考慮して決定され、その判断には、公正取引委員会の専門的な裁量が認められている。実際には、違反行為に係る事業を他の事業者に譲渡したこと等により違反行為に係る事業を行う可能性がないまたは事業を再開することが困難となったような場合を除き、既往の違反行為についても排除措置を命じることが一般的である。なお、公正取引委員会による調査開始日前に課徴金減免申請を行った事業者については、申請に至った経緯や再発防止に向けた社内の取組みの状況等も考慮した上で、排除措置命令の名宛人とされない場合がある。

　(カ)　執行停止

　公正取引委員会が排除措置命令をしたときは、当該命令の取消訴訟の原告や利害関係のある第三者は、裁判所に執行の停止を申し立てることができ、裁判所は、損害の回復の困難の程度、損害の性質・程度、処分の内容・性質を踏まえ、重大な損害を避けるため緊急の必要があるときは、排除措置命令の全部または一部の執行を停止することができる（公共の福祉に重大な影響を及ぼすおそれがあるときや、本案について理由がないとみえるときはすることができない）（行政事件訴訟法25条）。裁判所は執行を停止した後、その理由が消滅する等したときは、相手方の申立てにより執行停止の決定を取り消すことができる（行政事件訴訟法26条）。

---

[14]　郵便区分機談合審決取消請求事件（最高裁判決平成19年4月19日）経済法百選〔第2版〕96事件194頁であり、「「特に必要があると認めるとき」の要件に該当するか否かの判断については、我が国における独禁法の運用機関として競争政策について専門的な知見を有する上告人の専門的な裁量が認められるものというべきである」と判示している。

実際に行政事件訴訟法に基づく執行停止の申立てが行われた事案として、入札談合事件について排除措置命令を受けた事業者が、官公庁からの受注の大幅な減少等を理由として執行停止を申立てたもの（東京地裁決定平成28年12月14日）や、拘束条件付取引について排除措置命令を受けた協同組合が、組合員や取引先からの信頼が毀損され取引が大幅に減少するなどとして執行停止を申し立てたもの（東京地裁決定平成29年7月31日）等があるが、いずれも申立ては却下されている。

　イ　緊急停止命令

　独占禁止法違反事件について調査が始まった後も違反行為が引き続き行われていた場合、公正取引委員会は、その行為を取りやめるよう排除措置命令を行うこととなる。しかし、調査には一定の期間を要するため、排除措置命令が出るまでの間に競争秩序が回復しがたい状態となることが懸念され、緊急の必要がある場合には、公正取引委員会は裁判所に対して違反の疑いのある行為について緊急停止命令の申立てを行い、裁判所が非訟事件手続法に基づく裁判により緊急停止命令を行うことがある（70条の4）（緊急停止命令が行われた事件として、中部読売新聞社事件（東京高裁決定昭和50年4月30日）[15]等がある）。緊急停止命令は排除措置命令が行われるまでの期間を付して行われ、排除措置命令が行われた後はその執行が停止されるか否かの問題となる（前記ア(カ)参照）。

　ウ　確約手続

　(ア)　目的

　公正取引委員会が独占禁止法違反の疑いがある行為について調査を開始した場合、違反が認定されれば排除措置命令や課徴金納付命令を行うこととなる。一方で、競争に与える影響の評価等にかなりの時間を要するような複雑な事案も存在するが、このような事案について競争当局と事業者との合意により解決する手続（確約手続）は、違反が疑われる行為を迅速に排除することで、独占禁止法の効果的・効率的な執行に資するものである。このため、こうした事件処理を行う権限を競争当局に与

---

[15]　経済法百選〔第2版〕60事件122頁。

える旨の内容を含む環太平洋パートナーシップ協定（TPP協定）を契機として独占禁止法が改正され、同協定をベースにした、TPP 11 協定が発効した平成 30 年 12 月 30 日からこの制度が導入されている。

確約手続の手続や対象範囲等については、公正取引委員会の確約手続に関する規則（平成 29 年公取委規則第 1 号）（確約手続規則）と確約ガイドライン[16]が定められている。

(イ) 対象

独占禁止法上、確約手続は、私的独占、不当な取引制限、不公正な取引方法、一定の取引分野における競争を実質的に制限することとなる企業結合等のいずれについても、公正取引委員会が違反する事実があると思料する場合において、その疑いの理由となった行為（以下「違反被疑行為」という）について、公正かつ自由な競争の促進を図る上で必要があると認めるときは、手続を開始することができる（48 条の 2）。これは違反被疑行為が既になくなっている場合についても同様である（48 条の 6）。

一方で、①入札談合、価格カルテル、数量カルテル等のいわゆるハードコア・カルテルに関する違反被疑行為である場合や、②調査開始前 10 年以内に違反被疑行為と同じ条項に規定する違反行為で法的措置を受けている場合、③刑事告発に相当する悪質重大な違反被疑行為である場合については、違反行為を認定して法的措置をとることにより厳正に対処する必要があり、公正かつ自由な競争の促進を図る上で必要であると認められないことから、確約手続の対象とはされていない（確約ガイドライン 5）。

(ウ) 手続

公正取引委員会は、調査を行った上で、独占禁止法に違反する事実があると思料する場合に、その疑いの理由となった行為について、公正かつ自由な競争の促進を図る上で必要があると認めるときは、その行為をしている者（違反被疑事業者）に対して、①違反被疑行為の概要、②違反する疑いのある法令の条項、③その行為を排除するために必要な措置

---

16) 「確約手続に関する対応方針」（平成 30 年公取委）。

（排除措置）に関する計画の認定を申請することができること、を通知することで確約手続を開始する（確約ガイドライン2）。

　この通知に対して、事業者は、排除措置を自ら策定して実施しようとするときは、その実施しようとする措置に関する計画（排除措置計画）を、通知の日から60日以内に公正取引委員会に提出し、その認定を申請する（48条の3第1項、48条の7第1項）。

　排除措置計画には、排除措置の内容と排除措置の実施期限を記載する必要があるほか、排除措置が十分なものであることや確実に実施されることを示す書類等を添付して申請する必要がある（48条の3第2項、48条の7第2項、確約手続規則8条2項）。

　公正取引委員会は、申請があった計画について、その排除措置が違反被疑行為を排除するために十分なものであり（十分性）、かつ、確実に実施されることが見込まれるものである（確実性）ときは、その排除措置計画を認定する（48条の3第3項、48条の7第3項、確約ガイドライン6(3)）。申請された計画が前記の十分性、確実性の要件のいずれかを満たさない場合には、公正取引委員会は決定でこれを却下する（48条の3第6項、48条の7第5項、確約ガイドライン8(1)）。

　一度認定された計画について変更を行おうとする場合、公正取引委員会の認定を受けることで計画を変更することは可能であるが、申請された計画について申請期限の経過後にこれを修正することはできず、また公正取引委員会の通知から申請までの期間は法律で60日と規定されているため、現実には、公正取引委員会が確約手続に関する通知を行う前の段階で、確約手続の適用可能性や、確約手続の通知が行われた場合に事業者が申請する排除措置計画の内容について、事業者と公正取引委員会の間で十分にコミュニケーション（確約ガイドライン3）を取っておくことが必要である。

　(エ)　効果

　公正取引委員会が排除措置計画を認定した場合、違反被疑行為と排除措置の内容である行為については、排除措置命令や課徴金納付命令の対象とならない（48条の4、48条の8）。つまり、独占禁止法違反行為であ

るとの認定は行われないことになる。ただし、認定された排除措置計画を事業者が実施していないと認めるときや、事業者が虚偽や不正の事実に基づいて認定を受けたものであることが判明したときは、認定は取り消され（48条の5第1項、48条の9第1項）、その行為について公正取引委員会の調査が再び開始され、違反が認定されれば、排除措置命令や課徴金納付命令が行われる。

　　エ　課徴金納付命令
　　　㈎　課徴金制度の目的
　独占禁止法に違反する行為のうち特定の行為を行った事業者に対しては、公正取引委員会は課徴金の納付を命じなければならない（7条の2）。課徴金制度は、違反行為を防止するという行政目的を達成するために行政庁が違反事業者等に対して金銭的不利益を課す行政上の措置[17]であり（機械保険連盟料率カルテル事件（最高裁判決平成17年9月13日）[18]）、独占禁止法が行為類型ごとに定める一定の算定基礎（たとえば、商品Aを対象にしたカルテルを2年間行った場合は、その2年間のA商品の売上額）に、同法が定める一定率（課徴金算定率）を乗じてその額を定めるものである。課徴金の算定率については、課徴金制度の導入当初においては、違反行為による不当利得を基準として定めるものと考えられていたが、平成17年の独占禁止法改正においては、違反行為の抑止のために必要であるとして、不当利得の範囲を超える可能性がある算定率が定められた。

　課徴金制度の趣旨については、立法当時の経緯等を根拠として、あくまで不当利得のはく奪であり、課徴金の額は実際の不当利得の額に近づけるべきであるとの見解が存在したが、最高裁は、「独禁法の定める課徴金の制度は、昭和52年法律第63号による独禁法改正において、カルテルの摘発に伴う不利益を増大させてその経済的誘因を小さくし、カルテルの予防効果を強化することを目的として、既存の刑事罰の定め（独禁法89条）やカルテルによる損害を回復するための損害賠償制度

---

[17]　参議院本会議（平成17年4月6日）における内閣官房長官答弁。
[18]　経済法百選〔第2版〕99事件198頁。

(独禁法25条）に加えて設けられたものであり、カルテル禁止の実効性確保のための行政上の措置として機動的に発動できるようにしたものである。また、課徴金の額の算定方式は、実行期間のカルテル対象商品又は役務の売上額に一定率を乗ずる方式を採っているが、これは、課徴金制度が行政上の措置であるため、算定基準も明確なものであることが望ましく、また、制度の積極的かつ効率的な運営により抑止効果を確保するためには算定が容易であることが必要であるからであって、個々の事案ごとに経済的利益を算定することは適切ではないとして、そのような算定方式が採用され、維持されているものと解される。そうすると、課徴金の額はカルテルによって実際に得られた不当な利得の額と一致しなければならないものではないというべきである」との判断を示した（機械保険連盟料率カルテル事件（最高裁判決平成17年9月13日））。

刑事罰に加えて課徴金の納付を命じることが憲法が定める二重処罰の禁止に当たるのかどうかについては、憲法が定める二重処罰の禁止は、1つの犯罪に関して2度刑事罰を科さないことを内容とするものであり、課徴金制度は、刑事罰とはその趣旨および目的が異なるので、これを併科することについて憲法上の問題は存在しない（社会保険庁シール談合事件（最高裁判決平成10年10月13日））。しかしながら、1つの違反行為に対して必要以上の過剰な不利益が国から課されてはならない（憲法上の要請としての比例原則）との観点を踏まえ、このような問題が生じないよう、また、課徴金と罰金には違反行為の防止という意味で機能面で共通する部分があることに着目して、刑事罰と課徴金の調整規定が設けられており、刑事罰の罰金額の半額が課徴金額から控除される（7条の7、63条）。

　(イ)　課徴金制度の内容

　　a　概要

公正取引委員会は、独占禁止法が定める特定の違反行為を行った事業者（事業者団体が行った行為については、その構成事業者）に対して課徴金の納付を命じなければならない（7条の2等）。

課徴金制度は、以下の違反行為類型を対象としている。課徴金額は、

[図表 6-2] 課徴金算定率・算定条件

	不当な取引制限[19]	支配型私的独占	事業者団体の競争制限[20]	排除型私的独占	不公正取引（右を除く）	優越的地位の濫用
	7条の2〜7条の8	7条の9①・③	8条の3	7条の9②・④	20条の2〜5、20条の7	20条の6、20条の7
算定率（原則）	10%	10%	10%	6%	3%	1%
算定率（中小）[21]（7条の2②）	4%	10%	4%	6%	3%	1%
対価性	○	○	○	—	—	—
算定対象期間	実行期間	実行期間	実行期間	違反行為期間	違反行為期間	違反行為期間
推計（7条の2③）	○	○	○	○	○	○
端数処理（7条の8②）	○	○	○	○	○	○
2回目から適用	—	—	—	—	—	—
減免制度（7条の4〜6）	○	—	—	—	—	—
累犯加重（7条の3①）	○	○	—	○	—	—
主導的役割（7条の3②）	○	—	—	—	—	—
除斥期間（7条の8⑥）	7年	7年	7年	7年	7年	7年
承継（7条の8③・④）	○	○	—	○	○	○
罰金調整（7条の7）	○	○	—	○	—	—

違反行為類型ごとに定められている算定基礎に、一定の算定率を乗じて算出される[22]。課徴金の算定率や算定の条件は、行為類型等によって異なっており、図表6-2のとおりである。

なお、前記の違反行為類型のうち不当な取引制限と支配型私的独占と事業者団体の競争制限については、「商品若しくは役務の対価に係るも

---

19) 不当な取引制限に該当する事項を内容とする国際的協定または国際的契約（6条）を含む。

の」または「商品若しくは役務の供給量若しくは購入量[23]、市場占有率若しくは取引の相手方を実質的に制限することによりその対価に影響することとなるもの」をしたときに課徴金の対象となる（7条の2、7条の9、8条の3）。

「商品若しくは役務の対価に係るもの」（7条の2、7条の9）とは、不当な取引制限や支配型私的独占の対象となった商品または役務の対価を決定する価格引上げカルテルや、最低価格制限カルテルなどのほか、実質的に対価を定めているとみられるものや、対価に対して直接的な効果を及ぼすことが明らかなものもこれに該当する。たとえば、値引率や価格の算定式を共同して定める行為のほか、入札談合は、一般的に、受注予定者が入札する価格で受注できるようにする行為であり、受注予定者が受注する価格を定めている行為であるといえることから、「対価に係るもの」に該当する。受注予定者以外の者は入札を辞退するなど必ずしも入札参加者間で入札価格の調整を行っていない入札談合もみられるが、受注予定者以外の者が行う協力は、結局、受注予定者が一定の価格で受注できるようにするためのものであることから、この場合でも、「対価に係るもの」に該当する。

郵便区分機課徴金事件（東京高裁判決平成24年2月17日）は、入札談合について、受注予定者を決定するとともに、受注予定者以外の者は、受注予定者が入札する価格以下の価格で入札しないという合意を当然に包含するものであるとし、「入札制度は、入札参加者が価格競争を行い、最も低い価格で入札した者を受注者とすることによって、自由な競争の中での合理的な価格決定を目的とする制度であるところ、そうした価格

---

20) 事業者団体が行う一定の取引分野における競争を実質的に制限する行為（8条1号）と事業者団体が行う不当な取引制限に該当する事項を内容とする国際的協定または国際的契約（8条2号）。
21) 課徴金納付命令の名宛人となる事業者のグループ会社に大企業が含まれる場合は原則の算定率が適用される（7条の2第2項）。
22) 1万円以下の端数は切り捨てる。また、一部算定率を乗じないで算定基礎をそのまま課徴金額とするものがある。
23) 支配型私的独占については供給量のみが対象。

決定の制度において、入札談合を行い受注予定者を決定し、その者の入札価格で受注価格を決定することを可能にする行為は、単に受注予定者に「仕事」を確保させるにとどまらず、入札における価格競争を回避して受注価格の低落防止を直接の目的とするものであって、そのような対価の維持を直接の目的とする合意は、「対価に係る」合意に該当すると解すべきである」との判断を示し、入札談合が一般的に「対価に係るもの」に該当することを認めている。

「商品若しくは役務の供給量若しくは購入量、市場占有率若しくは取引の相手方を実質的に制限することによりその対価に影響することとなるもの」（7条の2、7条の9）とは、いわゆる数量制限カルテル、シェアカルテル、取引先制限カルテルといった、対価そのものや対価に直接的に関係するものを定めているわけではないものの、対価に影響し、競争に与える影響が極めて大きい行為であり、これらも課徴金の対象となる。対価への影響は、「影響することとなる」ことで足りる。このため、対価に影響があることについて何らかの蓋然性があれば足り、対価への影響が実際にあることについての具体的な立証までは必要としない。

　b　中小企業の軽減算定率（7条の2第2項）

中小企業には、図表6-2のとおり軽減算定率が適用される。中小企業とは、以下の事業者をいう（政令で定める一部の業種については、特例がある）。

なお、軽減算定率の適用対象は実質的な中小企業に限定されており、名宛人事業者自身が以下の基準を満たす場合であっても、名宛人事業者のグループ企業に大企業が含まれる場合には軽減算定率は適用されない。

中小企業の判断基準は、以下のとおり業種によって異なっているが、中小企業の軽減算定率は、中小企業は大企業に比べて一般に利益率が低いことを理由として設けられているものであるため、中小企業に該当するか否かは、違反行為に係る事業ではなく、名宛人事業者の主たる事業がどの業種であるかを判断し、その業種の基準が適用される。

　①　製造業・建設業・運輸業その他の業種を主たる事業として営む者
　　・　資本金の額または出資の総額が3億円以下の会社

- 常時使用する従業員の数が300人以下の会社と個人
② 卸売業を主たる事業として営む者
- 資本金の額または出資の総額が1億円以下の会社
- 常時使用する従業員の数が100人以下の会社と個人
③ サービス業を主たる事業として営む者
- 資本金の額または出資の総額が5千万円以下の会社
- 常時使用する従業員の数が100人以下の会社と個人
④ 小売業を主たる事業として営む者
- 資本金の額または出資の総額が5千万円以下の会社
- 常時使用する従業員の数が50人以下の会社と個人

c　裾切り（7条の2第1項、7条の9第1項、第2項、20条の2～6）

課徴金は、その額を計算した結果が100万円未満であるときは、その納付を命じることができない。ただし、課徴金減免制度（本章1(2)エ(エ)参照）の適用の結果100万円未満となる場合には、この100万円未満の額の納付を命じる。

d　累犯加重（7条の3第1項）

不当な取引制限（不当な取引制限に該当する国際的協定または国際的契約を含む）、または私的独占について課徴金の納付を命じる場合に、その違反行為に係る調査開始日（その事件について、①立入検査、②出頭命令、審尋もしくは報告命令、③提出命令、④臨検・捜索・差押え等、または⑤犯則調査における電磁的記録に係る記録媒体の差押えが最初に行われた日（これらの処分が行われなかったときは意見聴取手続の通知の日））から遡って10年以内に、不当な取引制限または私的独占に係る課徴金納付命令（確定しているものに限る。課徴金納付命令が行われず、代わりに課徴金免除の通知を受けた場合[24]を含む）を受けたことがある場合であって、1回目

---

[24]　本来は課徴金を賦課される事業者であるが課徴金の納付を命じないケースとして、課徴金減免制度（本章1(2)エ(エ)参照）に基づき課徴金が免除されるケース、罰金額との調整（本章1(2)エ(イ)g参照）を行った結果課徴金納付命令を行わないケースがあるが、このようなケースに該当する場合、公正取引委員会は、命令に代わり通知を行っている（7条の4第7項、7条の7第3項）。

1　行政手続　217

の課徴金納付命令の日以降において2回目の課徴金納付命令の対象となる違反行為をしていたとき（その違反行為が1回目の課徴金納付命令の対象となる違反行為より後に開始されたものである必要はない）には、課徴金の算定率は1.5倍となる（たとえば、原則の算定率が10％であれば15％となる）。

　この累犯加重の制度は、独占禁止法違反行為を繰り返し行う事業者がしばしばみられたため、課徴金の抑止力を強化する観点から導入されたものである。調査開始から遡って10年以内に受けたことのある課徴金納付命令の対象となるのは、不当な取引制限または私的独占に当たるのであれば、累犯加重の対象となる事件と同じ行為類型である必要はないし（たとえば、8年前に不当な取引制限で課徴金納付命令を受け、今回、私的独占で課徴金納付命令を受けても、累犯加重の対象となる）、同じ商品・役務に係る行為である必要もない。

　また、累犯の規定は、2回目の課徴金納付命令の名宛人自らが1回目の課徴金納付命令等を受けた者である場合に加え、自らの完全子会社や自らが合併・事業譲受け・会社分割により違反行為をしていた事業を承継した相手方の事業者が1回目の課徴金納付命令等を受けている場合にも適用対象となる（7条の3第1項2号、3号）。

　なお、完全子会社との関係でこの規定が適用されるのは、1回目の課徴金納付命令等の時点で完全子会社であった場合に限定されているが、2回目の課徴金納付命令等の時点では完全子会社である必要はない。

　　e　主導的役割（7条の3第2項）

　不当な取引制限について課徴金の納付を命じる場合に、以下のいずれかに該当する事業者については、課徴金は1.5倍に割増される（たとえば、10％であれば15％となる）。

> 1　単独で又は共同して、当該違反行為をすることを企て、かつ、他の事業者に対し当該違反行為をすること又はやめないことを要求し、依頼し、又は唆すことにより、当該違反行為をさせ、又はやめさせなかつた者（1号）

　典型的には、同業者の中でカルテルを発案し、各社に呼びかけてカル

テルの実施に至らせたようなケースが想定される（関西電力発注架空送電工事事件（課徴金納付命令平成26年1月31日））[25]。「単独で又は共同して」なので、1社である必要はなく、1つの違反行為について複数の事業者が該当し得る（以下の場合も同じ）が、特定の事業者が主導した場合にその事業者について算定率を割増すこととした趣旨にかんがみれば、すべてのカルテル参加者がこれに該当するようなケースは想定されない。違反行為たる基本合意をさせることが要件であるので、違反行為の継続期間中違反行為をさせる行為を続けていることは要件ではない（東京電力架空送電工事事件（課徴金納付命令平成25年12月20日））。

> 2　単独で又は共同して、他の事業者の求めに応じて、継続的に他の事業者に対し当該違反行為に係る商品若しくは役務に係る対価、供給量、購入量、市場占有率又は取引の相手方について指定した者（2号）

典型的には、受注調整の過程で自ら受注予定者を指名するような役割を果たす事業者がこれに当たる。他の事業者の求めに応じて行われるものであり、他の事業者から委ねられて受注予定者の割り当てを継続的に行っているようなケースであるが、明示的な求めである必要はない（東北地区ポリ塩化アルミニウム談合事件（課徴金納付命令平成28年2月5日）、東日本地区活性炭談合事件（課徴金納付命令令和元年11月22日））。また、継続的に指定することが必要であるので、たまたま1回だけ何らかの指定をしたという場合は、通常は該当しないが、複数の事業者が当番で指定を行っているようなケースはこれに当たり得る（高知土木工事談合事件（課徴金納付命令平成24年10月17日））。

指定をする行為は実行期間中のすべてにわたって行われる必要はなく、その期間の違反行為の一部において行われていれば実行期間の全期間について割増算定率を適用することとなる（活性炭受注調整事件（東京地裁判決令和4年9月15日））。

> 3　前2号に掲げる者のほか、単独で又は共同して、以下のいずれかに該当する行為であつて、当該違反行為を容易にすべき重要なものをし

---

[25] 経済法百選〔第2版〕107事件214頁。

た者（3号）
イ　他の事業者に対し当該違反行為をすること又はやめないことを要求し、依頼し又は唆すこと。
ロ　他の事業者に対し当該違反行為に係る商品又は役務に係る対価、供給量、購入量、市場占有率、取引の相手方その他当該違反行為の実行としての事業活動について指示すること（専ら自己の取引について指定することを除く。）。
ハ　他の事業者に対し公正取引委員会の調査の際に当該違反行為又は当該違反行為に係る課徴金の計算の基礎となるべき事実に係る資料を隠蔽し、若しくは仮装すること又は当該事実に係る虚偽の事実の報告若しくは資料の提出をすることを要求し、依頼し、又は唆すこと。
ニ　他の事業者に対し次条第1項第1号、第2項第1号から第4号まで若しくは第3項第1号若しくは第2号に規定する事実の報告及び資料の提出又は第7条の5第1項の規定による協議の申出を行わないことを要求し、依頼し、又は唆すこと。

　前記の1と2に該当しなくても、他の事業者への違反行為の働きかけや指示を行い、それが違反行為を容易にすべき重要なものである場合にはこれに当たり得る。前記の1とは異なり、「企て」「違反行為をさせ、又はやめさせなかつた」の要件がないため、ある事業者が違反行為の発案者ではなく、また、違反行為をさせたとまでは評価できないものの、他の事業者を違反行為に参加させる上で重要な役割を果たし、それによりカルテルが容易になったようなケースは、これに該当し得る。また、前記の2と異なり、「他の事業者の求めに応じて」「継続的に」の要件がないため、自ら一時的に他の事業者の価格を指定した場合でも、それによりカルテル・談合が容易になったのであればこれに該当し得る。受注予定者以外の事業者が提示する価格低減率を指示するなどしたことがこれに該当するとされた例がある（東京電力架空送電工事事件（課徴金納付命令平成25年12月20日））。

　なお、専ら自己の取引について指定することを除く、とされているので、入札談合において自社が受注予定者となった場合に他社の入札価格を指示するという行為は、これには該当しない。

　ハとニについては、いずれも不当な取引制限に係る違反行為の実施に

際して、違反行為の発覚・解明を困難にすることを要求等することにより違反行為を容易にする行為について規定したものである。ハは事実の隠蔽や仮装、ニは課徴金減免申請や調査協力減算制度における協議の申出を行わないことを要求等することを挙げている。「公正取引委員会の調査」は47条に基づく調査に限定されていないので、犯則調査における臨検・捜索、任意の聴取等もこれに含まれる。隠蔽と仮装の典型例としては、カルテルの話合いをした会議のメモの廃棄、カルテルとは無関係の会合であったかのような記録の作成、会合におけるやりとりについての供述の拒否・虚偽の供述等が当たると考えられる。

　　f　除斥期間（7条の8第6項）

　違反行為の実行期間（後記(ウ)b(a)参照）または違反行為期間が終了した日から7年を経過したときは、公正取引委員会は、その違反行為について課徴金の納付を命じることができない。実行期間等の終期から7年を経過していない行為について課徴金納付命令が行われる場合にはその実行期間の長さによっては課徴金納付命令の日から7年を超えて遡った売上額が課徴金の算定基礎となる場合もある。

　　g　罰金との調整（7条の7）

　不当な取引制限と私的独占には刑事罰が設けられているため、同一の事件で、同じ事業者に対して課徴金の納付が命じられるとともに、罰金が併せて科される場合があり得る。この場合には、本来の課徴金額から罰金額の1/2を減らした（控除した）額の課徴金の納付を命じることとされている。課徴金納付命令を行う前に罰金刑が確定していた場合は、課徴金納付命令を行う段階で罰金額の1/2を控除するが、課徴金納付命令後に罰金刑が確定した場合には、課徴金額の変更（更正）を行うこととなる。控除前の課徴金額が罰金額の1/2を超えない場合は、課徴金の納付を命じない。

　　h　合併・事業譲渡等による承継（7条の8第3項、第4項）

　合併により消滅した法人が行った違反行為とこの法人が受けた課徴金納付命令は、合併後存続する法人、または合併により新設された法人が行った違反行為、そして、その法人が受けた課徴金納付命令とみなされ

る。すなわち、合併により消滅した会社が行った違反行為については、存続または新設の法人が課徴金納付命令の対象となる。また、合併ではなく、事業譲渡・会社分割により子会社に違反行為に係る事業を承継させて消滅した法人が行った違反行為や、この法人が受けた課徴金納付命令についても、これらにより事業を承継した法人が行った違反行為、そしてその法人が受けた課徴金納付命令とみなされる。これらの合併・事業譲渡等が複数回繰り返された場合についても同様である。

(ウ) 課徴金の算定基礎の計算方法
　a　概要
　(a)　引き渡し基準と契約基準

　課徴金額は、違反行為者に生じる一定の売上額または購入額を算定基礎とし、この売上額または購入額に算定率を乗じて算定される。この売上額または購入額の計算方法は、原則として算定対象期間（違反行為類型によって異なる）において引き渡された商品または提供された役務の対価の額を合計する方法（引き渡し基準）によって算定される（私的独占の禁止及び公正取引の確保に関する法律施行令（昭和52年政令第317号）（独禁法施行令）4条1項）。ただし、違反行為に係る商品・役務の対価がその販売または提供に関する契約を結ぶ際に定められる場合であって、引き渡し基準で算定した場合と、当該算定対象期間において締結した契約額を合計する方法（契約基準）により算定した額の間に著しい差異を生ずる事情があると認められるときは、契約基準で売上額または購入額を計算する（独禁法施行令4条2項）。

　企業の通常の会計処理では、引き渡し基準で売上額が管理されている。一方、違反行為の影響を受けた売上額を正確に把握しようと思えば、契約基準で計算することが適当であるようにも思われる。しかしながら、①企業会計原則上、売上額の計上は一般的に引渡し時点を基準に計上されており、契約時点で売上額を計上しているわけではないこと、②引き渡し基準で売上額を算定する場合、算定対象期間前の違反行為の影響を受けなかった契約に基づく引渡しが算定対象期間に行われると、この売上額が対象に含まれる一方、違反行為の影響を受けた契約に基づく引渡

しが算定対象期間後に行われると、その売上額は対象から除かれることになるが、前者と後者の額は概ね異ならないことになるとみられることから、原則として引き渡し基準により売上額を算定し、ただし、契約基準に基づいて算定した場合とその売上額が大きく異なることとなる事情がある場合に限り、契約基準を用いることとされている。

「違反行為に係る商品又は役務の対価がその販売又は提供に係る契約の締結の際に定められる場合において、実行期間において引き渡した商品又は提供した役務の対価の額の合計額と実行期間において締結した契約により定められた商品の販売又は役務の提供の対価の額の合計額との間に著しい差異を生ずる事情があると認められるとき」(独禁法施行令4条2項)に当たるかどうかについては、実際に両方の方法で額を計算し、その額が異なるか否かによってではなく、そのような差異が生ずる事情があるか否かが類型的に判断される。その判断には、公正取引委員会に一定の裁量が認められている。ジェット燃料談合事件(東京高裁判決平成18年2月24日)は、この点について、「法施行令6条が設けられた趣旨や、この契約基準によるべき場合は、「著しい差異があるとき」ではなく、「著しい差異を生ずる事情があると認められるとき」であるとしている同条の規定の文言、規定の仕方に照らせば、同条にいう「著しい差異が生ずる事情がある」かどうかの判断は、法施行令5条の定める引渡基準によった場合の対価の合計額と契約により定められた対価の額の合計額との間に著しい差異が生ずる蓋然性が類型的又は定性的に認められるかどうかを判断して決すれば足りるものと解せられる。しかも、原則としての引渡基準、例外としての契約基準といっても、いずれも政令に委ねられた売上額の算定に関する専門技術的な性質を有する基準であって、しかも、法施行令6条が規定する「著しい差異を生ずる事情があると認められるとき」という文言やその点についての上記解釈の内容自体が一義的に明確な内容のものということはできないから、法施行令6条の適用の可否の判断については、行政委員会である被告に一定の範囲で裁量判断の余地があることは否定し得ないものと解される。したがって、審決取消訴訟における司法審査においては、上記被告の専門

技術的判断がその裁量権の範囲を超え又は濫用にわたるものと認められない限り、これを違法とすることはできないというべきである」としている（引用部の条文番号は判決当時のもの）。具体的には、この判決によれば、契約から引渡しまでの期間が概ね2～3か月であること、特定の時期に大量に発注される商品であること等の事情を踏まえ、契約基準により売上額を算定した公正取引委員会の判断は、裁量権の濫用に当たるものではない。一般的には、契約から引渡しまでの期間が長く、必ずしも多くない契約が時間的に偏在する取引が多い公共工事の入札談合事案では、契約基準が採用されることが多い傾向にある。

(b) 値引き・返品・割戻し

現実の取引では、様々な返品や値引き、控除が行われるため、一定の範囲でこれらを売上額または購入額に反映させることとされている。具体的には、引き渡し基準により計算される場合には、算定対象期間における品質不良等による値引き額[26]（独禁法施行令4条1項1号等）、返品額（同条1項2号等）が控除されるほか、算定対象期間の取引額に応じて支払われる割戻金について書面での明らかな契約があった場合には、その契約に基づいて算定した割戻額（同条1項3号等）を控除する（同条1項等）。この割戻額については、契約基準により計算される場合にも控除する（独禁法施行令4条2項等）（契約基準により計算される場合には、品質不良等による値引きと返品は契約の修正という形で行われるため、控除の対象とされていない）。

(c) 算定基礎の推計

課徴金納付命令の対象となる各事業者の算定基礎の算出に当たっては、通常公正取引委員会は、それらの事業者に対して算定対象期間における売上額等の報告を命じる報告命令（47条1項1号）を行うことにより把握することになる。しかしながら、売上額等を算定するための帳簿書類

---

[26] 算定対象期間において商品の量目不足、品質不良または破損、役務の不足または不良その他の事由により対価の額の全部または一部が控除された場合における控除額のことである。

の一部が欠落していたり、事業者がこうした売上額等の報告の求めに応じない場合には、その事業者等から入手した資料により算定基礎を推計することが認められている（7条の2第3項）。具体的には、売上額等が把握できている期間の日割平均額に算定対象期間の日数を乗じる形で推計される（審査規則23条の6）。

(d) JVの場合

違反行為者がジョイントベンチャー（JV）を形成して契約を行っている場合、個々の違反行為者（JV構成員）の売上額は、JVの請負代金額全体をJV比率で按分した額または共同企業体内部で取り決められた各構成員の請負代金取得額を基に計算されている。

(e) 消費税相当額の扱い

課徴金の算定基礎となる売上額に消費税相当額が含まれるか否かが議論されることがあるが、消費税相当額は、法的性質上、商品の「販売価格」の一部であり、独禁法施行令にいう「商品の対価」に含まれていると解されること等を根拠として、課徴金の算定基礎に消費税相当額を含めることを認めた判決があり（社会保険庁シール談合事件（最高裁判決平成10年10月13日））、実務上も、課徴金の算定基礎に消費税相当額を含めて課徴金額が計算されている。

(f) 海外で引き渡されたものの売上額

日本に所在する事業者をも相手方とする取引に係る市場が有する競争機能を損なう場合（価格カルテル）において、その合意の対象商品の引渡しが国外で行われていても、その売上額が課徴金額の算定基礎となる売上額に含まれないと解すべき理由はなく、その合意の対象商品で日本国外へ引き渡されたものの売上額は、7条の2第1項にいう当該商品の売上額に当たる（ブラウン管カルテル事件（サムスンSDI（マレーシア）（最高裁判決平成29年12月12日））。

b 不当な取引制限に係る課徴金

不当な取引制限または不当な取引制限に該当する国際的協定・契約に係る課徴金の額は、その違反行為の実行期間（後記(a)参照）における、以下の①と②の合計額に算定率（前記図表6-2参照）を乗じた額と以下

の③の額の合計額である（7条の2第1項）。①と②については算定基礎となる額に一定の算定率を乗じて課徴金額が算定されるが、③については一定の算定率を乗じることなくその全額が課徴金額となる。

① 一定の取引分野における、違反行為者と特定非違反供給・購入子会社等（違反行為者の完全子会社等[27]で違反行為を行っていないが違反行為者から指示や情報を受けて違反行為対象商品・役務を供給・購入したもの）の、違反行為の実行期間（後記(a)参照）における違反行為対象商品・役務の売上額・購入額（企業グループ外の第三者に供給される過程で生じる企業グループ内取引の売上額・購入額を除く）

② 違反行為対象商品・役務と密接に関連する業務（違反行為対象商品・役務を供給しないことを条件として行う製造・販売・加工等[28]）により違反行為者と違反行為をしていない完全子会社等に生じた対価相当額

③ 違反行為対象商品・役務を他の者に供給しない、あるいは他の者から供給を受けないことに関し、手数料・報酬等の名目を問わず違反行為者と違反行為をしていない完全子会社等が受けた財産上の利益相当額

課徴金の算定基礎となるのは、一定の取引分野における違反行為者の違反行為対象商品・役務の売上額・購入額のほか、たとえば、①では特定非違反供給・購入子会社等の売上額・購入額、②では受注予定者の受注に協力する代わりに受注予定者の下請けに入った場合の売上額、③では違反行為対象商品・役務を受注しない代わりに受け取った金銭等の額である。

このため、たとえばメーカーが需要者渡し価格を決定したカルテルで、カルテル参加者（違反行為者）のうち、ある者は直接需要者に販売し、ある者は販売業者を通じて需要者に販売している場合、直接需要者に販売している者にあっては需要者に対する売上額が算定基礎となるが、販

---

[27] 子会社、親会社および親会社が同一である会社（兄弟会社）を「子会社等」と呼ぶ。

[28] 密接・関連業務の内容については独禁法施行令6条1項参照。

[図表6-3] 不当な取引制限の課徴金の算定基礎

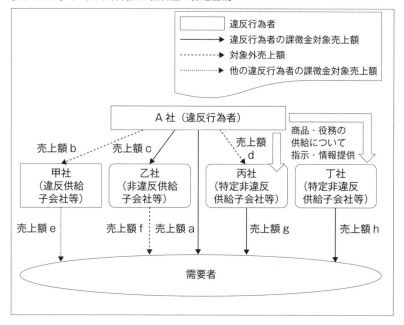

売業者を通じて販売している者にあってはその販売業者が特定非違反供給子会社等であればその販売業者の売上額が、そうでない場合はその販売業者に対する売上額が算定基礎となる。

　図表6-3でいうと、違反行為者自身の「当該商品又は役務」の需要者への売上額a＋違反行為者自身の非違反供給子会社等に対する売上額c＋特定非違反供給子会社の「当該商品又は役務」の売上額g＋売上額hが前記①に該当し、これに密接関連する売上額（②）を合計した額に算定率を乗じた額に、見返りとしての利益額（③）が合算された額が違反行為者に対する課徴金額になる。売上額bと売上額dはいずれも違反行為者の売上額であるが、売上額bは甲社の需要者に対する売上額eが甲社に対する課徴金の算定基礎となり、売上額dは丙社の需要者に対する売上額gがA社に対する課徴金の算定基礎となることとの関係でA社に対する課徴金の算定基礎からは除外される。

違反行為者が他の違反行為者を通じて商品を販売しているようなケースでは、形式上は同一の商品の売上額について、ある違反行為者が他の違反行為者に販売した売上額として把握することも、それを購入して需要者に販売した他の違反行為者の売上額として把握することも可能であるが、いずれも違反行為者である以上、後記(b)の「当該商品又は役務」に該当する場合には両者の売上額としてそれぞれ把握することも可能である（活性炭受注調整事件（東京地裁判決令和4年9月15日））。ただし、いずれかの違反行為者のみが事実上の営業活動を行っていた場合にその違反行為者の売上額としてのみ把握されている例がある（鋼管杭課徴金事件（東京高裁判決平成24年2月24日））。

(a) 実行期間

不当な取引制限では、たとえば、数か月後の値上げを合意したカルテルの場合、違反行為の成立の時点（合意したとき）と、それが実行されてカルテルの影響を受ける売上が生じる時点（数か月後）が異なるため、違反行為が行われた期間とは別に「実行期間」（違反行為の実行としての事業活動が行われた期間）という概念を設けた上で、この実行期間を課徴金の算定対象期間としている。ただ、違反行為の実行としての事業活動という概念は、売上額が具体的な実行としての事業活動によったものであったことを立証する必要のある要件とはされておらず、実行期間の始期と終期を定めるためのものである（オーエヌポートリー課徴金事件（東京高裁判決平成15年4月25日））。たとえば、値上げカルテルであれば値上げの適用予定日、入札談合であれば合意後に最初に入札に参加した日が実行期間の始期として認定されることが多い。

また、実行期間の終期については、違反行為の終了した日の前日となることが多いが、入札談合において違反行為期間中に入札が行われ、その入札に基づく最初の契約が違反行為期間の終了後に行われた場合には、実行としての事業活動の終期は、その契約の締結日となる（山梨県（塩山地区）土木工事談合事件（東京高裁判決平成30年8月31日）[29]等）。なお、

---

[29] 平成30年度重要判例解説・経済法3事件238頁。

実行期間は長期にわたる事案も存在するが、違反行為の実行としての事業活動を行った日が課徴金納付命令の対象となる事業者に対して最初に立入検査等が行われた日から10年遡った日より前である場合はその日が実行期間の始期となる（2条の2第13項）。このため、立入検査等により実行期間が終了した事案の場合、実行期間は最長で10年ということになるが、立入検査等の後も違反行為の実行としての事業活動を継続していた場合、実行期間は10年を超えることもあり得る。

(b) 「当該商品又は役務」

「当該商品又は役務」に該当するか否かについては、独占禁止法の規定の文言上は、合意の対象である商品・役務をすべて含むものと解することも可能であるが、審決・判決によれば、違反行為である相互拘束の対象である商品・役務、すなわち、違反行為の対象商品・役務の範ちゅうに属する商品・役務であって相互拘束を受けたものをいい、具体的には、合意の対象である商品・役務であって、合意の対象から明示的または黙示的に除かれると考えられる特段の事情がある場合を除くものが「当該商品又は役務」に該当する（東京無線タクシー協同組合事件（審判審決平成11年11月10日）[30]、ポリプロピレンカルテル課徴金事件（東京高裁判決平成22年11月26日）等）。また、カルテル事件で、違反行為の時点で発売されていなかった新商品（船舶用塗料カルテル課徴金事件（審判審決（課徴金の納付を命ずる審決）平成8年4月24日）、子会社に対して販売した商品（ポリプロピレンカルテル課徴金事件（東京高裁判決平成22年11月26日））について、前記の「特段の事情」が存在するか否かが争点となったが、いずれも「特段の事情」があるとはいえないとされた。

入札談合では、基本合意の成立が認められ、この基本合意によって対象となる商品または役務が特定されたとしても、各商品または役務について個別の入札が実施されるため、基本合意の成立によって発生した競争制限効果が当然に各商品・役務に及ぶこととは必ずしもならないため、

---

30) 経済法百選〔第2版〕101事件202頁。

この場合の「当該商品又は役務」とは、基本合意の対象となった商品または役務全体のうち、基本合意に基づく受注調整等の結果、具体的な競争制限効果が発生するに至ったものをいうと解するべきであるとされている（ごみ焼却炉談合課徴金事件（東京高裁判決平成23年10月28日）、多摩談合事件（最高裁判決平成24年2月20日）[31]）。したがって、入札談合事案においては、個々の入札物件ごとに競争制限効果が及んでいるか否かが判断されることとなるが、この競争制限効果の認定に当たっては、個々の入札物件ごとの調整の具体的な経緯等が明らかにされていなくとも、問題の入札物件の商品・役務がその入札談合の基本合意の対象の範囲内でありこれについて受注調整が行われたことと違反行為者が受注したことが認められれば、特段の反証がない限り、個別の入札物件において競争制限効果が発生したものと推認される（前記のごみ焼却炉談合課徴金事件、公用車管理業務談合事件（東京高裁判決平成24年3月9日））。

個別物件について競争制限効果が及んでいたというためには、入札に参加したすべての事業者が合意の参加者である必要はないし、受注すべき者（受注予定者）が1社に絞り込まれる必要もなく、また、不当に利得を得ていることが要件となるわけでもない。入札に違反行為者でない者が参加していた場合や、受注すべき者が2社にまで絞り込まれた結果2社が低価格で入札に参加し、最低制限価格で受注したようなケース等、競争の余地が残っていたとみられるような事案についても「当該商品又は役務」に当たるとされている（港町管理課徴金事件（東京高裁判決平成21年10月2日）、山梨県（塩山地区）土木工事談合事件（東京高裁判決平成30年8月31日）、消防デジタル無線機器談合事件（東京高裁判決令和5年5月31日）等）。

(c) 事業者団体（8条の3）

事業者団体が不当な取引制限に相当する行為により競争を実質的に制限する場合、課徴金の対象となる（前記1(2)エ(イ)a）が、この場合、課徴金は、事業者団体ではなく、構成事業者（事業者の役員、従業員等が構

---

[31] 経済法百選〔第2版〕20事件42頁。

成員となっている場合は、その事業者）に課される。その算定基礎は、個々の構成事業者の「当該商品又は役務」の売上額である。構成事業者が中小企業に該当する場合には、中小企業に対する軽減算定率が適用される。累犯に関する課徴金算定率の割増（累犯加重）は適用されない。

　　c　支配型私的独占に係る課徴金（7条の9第1項、独禁法施行令12条）

　支配型私的独占の課徴金算定率は10％であるが、その課徴金の額は、以下の①〜③の合計額に算定率を乗じた額と以下の④の額を合計した額である。①〜③については算定基礎となる額に一定の算定率を乗じて課徴金額が算定されるが、④については一定の算定率を乗じることなくその全額が課徴金額となる。基本的な考え方としては、違反行為者と特定非違反供給子会社等の、被支配事業者への売上額と一定の取引分野における売上額を捕捉し、一定の取引分野における売上額には供給子会社等に対する売上額が含まれ得るところ、その供給子会社等が違反供給子会社等または特定非違反供給子会社等であった場合、その供給子会社等の仕入額と売上額の双方を算定基礎としてしまうことを避けるため、そこから一定の取引分野における違反供給子会社等と特定非違反供給子会社等である供給子会社等への供給額を除いたものを算定基礎としている。

①　違反行為者とその特定非違反供給子会社等が被支配事業者に供給した商品・役務（被支配事業者が一定の取引分野において「当該商品又は役務」を供給するために必要な商品・役務を含む）の売上額

②　一定の取引分野における、違反行為者とその特定非違反供給子会社等が供給した商品・役務の売上額（企業グループ外の第三者に供給される過程で生じる企業グループ内取引の売上額を除く）

③　違反行為対象商品・役務と密接に関連する業務（違反行為対象商品・役務の供給を受ける者（需要者）に対して行う、その供給を受けるために必要な情報の提供・事物の管理等[32]）により違反行為者と違反行為をしていない完全子会社等に生じた対価相当額

32）密接・関連業務の内容については独禁法施行令13条1項参照。

[図表6-4] 支配型私的独占の課徴金の算定基礎

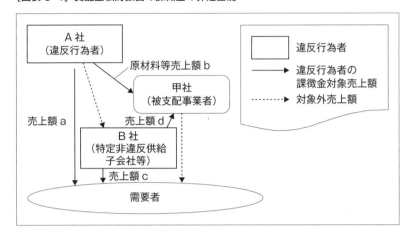

④ 違反行為対象商品・役務を他の者に供給しない、あるいは供給を受けないことに関し、手数料・報酬等の名目を問わず違反行為者と違反行為をしていない完全子会社等が受け取った財産上の利益相当額

図表6-4でいうと、違反行為者の「当該商品又は役務」の売上額a＋違反行為者の被支配事業者に対する売上額b＋特定非違反供給子会社等の「当該商品又は役務」の売上額c＋特定非違反供給子会社等の被支配事業者に対する売上額dが前記①と②に該当し、これに密接関連する売上額（③）を合計した額に算定率を乗じた額に、見返りとしての利益額（④）が合算された額が違反行為者に対する課徴金額になる。

一定の取引分野における違反行為を行った事業者と特定非違反供給子会社等の売上額を算定基礎とする点では不当な取引制限と同様であるが、支配型私的独占は、被支配事業者の事業活動を支配することにより競争を実質的に制限する行為であることから、違反行為者自身には一定の取引分野における売上額が存在しない場合があり得るため、被支配事業者に対する違反事業者の売上額を算定基礎に含めている。①商品または役務の対価に係るもの、②商品または役務について「供給量又は購入量」「市場占有率」「取引の相手方」のいずれかを実質的に制限することによ

り対価に影響することとなるもの、のいずれかに限定されている点は不当な取引制限と同じである。

　　d　排除型私的独占に係る課徴金（7条の9第2項、独禁法施行令14条）

　排除型私的独占の課徴金算定率は6％であるが、その課徴金の額は、基本的に以下の①および②の合計額に算定率を乗じた額である。基本的な考え方としては、違反行為者と特定非違反供給子会社等の、一定の取引分野における売上額と一定の取引分野において商品・役務を供給する他の事業者に対する売上額を捕捉し、これらの売上額には供給子会社等に対する売上額が含まれ得るところ、その供給子会社等が違反供給子会社等または特定非違反供給子会社等であった場合、その供給子会社等の仕入額と売上額の双方を算定基礎としてしまうことを避けるため、そこから一定の取引分野における違反供給子会社等と特定非違反供給子会社等である供給子会社等への供給額を除いたものを算定基礎としている。

①　違反行為者と特定非違反供給子会社等の一定の取引分野における商品・役務の売上額

②　一定の取引分野において「当該商品又は役務」を供給する他の事業者に対する違反行為者と特定非違反供給子会社等の商品・役務（一定の取引分野において「当該商品又は役務」を供給するために必要な商品・役務を含む）の売上額

＊　企業グループ外の第三者に供給される過程で生じる企業グループ内取引の売上額を除く。

　図表6-5でいうと、違反行為者の「当該商品又は役務」の売上額a＋違反行為者の「当該商品又は役務」を供給する事業者に対する売上額bと売上額c＋特定非違反供給子会社等の「当該商品又は役務」の売上額d＋特定非違反供給子会社等の「当該商品又は役務」を供給する事業者に対する売上額eと売上額fに算定率を乗じた額が違反行為者に対する課徴金額となる。

　排除型私的独占は、一定の取引分野から事業者を排除することにより競争を実質的に制限する行為であるが、被排除者は必ずしも自らの競争者とは限らず、違反行為者が「当該商品又は役務」やその供給のために

[図表 6-5] 排除型私的独占の課徴金の算定基礎

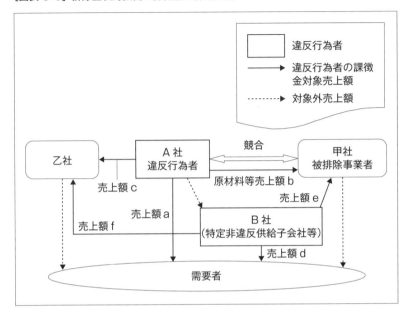

必要な商品または役務を供給する相手方の競争者を排除する行為である場合もあるので、一定の取引分野において「当該商品又は役務」を供給する事業者に対する売上額や、その事業者が「当該商品又は役務」を一定の取引分野において供給するために必要な商品または役務の売上額も算定基礎に含まれている。

排除型私的独占では、不当な取引制限（事業者団体による競争の実質制限を含む）や支配型私的独占と異なり、「対価に係るもの」といった課徴金の対象となる行為の限定はなく、排除型私的独占であればすべて課徴金の対象となる。

課徴金を算定する対象期間については、不当な取引制限や支配型私的独占と異なり、違反行為の期間とその違反行為の影響を受けた売上額が発生する期間に齟齬がないとみられることから、「実行期間」という概念が設けられておらず、「違反行為をした日（課徴金納付命令の対象となる事業者に対して最初に立入検査等が行われた日から10年遡った日より前の

場合はその日）から当該行為がなくなる日までの期間」（違反行為期間）が算定対象期間である。排除型私的独占に関して課徴金納付命令が行われた事案として、マイナミ空港サービス事件（東京高裁判決令和5年1月25日）がある。

私的独占では、支配行為と排除行為の双方が行われるケースがあり得るが、排除型私的独占に係る課徴金制度が適用されるのは、私的独占のうち「他の事業者の事業活動を排除することによるものに限り、前項の規定に該当するものを除く」（7条の9第2項）であるから、支配行為と排除行為の双方が行われた場合には、対価要件（7条の9第1項柱書）を満たす限り、支配型私的独占に係る課徴金制度が適用される（第4章5(2)参照）。

　e　不公正な取引方法に係る課徴金

不公正な取引方法のうち、2条9項1号〜5号に定められたもののみが課徴金の対象である（不公正な取引方法について詳しくは、第5章参照）。

(a)　共同ボイコットに係る課徴金（20条の2）

共同ボイコットに係る課徴金の算定率は、本章1(2)エ(イ)aのとおりであるが、最初の違反行為から課徴金の対象となるわけではなく、問題となる違反行為に係る事件において立入検査または事前通知を受けた日から遡って10年以内に、共同ボイコットについて自社、自社の完全子会社や自社が合併・事業譲受け・会社分割により違反行為に係る事業を承継した相手方の事業者が排除措置命令、課徴金納付命令または審決（行政処分）を受けたことがある場合（すなわち、グループ単位でみて10年以内に2度目の違反行為をした場合）に課徴金の対象となる。

共同ボイコットには、直接の共同ボイコット（違反行為者が共同して特定の事業者に対し特定の商品または役務の供給を拒絶したり、制限する行為）と間接の共同ボイコット（違反行為者が、他の事業者（拒絶事業者）をして、ある事業者に対する特定の商品または役務の供給を拒絶させたり、供給を制限させる行為）があるため、それぞれに算定基礎が異なる。

直接の共同ボイコット（2条9項1号イ）については、ボイコットの対象となった事業者（取引を拒絶されたり、供給に係る商品または役務の

[図表 6-6] 直接の共同ボイコットの課徴金の算定基礎

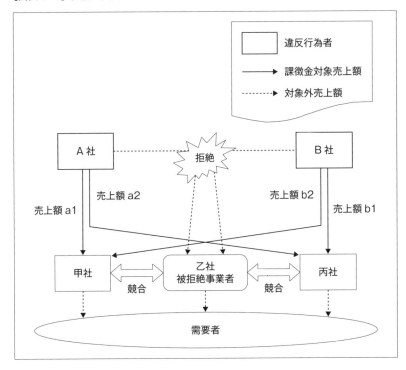

数量を制限されたりした事業者）（被拒絶事業者）の競争者に供給した、被拒絶事業者への供給を拒絶・制限した商品または役務と同一の商品または役務の売上額である。図表6-6でいうと、共同して取引を拒絶したA社とB社の、被拒絶事業者の競争者に対する売上額、すなわち、A社では売上高a1とa2の合計額、B社では売上額b1とb2の合計額が課徴金の算定基礎となる。

間接の共同ボイコット（2条9項1号ロ）では、①違反行為者が拒絶事業者に対して供給した、被拒絶事業者への供給を拒絶させたり、制限させたりした商品または役務と同一の商品または役務の違反事業者の売上額（この拒絶事業者がこの同一の商品または役務を供給するために必要な商品または役務を含む）、②違反行為者が、被拒絶事業者の競争者に対して供給した、その同一の商品または役務の売上額、③拒絶事業者が違反

［図表 6-7］間接の共同ボイコットの課徴金の算定基礎

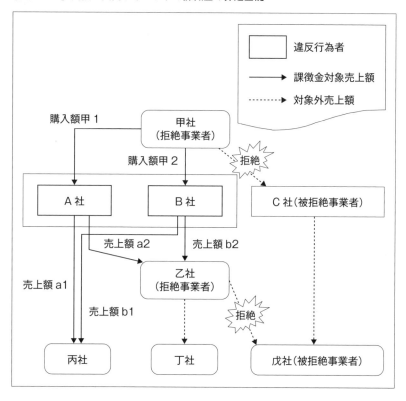

行為者に対して供給した、その同一の商品または役務の売上額、である。間接共同ボイコットには、様々な形態が考えられ、①②は違反行為者が商品または役務を供給する相手方が拒絶事業者になる場合を想定しており、③は違反行為者が商品または役務を購入する相手方が拒絶事業者になる場合を想定している。図表 6-7 ではA社とB社が共同して甲社に圧力をかけてC社との取引を拒絶させ、さらにAとBが共同して乙社に圧力をかけて戊社との取引を拒絶させているものである（当然いずれか一方のみの場合も考えられる）が、この場合、A社、B社の乙社への売上額が①、A社、B社の丙社への売上額が②、A社、B社の甲社からの購入額が③に該当する。したがって、A社では、売上額 a1 ＋ a2 と購

1 行政手続 237

[図表 6-8] 差別対価（競争者を排除するタイプ）の課徴金の算定基礎

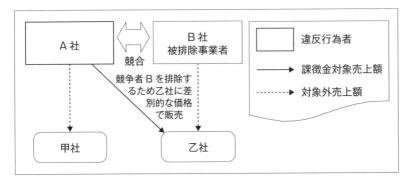

入額甲1の合計額、B社では、売上額b1＋b2と購入額甲2の合計額が課徴金の算定基礎となる。

　なお、共同ボイコットは、それにより一定の取引分野における競争を実質的に制限する場合には、不当な取引制限や排除型私的独占に該当することにもなり得るが、不当な取引制限または排除型私的独占として課徴金納付命令を受けた場合に、同一の行為で重ねて共同ボイコットとして課徴金納付命令を受けることはない（20条の2ただし書）。

　(b)　差別対価に係る課徴金（20条の3）

　差別対価に係る課徴金制度もグループ単位でみて2回目の行政処分から課徴金の対象となる点は共同ボイコットと同じである。

　課徴金の算定率は、本章1(2)エ(イ)aのとおりであるが、算定基礎は、違反行為期間における、差別対価により販売した商品または役務の売上額である。差別対価には競争者を排除するタイプのものと取引先事業者を排除するタイプのものがあり、取引先事業者を排除するタイプのものには有利差別対価と不利差別対価が存在する。特定の地域または相手方に対して有利な価格を設定するタイプの差別対価の場合は、その有利な価格設定により販売された売上額が、特定の地域または相手方に対して不利な価格を設定するタイプの差別対価の場合は、その不利な価格設定により販売された売上額が算定基礎となる[33]（それぞれの図表の実線の矢印が算定基礎となる売上額である）。

[図表6-9] 差別対価（有利な価格で販売して取引先を排除するタイプ）の課徴金の算定基礎

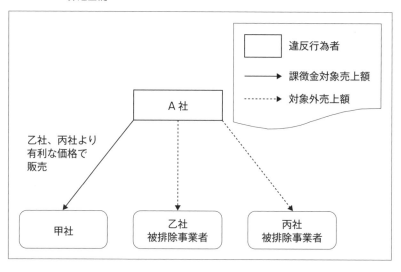

[図表6-10] 差別対価（不利な価格で販売して取引先を排除するタイプ）の課徴金の算定基礎

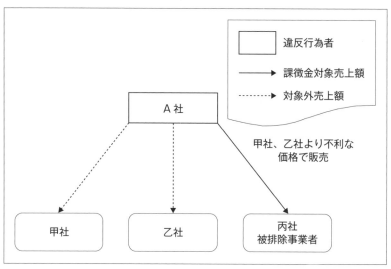

1 行政手続

なお、差別対価もこれにより一定の取引分野における競争を実質的に制限する場合には、不当な取引制限または排除型私的独占に該当することになり得る。また、不当廉売に該当することも考えられる。これらの規定に基づき課徴金納付命令を受けた場合に、同一の行為で重ねて差別対価として課徴金納付命令を受けることはない（20条の3ただし書）。

(c)　不当廉売に係る課徴金（20条の4）

　不当廉売に係る課徴金制度もグループ単位でみて2回目の行政処分から課徴金の対象となる点は共同ボイコット等と同じである。

　課徴金の算定率は、本章1(2)エ(イ)aのとおりであるが、算定基礎は、違反行為期間における、不当廉売により販売した商品または役務の売上額である（図表6-11の実線の矢印が算定基礎となる売上額である）。

[図表6-11]　不当廉売の課徴金の算定基礎

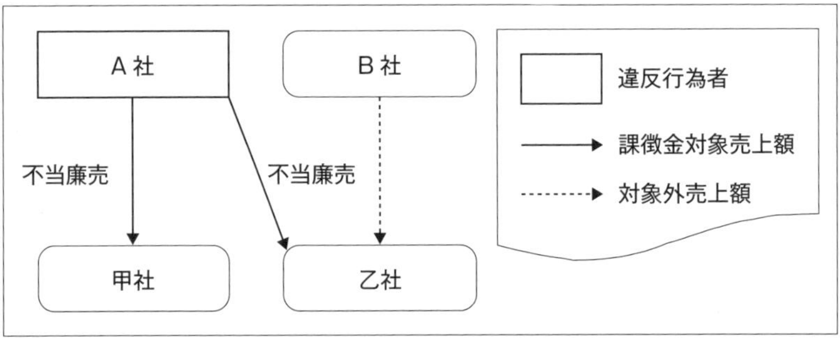

　不当廉売もこれにより一定の取引分野における競争を実質的に制限する場合には、不当な取引制限または排除型私的独占に該当することとなり得るが、これらの規定に基づき課徴金納付命令を受けた場合に、同一の行為で重ねて不当廉売として課徴金納付命令を受けることはない（20条の4ただし書）。

　なお、不当廉売には2条9項3号で規定された不当廉売（商品または

---

33)　藤井宣明・稲熊克紀編著『逐条解説　平成21年改正独占禁止法』84頁（商事法務、2009）。

役務をその供給に要する費用を著しく下回る対価で供給するもの）と、「不公正な取引方法」（昭和57年公取委告示第15号）6項で規定された不当廉売（その他不当に低い価格で商品または役務を供給するもの）があるが、課徴金の対象は、2条9項3号に該当する不当廉売のみである。

(d) 再販売価格の拘束に係る課徴金（20条の5）

再販売価格の拘束に係る課徴金制度もグループ単位でみて2回目の行政処分から課徴金の対象となる点は共同ボイコット等と同じである。

課徴金の算定率は、本章1(2)エ(イ)aのとおりであるが、算定基礎は、違反行為期間における、違反行為者が再販売価格の拘束の行為において供給した商品（役務の「再販売」は想定されないので「商品」とのみ規定されている）の売上額である。再販売価格の拘束は、違反行為者が自ら商品を販売する相手方の販売価格を拘束する場合と、さらにその再販売先の価格を拘束する場合があるが、いずれにおいても課徴金の算定基礎となるのは、違反行為者のその商品の売上額である（図表6-12の実線の矢印が算定基礎となる売上額である）。

f　優越的地位の濫用に係る課徴金（20条の6）

優越的地位の濫用に係る課徴金制度では、共同ボイコット等とは異なり、1回目の行政処分から課徴金の対象となる。課徴金の算定率は、本章1(2)エ(イ)aのとおりであるが、その算定基礎は、違反行為期間における、違反行為の相手方との間における売上額または購入額である。違反行為が違反行為者の販売先に対するもの（販売力を背景としたもの）である場合には売上額が、違反行為が違反行為者の購買先に対するもの（購買力を背景としたもの）である場合には購入額が課徴金の算定基礎となる。他の行為類型の課徴金の算定基礎と異なり、違反行為に関連して生じる売上額（購入強制により購入させた売上額や支払わせた協賛金の額）ではなく、違反行為者が違反行為を行っていたと認定された期間に、その違反行為の対象となった取引先との間での、その期間全体の取引額が算定基礎となっていることに特色がある。たとえば、小売業者による納入業者に対する押し付け販売であれば、納入業者に押し付けた商品の売上額ではなく、その小売業者が押し付け販売を行っていた期間（違反行

[図表6-12] 再販売価格維持行為の課徴金の算定基礎

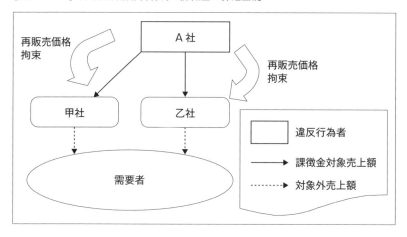

為期間)中に、違反行為の対象となった納入業者から購入した商品の額である。図表6-13のように、購入先に要求するタイプの行為であれば購入先であるa社からの違反行為者A社の違反行為期間における購入額、図表6-14のように販売先に要求するタイプの行為であれば販売先であるb社に対する違反行為者A社の違反行為期間における売上額がそれぞれ課徴金の算定基礎となる。

なお、継続してする優越的地位の濫用行為のみが課徴金の対象となる。

優越的地位の濫用には様々な行為類型があり、2条9項5号も様々なものを掲げているが、実際にはそれだけでも優越的地位の濫用に当たり得るような様々な行為が混然として行われることが多く、これらが1つの行為と評価できるような場合には、全体として1つの違反行為期間が認定される。また、複数の相手方に対して同じ優越的地位の濫用行為が行われることも一般的であるが、ある事業者が優越的地位の濫用行為を一連の取引先を対象として行っていると評価される場合には、その事業者が優越的地位の濫用行為を、ある取引先に対して行い始めてから、一連の取引先に対する行為をすべてやめるまでの期間が1つの違反行為期間となる。

[図表6-13] 優越的地位の濫用（購入先に要求するタイプ）の課徴金の算定基礎

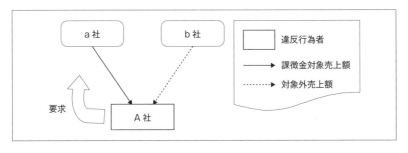

[図表6-14] 優越的地位の濫用（販売先に要求するタイプ）の課徴金の算定基礎

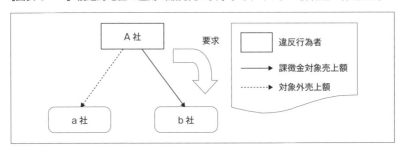

　たとえば、A社が購入先のa社に対して3年前から1年半前にかけて協賛金を負担させ、b社に対して2年前から今まで従業員の派遣をさせていた場合には、これらの行為が1つの優越的地位の濫用行為であると認定されれば、A社の違反行為期間は、3年前から今までの3年間であり、この3年間のa社からの購入額とb社からの購入額の合計額が課徴金の算定基礎となる。ラルズ事件（東京高裁判決令和3年3月3日）[34]およびダイレックス事件（東京高裁判決令和5年5月26日）では、不利益行為の相手方が複数ある場合は、それが組織的、計画的に一連の行為として行われるものであるときには、それらを一体として1個の違反行為であるものと認められるとして、複数の相手方に対する不利益

---

34) 令和3年度重要判例解説・経済法6事件220頁。

行為を1つの違反行為と認定して違反行為期間の始期と終期を認定して課徴金の額を算定している。

　(エ)　課徴金減免制度（7条の4〜6）
　　a　趣旨

　課徴金制度は、昭和52年の導入以後、その算定率が徐々に引き上げられたが、一方でカルテル・談合はますます地下に潜って行われるようになり、物的証拠が得られるような形での違反行為が行われることはますます少なくなっている。

　このため、自らの違反行為に係る事実について公正取引委員会に報告した事業者に対して課徴金を免除または減額するとともに、これに加えて事業者の調査協力の度合いに応じて減算率を付与する、調査協力減算制度を含む課徴金減免制度が設けられている。この制度は、違反行為に係る情報を積極的に得られるようにするとともに、事業者の調査協力インセンティブを高め、事業者と公正取引委員会の協力による効率的・効果的な真相解明・事件処理につながることを目的としている。この制度の存在により、企業が違反行為を行うリスクが高まり、企業が違反行為をやめるインセンティブが向上することにもつながると考えられる。

　　b　内容

　課徴金減免制度の基本的な仕組みは、「より早く情報を提供した事業者にはより大きく課徴金を減額する」「より調査に対する協力の度合いが高い者にはより大きく課徴金を減額する」というところにある。合意の当事者の中から情報提供者が出るかもしれないという疑心暗鬼を利用して情報提供を得ようとする制度であるので、単独で行われる行為には課徴金減免制度の適用はない。具体的には、不当な取引制限、不当な取引制限に当たる国際的協定・契約と事業者団体による不当な取引制限に相当する行為に適用される（事業者団体の場合、申請者となるのは団体ではなく構成事業者である）。

　課徴金が減額される場合は、以下のとおりであり、申請順位に応じた減免率（全額免除を含む）と、それぞれの申請者が公正取引委員会との協議を経た合意に基づき行う調査協力の度合いに応じた減算率の両方に

[図表6-15] 課徴金減免制度における減免率

調査開始日	申請順位	申請順位に応じた減免率	協力度合いに応じた減算率
前	1位	全額免除	
	2位	20%	＋最大40%
	3～5位	10%	
	6位以下	5%	
以後	最大3社*	10%	＋最大20%
	上記以下	5%	

＊　調査開始日前と合わせて5位以内である場合に適用。

基づき課徴金の減免が行われる。

　課徴金減免制度は、違反行為者から迅速に情報を提供させることをねらいとしていることから、違反行為者の中で何番目に報告や資料の提出を行ったかに応じた減算率が定められている。この順位は「違反行為者」の中での順位なので、たとえば、1つの独占禁止法違反被疑事件として調査が開始されたものの、最終的に複数の違反行為が認定され、事件単位でみた先順位者の中に違反行為者に該当しない者がいた違反行為については、先順位者を除外して順位が決まることとなる。一方、先順位者の中に、違反行為者ではあるが、結果として課徴金の納付を命じられない事業者（裾切りに該当する事業者や実行期間中に売上額が存在しない事業者）がいたとしても、それによって順位が繰り上がるわけではない（光ファイバケーブルカルテル事件（審判審決平成23年12月15日）[35]）。

(a)　調査開始日

　前記のとおり、課徴金減免制度では、公正取引委員会の調査の開始日前の申請であるか開始日以後の申請であるかが大きく影響する。調査開始日とは、公正取引委員会が違反行為について47条1項4号に基づく立入検査または102条1項に基づく捜索を行った日をいう（立入検査や捜索を実施しなかった場合には、違反行為について事前通知を受けた日がこ

---

[35]　平成24年度重要判例解説・経済法5事件248頁。

れに代わる)。開始された調査の対象となる被疑行為の中には、調査の結果、最終的には複数の違反行為として認定されることとなるものが含まれることがあり得、その被疑行為の範囲は、立入検査に際して審査官が手交する被疑事実の告知書（審査規則20条）の記載内容を元に、減免申請をしようとする事業者の主観的認識とは無関係に、商品の材質、性能、用途、使用場所等における関連性等も考慮して決定される（愛知電線課徴金事件（東京高裁判決平成25年12月20日）[36]）。調査開始日前の申請とは、調査開始日の前日までに行われた申請をいう。

　(b)　違反行為をしていない者

　課徴金減免の申請では、いずれかの段階で違反行為をしていないことが要件となっている。調査開始日前の申請にあっては調査開始日までに、調査開始日以後の申請にあっては申請までに違反行為をしていないことが要件である。調査開始日前の申請で、申請までに違反行為をしていないことを要件としていないのは、申請者が申請時点で違反行為をやめることを他の違反行為者に通知等することにより、他社が課徴金減免申請を察知し、証拠の隠滅等を行うことを防ぐためである。

　また、課徴金減免申請の要件として定められている「違反行為をしていない者」については、たとえば、課徴金の減免に係る報告や資料の提出に当たって、取締役会等でその違反行為を行わない旨の意思決定を行い、違反行為に関与した営業部門に周知徹底した上で、公正取引委員会に課徴金の減免に係る報告や資料の提出を行う場合には、独占禁止法が定める「当該違反行為をしていた者でないこと」（または「違反行為をしていた者以外の者」）との要件を満たしているものと考えられるとされており[37]、他の違反行為者に対して離脱の意思を明らかにする必要はない。

　(c)　新たな事実の報告

　調査開始日前の4番目以降の申請者と調査開始日以後の申請者については、「既に公正取引委員会によって把握されている事実に係るもの」

---

[36]　経済法百選〔第2版〕106事件212頁。
[37]　公正取引委員会ウェブサイト（減免制度Q＆Aの問23）。

以外の事実の報告または資料の提出を行うことが要件となっている。これは、調査開始日前の1～3番目の申請者については順番を最重視するものの、4番目以降の申請者については、より中身のある報告または資料の提出を求めることにより、より積極的な情報提供を得ようとするものである。

(d) 共同申請（7条の4第4項）

課徴金減免申請は原則として単独で行うことが要件となっている。たとえば、他社と連名で申請を行ったり、他社と相談して別々に申請を行うような場合は無効となる。これは、同一の違反行為を行った事業者が共同して申請を行うことを許容すると、他社に先んじて申請をしようとするインセンティブを失わせることになることによるものである。一方、昨今は親子会社のように同一企業グループに属する複数の事業者が同一の違反行為に関与するようなケースも増えており、このような場合にまで単独で行うことを要求すると、却って課徴金減免制度が円滑に機能しなくなることも懸念される。このため、一定の要件を満たす親子会社等については、共同で申請を行うことが認められており、この場合、共同して申請を行った事業者は同じ順位（減免率）となる。

具体的には、共同して申請をしようとする事業者が以下の①②または①③のいずれかを満たしている場合に、共同して申請することができる。

① 申請する時点で親会社と子会社（親会社が株式の過半を有している会社。親会社と子会社で、あるいは子会社が株式の過半を有している会社を含む）または同一の親会社の下の子会社同士の関係にあること
② 共同申請を行おうとする複数の会社が同時期に違反行為をしていた場合には、それら複数の会社が共に違反行為をした全期間（申請時点から遡って10年間に限る）において相互に①の関係にあったこと
③ 共同申請を行おうとする複数の会社が同時期に違反行為をしていない場合は、それら複数の会社の間で違反行為に係る事業の譲渡または分割があり、その事業を引き継いだ会社が、その事業を引き継いだ日から違反行為を開始したこと

(e) 追加報告要請（7条の4第6項）

公正取引委員会は、後記(h)の合意を行った事業者以外の課徴金減免申請者に対して、申請を行った違反行為について、事実の報告または資料の提出を追加して求めることができる。この追加報告要請のうち、調査開始日前の最初の申請者については、後記(f)の②のようにこの追加報告要請に対して回答しなかったり、虚偽の事実を報告したりした場合には、課徴金減免申請は失格となることから、最初の申請者であっても、一度申請を行えばそれのみで課徴金の免除が保障されるものではない。これ以外の申請者については、後記(h)の合意を行った事業者についてはその枠組みで、合意を行っていない事業者については追加報告要請に対して虚偽の報告等を行った場合には課徴金減免申請を失格とすることにより、調査協力のインセンティブが確保されている。

(f) 減免欠格要件（7条の6）

課徴金減免申請を行った事業者は、以下の7つのいずれかに該当する場合は失格となる。

① 課徴金減免申請による報告と資料や、後記(h)による合意に基づいて報告された事実または資料の内容に虚偽が含まれていたこと
② 調査開始日前の最初の減免申請者が、前記(e)の追加報告要請に対して報告や資料の提出をせず、または虚偽の報告や資料の提出をしたこと
③ ②以外の減免申請者が、前記(e)の追加報告要請に対して虚偽の報告や資料の提出をしたこと
④ 他の違反行為者に対して違反行為をすることを強要し、または違反行為をやめることを妨害していたこと
⑤ 他の事業者に対して、課徴金減免申請または後記(h)のための協議の申出を行うことを妨害していたこと
⑥ 第三者に対して、課徴金減免申請または後記(h)の協議や合意を行ったことを明らかにしたこと
⑦ 後記(h)の合意に違反して合意を履行しなかったこと（この場合、調査協力減算制度による減算率の加算分のみでなく申請順位に基づく減

算率についても失格となる）

　これらの事実が判明した場合、その事業者は失格になるとともに、この事業者と共同して申請を行った親子会社等も失格となる。

　また、欠格要件とは別に、たとえば、親子会社等の関係にない事業者による共同申請、前記(b)の要件に反して違反行為をやめていない場合には、そもそも申請自体が無効となる。

　虚偽の報告や資料の提出を行った場合については、公正取引委員会に行った報告の中で報告した「事実」が結果として公正取引委員会が認定した事実に反していたということのみをもって直ちに失格となるものではなく、それが事実に反することについて、申請者が認識しているか、または認識し得る場合に当たることが必要である[38]。

　他の事業者に違反行為をすることを強要したり、違反行為をやめることを妨害した、という欠格要件については、課徴金の割増要件として定められている主導的役割とは要件として異なっており、主導的な役割に該当したことをもって課徴金減免制度の適用を受けられないということには必ずしもならない。

　なお、欠格要件に該当したために課徴金減免制度の適用を受けなかった事業者がいた場合であっても、課徴金減免制度の適用の順位は前記のとおり「違反行為者」の中で何番目に申請を行ったかによって判断されるので、後順位者の順位が繰り上がるわけではない。

(g)　申請の手続

　課徴金減免申請を行う手続は、課徴金の減免に係る報告及び資料の提出に関する規則（令和2年公取委規則第3号）（課徴金減免規則）の定めるところに従って行われる必要がある。

　調査開始日前の申請は、課徴金減免規則が定める様式第1号に必要記載事項を記載して電子メールにより公正取引委員会に提出することにより行う必要がある。これを受け付けた公正取引委員会は、仮の順位と

---

[38] 山本慎・松本博明『独占禁止法における新しい課徴金減免制度——調査協力減算制度の導入』70頁（公正取引協会、2021）。

さらに詳細な報告を行う期限を設定する。この期限までに申請者は様式第2号により詳細な報告を行うことにより、公正取引委員会から正式に受理の通知を受けることができる。

また、調査開始日以後の申請は、課徴金減免規則が定める様式第3号に必要記載事項を記載して電子メールにより公正取引委員会に提出することにより行う必要がある。

様式第1号または様式第3号を電子メールにより提出することが義務付けられているのは、申請の順番により減免率が異なる制度となっていることから、順位を客観的に管理できるようにするためである。

様式第2号と様式第3号の記載事項は、違反行為に関与した従業員の氏名や違反行為の具体的な内容等詳細にわたるものである。このため、米国における3倍額賠償請求訴訟において（申請事業者が所持している）こうした提出した文書の控えについてディスカバリが命じられる可能性がある。この場合、申請事業者が公正取引委員会に報告した詳細な内容がそのまま申請事業者を被告とする米国の3倍額賠償請求訴訟において利用されることとなり、課徴金減免申請を行ったことによって却って高額の賠償を強いられることになりかねない。このようなリスクがあることから課徴金減免申請自体を躊躇する事業者が出てくることが懸念された。このため、このようなリスクがある事案においては、様式第2号と様式第3号の一定の記載事項について、口頭による報告をもって代えることができることとなっている。

(h) 調査協力減算のための公正取引委員会との協議と合意

課徴金減免制度には、前記bのとおり、申請順位に基づく減免率と、調査協力の度合いに応じた減免率が存在する。前記(g)により課徴金減免申請を行った事業者は、事業者による協力の内容と公正取引委員会による減算率の追加について、公正取引委員会と協議することができる。減免申請事業者と公正取引委員会が協議を経て合意した場合は、その合意の下で事業者は提出することを合意した資料等を公正取引委員会に提出し、事業者が合意した内容を実施したことを受けて、公正取引委員会は申請順位に基づく減算率に加えて合意した減算率を適用した課徴金納付

[図表6-16] 調査協力減算制度のフローチャート

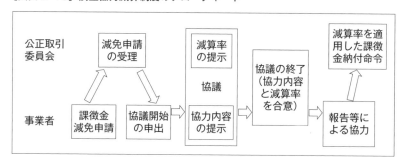

命令を行う。課徴金減免制度のうち、この調査協力の度合いに応じた減算率を適用する制度は、調査協力減算制度と呼ばれている。

調査協力減算制度の下における事業者と公正取引委員会の合意には、①減算率を特定して定めるなどする合意（特定割合についての合意。7条の5第1項）と、②合意において減算率の上限と下限を定めるなどする合意（上限と下限についての合意。7条の5第2項）がある。

①は、公正取引委員会が、課徴金減免制度における報告等の内容を含めて、合意時点までに事業者が把握している事実等を評価し、特定の減算率（特定割合）を定め、事業者は公正取引委員会に対して協議の際に申し出た報告や資料の提出、物件の検査の承諾その他の協力を行うのに対して、公正取引委員会は合意に基づき定めた減算率（特定割合）を適用するものである。②は事業者が合意後に新たな資料等を把握する可能性が高いと認められる場合で、その報告等に一定の期間を要する事情があると認めるときに、公正取引委員会が、事業者が合意後に新たに把握し、調査協力減算制度における報告等を行った事実を評価して、合意において定めた上限と下限の範囲内で、調査協力減算制度における報告等の内容による事件の真相の解明に資する程度に応じて、減算率（評価後割合）を決定するものである。

課徴金減免申請を行い、申請を受理した旨の通知（7条の4第5項）を受けた事業者は、調査協力減算制度を利用するために公正取引委員会に対して協議を申し出ることができ、事業者は合意した内容に従って協

力を行い、公正取引委員会は合意した減算率を適用して課徴金納付命令を行うこととなる。

協議に当たっては事業者側からは合意後に行う予定の報告や提出する予定の資料の内容等について説明がなされることになるが、協議の結果、事業者と公正取引委員会の間で合意に至らないことも考えられる。その場合、協議の段階における事業者の説明の内容を記録した文書等を公正取引委員会が証拠として用いることはできない（7条の5第7項）。

調査協力減算制度における減算率の評価方法や評価基準は、協力減算ガイドライン[39]で定められているが、事業者と公正取引委員会が合意をする時点で違反行為の全体像が明らかになっていることは実際には例外的であると考えられ、調査期間を通じた協力の内容が減算率に反映されることは、事業者にとっても有益と考えられることから、通常は②の上限と下限についての合意が行われるケースが多いものと考えられる（協力減算ガイドライン3(2)イ）。

上限と下限についての合意をする場合、通常、事業者の履行内容が合意時点では明らかではないと想定されるものの、評価時点において、いずれの事業者についても、予定する調査協力減算制度における報告等の内容は、事件の真相の解明に資する程度が高いと評価できる可能性がある。このため公正取引委員会が提示する減算率の上限は、通常、調査開始日より前に課徴金減免申請をした事業者であれば40％、同日以後に課徴金減免申請をした事業者であれば20％となる（協力減算ガイドライン4(3)）。

事件の真相の解明に資する程度の評価に当たっては、事件の真相の解明の状況を踏まえつつ、事業者が行った報告等の内容が、

① 具体的かつ詳細であるか否か
② 課徴金減免規則（17条）で定める「事件の真相の解明に資する」事項について網羅的であるか否か
③ 事業者が提出した資料により裏付けられるか否か

---

[39] 「調査協力減算制度の運用方針」（令和2年公取委）。

[図表6-17] 事件の真相の解明に資する程度に応じた減算率

調査開始日前	調査開始日以後	事件の真相の解明に資する程度
40%	20%	高い（すべての要素を満たす）
20%	10%	中程度である（2つの要素を満たす）
10%	5%	低い（1つの要素を満たす）

の3点が考慮され、図表6-17のとおり前記①～③の3つの要素のうちいくつを満たすかによって減算率が決定される（協力減算ガイドライン4(3)）。調査協力減算制度が利用された最初の例として、国立病院機構発注（九州エリア）医薬品入札談合事件（排除措置命令・課徴金納付命令令和5年3月24日）がある。

　（ⅰ）課徴金以外との関係（刑事罰・指名停止）
　課徴金減免申請を行った事業者が得ることができるメリットとして独占禁止法で規定しているのは、課徴金の免除と減額であるが、独占禁止法違反行為を行った事業者は、課徴金以外のデメリットを受ける可能性がある。このため、課徴金減免制度をより円滑に機能させるため、課徴金の免除や減額以外にも申請者がメリットを受けられる仕組みとなっている。
　まず、不当な取引制限を行った事業者は、刑事罰を科される可能性がある。不当な取引制限の罪は、公正取引委員会の告発を待ってこれを論じることとされている（96条1項）が、公正取引委員会が公表している「告発基準」[40]において、調査開始前に最初に課徴金減免申請を行った事業者については、これを刑事告発しないこととするとの方針を明らかにしている。刑事訴訟法上の告訴不可分の原則に基づき、特定の不当な取引制限についてある者を公正取引委員会が告発した場合、同じ不当な取引制限を行った他の者を検察官が起訴することは論理的には可能であるが、検察官は、特定の減免申請者について公正取引委員会が告発を行わ

---

40) 後記2(1)イ参照。

なかったという事実を十分考慮することとなる[41]ので、実際には、課徴金減免申請を行ったことをもって告発を免れた者がこの告発の対象となった不当な取引制限について起訴されることはないと認識されている。

また、公共調達事案においては、公正取引委員会が行った処分を受けて、発注者は、多くの場合、指名停止を行う。発注者の指名停止は、国の官公庁や各地方自治体がそれぞれそのルールを定めているが、課徴金減免制度との関係では、「中央公共工事契約制度運用連絡協議会」が作成したモデルにおいて、課徴金減免制度の適用を受けた事業者として公正取引委員会が公表した者については、原則として、指名停止の期間を減免申請を行わなかった場合に比べて半分とすることとしている。各地方自治体においてもこれを踏まえ、自治体の指名停止のルールにおいて同様または類似の課徴金減免申請者に対する指名停止の緩和要件を定めているところが多い。

(j) 適用事業者名の公表

公正取引委員会では、課徴金減免制度の適用を受けた事業者名やその順位について、適用を受けた事業者からの申出がない限り積極的には公表しない運用を行ってきたが、平成28年6月1日以降に行われた課徴金減免申請については、法運用の透明性等の観点から、実際に課徴金減免制度が適用された場合には、適用を受けた事業者の名称、所在地、代表者名、免除の事実か減額の率等を公表している[42]。

(k) 事業承継に伴う課徴金減免申請等の承継

事業者が合併や事業譲渡・会社分割により事業を承継した場合、合併により消滅した会社や事業譲渡、会社分割により事業を承継させて消滅した会社が行った違反行為は、存続会社や新設会社、あるいは事業譲渡・会社分割により違反行為に係る事業を承継した事業者によって行われたものとみなされる（前記(2)エ(イ)h）。一方、課徴金減免申請や調査

---

41) 衆議院経済産業委員会（平成17年3月11日）における法務省答弁。
42) 「課徴金減免制度の適用事業者の公表」（公取委ウェブサイト）、平成28年5月25日公正取引委員会事務総長定例会見参照。

協力の度合いに応じた減算率の適用を受けるための公正取引委員会との協議や合意等についても、これと同様に、合併により消滅した事業者が合併前に行ったものについては、存続会社・新設会社が行ったものとみなされるほか、事業譲渡・会社分割により違反行為に係る事業を承継させて消滅した事業者がその承継前に課徴金減免申請等を行っていた場合、この課徴金減免申請等は違反行為に係る事業を承継した事業者がしたものとみなされる。ただし、課徴金減免申請等をしたものとみなされる違反行為の範囲は、その消滅した事業者が行った違反行為に限られるので、合併や事業承継後に存続した事業者が合併や事業承継前に同一の違反行為に参加していた場合、自動的に課徴金減免が受けられることとなる訳ではない。

(オ) 課徴金の納付・徴収

課徴金の納付期限は、課徴金納付命令書の謄本を発する日から7月を経過した日であり（62条3項）、課徴金納付命令書に記載されている（同条1項）。課徴金をその納期限までに納付しない者には、公正取引委員会は、書面（督促状）により期限を指定してその納付を督促する（69条1項）。また、督促を受けた者がその指定する期日までに納付すべき金額を納付しないときは、国税滞納処分の例により徴収する（同条4項）。

課徴金を納期までに納付しない場合、納期限の翌日からその納付の日までの日数に応じ、その課徴金の額につき年14.5％を超えない範囲内で政令で定める割合[43]で計算した延滞金を徴収することができる（69条2項）。

オ　警告

(ア) 目的

公正取引委員会は、違反行為が認められる場合には、これを排除するために排除措置命令を行うが、違反行為が認定できない場合であっても、

---

[43]　原則は年14.5％。ただし、各年の特例基準割合が年7.2％以下の割合の場合には、その特例基準割合に年7.25％を加算した割合（独禁法施行令32条）。

独占禁止法の規定に違反するおそれがある行為があるか、あったと認める場合において、その行為を行った事業者または事業者団体に対して、その行為を取りやめることや、その行為を再び行わないようにすることその他必要な事項を指示することがある。この指示を「警告」と呼んでいる（審査規則26条）。

(イ) 内容

警告は、文書によりこれを行う。警告書には「警告の趣旨及び内容」が示され、審査局長名により行われる（審査規則26条）。警告の「趣旨」には、警告を行う理由である、警告の名宛人が行った行為を記載する。警告の「内容」では、その行為の取りやめや、再び行わないようにするといった公正取引委員会が求める内容を記載する。

(ウ) 手続

警告を行うに当たっては、排除措置命令において事前手続が設けられているのと同様に、一定の事前手続が設けられている（1(1)ウ参照）。

カ　注意

(ア) 目的

前記の警告は、独占禁止法の規定に違反するおそれのある行為が認定された場合に行われるものであるが、独占禁止法に違反するおそれのある行為とまではいえないものの、将来的に独占禁止法違反につながるおそれがあると認められる場合に、その行為が独占禁止法違反行為につながるおそれがあることを迅速に伝え、独占禁止法違反行為が行われることを未然に防止することを目的として、注意をすることがある。

(イ) 手続等

注意は、口頭で行われることが多い。不当廉売や優越的地位の濫用等では、迅速に処理することで違反行為を未然に防止することが有効であるため、注意の手法が積極的に用いられている。

---

column　公正取引委員会による必要な事項の公表

独占禁止法43条には「公正取引委員会は、この法律の適正な運用を図るため、事業者の秘密を除いて、必要な事項を一般に公表することができる」とする規定がある。公正取引委員会は、この規定に基づき、本章で触

れた独占禁止法違反被疑事件の審査結果や、各種の経済実態調査の調査結果等について、事業者名を含めた公表を行っている。具体的にどのような場合に、どのような内容について公表を行うかについては、公表を行うことの必要性と公表が事業者に与える不利益の大きさを比較考量するとともに、公表の対象となる事業者に対して意見を述べる機会を与えるなどにより手続面での適正性を確保している。

排除措置命令、課徴金納付命令といった行政処分についてはすべて対象事業者名を含めて公表しているほか、警告についても公表することとしているが、注意については違反または違反のおそれを認定したものではなく、原則として対象となった事業者名の公表は行っていない。

令和4年12月には、価格転嫁に係る緊急調査の結果を踏まえ、コスト上昇分の取引価格への反映の必要性について価格の交渉の場において明示的に協議を行うことなく多数の取引先に対して取引価格を据え置く行為を行っていたとして13社について、事業者名の公表を行っている。この公表は価格転嫁の円滑な推進を強く後押しする観点から、取引当事者に価格転嫁のための積極的な協議を促すとともに、受注者にとっての協議を求める機会の拡大につながる有益な情報であること等を踏まえたものであるが、このような協議を行うことなく取引価格を据え置く行為が独占禁止法等で問題となり得る行為であることは、同年1月に改正された下請法運用基準、同年2月の独占禁止法Q&Aの公表(「優越的地位濫用未然防止対策調査室」の設置等について(公取委報道発表令和4年2月16日))等において明らかにしており、また同年10月には多数の取引先に対してこのような行為が見られる事業者については事業者名を公表する方針を対外的に示した(「物価高克服・経済再生実現のための総合経済対策」(令和4年10月28日閣議決定)、「適正な価格転嫁の実現に向けた取組」(令和4年10月4日第10回新しい資本主義実現会議における公正取引委員会委員長提出資料および事務総長定例会見(令和4年10月5日))上で行っている。また、実際に事業者名を公表するに当たっては、対象となる事業者に対して、意見を述べる機会が付与されている。

2 犯則手続

(1) **手続**

ア 犯則調査手続

公正取引委員会は、前記1の行政調査権限に基づく調査とならび、

カルテル、私的独占等特定の違反行為[44]について刑事告発を念頭に置いた調査を行う必要がある場合には、独占禁止法第12章の規定に基づく犯則調査手続を用いることができる。犯則調査手続は、刑事告発につながる調査であり、犯則事件を調査するため必要があるときは、公正取引委員会の所在地を管轄する地方裁判所または簡易裁判所の裁判官があらかじめ発する許可状により、臨検、捜索または差押えをすることができる（102条1項）。また、犯則嫌疑者や参考人に対して出頭を求め、質問し、犯則嫌疑者等が所持し、または置き去った物件を検査し、または犯則嫌疑者等が任意に提出したり、置き去った物件を領置したりすることができるほか、官公署や公私の団体に照会して必要な事項の報告を求めることができる。しかし、刑事告発を念頭に置いた調査であるので、出頭命令や供述義務を伴う審尋を行うことはできない。

　また、公正取引委員会は、47条に基づく調査権限も有するが、同条に基づき行った調査結果をそのまま犯則調査手続で用いることはできない。このため、通常は、犯則事件については事件調査開始時から犯則調査手続に基づいて調査が行われる。

　　イ　告発基準
　犯則事件は、89条から91条までの罪に係る事件であるので、たとえば、カルテル、入札談合については、理論上すべての事案が犯則事件に当たり得る。しかし、実際には、刑事告発が行われる事件は限られており、どのような事件について積極的に刑事告発を行っていくかについて公正取引委員会の方針を明らかにするため、独占禁止法違反に対する刑事告発及び犯則事件の調査に関する公正取引委員会の方針（平成17年10月7日）（告発方針）が公表されている。

　これによれば、公正取引委員会は、
　(ｱ)　一定の取引分野における競争を実質的に制限する価格カルテル、供給量制限カルテル、市場分割協定、入札談合、共同ボイコット、私的独占その他の違反行為であって、国民生活に重大な影響を及ぼすと考え

---

44)　不公正な取引方法は刑事罰の対象とされていないため、犯則事件とはならない。

られる悪質かつ重大な事案

　(ｲ)　違反を反復して行っている事業者・業界、排除措置に従わない事業者等に係る違反行為のうち、公正取引委員会の行う行政処分によっては独占禁止法の目的が達成できないと考えられる事案

について、積極的に刑事処分を求めて告発を行う方針を明らかにしている。さらに、本告発方針において、調査開始日前に最初に課徴金減免申請を行った事業者とその役員・従業員等であって当該事業者と同様に評価すべき事情が認められる者については、刑事告発を行わないとしている。

　どのような事件を刑事告発するかについては、公正取引委員会に一定の裁量が認められている。ラップ価格カルテル刑事事件（東京高裁判決平成5年5月21日）によれば、「公取は、我が国における唯一の独禁法の運用機関として、独禁法違反の行為につき調査及び制裁を行う独自の権限を有しているが、独禁法に違反すると思われる行為がある場合は、これを調査し、当該違反行為の国民経済に及ぼす影響その他の事情を勘案して、これを不問とするか、あるいはこれに対し行政的措置を執るか、さらには刑事処罰を求めてこれを告発するかの決定をする裁量権を持ち、公取は、右のとおり、独禁法違反の行為につき、わが国における唯一の独禁法の運用機関として、広く国民経済に及ぼす影響その他の事情を勘案して、これに対する措置を決定すべきものであるが、一般的に独禁法違反の犯罪があると思料するときは告発すべき義務を課せられており、特に独禁法89条から91条までの罪については、公取の告発が訴訟条件とされていることからしても、ごく例外の場合はともかくとして、一般的には公取の行う告発は有効なものと考えられ、裁量権を逸脱する違法な告発はないというべきである」。

　ウ　行政事件との関係

　犯則事件処理手続に従って事件を処理する場合、刑事告発を行った後、通常、公正取引委員会は、さらに行政調査手続に基づいて必要な調査を行い、排除措置命令と課徴金納付命令を行う。行政調査手続において用いられる調査権限は、犯罪捜査のために認められたものと解釈してはな

らない（47条4項）とされ、行政調査権限に基づいて収集した証拠を犯則事件処理に直接用いることはできないが、犯則事件調査手続に基づいて収集した証拠を行政調査手続において用いることは可能である。犯則事件は、刑事告発後に公正取引委員会の行政調査部門に移管される。

(2) **刑事罰**

ア 犯則事件となる罪

刑事罰の対象となる行為としては、まず前記の犯則事件の対象となる89条から91条までの罪がある。具体的には、以下の刑事罰に処することとされており、これらの罪は公正取引委員会の告発を待ってこれを論じる（96条）ことになっている。

犯則事件における刑事罰は図表6-18のとおりとなっている。3条等の文言から明らかなように、独占禁止法違反行為の主体は事業者であるが、89条〜91条により刑事罰の対象となるのは、それらの規定振りから事業者のうち「個人事業者」のみである。一方、95条で「法人の代表者又は法人若しくは人の代理人、使用人その他の従業者が、その法人又は人の業務又は財産に関して、次の各号に掲げる規定の違反行為をしたときは、行為者を罰するほか、その法人又は人に対しても、当該各号に定める罰金刑を科する」としていることから、法人の役員・従業員等実際に違反行為をした個人について89条の刑事罰が科されるとともに、法人に対しても95条の刑事罰が科されることとなっている（「両罰規定」と呼ばれる）。法人に対する刑事罰は、89条の違反行為については、5億円以下の罰金刑とされている。

イ 犯則事件以外の罪

犯則事件以外の罪としては、届出義務違反（91条の2）、宣誓した参考人または鑑定人による虚偽の陳述・鑑定（92条の2）等が定められているが、以下の検査妨害の罪は、特に重要である。

94条の罪と94条の2の罪については図表6-18の刑事罰と同様に両罰規定が設けられており、特に94条の罪については2億円以下の罰金刑とされている。

[図表6-18] 犯則事件の刑事罰

根拠条文	行為	刑事罰
89条	私的独占または不当な取引制限をした者	5年以下の懲役または500万円以下の罰金
	一定の取引分野における競争を実質的に制限した者	
90条	不当な取引制限に該当する事項を内容とする国際的協定または国際的契約をした者	2年以下の懲役または300万円以下の罰金
	一定の事業分野における事業者数の制限または構成事業者の活動制限をした者	
	確定した排除措置命令または競争回復措置命令に従わない者	
91条	銀行または保険会社の株式保有制限に違反した者	1年以下の懲役または200万円以下の罰金

* 3年以下の懲役については執行猶予を付することができる（刑法25条）。すなわち、3年超5年以下の懲役を科される場合には、執行猶予は付されないこととなる。
* 89条〜91条の違反の計画や行為を知り、その防止・是正に必要な措置を講じなかった法人の代表者（事業者団体の行為については事業者団体の理事等）に対しても、89条〜91条の罰金刑を科することとされている（95条の2、95条の3）（「三罰規定」と呼ばれる）。

[図表6-19] 犯則事件以外の刑事罰

根拠条文	行為	刑事罰
94条	出頭命令、報告命令と提出命令の違反、虚偽の陳述・報告、検査拒否、検査妨害等（47条違反）	1年以下の懲役または300万円以下の罰金
94条の2	調査妨害（40条違反）	300万円以下の罰金

ウ　告発

　独占禁止法に定める罪に係る告発は、犯則事件であるか否かにかかわらず公正取引委員会から検事総長に対して行い（74条1項、2項）、この告発に対して公訴を提起しない処分をしたときは、検事総長は遅滞なく法務大臣を経由してその旨およびその理由を、文書をもって内閣総理大臣に報告しなければならない（74条3項）。

3 民事訴訟

(1) 役割

　独占禁止法は、本来、公正かつ自由な競争秩序の維持（競争システムの保護）を目的としており、特定の私人の利益の保護を目的とするものではない。このため、独占禁止法の執行においては、公正取引委員会による行政処分と、公正取引委員会による刑事告発を契機とする刑事処分が大きな比重を占めていることは事実であるが、公正取引委員会の人員・予算には限りがある一方、独占禁止法違反行為には様々な内容や規模のものが存在し、それらすべてに行政処分や刑事処分を行うことは不可能である。このため、独占禁止法違反行為により私的損害を蒙っている者による民事訴訟による執行がこれを補う上で効果的である。

　独占禁止法違反行為の被害者について、その被害を救済するとともに、独占禁止法違反行為の効果的な抑止を図るため、独占禁止法では、独占禁止法違反行為を行った者の無過失損害賠償責任について定める（25条）とともに、不公正な取引方法（事業者団体が不公正な取引方法に該当する行為をさせる行為を含む）によってその利益を侵害され、または侵害されるおそれがある者による差止請求権について定めている（24条）。

(2) 内容

ア　無過失損害賠償義務

　3条（私的独占、不当な取引制限）、6条（国際的協定・契約）または19条（不公正な取引方法）に違反する行為を行った事業者（6条に違反する行為を行った事業者にあっては、その国際的協定または国際的契約において、不当な取引制限をし、または不公正な取引方法を自ら用いた事業者に限る）と8条に違反する行為を行った事業者団体には、被害者に対する損害賠償義務があり、故意や過失がないことを理由としてその義務を免れることができない（25条）。不法行為を原因とする損害賠償は、通常、故意や過失がある場合にその賠償義務が生じるが、独占禁止法違反行為が排除措置命令（排除措置命令が行われなかったときは、課徴金納付命令）により確定した場合には、原告は、行為者に故意や過失がない場合であっ

ても、裁判で損害賠償を請求することができる（26条）。また、「被害者」には、行為と損害の間に因果関係が存在する限り、直接の需要者に限られず間接的な需要者もこれに含まれることが判例上明らかにされている（石油価格協定損害賠償請求事件（鶴岡灯油訴訟）（最高裁判決平成元年12月8日）[45]）。ただし、この請求権は、排除措置命令が確定した日から3年を経過したときは時効によって消滅する（26条2項）。この25条に基づく損害賠償請求訴訟は、第一審が東京地方裁判所である（85条の2）。裁判所は、25条の規定による損害賠償に関する訴えが提起されたときは、公正取引委員会に対し、違反行為によって生じた損害の額について意見を求めることができる（84条1項）。民事訴訟法上の原則としては、損害額についても原告側の立証が必要となるが、民事訴訟法248条によれば、損害額については弁論の全趣旨から裁判所がこれを決定することができる。

　むろん、独占禁止法違反行為は民法上の不法行為に該当し得るので、確定した排除措置命令がない場合であっても、民法上の不法行為（民法709条）に該当するとして損害賠償請求訴訟を提起することは可能である（石油価格協定損害賠償請求事件（鶴岡灯油訴訟）（最高裁判決平成元年12月8日）[46]）。

　公正取引委員会は、独占禁止法違反行為に対する損害賠償請求訴訟制度の有効な活用を図る観点から、訴訟の提起前から、排除措置命令書、課徴金納付命令書の謄本または抄本の交付を行うほか、訴訟の提起後に裁判所から民事訴訟法226条の規定による文書送付嘱託があったときには、事業者の秘密、将来の事件処理に具体的に支障を生じる資料や個人のプライバシーに該当する事項についてマスキング等をしたうえで、命令において事実認定の基礎とした資料や、違反行為と損害の関連性、因果関係や損害額を立証するために有益と考えられる資料を提供する（「独占禁止法違反行為に係る損害賠償請求訴訟に関する資料の提供等につい

---

[45] 経済法百選〔第2版〕112②事件224頁。
[46] 経済法百選〔第2版〕112②事件224頁。

て」(平成3年5月15日公取委事務局長通達第6号))。

なお、1(1)イで述べたとおり、平成25年改正法により、公正取引委員会が行う審判に係る制度は廃止されることとなったが、同法の経過措置に基づき旧法が適用される事件については審判制度の対象となるため、審判が行われた事件については、旧70条の15に基づき、審判手続の開始後に、損害賠償請求訴訟を提起しようとする者等の利害関係人は、審判に提出された審判事件記録の閲覧・謄写を行うことができるほか、公正取引委員会から、審決書の謄本または抄本等の交付を受けることができる。

実際に、25条に基づき提起される損害賠償請求訴訟で多いのは、入札談合事件について排除措置命令が行われた場合に、この入札談合事件に係る公共工事等の発注者である地方自治体等が訴訟を提起するものである。損害額については、前記のとおり民事訴訟法248条に基づき裁判所が弁論の全趣旨に基づき算定するケースが多くなっている。

イ 差止請求権

不公正な取引方法(19条の規定に違反する行為)と事業者団体が不公正な取引方法をさせる行為(8条5号の規定に違反する行為)によって、その利益を侵害され、または侵害されるおそれがある者は、これにより著しい損害を生じ、または生ずるおそれがあるときは、行為者である事業者または事業者団体に対してその侵害の停止または予防を求めることができる(24条)。この差止請求の対象である「その侵害の停止又は予防」には、不作為だけでなく、不作為による損害を停止または予防するための作為も含まれる(ソフトバンク対NTT東西事件(東京地裁判決平成26年6月19日)[47]、エコリカ対キヤノン事件(大阪地裁判決令和5年6月2日))。

差止請求訴訟は、25条に基づく損害賠償請求訴訟と異なり、通常の民事訴訟の管轄となる地方裁判所に加え、東京地方裁判所または高等裁判所所在地の地方裁判所に訴えを提起することができる(84条の2)。

---

[47] 経済法百選〔第2版〕120事件240頁。

差止請求訴訟が提起された場合、裁判所は、その旨を公正取引委員会に通知しなければならない（79条1項）。また、裁判所は、公正取引委員会に対して意見の提出を求めることができ（同条2項）、公正取引委員会は、裁判所の許可を得て意見を述べることもできる（同条3項）。79条2項に基づき裁判所から公正取引委員会に対して意見を求め、公正取引委員会が差止請求訴訟において意見を提出した最初の事案として、食べログ事件（東京地裁判決令和4年6月16日）がある。

差止請求訴訟の対象が不公正な取引方法に限定されており、不当な取引制限や私的独占が含まれていないのは、不公正な取引方法は、当事者にとって違反行為の立証が比較的容易であり、かつ特定の私人に被害が発生することが多く差止請求訴訟になじみやすいためである[48]。また、「著しい損害を生じ、又は生ずるおそれがあるとき」という要件が付されており、この「著しい損害」という要件を厳格に解しすぎると制度自体が機能しないこととなるおそれがあるものの、これは、不法行為による被害者の救済は金銭賠償が原則とされていることや他の差止請求制度との均衡も考慮して定められたものである[49]。この点について、差止めを認めなかったヤマト運輸郵政公社事件（東京高裁判決平成19年11月28日）[50]は、「独占禁止法24条にいう「著しい損害」の要件は、一般に差止請求を認容するには損害賠償請求を認容する場合よりも高度の違法性を要するとされていることを踏まえつつ、不正競争防止法等他の法律に基づく差止請求権との均衡や過度に厳格な要件を課した場合は差止請求の制度の利用価値が減殺されることにも留意しつつ定められたものであって、たとえば、当該事業者が市場から排除されるおそれがある場合や新規参入が阻止されている場合等独占禁止法違反行為によって回復し難い損害が生ずる場合や、金銭賠償では救済として不十分な場合等がこの要件に該当するものと解される」と述べている。一方、差止めを認め

---

[48] 東出浩一編著『独禁法違反と民事訴訟』24頁（商事法務研究会、2001）。
[49] 東出・前掲注48) 28頁。
[50] 経済法百選〔第2版〕119事件238頁。

た神鉄タクシー事件(大阪高裁判決平成26年10月31日)[51]は、特定のタクシー待期場所における競争者の取引の機会をほぼ完全に奪っていることや、違反行為が物理的な実力を組織的に用いた妨害行為であることを挙げ、損害の内容、程度、独占禁止法違反行為の態様等を総合的に考慮することによりこの要件が満たされることを認めている。

---

51) 経済法百選〔第2版〕118事件236頁。

第7章 企業結合規制

　独占禁止法第4章では、企業結合により一定の取引分野における競争を実質的に制限することとなる場合、そのような企業結合を禁止するという規制（企業結合規制）について、株式取得・所有（10条）、役員兼任（13条）、会社以外の者の株式取得・所有（14条）、合併（15条）、共同新設分割・吸収分割（15条の2）、共同株式移転（15条の3）、事業譲受け等（16条）という企業結合の類型ごとに分けて規定している。類型にかかわらず、企業結合を行う会社は「当事会社」と呼ばれる。禁止される企業結合については、17条の2に基づき、排除措置が命じられることになる。

　日本で企業結合規制を行っているのは、カルテル等に対する規制と同様、公正取引委員会である。公正取引委員会は、届出が行われた企業結合について、一定の取引分野における競争を実質的に制限することとなるか否かについての審査（企業結合審査）を行っている。また、届出対象外の企業結合についても、企業結合審査が行われることがある。

　カルテル等に対する審査が審査局で行われるのに対し、企業結合審査は、経済取引局企業結合課が担当している。また、企業結合には当たらない業務提携については3条等の規制対象となるが、実行前に公正取引委員会に相談することが可能であり（経済取引局取引部相談指導室が対応）、競争に与える影響を評価するに当たって企業結合審査の考え方が参照される[1]。

---

　1)　業務提携については、公正取引委員会競争政策研究センター「業務提携に関する検討会報告書」（公取委報道発表令和元年7月10日）があるほか、業務提携一

カルテル等は違反行為が行われた後に審査をする事後規制であるのに対し、企業結合審査では企業結合が実行される前に事前規制を行うことを基本としている。そのため、審査における考え方や一連の審査手続について、カルテル等の審査と企業結合審査では色々と異なる点が見受けられる。つまり、企業結合審査においては、企業結合が将来の競争に与える影響を予測することになる。そのため、影響を与える範囲を一定の取引分野として画定する作業や、影響の有無・程度を経済分析により検証する作業が重要となる[2]。

　本章では、企業結合規制について、企業結合審査の考え方（「審査基準」とも呼ばれる）、企業結合審査の手続と公正取引委員会の措置（「審査手続」とも呼ばれる）の順に説明する。公正取引委員会の企業結合審査の考え方は「企業結合ガイドライン[3]」、審査手続は「手続対応方針[4]」で明らかにされている。

1 企業結合審査の考え方

(1) 企業結合審査の対象となるか否かの判断

　企業結合審査では、まず、その企業結合が審査対象となるか否かを判

般に関する独占禁止法上の考え方を示したガイドラインと評価し得るものとして、「グリーン社会の実現に向けた事業者等の活動に関する独占禁止法上の考え方」（令和5年公取委）がある。詳しくは第2章の column 「業務提携に関するガイドライン」を参照。

2) 価格相関分析、臨界損失分析（critical loss analysis）といった企業結合審査における経済分析についての概要、必要となる資料・データ、実際の活用事例などについては、深町正徳編著『企業結合ガイドライン〔第2版〕』（商事法務、2021）（以下、企業結合ガイドラインと略す）を参照。そのような経済分析のうち合併シミュレーション分析の活用例は、出光興産㈱による昭和シェル石油㈱の株式取得及びJXホールディングス㈱による東燃ゼネラル石油㈱の株式取得（平成28年度における主要な企業結合事例について（公取委報道発表平成29年6月14日）【事例3】）を参照。

3) 「企業結合審査に関する独占禁止法の運用指針」（平成16年公取委）。企業結合ガイドラインの沿革や欧米との比較も含めた詳細な解説については、企業結合ガイドラインを参照。

4) 「企業結合審査の手続に関する対応方針」（平成23年公取委）。

断する。企業結合ガイドラインによれば、企業結合によって結合関係が形成・維持・強化される場合、すなわち、企業結合により企業間に共同して事業活動を行う関係が形成される場合や、従前からあるそのような関係が維持・強化される場合に企業結合審査の対象となる（企業結合ガイドライン第1）。結合関係には、合併や50％超の株式取得で親子会社の関係となる場合のように企業同士が完全に一体化するものもあれば、50％以下の株式取得のように企業同士が完全に一体化するまでには至らなくても一定程度一体化するものもある。ただし、企業結合の当事会社が同一の企業結合集団（「企業結合集団」の考え方については、後記ア参照）に属している場合は、通常、企業結合審査の対象とはならない。

　結合関係があるか否かを判断する上で特に注意を要するのは、①株式取得・所有の場合、②共同出資会社の場合、③企業結合前から当事会社と既に結合関係を有する会社（当事会社グループに属する会社）がある場合である[5]。

　ア　株式取得について

　10条1項は、「株式の取得又は所有」を規制の対象としている。「取得」だけでなく「所有」も対象とするのは、①取得時に株式所有会社と株式発行会社との間に結合関係が形成されていなかったが、その後、株式発行会社の株主の構成が変わることにより新たに結合関係が形成される場合や、②株式の取得時には独占禁止法上問題ないとされても、その後、市場の状況が変化する等により、「競争を実質的に制限することとなる」とされる場合があり得るからである[6]。一定の要件に該当する株式取得は届出の対象となっており、企業結合審査の対象となるのも通常は株式取得の時点であることから、以下では「株式の取得又は所有」を

---

[5] 企業結合ガイドライン第1の1。同ガイドラインでは、このほか、役員の兼任、合併、分割、共同株式移転、事業譲受け等について、どのような場合が企業結合審査の対象となる企業結合であるかを説明している（企業結合ガイドライン第1の2～6）が、実務上、これらの行為類型で「結合関係」の有無が問題となることは少ないので、ここでの説明は省略する。

[6] 注釈独占禁止法265頁。

「株式取得」という表現に統一する。企業結合ガイドラインには「株式所有会社」という表現もみられるが、これも「株式取得会社」という表現に統一する。

　ある会社が他の会社の株式取得を行うことにより、株式取得会社と株式発行会社との結合関係が形成・維持・強化され、企業結合審査の対象となる場合は、まず次の2つである（企業結合ガイドライン第1の1(1)）。

　㋐　株式取得会社の属する企業結合集団の議決権の保有割合が50％を超える場合
　㋑　株式取得会社の属する企業結合集団の議決権の保有割合が20％を超え、かつ当該割合の順位が単独で第1位となる場合

「株式取得会社の属する企業結合集団の議決権の保有割合」とは、株式発行会社の総株主の議決権に占める割合をいう。ここでは、株式取得会社単体の議決権の保有割合ではなく、「株式取得会社の属する企業結合集団」の保有割合とされていることに注意が必要である。「企業結合集団」とは、「会社及び当該会社の子会社並びに当該会社の親会社であつて他の会社の子会社でないもの及び当該親会社の子会社（当該会社及び当該会社の子会社を除く）から成る集団」である（10条2項）。ここでの「会社」は「株式取得会社」のことである。子会社とは、他の会社がその経営を支配している会社であり、典型的には他の会社がその総株主の議決権の過半数を有している株式会社がそれに当たる（同条6項）。また、届出規則[7]には、株式取得会社が「財務及び事業の方針の決定を支配している場合」、たとえば、株式取得会社の議決権保有割合が40％超であり、その会社の役員の過半数を他の会社の役員が占めているような場合にも、その会社は子会社であると規定されている（届出規則2条の9第3項）。株式取得会社がその企業グループの最終親会社であれば

---

[7] 「私的独占の禁止及び公正取引の確保に関する法律第9条から第16条までの規定による認可の申請、報告及び届出等に関する規則」（昭和28年公取委規則第1号）。

その子会社がすべて企業結合集団に含まれることとなる。また、株式取得会社に親会社がいるような場合は、その企業グループの最終親会社まで遡り、最終親会社と株式取得会社も含めた子会社すべてが企業結合集団に含まれる。議決権の保有割合を計算する際に、企業結合集団に属する会社が既に所有している株式発行会社の株式も合算することが必要となる。

前記(ア)の場合について、株式取得会社だけでなく、「株式取得会社の属する企業結合集団」に属する他の会社等も議決権を保有していることにより、結果として「株式取得会社の属する企業結合集団」の議決権保有割合が50％超となるときもある。そのような場合を図示すると、たとえば図表7-1のようになる。

図表7-1では、いま、株式取得会社（X）が、株式発行会社（Y）の発行する株式の取得を計画している。この株式取得により、XはYの議決権を20％保有することとなる。Xの株式取得を検討するに当たっては、Xの属する企業結合集団としてのYの議決権の保有割合が問題となる。Xの属する企業結合集団では、Xの最終親会社、Xの子会社、Xの兄弟会社、Xの兄弟会社の子会社が、それぞれYの議決権を8％保有している。そのため、Xの属する企業結合集団の各社の議決権の保有割合を合算すると、今回のXの取得分（20％）を含め52％となるので、「株式取得会社の属する企業結合集団の議決権の保有割合が50％を超える場合」に当たることになり、XとYとの間に結合関係が認められることになる。このように、審査対象となる株式取得について、株式取得会社単独では前記の(ア)・(イ)に当たらなくても、企業結合集団単位でみると前記の(ア)か(イ)に当たることがあるため、注意が必要である。

前記(ア)と(イ)以外の場合については、通常、企業結合審査の対象とはならない場合が多いが、議決権保有比率（株式発行会社の総株主の議決権に占める株式取得会社の保有する株式に係る議決権の割合をいう）の程度・順位、株主間の議決権保有比率の格差、株主の分散の状況その他株主相互間の関係、当事会社相互間の関係（株式の持合の状況、役員兼任の状況、取引関係、業務提携関係等）等の事項を考慮して、結合関係が形成・維

[図表7-1] 株式取得会社の属する企業結合集団の議決権の保有割合が50％を超える場合の例

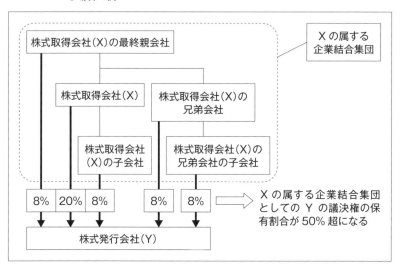

持・強化されるか否かが判断される。株式取得会社単独での議決権の保有割合が10％以下であるか、またはその順位が第4位以下のときは、「結合関係が形成・維持・強化されず、企業結合審査の対象とならない」（企業結合ガイドライン第1の1(1)イ）。つまり、株式取得会社単独（前記㋐と㋑の場合とは異なり、企業結合集団単位ではない）での議決権の保有割合が10％超であり、かつその順位が第3位以上である場合には、企業結合審査の対象となる可能性がある。

日本製鉄による東京製綱の株式取得[8]では、日本製鉄が東京製綱の株式に係る議決権を10％取得し、その結果、日本製鉄の議決権保有比率が19.91％となったことについて、順位が第1位であり、第2位以下の他の株主との間の議決権保有比率の格差は大きいこと、両当事会社間には原料の取引関係があること、両当事会社間には共同研究開発等を行う

---

8) 日本製鉄㈱による東京製綱㈱の株式取得（令和3年度における主要な企業結合事例について（公取委報道発表令和4年6月22日）【事例1】）。

関係があることといった事情に加え、日本製鉄はこれまで継続的に東京製綱の経営陣の交代による経営方針の変更を促してきたにもかかわらずそれが実現されなかったことから、本件 TOB を通じて東京製綱の経営陣を交代させてその経営方針を変更させるべく株式取得を行い、実際に東京製綱の定時株主総会において自らの意向どおりに経営陣の交代を実現させたという事情を総合的に考慮すると、本件株式取得の結果、当事会社グループには結合関係が形成されるに至ったと判断した。一方、日本製鉄から、議決権保有比率を10％以下とすべく可及的速やかに株式の売却を行うとともに、議決権保有比率が10％を超える部分については議決権を行使しない等の措置の提案がなされた。公正取引委員会は、こうした措置が講じられることを前提とすれば、当事会社グループ間の結合関係は解消されることから、本件行為に係る企業結合審査は要しないと判断した。

　また、株式取得については、議決権の保有割合が20％を超えるときと50％を超えるときについて、売上高が一定の基準を満たす場合には事前届出が必要となる（後記2(1)参照）。議決権の保有割合の順位にかかわらず、議決権の保有割合が20％を超えるときは届出が必要になる点にも注意が必要である。

　イ　共同出資会社について

　共同出資会社とは、「2以上の会社が、共通の利益のために必要な事業を遂行させることを目的として、契約等により共同で設立し、又は取得した会社」である（企業結合ガイドライン第1の1(1)ウ）。共同出資会社は、ジョイントベンチャー（JV）と呼ばれることもある。

　出資会社Ａと出資会社Ｂが共同出資会社に出資する場合、出資会社Ａと共同出資会社、また出資会社Ｂと共同出資会社との間で結合関係が形成・維持・強化される場合には、企業結合審査の対象となる。また、出資会社Ａと出資会社Ｂとの間には、直接の株式所有関係はなくとも、共同出資会社を通じて間接的に結合関係が形成・維持・強化されることとなると考えられる。共同出資会社の設立に当たり株式取得会社同士の事業活動が共同化する場合には、そのこと自体が競争に影響を及ぼすこ

とにも着目する（企業結合ガイドライン第1の1(1)ウ）。

ウ　当事会社グループについて

　企業結合の当事会社同士の間に結合関係が形成・維持・強化され、企業結合審査の対象となる場合には、それぞれの当事会社と既に結合関係のあるすべての会社（当事会社グループ）の事業活動についても、企業結合審査の対象となる（企業結合ガイドライン第2の冒頭）。たとえば、当事会社AがX事業を行っており、当事会社BはX事業を行っていないが当事会社Bの子会社CがX事業を行っている場合に、当事会社Aと当事会社Bが企業結合を計画したとする。この場合、当事会社Bは、当事会社グループとしてX事業を行っているため、当事会社AとBの企業結合がX事業の競争に与える影響を判断することとなる。

　なお、当事会社グループに含まれる会社間であっても、その結合関係のすべてが必ずしも完全に一体化した強固な関係と認められるわけではない。特に、当事会社の子会社ではなく、当事会社が一定の出資を行っている場合（前記ア(イ)の類型に当たるような場合）には、当事会社とその出資先の会社との結合関係が緩やかであり、結合関係がありながら一定程度の競争関係を維持していることもあり得る。

　大阪製鐵による東京鋼鐵の株式取得の事例[9]では、東京鋼鐵の子会社化を計画していた大阪製鐵が新日鐵住金の子会社であり、同じ新日鐵住金グループに属する共英製鋼等が当事会社と競合する分野において競争圧力として働くという当事会社の主張について検討された。中小形一般形鋼の分野における市場シェアは、新日鐵住金グループで約45％（大阪製鐵が約25％、共英製鋼が約15％、トピー工業と北越メタルがそれぞれ0～5％）、東京鋼鐵が約15％であった（グループ内の結合関係は図表7-2参照）。

　公正取引委員会は、①議決権保有比率がそれほど高くないこと、②役員兼任、業務提携関係、取引関係がほとんどみられないこと、③市場シェア約35％を有する有力な事業者が他に存在しており、メーカー間

---

[9]　大阪製鐵㈱による東京鋼鐵㈱の株式取得（平成27年度における主要な企業結合事例について（公取委報道発表平成28年6月8日）【事例3】）。

で協調的な行動が採られ市場シェアが固定化しているという状況はみられないこと、④グループ内でも競争上センシティブな非公開情報にアクセスすることはできないことを勘案し、競争事業者、卸売業者や需要者に対するヒアリングも行った結果、新日鐵住金グループの結合関係は強いものではなく、共英製鋼・トピー工業・北越メタルを当事会社に対する一定程度の競争圧力として評価した。ただし公正取引委員会は、議決権保有比率の程度や役員兼任の範囲が拡大するなど当事会社グループと共英製鋼等との結合関係が強まったり、競争関係の程度が弱まったりするなど、関連市場における競争を実質的に制限することとならないか、今後とも注視していくとした。

[図表 7-2] 新日鐵住金グループ内の結合関係

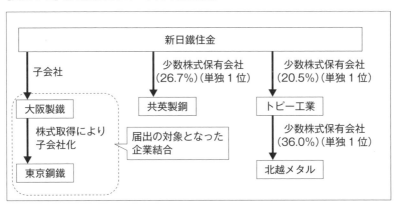

(2) 一定の取引分野の画定

　ア　基本的な考え方

　その企業結合が企業結合審査の対象となることが明らかになると、次に、一定の取引分野を画定することになる。「一定の取引分野」は、企業結合により競争が制限されることとなるか否かを判断するための範囲を示している（企業結合ガイドライン第2の1）。「一定の取引分野」とは、一定の供給者群と需要者群がおり、競争が行われる場のことである。企業結合審査においては、当事会社グループが取り扱う商品・役務（以下

単に「商品」という。また、企業結合ガイドラインでは、商品について「財」、役務について「サービス」としている場合もある）に着目し、競合、取引関係などにある商品についてどのような一定の取引分野を画定するべきかを検討する。

　一定の取引分野を画定するに当たっては、①商品の範囲と②地理的範囲という２つの側面から検討が行われる。商品の範囲と地理的範囲は、次のような考え方に則って画定される。

　㋐　需要者にとっての代替性

　商品の範囲と地理的範囲の画定は、基本的には「需要者にとっての代替性」という観点から判断される。たとえば、会社Ａの商品Ｘ１をスーパーＭで購入している消費者（需要者）が、商品Ｘ１のスーパーＭでの販売価格が上がったときに、他の会社の商品Ｘ２に変えるのか（商品の範囲）、また、商品Ｘ１をスーパーＭより遠くにあるスーパーＮで購入するのか（地理的範囲）という観点である。このような需要者にとっての代替性をみるに当たって、企業結合ガイドラインでは、ある地域において、ある事業者が、ある商品を独占して供給しているという仮定の下で、この独占事業者が、利潤最大化を図る目的で、小幅ではあるが、実質的かつ一時的ではない価格引上げをした場合に、需要者がその商品の購入を他の商品や地域に振り替える程度を考慮すると説明している。他の商品または地域への振替の程度が小さいために、その独占事業者が価格引上げによって利潤を拡大できるような場合には、その商品と地域の範囲が、その企業結合によって競争上何らかの影響が及び得る範囲ということになり（企業結合ガイドライン第２の１）、この範囲が「一定の取引分野」として画定される。逆に、他の商品または地域への振替の程度が大きいため、その独占事業者が価格引上げによってむしろ利潤が減少する場合には、他の商品または地域を含めた範囲を「一定の取引分野」の候補として、より広い範囲での検討を継続することとなる。このような考え方は、「仮定的独占者基準」または「SSNIP（スニップ）基準」と呼ばれる[10]。SSNIPは、「小幅ではあるが実質的であり、かつ一時的ではない価格引上げ（Small but Significant and Non-transitory Increase in Price)」の略称である。「小幅ではあるが、実質的であり、かつ一時的ではない価格引上げ」とは、通常、5％から10％の引上げ幅であり、期間については1年程度を指す（企業結合ガイドライン第2の1（注2））。

なお、この需要者にとっての代替性を考える上でのSSNIP基準は、公正取引委員会だけでなく欧米の競争当局なども共通して採用しているものであり、一定の取引分野の画定を行う上での考え方として国際的なスタンダードとなっている。また、新日鐵住金による日新製鋼の株式取得[11]では、ステンレス冷延鋼板の分野の地理的範囲の画定について、公正取引委員会がSSNIP基準の考え方に沿った経済分析を行っている[12]。

(イ) 供給者にとっての代替性

需要者にとっての代替性という観点に加えて、必要に応じて供給者にとっての代替性という観点も考慮される。たとえば、A社が商品Y1を地域Pで製造販売している場合に、A社が商品Y1の価格を上げたとき、地域Pで商品を製造販売しているB社（供給者）が商品Y2から商品Y1の製造販売に切り替えるのか（商品範囲）、また、地域Qで商品Y1を製造販売しているC社（供給者）が地域Pで商品Y1を製造販売し始めるのか（地理的範囲）という観点である。このような供給者にとっての代替性も、需要者にとっての代替性と同様にSSNIP基準により判断される。すなわち、ある商品と地域について、小幅ではあるが、実質的かつ一時的ではない価格引上げがあった場合に、他の供給者が、多大な追加費用やリスクを負うことなく、短期間（1年以内を目途）のうちに、別の商品や地域からその商品や地域に製造・販売を転換する可能性の程度を考慮する。そのような転換の可能性の程度が小さいために、その独占事業者が価格引上げによって利潤を拡大できるような場合には、その

---

10) 注釈独占禁止法62頁。
11) 新日鐵住金㈱による日新製鋼㈱の株式取得（平成28年度における主要な企業結合事例について（公取委報道発表平成29年6月14日）【事例5】）。
12) 一定の取引分野の画定に係る経済分析として、企業結合ガイドライン408-416頁では、SSNIP基準の考え方に沿った経済分析手法である臨界損失分析と商品の価格データを用いる価格分析が紹介されている。

範囲がその企業結合によって競争上何らかの影響が及び得る範囲ということになる（企業結合ガイドライン第2の1）。

日清食品による明星食品の株式取得[13]では、一定の取引分野を画定するに当たって、①袋麺、カップ麺、チルド麺等の商品の形状による区分、②中華麺、和麺、焼きそば等の麺の種類による区分の2つの方法が考えられた。しかし、需要の代替性について、商品の形状および麺の種類ごとに細かく区分（たとえば、カップ麺の形状となっている中華麺の商品など）した分析では、必ずしも有意な結果は得られなかった。他方、袋麺やカップ麺等、商品の形状が同じであれば、中華麺、焼きそば等いずれの麺であっても製造設備は基本的に共通していることから、各商品の間には供給の代替性があると考えられた。そのため、袋麺、カップ麺等の商品の形状ごとに一定の取引分野が画定された。

(ｳ)　重層的な市場の成立

一定の取引分野は、取引実態に応じ、ある商品の範囲（または地理的範囲）について成立すると同時に、それより広い（または狭い）商品の範囲（または地理的範囲）についても成立するというように、重層的に成立することがある。

ENEOSによるジャパン・リニューアブル・エナジーの株式取得[14]では、発電事業に関する一定の取引分野について検討が行われた。電力は、発電方法の違いによって品質等に差が生じるものではない。しかしながら、SDGsや脱炭素の意識の高まりから、火力を中心とした化石燃料を用いて発電した電力ではなく、再生可能エネルギーを用いて発電した電力を特に求める最終需要者が出現している。そして、発電事業の直接の需要者である小売電気事業者においても、そのような最終需要者をターゲットとして再生可能エネルギーを用いて発電した電力を販売する者が

---

13) 日清食品㈱による明星食品㈱の株式取得（平成18年度における主要な企業結合事例について（公取委報道発表平成19年6月19日）【事例2】）。
14) ENEOS㈱によるジャパン・リニューアブル・エナジー㈱の株式取得（令和3年度における主要な企業結合事例について（公取委報道発表令和4年6月22日）【事例5】）。

現れており、そうした事業者は再生可能エネルギーを指定して調達を行っている。こうした実態を踏まえ、商品の範囲として「発電事業全体」と「再生可能エネルギー発電事業」が重層的に画定された。

　イ　商品の範囲

　商品の範囲については、前記アのとおり需要者からみた代替性という観点、また、必要に応じて供給者からみた代替性という観点から画定されるが、商品の代替性の程度は効用等の同種性の程度と一致することが多く、次のような事項が考慮される（企業結合ガイドライン第2の2）。

　㋐　内容・品質等

　商品の内容・品質等として、財の場合、大きさ・形状等の外形的な特徴や、強度・可塑性・耐熱性・絶縁性等の物性上の特性、純度等の品質、規格・方式等の技術的な特徴などが考慮される。また、店舗等を拠点とする小売業・サービス業等の場合、取扱商品のカテゴリー、品質、品揃え・営業時間・店舗面積等の利便性などが考慮される。

　グローバルウェーハズ・ゲーエムベーハーによるシルトロニック・アーゲーの株式取得[15]では、導体デバイスの回路を搭載する基板として使用される「シリコンウェーハ」について、単結晶シリコンの製造方法（「CZ法」と「MCZ法」、「FZ法」）、口径（「150㎜以下」、「200㎜」、「300㎜」）、加工方法等（「ノンポリッシュド」、「ポリッシュド」、「エピタキシャル」）の各要素の組合せによるシリコンウェーハの種類ごとに、商品範囲として画定された。

　㋑　価格・数量の動き等

　商品の範囲を画定するに当たって、価格水準の違い、価格・数量の動き等が考慮されることがある。たとえば、2つの商品を同一の用途に用いることが可能であるが、両商品の価格水準が大きく異なる場合は、同種の商品とは認められないことがある。また、2つの商品の内容・品質

---

[15]　グローバルウェーハズ・ゲーエムベーハーによるシルトロニック・アーゲーの株式取得（令和3年度における主要な企業結合事例について（公取委報道発表令和4年6月22日）【事例2】）。

等が同種であれば、一方の商品の価格が上昇した場合に他方の商品の販売数量が増加する、または価格が上昇するといった動きがみられることがある。

三井製糖による大日本明治製糖の株式取得[16]では、「分蜜糖」と「含蜜糖」に大別される砂糖について、分蜜糖と含蜜糖とでは、価格が大きく異なること、分蜜糖が白色であるのに対し、含蜜糖は茶褐色であり独特の風味を有することから、砂糖の主な需要者である食品・菓子、飲料メーカー等は両製品を、価格や色、風味等の特徴に応じて一定程度使い分けており、両製品の間の需要の代替性は限定的であるとし、別の商品の範囲を構成すると判断された。

(ウ) 需要者の認識・行動

商品の範囲を画定するに当たって、需要者の認識・行動が考慮される場合がある。たとえば、需要者が同じ商品の原料として併用している2つの商品は、物性上の特性等に違いがあっても、効用等が同種であると認められる場合がある。また、過去にある商品の価格が引き上げられた場合に、需要者がこれに替えて他の商品を用いたことがあるか否かが、効用等が同種であるかどうかの評価で考慮される場合もある。

サノフィグループとベーリンガー・インゲルハイムグループによる事業交換[17]では、「動物用解熱鎮痛消炎剤」について、投与経路は経口投与と皮下注射があるが、効能と効果は同じであるため獣医師等は相互に代替可能なものとして認識していることを踏まえ、商品範囲は「動物用解熱鎮痛消炎剤」として画定された。

ウ 地理的範囲

(ア) 基本的な考え方

地理的範囲についても、需要者からみた各地域で供給される商品の代

---

[16] 三井製糖㈱による大日本明治製糖㈱の株式取得（令和2年度における主要な企業結合事例について（公取委報道発表令和3年7月7日）【事例1】）。

[17] サノフィグループ及びベーリンガー・インゲルハイムグループによる事業交換（平成28年度における主要な企業結合事例について（公取委報道発表平成29年6月14日）【事例4】）。

替性の観点から判断され、供給者にとっての代替性も必要に応じて考慮される。各地域で供給される商品の代替性は、需要者や供給者の行動や、商品の輸送に係る問題の有無等から判断できることが多い。

　需要者が、通常、どの範囲の地域から当該商品を購入できるかという点について、需要者の買い回る範囲（消費者の購買行動等）や供給者の販売網等の事業地域および供給能力等が考慮される。この際、鮮度の維持の難易の程度、破損しやすさや重量物であるか否かなどの特性、輸送に要する費用が価格に占める割合や輸送しようとする地域間におけるその商品の価格差より大きいか否かなども考慮される。店舗等を拠点とする小売業・サービス業の場合、主に需要者の買い回る範囲などが考慮される（企業結合ガイドライン第2の3）。

　企業結合審査の対象となったこれまでの事例をみると、地理的範囲は「日本全国」と画定されている場合が多い。しかし、供給者の事業地域や商品の特性等により、日本全国よりも狭い地域、たとえば都道府県や関東地方といった地域ブロックが地理的範囲として画定されている場合や、狭い地理的範囲と広い地理的範囲が重層的に画定されている場合がある。また、後記(イ)のように、「日本全国」よりも広い範囲、すなわち国境を越えた地理的範囲が画定される場合もある。海外の供給者からも日本国内の需要者が調達している事案においては、内外の供給者の日本国内の需要者に対する販売シェアを併せて勘案し、日本国内の需要者に対する競争への影響が判断される。海外の供給者からの競争圧力は、輸入（後記(4)ウ(イ)）として勘案されることもある。

　横浜銀行による神奈川銀行の株式取得[18]では、金融機関は需要者を訪問して営業活動を行うことが多く、店舗から一定の範囲を営業範囲としていることを踏まえ、店舗から自動車または公共交通機関で30分ないし1時間程度で移動できる市町村を構成市町村とする範囲を営業範囲として設定した。当事会社グループは、神奈川県における事業性貸出し

---

[18] ㈱横浜銀行による㈱神奈川銀行の株式取得（令和4年度における主要な企業結合事例について（公取委報道発表令和5年6月28日）【事例8】）。

と非事業性貸出しについて、競争事業者との間では、横浜・川崎地域、横須賀三浦地域、県央地域、湘南地域、県西地域の5つの経済圏ごとの範囲で競争していると考えられることから、5経済圏がそれぞれ地理的範囲として画定された。

ファミリーマートとユニーグループ・ホールディングスの経営統合[19]では、以下の手順で詳細な検討を要する地域が絞り込まれた。

① コンビニエンスストアの商圏に対する一般的な認識などから、当事会社の店舗を中心とする半径500メートルの範囲を地理的範囲として画定した。その全国2000を超える地域のうち、他社の店舗が存在せず統合後は当事会社の店舗のいずれか1つに絞られるなど、競争に与える影響が大きいと考えられるものは863地域であった。

② ①の地域について、半径1キロメートルの範囲内に他社の店舗が存在するかといった点でグループ分けし、各グループから複数店舗を選び、当事会社と協力して一般消費者を対象とする店頭アンケートを実施して、店舗利用頻度、値上げの際の他店舗への切り替えの可能性などを調査した。

③ ②のアンケート対象店舗について、統合後に当事会社が値上げを行うインセンティブを有するかを把握するために、GUPPI（Gross Upward Pricing Pressure Index、グロス価格上昇圧力インデックス）を推定し、その結果を踏まえ、他社の店舗が半径1キロメートル以内に存在せず統合後は当事会社の店舗のいずれか1つに絞られる68地域についてより詳細な検討が必要とされた。

④ ②のアンケート結果により、スーパーマーケットが当事会社による値上げに対し牽制力を有していることが明らかになった。計量経済分析の結果、当事会社の店舗から半径1.5キロメートルの圏内にチェーンスーパーが3店舗以上存在していれば、当事会社の店舗への来店者数

---

[19] ㈱ファミリーマートとユニーグループ・ホールディングス㈱の経営統合（平成27年度における主要な企業結合事例について（公取委報道発表平成28年6月8日）【事例9】）経済法百選〔第2版〕50事件102頁。

が顕著に減少するという関係がみられ、③の68地域からそのような地域を除外した46の地域が絞り込まれた。本件について、公正取引委員会は、競争上の問題はないとの結論に至っている。

(イ) 国境を越えて地理的範囲が画定される場合についての考え方

「ある商品について、内外の需要者が内外の供給者を差別することなく取引している」(企業結合ガイドライン第2の3(2))というような状況が認められる場合には、国境を越えて地理的範囲が画定されることになる。この際、世界全体が1つの市場と画定されることもあれば、日本を中心とした地域的な市場(東アジア市場など)が画定される場合もある。

a 国境を越えて地理的範囲が画定された例

DICによるBASFカラー&エフェクトジャパンの株式取得[20]では、顔料は、輸入に係る輸送費用の点から制約があるわけではなく、また、供給者は需要者の所在する国を問わず取引しており、需要者も国内外の供給者を差別することなく取引していることから、地理的範囲は「世界全体」として画定された。

また、半導体製品の地理的範囲について、①輸送費、関税等がほとんどかからないため国内外で価格差がみられず、②需要者が国内外の供給者を差別することなく取引し、③供給者も需要者の所在する国を問わず取引しているといった状況がみられる場合、「世界市場」が画定されている[21]。

---

[20] DIC㈱によるBASFカラー&エフェクトジャパン㈱の株式取得(令和2年度における主要な企業結合事例について(公取委報道発表令和3年7月7日)【事例3】)。

[21] グローバルウェーハズ・ゲーエムベーハーによるシルトロニック・アーゲーの株式取得(令和3年度における主要な企業結合事例について(公取委報道発表令和4年6月22日)【事例2】)、インテルコーポレーションとアルテラコーポレーションの統合(平成27年度における主要な企業結合事例について(公取委報道発表平成28年6月8日)【事例4】)、エヌエックスピー・セミコンダクターズ・エヌブイとフリースケール・セミコンダクターズ・リミテッドの統合(平成27年度における主要な企業結合事例について(公取委報道発表平成28年6月8日)【事例5】)。

b　国境を越えて地理的範囲が画定されるとの当事会社の主張が認められなかった例

　新日鐵住金による日新製鋼の株式取得[22]では、ステンレス冷延鋼板の分野の地理的範囲の画定について、当事会社は原料価格や製品価格が国際市況に連動していることから「東アジア」であると主張し、価格相関分析及び定常性分析の結果を公正取引委員会に提出した。しかし、公正取引委員会が需要者からヒアリングしたところ、需要者は品質や輸送面の問題を勘案して国内の鉄鋼事業者から調達しているという実態にあった。公正取引委員会はその点を検証するために臨界弾力性分析を行い、地理的範囲は「日本全国」と画定した。

　エ　デジタルサービスの市場画定の特徴

　前記ア(ア)で述べたとおり、一定の取引分野の画定に当たっては、「SSNIP基準」、すなわち、価格競争を前提とした考え方が用いられている。一方、デジタルサービスにおいては、事業者間の競争が価格ではなく品質等を手段として行われている場合がある。ソーシャル・ネットワーキング・サービス（SNS）、ホテル・飲食店のオンライン予約サービスなど需要者が無料で利用できるサービスは、その典型例である。専ら価格ではなく品質等を手段として競争が行われているような場合には、①独占的事業者が品質を悪化させることができるか否か（SSNDQ（Small but Significant and Non-transitory Decrease in Quality）基準）、または②需要者が負担する費用（コスト）を上昇させることができるか否か（SSNIC（Small but Significant and Non-transitory Increase in Cost）基準）という考え方で市場を画定することができる（企業結合ガイドライン第2の1(注3)）。①の品質悪化の例として、事業者の提供するインターネット動画の画質が悪化する場合が考えられる。②のコスト上昇の例として、需要者がインターネット動画を視聴する際に広告が表示される時間が長くなる場合や、サービスの利用に当たり提供させられる個人情報が増え

---

[22]　新日鐵住金㈱による日新製鋼㈱の株式取得（平成28年度における主要な企業結合事例について（公取委報道発表平成29年6月14日）【事例5】）。

る場合が考えられる。

　また、前記イ、ウで述べたとおり、商品範囲・地理的範囲の画定に当たっては、商品の特性といった定性的な情報を用いながら、ある商品の価格が上昇した場合の需要者の行動を想定し、一定の取引分野の画定をすることが多い。デジタルサービスや通信サービスでは、下記の定性的な情報が考慮される（企業結合ガイドライン第2の2(1)、3(1)ア）。

　○　商品範囲の画定の際の考慮事項
　　・　内容面の特徴（利用可能なサービスの種類・機能等）
　　・　品質（音質・画質・通信速度・セキュリティレベル等）
　　・　利便性（使用可能言語・使用可能端末等）　など
　○　地理的範囲の画定の際の考慮事項
　　・　需要者からみた範囲（供給者から同一の条件・内容・品質等でサービスを受けることが可能か）
　　・　供給者からみた範囲（供給者のサービスが普及している範囲）　など

　インターネットを利用し第三者にサービスの「場」を提供するプラットフォーム事業においては、異なる複数の需要者層が存在する多面市場が形成されていることが多い。そのような場合は、基本的にはそれぞれの需要者層ごとに一定の取引分野を画定し、間接ネットワーク効果については競争の実質的制限の判断の際に考慮に入れている（後記(4)ウ(ア)f参照）。ただし、プラットフォームが異なる需要者層の取引を仲介し、間接ネットワーク効果が強く働くような場合には、それぞれの需要者層を包含した1つの一定の取引分野を重層的に画定する場合がある（企業結合ガイドライン第2の1）。

　ヤフーによる一休の株式取得[23]では、当事会社の「オンライン旅行予約サービス業」について、ホテル業者等と旅行客（ユーザー）という異なる需要者層が存在した。そのため、①宿泊・運送等のユーザーの勧誘、

---

[23]　ヤフー㈱による㈱一休の株式取得（平成27年度における主要な企業結合事例について（公取委報道発表平成28年6月8日）【事例8】）経済法百選〔第2版〕49事件100頁。

予約受付・管理を可能にするサービス（ホテル業者等に対して提供）、②宿泊・運送等の情報提供・予約を可能にするサービス（ユーザーに対して提供）という2つの役務範囲が画定されている。事業者の収益源は、①のサービスに対するホテル業者等からの手数料（通常、成約した旅行サービスに係る代金の一定割合）である。本件では、「オンライン飲食店予約サービス業」についても、同様の市場画定がなされている。

(3) 競争を実質的に制限することとなる場合

当事会社グループが取り扱う同種の商品について一定の取引分野が画定されると、次の段階として、その企業結合が、関係する市場（一定の取引分野）において「競争を実質的に制限することとなるか」ということを検討する。

ア 「競争を実質的に制限することとなる」の考え方

企業結合ガイドラインは、「競争を実質的に制限する」の考え方について、不当な取引制限の事例である東宝・新東宝事件（東京高裁判決昭和28年12月7日）を引用して、「競争を実質的に制限するとは、競争自体が減少して、特定の事業者又は事業者集団がその意思で、ある程度自由に、価格、品質、数量、その他各般の条件を左右することによって、市場を支配することができる状態をもたらすことをいう」と説明している（企業結合ガイドライン第3の1(1)イ）。「競争を実質的に制限する」の基本的な考え方は、企業結合の場合も私的独占や不当な取引制限の場合と同様である。

しかし、企業結合が私的独占や不当な取引制限の場合と異なるのは、それが一定の取引分野における競争を実質的に制限する「こととなる」場合に禁止されることである。「「こととなる」とは、企業結合により、競争の実質的制限が必然ではないが容易に現出し得る状況がもたらされることで足りるとする蓋然性を意味するものである」（企業結合ガイドライン第3の1(2)）。企業結合審査においては、企業結合が行われることで、関係する市場が非競争的に変化する可能性がないかを様々な要素を検討の上、判断することになる。

なお、そもそも一定の取引分野において活発な競争がみられず、現在でも非競争的で企業結合が行われても行われなくてもその状態に変わりがないと見込まれることがある。そのような場合は、企業結合が行われたことに「より」一定の取引分野における競争が実質的に制限されることとなるとはいえず、企業結合と市場における弊害との間の因果関係が認められない。後記(4)ウ(ケ)の「複数事業者による競争を維持することが困難な場合」の取扱いは、前記の考え方に則ったものである。企業結合が行われなかった場合の状況はcounterfactual（カウンターファクチュアル）とも呼ばれる。

イ　企業結合の形態と競争の実質的制限

企業結合には、大きく分けて次の3つの形態がある。

(ア)　水平型企業結合

同一の一定の取引分野において競争関係にある会社間の企業結合をいう。たとえば、当事会社が同じ商品を製造・販売している場合である。

(イ)　垂直型企業結合

取引段階を異にする会社間の企業結合をいう。たとえば、当事会社が同じ商品を取り扱っているが、一方はメーカーであり、もう一方は販売業者の場合である。

(ウ)　混合型企業結合

異業種に属する会社間や、一定の取引分野の地理的範囲を異にする会社間の合併など、水平型または垂直型企業結合に該当しない企業結合をいう。

なお、混合型企業結合の中でも、同一の一定の取引分野ではないが類似の効用等を有する商品を取り扱っている場合は、「商品拡大型」と呼ばれる。また、異なる地理的範囲で商品を取り扱っている場合は、「地域拡大型」と呼ばれる。そのどちらでもない場合は、「純粋混合」と呼ばれる。

水平型企業結合は、市場における競争単位の数を必ず減少させることになるため、前記の3つの形態の中で競争に与える影響が最も直接的である。これに対し、垂直型と混合型の企業結合は、市場における競争

単位の数を減少させることはないので、一定の場合を除き、通常は競争制限効果が少ないと考えられている。

このような違いから、企業結合ガイドラインでは、水平型・垂直型・混合型企業結合に分けて、企業結合が「一定の取引分野における競争を実質的に制限することとなるか否か」の検討の枠組みや判断要素が示されている。後述するセーフハーバー基準も、水平型企業結合と垂直型・混合型企業結合では数値が異なり、また、競争制限的な企業結合かを検討する上での考え方や判断要素も水平型・垂直型・混合型企業結合で異なっている。

なお、当事会社が様々な商品を取り扱っているような場合には、たとえば、1つの企業結合が水平型企業結合に該当する側面と垂直型企業結合に該当する側面を併せ持つ場合もある。そのような場合は、それぞれの側面に応じて、判断要素等の検討を行うことになる（企業結合ガイドライン第3の2）。

(4) 水平型企業結合の検討の枠組みと判断要素

ア　セーフハーバー基準該当・非該当の判断

競争制限的な企業結合かを判断する具体的な判断要素の第一として、企業結合ガイドラインは、水平型企業結合のセーフハーバー基準を示している（企業結合ガイドライン第4の1(3)）。セーフハーバー基準はこれまでの公正取引委員会の審査経験などを基に設定されているものであり、このセーフハーバー基準に該当すれば、市場シェアや輸入・参入等の各判断要素に関する詳細な検討は通常行われずに問題ないと判断され、企業結合審査はそこで終了する。

セーフハーバー基準に該当するか否かの判断に当たっては、ハーフィンダール・ハーシュマン指数（HHI）が用いられる。HHIとは、一定の取引分野における各事業者の市場シェアの2乗を足し上げたもの（総和）であり、市場集中度（特定の市場において、上位企業に生産や販売活動が集中している程度）を示す指標である。一部企業への市場集中が進んでいるほど、HHIが大きくなる。たとえば、同じ4社寡占の市場で

あっても、4社がすべて市場シェア25%であれば、HHIは2500になる。一方、4社の市場シェアがそれぞれ40%、30%、20%、10%であれば、HHIは3000になり、より集中度の高い市場であることがわかる[24]。

HHIの算定の基礎となる市場シェアは、製造販売業の場合は一定の取引分野における商品の販売数量に占める各事業者の商品の販売数量の百分比を用いる。ただし、商品間の価格差があるなど数量によることが適当でない場合は、販売価格により算出する（企業結合ガイドライン第4の1(3)(注6)）。

水平型企業結合のセーフハーバー基準は、このHHIを使って、企業結合ガイドラインで次の(ア)～(ウ)のように示されている。このいずれかに該当すれば、その企業結合についてそれ以上の検討は通常行われない。

(ア) 企業結合後のHHIが1500以下である場合
(イ) 企業結合後のHHIが1500超2500以下であって、かつ、HHIの増分が250以下である場合
(ウ) 企業結合後のHHIが2500を超え、かつ、HHIの増分が150以下である場合

「HHIの増分」とは、企業結合後のHHIから企業結合前のHHIを差し引いた値である。当事会社が2社の場合には、当事会社のそれぞれの市場シェアを乗じたものを2倍することによって計算することができる。

セーフハーバー基準に該当しなかったとしても、それで即座に競争制限的だと判断されるのではなく、輸入、参入等の判断要素が総合的に勘案された上で、競争を実質的に制限することとなるか否かが判断される。セーフハーバー基準は、問題ないと判断する基準（その企業結合が「白」であると判断する基準）であって、違法と判断する基準（その企業結合が「黒」であると判断する基準）ではない。実際に、セーフハーバー基準非該当であったほとんどの事案については、個々の判断要素について検討

---

[24] 小田切宏之『競争政策論 独占禁止法事例とともに学ぶ産業組織論〔第2版〕』76～77頁（日本評論社、2017）。

された結果、独占禁止法上の問題がないと判断されている。仮に独占禁止法上の問題があるとされた場合にも、届出会社が適切な問題解消措置（後記(7)参照）を提案することで企業結合が問題ないと判断された事案がほとんどである。また、セーフハーバー基準非該当の事案の中で、企業結合後のHHIが2500以下であり、かつ、企業結合後の当事会社グループの市場シェアが35％以下の場合については、「過去の事例に照らせば……競争を実質的に制限することとなるおそれは小さいと通常考えられる」（企業結合ガイドライン第4の1(3)）。

イ 「単独行動」による競争の実質的制限と「協調的行動」による競争の実質的制限

その企業結合が前記アのセーフハーバー基準に該当しないときは、その企業結合が一定の取引分野における競争を実質的に制限することとなるかを、企業結合後の当事会社グループが「単独行動」をとることによる競争制限と、当事会社グループとその競争者が「協調的行動」をとることによる競争制限という2つの観点から個別具体的に検討することになる。

(ア) 「単独行動」による競争の実質的制限

企業結合後に1つの競争単位となる当事会社グループが、ある程度自由に価格を引き上げる、供給量を制限するといった競争制限的な行為を行うことができるようになることが、「単独行動」による競争の実質的制限である。企業結合後に当事会社グループが「単独行動」による競争の実質的制限を行うことが可能となるか否かについて、企業結合ガイドラインは次のような基本的な考え方を示している。

まず、一定の取引分野における商品が同質的なものである場合には、当事会社グループが価格を引き上げようとするならば、需要者はより安くその商品を調達するために、同じ商品を扱っている同業者から購入しようとすると考えられる。しかし、競争者の工場の稼働率が高いなど、競争者の供給余力がない状態では、競争者は新たな需要に対して商品を供給することができないため、需要者は、その商品の購入先を競争者に切り替えることができない。そのため、企業結合後に当事会社グループ

の価格引上げが成功する蓋然性が高くなると考えられる。

　次に、ブランド品のように同じ一定の取引分野の中の商品がある程度差別化されている場合を考えてみる。そのような状況では、あるブランドの商品の価格が引き上げられた場合、そのブランドの商品と最も代替性の高いブランドの商品を需要者は購入しようとすると考えられる。企業結合を計画している当事会社AとBの商品について、Aの商品とBの商品の代替性が高く、競争者Cの商品とAやBの商品の代替性が高くない場合には、Aの価格引上げによりAの商品の売上が減少したとしても、Bの商品の売上の増加でそれを埋め合わせることが可能となる。このような場合には、企業結合後に当事会社グループの価格引上げが成功する蓋然性は、やはり高くなる。

(イ)　「協調的行動」による競争の実質的制限

　「協調的行動」による競争の実質的制限が起こるかは、企業結合後に当事会社グループが1つの競争単位となり、結果として一定の取引分野に存在する競争単位が減ることで、他の競争者と当事会社グループとの競争関係がどのように変化するかによる。たとえば、一定の取引分野の市場集中度が低く、多くの競争者が存在するような場合には、当事会社グループが価格を引き上げようとしても、他の競争者は価格を据え置くことでその分売上を拡大しようとするため、当事会社グループの価格引上げに対する牽制力となり得る。しかし、もともと一定の取引分野の市場集中度が高いような場合には、企業結合により競争単位が減ることで、各競争者が互いの行動をさらに高い確度で予測することができるようになる。そのような場合には、当事会社グループが価格を引き上げた場合に、他の競争者は価格を据え置くことで一時的に売上を拡大しようとするよりも、そのような当事会社グループの価格引上げに追随する方が利益となりやすいので、当事会社と競争者が協調的な行動をとることとなる蓋然性が高くなる。

　出光興産による昭和シェル石油の株式取得とJXホールティングスによる東燃ゼネラル石油の株式取得[25]では、LPガス元売業について、以下の①～③の点を踏まえ、企業結合により当事会社の出資関係が変動し

て新たな結合関係が形成されることで、競争者の間に協調的関係が生じる蓋然性が高いと考えられた。

①LPガス元売4社のうちの1社であるジクシスに対しては、以前から昭和シェル石油と東燃ゼネラル石油が25％ずつ出資しており、統合後は、統合2社から25％ずつの出資となる。

②ジクシス以外のLPガス元売3社に対しても、JXホールティングスが2社に、出光興産が1社に出資しており、LPガス元売4社にはすべて統合2社のいずれかまたは両方が出資することとなる。統合2社からジクシスに対し派遣された役員が、その後に他のLPガス元売3社に異動することで、卸売業者への販売価格といった競争上重要な情報がLPガス元売4社間で共有されるおそれがある。

③商品が同質であり、4社の合算シェアが日本市場で80％前後となり、競争事業者や隣接市場（電気、都市ガス等）からの牽制力も十分ではない。

これに対して、当事会社から、ジクシスへの出資比率の引下げ、役員派遣の取りやめなど、ジクシスを通じた協調的行動が起こらないようにするための問題解消措置（後記(7)参照）の申出があり、その他の分野に対する問題解消措置も踏まえ、本件は競争上問題ないと判断された。

ウ　「単独行動」による競争の実質的制限についての判断要素

前記イ(ア)の基本的な考え方を踏まえ、企業結合ガイドラインは、「単独行動」による競争の実質的制限について、次のような判断要素を示している。判断要素の中には、「当事会社グループの地位と競争者の状況」のように、その企業結合が競争制限的な効果をその市場に与えるかどうかを判断するものがある。また、「輸入」のように、当事会社が企業結合後に競争制限的な行動をとった場合に、市場の外からの牽制力があるかどうかを判断するものがある。さらに、「効率性」のように、企業結

---

25) 出光興産㈱による昭和シェル石油㈱の株式取得及びJXホールティングス㈱による東燃ゼネラル石油㈱の株式取得（平成28年度における主要な企業結合事例について（公取委報道発表平成29年6月14日）【事例3】)。

合を正当化する事情があるかどうかを勘案する判断要素もある。これらの判断要素は、「単独行動」による競争の実質的制限が生ずる蓋然性を判断する上で、総合的に勘案される。

(ア) 当事会社グループの地位と競争者の状況

この判断要素は、企業結合後に当事会社グループが「単独行動」による競争の実質的制限を行うことが可能となるか否かをみるために、セーフハーバー基準非該当のすべての事案で勘案されている。この判断要素について、次の4つの観点が勘案される（企業結合ガイドライン第4の2(1)ア、イ、エ、オ）。

a 市場シェアとその順位

企業結合後の当事会社グループの市場シェアや市場シェアの増分が大きい場合、また、市場シェアの順位が高い場合やそれまでよりも順位が大きく上昇する場合は、その企業結合が競争に及ぼす影響が大きいと考えられる。この場合の市場シェアは、入手可能な最新のものを使用することを原則とするが、市場シェアに大きな変動が見込まれるような場合は、その点も加味して競争に与える影響が判断される。

b 当事会社間の従来の競争の状況等

企業結合の当事会社同士がこれまで活発に競争してきたような場合に、企業結合によりそうした状況が期待できなくなるときは、競争に及ぼす影響が大きいと考えられる。

c 競争者の市場シェアとの格差

企業結合後の当事会社グループの市場シェアと競争者の市場シェアとの格差が大きい場合には、それだけその企業結合が競争に与える影響が大きいと考えられる。

d 競争者の供給余力と差別化の程度

競争者の供給余力は、競争者が当事会社グループの価格引上げへの牽制力となるかを判断する上で、重要な要素となる。競争者に供給余力があれば、企業結合後に当事会社グループが価格引上げを行った場合に、競争者は市場への供給量を増加させて市場シェアを容易に拡大することができるため、当事会社グループの価格引上げに対する牽制力となると

考えられる。

　また、商品がブランド等により差別化されている場合であって当事会社の販売する商品間の代替性が高い場合には、競争者の販売する商品と当事会社グループが販売する商品との代替性の程度を考慮する。代替性が低い場合には、企業結合後の当事会社グループの市場シェアと競争者の市場シェアとの格差がさほど大きくないときであっても、当該企業結合の競争に及ぼす影響が小さいとはいえないことがある。

　新日本製鐵と住友金属工業の合併[26]では、「無方向性電磁鋼板」について、「a　市場シェアとその順位」をみると、当事会社の市場シェアは新日本製鐵が約40％、住友金属工業は約15％であり、企業結合後の合算市場シェアは約55％で、その順位は第1位となる。「b　当事会社間の従来の競争の状況等」については、住友金属工業は取り扱う商品が異なることなどから、新日本製鐵や他の競争者とは異なる価格戦略をとっているが、合併後の当事会社は、住友金属工業のような価格戦略をとらなくなると考えられた。「c　競争者の市場シェアとの格差」と「d　競争者の供給余力と差別化の程度」については、現在、A社という市場シェア40％で第2位の有力な競争者が存在するが、企業結合によりこのA社と当事会社グループとのシェアの格差は拡大し、また、この競争者は十分な供給余力を有している状況になく、当事会社グループの価格引上げに対し供給量を十分に増やすことが難しいと評価されている。

　e　研究開発の状況

　当事会社が競合する財・サービスの研究開発を行っている場合には、その研究開発の実態も踏まえて企業結合が競争に与える影響を判断する。たとえば、一方の当事会社が研究開発中の商品について、近い将来に上市された際に他の当事会社が供給している商品と競合する程度が高く、同じ商品範囲に含まれると見込まれる場合がある。このような場合、企業結合が行われなければ実現したであろう研究開発後の当事会社間の競

---

[26]　新日本製鐵㈱と住友金属工業㈱の合併（平成23年度における主要な企業結合事例について（公取委報道発表平成24年6月20日）【事例2】）。

争が減少し、また、当事会社の研究に対する意欲が減退するときは、競争への影響が大きいと考えられる。また、両当事会社とも研究開発中である場合、企業結合により一方の当事会社が研究開発を中止することも考えられることから、上市後の競争の消滅や研究開発意欲の減退を踏まえて競争に与える影響が判断される（企業結合ガイドライン第4の2(1)カ）。

研究開発中の商品については、特に医薬品の分野において検討されることが多い。武田薬品工業によるシャイアーの株式取得[27]では、主に潰瘍性大腸炎やクローン病の治療に用いられる炎症性腸疾患用薬であり、バイオ医薬品の一種である「抗インテグリン阻害薬」について検討された。当事会社グループの商品はいずれも上市されていなかったが、武田薬品工業グループの商品については既に一部の適応症について厚生労働省の製造販売承認を得ており、また、シャイアーグループの商品については欧米において第Ⅲ相臨床試験段階（いわゆる「フェーズ・スリー」）にあるなど、将来、日本国内で上市される可能性があるものと考えられた。その上で、①シャイアーグループは、本件審査時点において日本向けの開発を行う具体的な予定はなく、当事会社グループ間の潜在的競合の程度は高くないと考えられたこと、②同じ医薬品について先行して承認申請や研究開発を行っている事業者が複数認められたこと、③他の種類のバイオ医薬品が隣接市場となっており一定の競争圧力が認められることから、競争上の問題はないと判断された。

このほか、有力な事業者の上市予定の商品が当事会社の商品と競合し牽制力として評価できるとされた案件[28]や、上市予定の商品が隣接市場として当事会社の商品に対する牽制力となると認められた案件[29]がある。

---

27) 武田薬品工業㈱によるシャイアー・ピーエルシーの株式取得（平成30年度における主要な企業結合事例について（公取委報道発表令和元年6月19日）（別添3）【事例3】）。
28) サノフィグループ及びベーリンガー・インゲルハイムグループによる事業交換（平成28年度における主要な企業結合事例について（公取委報道発表平成29年6月14日）【事例4】）。

f　デジタルサービス市場の特性を踏まえた競争分析

　当事会社がデジタルサービスを提供している場合、直接・間接ネットワーク効果、規模の経済性等を踏まえて競争に及ぼす影響を判断することがある。

　(a)　直接ネットワーク効果の考慮（企業結合ガイドライン第4の2(1)キ）

　企業結合後に当事会社グループが一定数の需要者を確保することにより、商品の価値が高まり、さらに需要者が増加すると見込まれる場合がある。特にデジタルサービス市場では、普及率が一気に跳ね上がり需要者数の臨界点（クリティカル・マス）を超えることで、独占化が進むことがある。そのような「直接ネットワーク効果」が働く場合、その点も踏まえて企業結合が競争に与える影響について判断する。特に、需要者の多くが1つのサービスしか利用しない場合（シングル・ホーミング）は、需要者の多くが複数のサービスを同等に利用する場合（マルチ・ホーミング）と比較して、直接ネットワーク効果が競争に与える影響は大きいと考えられる。

　(b)　間接ネットワーク効果の考慮（企業結合ガイドライン第4の2(1)キ）

　プラットフォームを通じた多面市場について、一方の市場において一定数の需要者数を確保すると他方の市場における競争力が高まるという「間接ネットワーク効果」が働く場合には、その点も踏まえて競争に与える影響を判断する。

　マイクロソフト・コーポレーションとアクティビジョン・ブリザード・インクの統合[30]では、「ゲーム用プラットフォーム提供事業」と「ゲーム販売・配信事業」について、双方向の間接ネットワーク効果が働く市場と判断された。すなわち、ゲームコンソールやゲーム配信サー

---

29)　パナソニック㈱による三洋電機㈱の株式取得（平成21年度における主要な企業結合事例について（公取委報道発表平成22年6月2日）【事例7】）（後記(4)ウ(エ)参照）。

30)　マイクロソフト・コーポレーション及びアクティビジョン・ブリザード・インクの統合（令和4年度における主要な企業結合事例について（公取委報道発表令和5年6月28日）【事例7】）。

ビスを利用する消費者が多ければ多いほど、ゲーム開発・発行事業者としては様々なゲームコンテンツを提供するインセンティブが増加する。また、そうして様々なゲームコンテンツが多く提供されればされるほど、消費者にとって、そのゲームコンソールやゲーム配信サービスが一層魅力的になるという関係にある。そのため、ゲーム関連事業をめぐる市場において競争上の影響を検討するに当たっては、こうした間接ネットワーク効果についても考慮する必要がある。

(イ) 輸入

輸入圧力が十分働いていれば、その企業結合が競争に与える影響は小さいものとなる。需要者が当事会社グループの商品から容易に輸入品に使用を切り替えられるのであれば、当事会社グループの価格引上げに対する牽制力になり得る（企業結合ガイドライン第4の2(2)）。

なお、「輸入」とは、一般的には日本国外から日本国内への商品の供給をいうが、企業結合ガイドラインでは、画定された地理的範囲の外の地域から商品が供給されることを「輸入」と呼んでいる。このため、国境を越えた一定の地域が地理的範囲と画定された場合は、その地理的範囲以外の地域からその地理的範囲に向けて行われる商品の供給が「輸入」とみられることになる（企業結合ガイドライン第4の2(2)(注8)）。

輸入圧力は、次のa〜dの輸入に係る状況をすべて検討の上、判断される。その際、たとえ現在輸入が行われていなくても、輸入に関して制度上の障壁がない、輸送費用が低く流通上の問題が存在しないなどといった理由により、容易に輸入が生じ得る状況であれば、輸入圧力があると判断される場合もある。

また、期間としては、概ね2年以内に輸入が生じるかを目安とするが、産業の特性によりそれより短期間の場合もあれば長期間の場合もある。後記(ウ)の参入についても、勘案する期間は輸入と同様、概ね2年以内である。

a 制度上の障壁の程度

制度上の障壁とは、関税その他の輸入に係る税制等の規制を指す。制度上の障壁が存在しなければ、それだけ輸入圧力が働きやすい。現在、

制度上の障壁があったとしても、近い将来にそれが除かれることが予定されている場合には、その点も考慮する。

　b　輸入に係る輸送費用の程度や流通上の問題の有無

　輸送費が安く、輸入する際の流通上の問題がない商品については、輸入が容易である。他方、重量物で付加価値が低い商品など、輸送費がかさむ場合や、輸入品の安定供給が期待できないような場合には、輸入圧力が働きにくい。

　c　輸入品と当事会社グループの商品の代替性の程度

　輸入品と当事会社グループの商品の代替性が高い場合には、需要者にとって輸入品への切替えは容易になる。逆に、輸入品と当事会社グループの商品に品質差がある場合などは、そのような切替えは難しくなる。代替性の程度をみる上では、輸入品と当事会社グループの商品の価格水準の違い、価格・数量の動き、需要者の認識・行動を勘案する。

　d　海外の供給可能性の程度

　当事会社グループが価格を引き上げた際に、海外の供給者が国内の需要者に供給することが可能かどうかを勘案する。この点をみるに当たっては、まず、海外の供給者の生産費用が安いか、また、十分な供給余力を有しているかが重要になる。現に相当程度の国内の需要者への供給が行われているか、また、具体的な将来の輸入計画があるかといった点も考慮される。

　昭和産業によるサンエイ糖化の株式取得[31]では、「含水結晶ぶどう糖」について、輸入が増加傾向にあり、需要者等からのヒアリングにおいて国内品から輸入品に切り替えた経験を有する者や輸入品への切替えを具体的に検討している者等が存在することに加え、制度上の特段の輸入障壁はないこと、輸入に係る流通上の問題は存在しないこと、輸入品と国内品の間で基本的には品質に差異はないこと、価格についても輸入品の方が国内品よりもおおむね安いこと、中国を中心として世界的には結晶

---

[31]　昭和産業㈱によるサンエイ糖化㈱の株式取得（令和2年度における主要な企業結合事例について（公取委報道発表令和3年7月7日）【事例2】）。

ぶどう糖の供給余力が相当程度あることを踏まえ、輸入圧力が認められると判断されている。

ステンレス冷延鋼板について、輸入品の市場シェアが5〜10％程度あるものの、需要者が国内品と輸入品とを完全に代替的なものとはみていないことから輸入圧力が限定的とされた事例[32]がある。また、ガソリン元売業について、輸入受入れ可能な施設が限られていることや、輸入数量が変動しても国内の販売価格に有意な影響をもたらしていないという経済分析の結果も踏まえ、輸入圧力が働かないとされた事例[33]がある。

(ウ) 参入

参入圧力が十分働いていれば、当事会社グループが価格を引き上げると参入者が現れて市場シェアを奪われる可能性があるため、当事会社グループの価格引上げに対する牽制力になり得る。参入圧力は次のa〜dの状況をすべて検討の上、判断される。その期間については、輸入圧力と同様に2年以内が目安とされるが、産業の特性によりそれより短期間の場合もあれば長期間の場合もある（企業結合ガイドライン第4の2(3)と(2)（注9））。

a　制度上の参入障壁の程度

その市場に供給者として参入するために特別な認可や許可が必要であるといった法制度上の参入規制が存在し、それが参入の障壁となっているかどうか、その規制が今後とも維持されるかどうかが検討される。

b　実態面での参入障壁の程度

法制度上の参入障壁のほかに、その市場に参入するための事実上の障壁がある場合には、それも考慮される。たとえば、参入に多額の初期投資が必要であるなど相当の資本量を要する場合には、参入が容易とはいえない。また、立地条件、技術条件、原材料調達の条件、販売面の条件

[32] 新日鐵住金㈱による日新製鋼㈱の株式取得（平成28年度における主要な企業結合事例について（公取委報道発表平成29年6月14日）【事例5】）。
[33] 出光興産㈱による昭和シェル石油㈱の株式取得及びJXホールディングス㈱による東燃ゼネラル石油㈱の株式取得（平成28年度における主要な企業結合事例について（公取委報道発表平成29年6月14日）【事例3】）。

等において、既存の供給者に比べて参入者が不利な状況に置かれている場合には、参入が期待しにくい。

　　c　参入者の商品と当事会社の商品の代替性の程度

　参入者の商品の品質や品揃え等の状況を踏まえ、需要者が参入者の商品に切り替えることが可能であるかを勘案する。

　　d　参入可能性の程度

　現に十分な規模での参入を計画している他の事業者がいるか等の状況を踏まえ、当事会社グループが価格を引き上げた際の参入の可能性の程度を評価する。

　神鋼建材工業による日鉄建材の鋼製防護柵と防音壁事業の吸収分割[34]では、「ガードレール」について、法制度上の参入障壁はないが、ガードレールの製造には新たな製造設備の導入や性能確保のために相当なコストが必要となる一方、ガードレールの需要は長期的に減少傾向にあり、今後の需要増加が見込めない中で相当のコストを負担して参入する意欲を有する事業者は確認できず、また、十分な製造設備を有していないと当事会社と同等の品質や品揃えで製造・販売をすることは困難であることから、参入圧力は認められないと判断された。

　(エ)　隣接市場からの競争圧力

　ある商品の範囲や地理的範囲で一定の取引分野を画定しても、その商品と類似の効用等を有する競合品の市場や、地理的に近接する市場が存在する場合が多い。画定された一定の取引分野に含まれない競合品や地理的に近接する市場における競争の状況について、隣接市場からの競争圧力として勘案されることがある。隣接市場において十分に活発な競争が行われている場合や、近い将来において競合品がその商品に対する需要を代替する蓋然性が高い場合には、画定された一定の取引分野における競争を促進する要素として評価し得る（企業結合ガイドライン第4の2

---

[34]　神鋼建材工業㈱による日鉄建材㈱の鋼製防護柵及び防音壁事業の吸収分割（令和3年度における主要な企業結合事例について（公取委報道発表令和4年6月22日）【事例3】）。

(4))。

　古河電池による三洋電機のニカド電池事業の譲受け[35]では、「非常用放送設備用の円筒形ニカド組電池」について、隣接市場であるニッケル水素電池等からの競争圧力が認められた。これは、一部のメーカーが既に非常用放送設備用のニッケル水素電池の開発を完了しているなどの状況がみられることに加え、防火シャッター（連動中継器）用、ビル非常灯用（小型）・誘導灯用等の円筒形ニカド組電池においてはニッケル水素電池等への切替えが進んでおり、円筒形ニカド組電池の需要が縮小傾向にあることを踏まえ、円筒形ニカド組電池について進行しているニカド電池からニッケル水素電池等への切替えの動きは、それ自体が当事会社グループによる円筒形ニカド組電池の価格引上げに対する牽制力になっていると判断されたものである。

　イオンによるフジの株式取得[36]では、スーパーマーケット業について、「店舗から半径2～7km」が地理的範囲として画定されたが、スーパーマーケットの来店者は、実際には、道路状況等により、地理的範囲外の隣接地域に所在するスーパーマーケットを利用することもある。このような隣接地域に所在するスーパーマーケットについて、当事会社グループの店舗から自動車による買い回りが可能な位置にあり駐車場が併設されている、当事会社グループの店舗との行き来に地理的な支障がなく買い回りが容易と考えられるなどの立地状況、当事会社グループの店舗の来店者が、隣接地域に所在する店舗にも来店すると回答しているといった当事会社による来店客調査結果、隣接地域に所在する店舗をその地域における競合店として認識しているなどの当事会社グループの認識等により、当事会社グループの店舗と隣接地域に所在する店舗との間でも競争が行われていることが認められ、地理的隣接市場からの競争圧力が認められる地域が2地域あると判断された。

---

35)　古河電池㈱による三洋電機㈱のニカド電池事業の譲受け（令和4年度における主要な企業結合事例について（公取委報道発表令和5年6月28日）【事例4】）。
36)　イオン㈱による㈱フジの株式取得（令和3年度における主要な企業結合事例について（公取委報道発表令和4年6月22日）【事例9】）。

(オ) 需要者からの競争圧力

その商品の需要者が当事会社グループに対して対抗的な交渉力を有している場合には、当事会社グループの価格引上げに対する牽制力となり得る。需要者からの競争圧力が働いているか否かについては、次のような需要者と当事会社グループの取引関係等に係る状況が考慮される（企業結合ガイドライン第4の2(5)）。

　a　需要者の間の競争状況

需要者間の競争が活発であるときに、需要者は供給者からできるだけ低い価格でその商品を購入しようとする場合、当事会社グループが価格を引き上げると売上が大きく減少する可能性があり、当事会社グループの価格引上げに対する牽制力となり得る。

　b　取引先変更の容易性

需要者が他の供給者への切替えを容易に行うことができ、その切替えの可能性を供給者に示すことによって価格交渉力を有しているような場合には、需要者からの競争圧力が生じている。

特にデジタルサービスにおいて、直接・間接のネットワーク効果が存在し、または他のサービス供給者に切り替えるためのコスト（スイッチングコスト）が大きいことなどにより、需要者が他のサービス供給者への切替えを行いにくい場合は、需要者からの競争圧力は働きにくいと考えられる（企業結合ガイドライン第4の2(5)②）。

　c　市場の縮小

その商品の需要が減少し、一時的ではなく継続的に、また構造的に市場全体の需要量が供給量を大きく下回ることにより、需要者からの競争圧力が働いている場合がある。

大阪製鐵による東京鋼鐵の株式取得[37]では、「中小形一般形鋼」について、基本的に国内メーカーの商品間に品質差はなく、商社等や需要者にとってメーカーの切替えは比較的容易であり、商社等や需要者は価格

---

[37] 大阪製鐵㈱による東京鋼鐵㈱の株式取得（平成27年度における主要な企業結合事例について（公取委報道発表平成28年6月8日）【事例3】）。

や納期対応を重視してメーカーを選択する傾向があること、また、複数購買を行う商社等や需要者は、需給動向、鉄スクラップの価格動向や他メーカーの価格を引き合いに出して価格交渉を行っており、価格引下げ圧力が働いているといえること、さらに、鉄鋼製品の需要は縮小傾向にあること等から、需要者からの競争圧力が存在すると判断された。

(カ) 総合的な事業能力

企業結合後に、当事会社グループの原材料調達力、技術力、販売力、信用力、ブランド力、広告宣伝力等の総合的な事業能力が増大し、企業結合後の会社の競争力が著しく高まることによって、競争者が競争的な行動をとることが困難になることが見込まれる場合は、その点も加味して競争に与える影響を判断する（企業結合ガイドライン第4の2(6)）。

(キ) 効率性

企業結合後に、規模の経済性の実現や生産設備の統合による生産費用の低下等により当事会社グループの効率性が向上する結果として、当事会社グループが競争的な行動をとることが見込まれる場合には、その点も加味して競争に与える影響が判断される（企業結合ガイドライン第4の2(7)）。企業結合審査の判断において加味される効率性については、次の3つの観点から判断される。

なお、独占や独占に近い状況をもたらす企業結合が効率性によって正当化されることはほとんどない。

a 固有性

効率性の向上は、企業結合に固有の成果でなくてはならない。規模の経済性等がより競争制限的でない他の方法で達成できるのであれば、固有性は認められない。

b 実現可能性

効率性の向上は、実現可能なものでなくてはならない。この点については、その企業結合を決定するに至るまでの内部手続に係る文書、予定される効率性に関する株主や金融市場に対する説明資料、効率性の向上等に関する外部専門家による資料等を基に検討される。

c　需要者の厚生増大の可能性

　効率性の向上の成果は、価格の低下、品質の向上、新商品の提供等により、需要者に還元されなくてはならない。よって、規模の経済性等により当事会社グループの収益力が向上するのみであって、需要者に利益が生じない場合、需要者の厚生増大の可能性は認められない。

　BHP ビリトンとリオ・ティントによる鉄鉱石の生産ジョイントベンチャーの設立[38]では、本件 JV の設立により、西オーストラリアにおける当事会社の鉄鉱石の生産事業が統合され、100 億米ドルを超える「効率性」を達成できると当事会社が主張した。

　しかし、本件の審査対象となった商品のうち、「塊鉱」については、当事会社の市場シェアの合算が約 55 〜 60％であり、当事会社とそれに続く競争者の市場シェアとの格差は大きいこと、また、当事会社以外に低コストで大量の塊鉱を産出する鉱山を有している競争者は存在しないことから、当事会社に対する有効な牽制力となる供給者は存在しない。そのため、塊鉱については、本件 JV が独占に近い状況をもたらすと考えられることから、たとえ当事会社の主張する効率性が実現したとしても、当事会社が競争的な行動をとることは想定されず、効率性が本件 JV を正当化することはほとんどないと判断されている。

　また、本件の審査対象となった商品のうち、「粉鉱」についても、次のように、当事会社の主張する効率性は認められないと判断された。「a　固有性」について、当事会社は、①インフラの共有化、②業務の統合、③ベストプラクティスの共有化により効率性が達成されると主張した。しかし、たとえば、インフラの共有化については、当事会社それぞれが所有する鉄道、港湾等のインフラを管理・運営する会社を設立してインフラを共同利用することなどによって、本件 JV と同様の効率性を達成することができると考えられるなど、本件 JV よりも競争制限的ではな

---

[38] ビーエイチピー・ビリトン・ピーエルシー及びビーエイチピー・ビリトン・リミテッド並びにリオ・ティント・ピーエルシー及びリオ・ティント・リミテッドによる鉄鉱石の生産ジョイントベンチャーの設立（平成 22 年度における主要な企業結合事例について（公取委報道発表平成 23 年 6 月 21 日）【事例 1】）。

い他の方法により同様の効率性が達成可能である。また、「b　実現可能性」と「c　需要者の厚生増大の可能性」について、当事会社は、鉄鉱石の増産や業務コストの削減により100億米ドルを超える効率性を達成でき、また、鉄鉱石のブレンドによる品質標準化が需要者の厚生の増大につながると主張した。しかし、たとえば、当事会社が主張していた鉄鉱石の生産能力増産計画は、当事会社がそれまで実施してきた生産能力拡張と比較してあまりに大きなものであって実現可能性に疑問があるほか、鉄鉱石のブレンドによる品質の標準化については、ブレンドすることにより、品質の低下、相対的な価格上昇等の可能性が考えられ、需要者の利益にならないと判断されている。

(ク)　当事会社グループの経営状況

　a　業績不振等

当事会社グループの一部の会社や企業結合の対象となった事業部門が業績不振に陥っているかという経営状況も、当事会社グループの事業能力を評価する上で考慮される（企業結合ガイドライン第4の2(8)ア）。

佐藤食品工業によるきむら食品の包装餅製造販売事業の譲受け[39]では、きむら食品が民事再生手続中であり、冬の包装餅の需要期に向け原材料の仕入れ・生産や販売活動が本格化するにもかかわらず、第三者の支援がなければ追加の資金融資を受けることができず、原材料の仕入れ自体が不可能な状況にあったことから、競争事業者と比較して、事業能力は限定的と評価されている。

　b　いわゆる「破綻認定」

後記の①と②の要件を満たす場合、その水平型企業結合が単独行動により一定の取引分野における競争を実質的に制限することとなるおそれは小さいと通常考えられる（企業結合ガイドライン第4の2(8)イ）。これは、いわゆる「破綻認定」であり、この類型に当たる企業結合について

---

[39]　佐藤食品工業㈱による㈱きむら食品の包装餅製造販売事業の譲受け（平成26年度における主要な企業結合事例について（公取委報道発表平成27年6月10日）【事例1】）。

は、他の判断要素の検討結果にかかわらず、通常、独占禁止法上問題がないと判断される。
① 当事会社の一方が、ⓐ継続的に大幅な経常損失を計上している状況、ⓑ実質的に債務超過に陥っている状況、またはⓒ運転資金の融資が受けられない状況であって、企業結合がなければ近い将来において倒産し市場から退出する蓋然性が高いことが明らかな場合
② ①の当事会社の一方を企業結合により救済することが可能な事業者として、その会社による企業結合よりも競争に与える影響が小さいものの存在が認め難いとき

また、当事会社の一方の企業結合の対象となる事業部門の破綻認定についても、同様の要件が挙げられている。

東洋アルミニウムによる昭和アルミパウダーの株式取得[40]では、次のように破綻認定の要件に当たるかが検討された。前記①の要件については、当事会社である昭和アルミパウダーは、国内需要の減少等を背景とする経営状況の悪化から、平成19年頃以降、親会社による継続的な財務支援等を受けて経営を維持してきており、平成20年度末決算以降においては、資本の欠損の状況が続き、債務超過の状況にあることが認められ、収益にも大きな改善はみられていない。また、前記②の要件については、ヒアリング等によると、東洋アルミニウム以外の国内外のメーカーで、昭和アルミパウダーを企業結合により救済可能なものの存在は認められない。この検討の結果、公正取引委員会は本件について問題なしと判断した。

ヤマダ電機によるベスト電器の株式取得[41]では、当事会社は、ベスト電器が業績不振に陥っているため、前記の破綻認定の要件に該当すると主張した。これに対し、公正取引委員会は、ベスト電器の財務状況等に

---

[40] 東洋アルミニウム㈱による昭和アルミパウダー㈱の株式取得（平成22年度における主要な企業結合事例について（公取委報道発表平成23年6月21日）【事例5】）。
[41] ㈱ヤマダ電機による㈱ベスト電器の株式取得（平成24年度における主要な企業結合事例について（公取委報道発表平成25年6月5日）【事例9】）。

かんがみると破綻認定の要件に直ちに該当するとは認められないものの、ベスト電器の業績が不振である事実は認められ、家電量販店の競争事業者と比較してベスト電器の事業能力は限定的であると判断した。他の判断要素も総合的に勘案された結果、10地域について当事会社による問題解消措置がとられることとなった。

(ケ)　複数事業者による競争を維持することが困難な場合

　効率的な事業者であっても採算がとれないほど一定の取引分野の規模が小さいため、複数の事業者が存在するものの競争を維持することが困難となっている場合がある。そのような場合にそれらの事業者が企業結合によって1社となったとしても、その企業結合が行われたことに「より」一定の取引分野における競争が実質的に制限することとはならないと通常考えられる（企業結合ガイドライン第4の2(9)）。なぜなら、企業結合と市場における弊害との間の因果関係が認められるとはいえないからである。

　ふくおかフィナンシャルグループによる十八銀行の株式取得[42]においては、「中小企業向け事業性貸出し」の分野について、「長崎県」、さらにはその中の8つの経済圏ごとに競争への影響が検討された。その結果、離島の3つの経済圏（対馬等3経済圏）では当事会社以外に店舗を置いて貸出しを行っている競争事業者がいなかったが、市場規模が極めて小さく、複数の事業者による競争を維持することが困難であると認められた。そのため、公正取引委員会は、中小企業向け貸出しの分野における対馬等3経済圏については、本件統合により競争を実質的に制限することとはならないと判断した。

エ　「協調的行動」による競争の実質的制限についての判断要素

　前記イ(イ)の基本的な考え方を踏まえ、企業結合ガイドラインは、「協調的行動」による競争の実質的制限について、次のような判断要素を示

---

[42] ㈱ふくおかフィナンシャルグループによる㈱十八銀行の株式取得（平成30年度における主要な企業結合事例について（公取委報道発表令和元年6月19日）【事例10】）。

している。

　(ア)　当事会社グループの地位と競争者の状況

　企業結合ガイドラインには、「競争者の数等」、「当事会社間の従来の競争の状況等」、「競争者の供給余力」がこの判断要素を勘案する上での観点として挙げられている（企業結合ガイドライン第4の3(1)）。また、その市場において競争的な行動をしかける能力とインセンティブを持つような一匹狼的企業（maverick）がいる場合には、協調的行動が起きにくい[43]。逆に、そのような一匹狼的企業が企業結合の当事会社である場合には、企業結合後はそれまでよりも競争的な行動をとらなくなると考えられることから、協調的行動が起こる蓋然性が高くなる。

　BHPビリトンとリオ・ティントによる鉄鉱石の生産ジョイントベンチャーの設立[44]では、「粉鉱」について、企業結合後の当事会社グループの合算シェアは約40～45％、シェアの順位は1位となり、他に約25～30％のシェアを有する有力な競争者が1社存在するが、この競争者は、引き続き需要の大半を占めると見込まれる東アジアから鉱山が遠く、当事会社と比較して海上輸送費の面で不利な状況にある。また、前記の有力な競争者は十分な供給余力を有していない。そのため、本件ジョイントベンチャーの設立後、当事会社とその競争者の間で協調的行動がとられやすいと判断されている。

　(イ)　取引の実態等

　企業結合ガイドラインには、この判断要素を考慮する上で、次の3つの観点が挙げられている（企業結合ガイドライン第4の3(2)）。

　　a　取引条件等

　その市場における競争者同士が、価格、数量などの競争者の取引条件に関する情報を容易に入手できるときには、競争者の行動を高い確度で

---

43)　川濵昇ほか『企業結合ガイドラインの解説と分析』280頁（商事法務、2008）。
44)　ビーエイチピー・ビリトン・ピーエルシー及びビーエイチピー・ビリトン・リミテッド並びにリオ・ティント・ピーエルシー及びリオ・ティント・リミテッドによる鉄鉱石の生産ジョイントベンチャーの設立（平成22年度における主要な企業結合事例について（公取委報道発表平成23年6月21日）【事例1】)。

予測しやすく、協調的な行動がとられやすくなる。また、大口の取引が不定期に行われているよりも、小口の取引が定期的に行われている方が、競争者と協調的な行動がとられやすい。

　　b　需要動向、技術革新の動向等

　需要の変動が大きい場合や、技術革新が頻繁である場合などは、競争者と協調的な行動がとられにくい。

　　c　過去の競争の状況

　過去の市場シェアや価格の変動状況が考慮される。それらの変動があまりない場合には、競争者と協調的な行動がとられる可能性がより高い。また、たとえば、価格改定について過去に協調的行動がとられたことがある場合には、その商品について協調的行動がとられやすい。

　このほか、「輸入、参入及び隣接市場からの競争圧力等」、「効率性及び当事会社グループの経営状況」も、「単独行動」による競争の実質的制限の判断と同様に、総合的に勘案される。

　オ　共同出資会社の場合

　共同出資会社について、出資会社が行っていた特定の事業部門の全部を共同出資会社によって統合することにより、出資会社の業務と分離させる場合には、出資会社と共同出資会社の業務関連性は薄いと考えられる。このような場合には、共同出資会社が競争者と協調的な行動をとるとみられるかどうかを考慮する。

　他方、出資会社が行っていた特定の事業部門の一部を共同出資会社によって統合する場合には、共同出資会社の運営を通じ出資会社相互間に協調関係が生じる可能性がある。たとえば、生産部門のみが共同出資会社によって統合され、販売は出資会社がそれぞれ引き続き行うような場合に、共同出資会社の運営を通じ出資会社相互間に協調関係が生じるときは、共同出資会社ではなく、出資会社についても競争者と協調的な行動をとるとみられるかどうかを考慮する。出資会社相互間に協調関係が生じることのないよう情報遮断措置などがとられているときであっても、生産費用が共通となることから価格競争の余地が減少し、他の出資会社を含め競争者と協調的な行動をとる誘因が生じると考えられるので、出

資会社が他の出資会社を含めた競争者と「協調的行動」をとる蓋然性が高まるかどうかを考慮することになる（企業結合ガイドライン第4の2(1)ウ、3(1)エ）。

　BHPビリトンとリオ・ティントによる鉄鉱石の生産ジョイントベンチャーの設立[45]では、ジョイントベンチャーの設立により生産部門を統合するという計画であるため、当事会社は、両者の販売部門は独立しており、各種の情報遮断措置が設けられていることから、販売面の競争は維持されると主張した。しかし、本件ジョイントベンチャーの設立により、①各当事会社の各期（6か月）の引受量は、各期の開始時点で決定され、生産量を柔軟に操作できなくなること、②両当事会社が同じ銘柄の鉄鉱石を取り扱うことになり、両当事会社の間で品質競争が行われなくなると考えられること、③両当事会社の塊鉱と粉鉱に係る生産活動のすべてが統合され、販売事業についての総費用のうち多くの割合を占める生産費用が完全に共通化し、両当事会社が望ましいと考える価格水準が一致しやすくなると考えられることなどから、販売面において各当事会社が競争的な行動をとるインセンティブが著しく減退すると考えられる。このため、公正取引委員会は、仮に両当事会社間で販売に関する情報を遮断したとしても、そのことのみをもって、両当事会社間で販売面での協調関係が生じることがないような措置が講じられているとは認められないと判断した。

(5) **垂直型・混合型企業結合の競争の実質的制限の検討の枠組みと判断要素**

　ア　セーフハーバー基準

　　水平型企業結合と同様に、垂直型・混合型企業結合についても、次のとおりセーフハーバー基準が企業結合ガイドラインで示されている（企

---

[45] ビーエイチピー・ビリトン・ピーエルシー及びビーエイチピー・ビリトン・リミテッド並びにリオ・ティント・ピーエルシー及びリオ・ティント・リミテッドによる鉄鉱石の生産ジョイントベンチャーの設立（平成22年度における主要な企業結合事例について（公取委報道発表平成23年6月21日）【事例1】）。

業結合ガイドライン第5の1(2)、第6の1(2))。

　(ア)　当事会社が関係するすべての一定の取引分野において、企業結合後の当事会社グループの市場シェアが10％以下である場合

　(イ)　当事会社が関係するすべての一定の取引分野において、企業結合後のHHIが2500以下の場合であって、企業結合後の当事会社グループの市場シェアが25％以下である場合

　また、水平型企業結合と同様に、垂直型・混合型企業結合についても、セーフハーバー非該当の事案の中で、企業結合後のHHIが2500以下であり、かつ、企業結合後の当事会社グループの市場シェアが35％以下の場合には、「過去の事例に照らせば……競争を実質的に制限することとなるおそれは小さいと通常考えられる」(企業結合ガイドライン第5の1(2))。

イ　垂直型企業結合による競争の実質的制限

　当事会社の一方が原材料を供給し(川上市場)、もう一方がその原材料を用いて商品を製造販売する(川下市場)というような取引関係がある場合、垂直型企業結合の観点から競争の実質的制限の検討が行われる。前記(3)イのとおり、垂直型企業結合は市場における競争単位の数を減少させることはないので、水平型企業結合に比べると競争に与える影響は大きくないと考えられている。しかし、垂直型企業結合により、単独行動・協調的行動による競争の実質的制限の問題が生じる場合もある。

　(ア)　「単独行動」による競争の実質的制限についての判断要素

　「単独行動」とは、企業結合後に1つの競争単位となる当事会社が一体となってその利益のために行動することである。企業結合後に当事会社がグループ間取引を優先し、事実上、他の事業者の取引の機会が奪われることで市場の閉鎖性・排他性の問題が生じる場合がある。川上市場の当事会社が川下市場の事業者に対する取引を絞ること(供給拒否等)により、市場の閉鎖性・排他性の問題を生じさせる行為は「投入物閉鎖」と呼ばれる(企業結合ガイドライン第5の2(1)ア)。川下市場の当事会社が川上市場の事業者に対する取引を絞ること(購入拒否等)により、市場の閉鎖性・排他性の問題を生じさせる行為は「顧客閉鎖」と呼ばれ

る（企業結合ガイドライン第5の2(2)ア）。

　投入物閉鎖・顧客閉鎖は、当事会社に市場の閉鎖性・排他性を起こす「能力」があるか、当事会社以外の事業者との取引から得られる利益は減少するものの、川上・川下市場トータルでみた場合に当事会社がグループとして新たに得られる利益があるので閉鎖性・排他性を起こす「インセンティブ」を有するかという観点から検討が行われる。「能力」は、①投入物閉鎖の場合は川上市場で、顧客閉鎖の場合は川下市場で当事会社が大きな市場シェアを有するか、②競争事業者との市場シェアの格差が大きいか、③競争事業者が十分な供給余力を有していないか、④技術的な事情、関係特殊的な投資の存在などにより当事会社から競争事業者に取引を切り替えることができないかといった要素をみて判断する（企業結合ガイドライン第5の2(1)ア(ｱ)、(2)ア(ｱ)）。また、「インセンティブ」は、閉鎖性・排他性が生じる市場において、ⓐ当事会社が高い市場シェア・利益率を有するか、ⓑ当事会社の供給余力が大きいか、ⓒ競争事業者との商品の代替性が高いかといった要素をみて判断する（企業結合ガイドライン第5の2(1)ア(ｲ)、(2)ア(ｲ)）。

　さらに、企業結合後も当事会社が他の事業者との取引も継続する場合には、その取引を通じて、商品の仕様・開発、顧客に関する情報や、原材料の調達価格・数量・組成等の情報といった競争上重要な秘密情報を入手することが想定される。当事会社グループがそのような情報を自己に有利に用いることにより、競争者が不利な立場に置かれ、市場から退出する、または牽制力が弱められるような場合には、やはり市場の閉鎖性・排他性の問題が生じる場合がある（企業結合ガイドライン第5の2(1)イ、(2)イ）。

　前記の観点に加えて、川上・川下市場における従来の競争の状況など、水平型企業結合の単独行動による競争の実質的制限の検討において勘案される判断要素についても、競争圧力として考慮する（企業結合ガイドライン第5の2(3)）。

　(ｲ)　「協調的行動」による競争の実質的制限についての判断要素

　競争者の秘密情報が入手される場合や、投入物閉鎖・顧客閉鎖の結果

として競争単位数が減少する場合、川上・川下市場で協調的行動をとりやすくなることが考えられる。また、川上・川下市場における従来の競争の状況など、水平型企業結合の協調的行動による競争の実質的制限の検討において勘案される判断要素についても、競争圧力として考慮される（企業結合ガイドライン第5の3）。

　日立金属による三徳の株式取得[46]では、三徳グループはネオジム磁石合金を製造販売しており（川上市場）、日立金属グループはそれを用いてネオジム磁石を製造販売している（川下市場）ことから、垂直型企業結合の観点から検討された。本件の川上市場では、市場シェア約75％の三徳グループ以外に、有力な競争事業者として市場シェア約20％のA社が存在した。川下市場では、市場シェア約30％の日立金属グループ以外に、有力な競争事業者として市場シェア約40％のB社、約15％のC社などが存在した。このほか、ネオジム磁石合金を内製し自家消費している磁石メーカーも存在した。まず、投入物閉鎖について、ネオジム磁石合金は磁石メーカーが仕様を指定してオーダーメイドで製造されるものであり、磁石メーカーが調達先の切替えを行うには少なくとも一定期間を要することから、当事会社グループは投入物閉鎖を行う能力を有していると認められた。また、川下市場の日立金属グループの供給余力が相当程度あること、日立金属グループの最終需要者に販売するネオジム磁石の売上額が三徳グループのネオジム磁石合金の売上額全体よりも数倍大きいことなどから、当事会社グループは投入物閉鎖を行うインセンティブを有していると認められた。次に、顧客閉鎖について、川上市場のA社は、現在、川下市場の日立金属グループに対して相当量のネオジム磁石合金の販売を行っているが、顧客閉鎖がなされた場合に他の取引先に切り替えるには一定期間を要し、在庫の滞留や当面の設備稼働率の低下等により、コスト競争力が低下するおそれもあることから、当事会社グループは顧客閉鎖を行う能力を有していると認められた。また、

---

[46] 日立金属㈱による㈱三徳の株式取得（平成29年度における主要な企業結合事例について（公取委報道発表平成30年6月6日）【事例2】）。

日立金属グループが顧客閉鎖を行いＡ社が市場から排除されると、川上市場は当事会社グループの独占となること、三徳グループは十分な供給余力を有しており、日立金属グループが顧客閉鎖を行うことにより、三徳グループの設備稼働率を上げることも可能となることから、当事会社グループは顧客閉鎖を行うインセンティブを有していると認められた。さらに、合金の販売・調達価格、数量、組成等の競争上センシティブな情報（秘密情報）を入手し得ることから、当事会社グループが秘密情報を自己に有利に用いることにより、川上・川下市場の競争事業者が不利な立場に置かれ、市場の閉鎖性・排他性の問題が生じる蓋然性が認められた。本件では、公正取引委員会が前記の問題点を指摘したのに対し、取引継続、情報遮断などの問題解消措置の申出があり、それを前提として競争上の問題は生じないものと認められた。

　ウ　混合型企業結合による競争の実質的制限

　当事会社グループに水平的な競争関係はなく垂直的な取引関係もないが、混合型企業結合の観点から競争の実質的制限の検討が行われるときもある。前記(3)イのとおり、垂直型企業結合と同様、混合型企業結合も市場における競争単位の数を減少させることはないので、水平型企業結合に比べると競争に与える影響は大きくないと考えられている。しかし、共通の需要者に対し原材料を供給する関係にある場合など、単独行動・協調的行動による競争の実質的制限の問題が生じる場合もある。

　㋐　「単独行動」による競争の実質的制限についての判断要素

　混合型企業結合後に、当事会社それぞれの商品を技術的にまたは契約上組み合わせ、単独で供給するよりも低い価格にすることなどにより、それぞれの商品市場において競争者からの牽制力が弱まったり、潜在的競争者の参入が見込めなくなるなど、市場の閉鎖性・排他性の問題が生じる場合がある（企業結合ガイドライン第6の2）。そのような組合せ供給による混合型市場閉鎖が行われるかは、当事会社の「能力」と「インセンティブ」を考慮して検討する。「能力」は、①当事会社がその商品の市場で大きな市場シェアを有するか、②組合せ供給の対象となる商品同士の補完性が高いかといった要素をみて判断する。また、「インセン

ティブ」については、組合せ供給の対象となる商品の市場規模が大きく利益率も高い場合、組合せ供給を行うことで当事会社のグループとしての利益が増加する可能性が高くなる（企業結合ガイドライン第6の2(1)ア）。

また、通信機器関連分野などにおいて、商品間の技術的要因による相互接続性を確保するために供給者同士で競争上の重要な秘密情報を交換することが必要とされることがある。そのような状況において、混合型企業結合後も当事会社が他の事業者との取引を継続する場合には、その取引を通じて競争上重要な秘密情報を入手し、自己に有利に用いることにより、一方の当事会社の競争者が不利な立場に置かれ、市場から退出し、または牽制力が弱められるようなときには、やはり市場の閉鎖性・排他性の問題が生じる（企業結合ガイドライン第6の2(1)イ）。

さらに、混合型企業結合により潜在的競争者が消滅する場合、特に後記(6)イのように、その潜在的競争者がデータといった重要な投入材を有し市場参入後に有力な事業者となることが見込まれるときは、競争に及ぼす影響が大きい（企業結合ガイドライン第6の2(2)）。

前記の観点に加えて、各商品市場における従来の競争の状況など、水平型企業結合の単独行動による競争の実質的制限の検討において勘案される判断要素についても競争圧力として考慮される（企業結合ガイドライン第6の2(3)）。

(イ)　「協調的行動」による競争の実質的制限についての判断要素

競争者の秘密情報が入手される場合や、混合型市場閉鎖の結果として競争単位数が減少する場合、当事会社と競争者が協調的行動をとりやすくなることが考えられる。そのような観点に加えて、市場における従来の競争の状況など、水平型企業結合の協調的行動による競争の実質的制限の検討において勘案される判断要素についても競争圧力として考慮される（企業結合ガイドライン第6の3）。

クアルコムによるNXPの株式取得[47]では、当事会社がいずれも半導体の製造販売を行っており、中でもクアルコムのベースバンドチップとNXPのNFC・SEチップは共通の需要者である携帯端末メーカーに販

売されている。そのため、混合型企業結合の観点から、組合せ供給と秘密情報の供給の可能性について検討が行われた。まず、クアルコムはベースバンドチップ市場（世界）で約50％のシェアを有しており、さらに日本市場では携帯端末メーカーが高機能・高性能なクアルコム製品を選好する傾向にあり、他社のベースバンドチップへの切替えは困難な状況にある。そのため、当事会社がベースバンドチップの仕様を当事会社以外のNFC・SEチップメーカーに対して閉鎖的なものとし、組合せ供給を行う能力・インセンティブがあることから、NFC・SEチップ市場（FeliCaに準拠したもの）において、閉鎖性・排他性の問題が生じる蓋然性が認められた。公正取引委員会の問題点の指摘に対し、他社製品との接続性を維持するといった問題解消措置の申出があり、それを前提として競争上の問題は生じないものと認められた。

(6) デジタル分野における垂直型・混合型企業結合の評価

近年、デジタル分野では、垂直型・混合型企業結合を行うことにより、自らの競争者へのデータの供給を拒否させる、潜在的な参入者であるスタートアップ企業を萌芽段階のうちに自らに取り込む（nascent competitionの問題やkiller acquisitionの問題とも呼ばれる）といった行為が競争に与える影響が懸念されている。特に、データ、知的財産権といった重要な投入材を有する企業の買収について、次のような場合は、競争上問題になりやすい。

ア 他社へのデータの供給拒否

前記(5)イ(ア)で説明した垂直型企業結合における投入物閉鎖について、当事会社のデータが市場において取引され得るような場合、データの供給拒否等による投入物閉鎖が懸念される（企業結合ガイドライン第5の2(1)ア(ア)）。たとえば、競争上重要なデータを有する川上市場のA社と、

---

47) クアルコム・リバー・ホールディングス・ビーブイによるエヌエックスピー・セミコンダクターズ・エヌブイの株式取得（平成29年度における主要な企業結合事例について（公取委報道発表平成30年6月6日）【事例3】）。

そのデータを活用してサービスを提供する川下市場のB社との垂直型企業結合により、A社のデータをB社の競争事業者には提供しなくなることが考えられる。

  イ　スタートアップ企業の買収による新規参入の可能性の消滅

　まだ事業を開始してはいないがデータや知的財産権といった重要な投入材を有しているようなスタートアップ企業が他方の当事会社の商品市場や地域市場への潜在的競争者である場合に、混合型企業結合によって新規参入の可能性が消滅するときは、競争に及ぼす影響が大きい。このような場合におけるデータの競争上の重要性は、①variety（どのような種類のデータを保有・収集しているか）、②volume（どのくらいの量のデータを保有し、日々どの程度広い範囲からどの程度の量のデータを収集しているか）、③velocity（どの程度の頻度でデータを収集しているか）、④value（一方の当事会社の保有・収集するデータが他方当事会社の提供するサービス等の向上にどの程度関連するか）という観点により考慮される（頭文字をとって「4Ｖ（フォーブイ）」と呼ばれる）。他の事業者の提供するデータがある場合、どちらのデータに優位性があるのかを比較するに当たっても、この4Ｖが考慮される（企業結合ガイドライン第6の2(2)）。

　エムスリーによる日本アルトマークの株式取得[48]では、日本アルトマークは医師等の情報（データ）を収集して医療情報データベースとして提供しており、インターネット上で医薬品情報提供プラットフォームを運営するエムスリーが日本アルトマークを買収することで、垂直型・混合型企業結合の観点から競争への影響が懸念された。垂直型企業結合（川上市場：医療情報データベース提供事業、川下市場：医薬品情報提供プラットフォーム運営事業）について、川上市場で日本アルトマークが提供する医療情報データベースの「メディカルデータベース（MDB）」は、川下市場の医薬品情報提供プラットフォームの運営事業者にとって事業

---

[48]　エムスリー株式会社による株式会社日本アルトマークの株式取得（令和元年度における主要な企業結合事例について（公取委報道発表令和2年7月22日）【事例8】）。

を営む上で必要不可欠であることを踏まえると、本件株式取得後に日本アルトマークがエムスリーの競争事業者である他の医薬品情報提供プラットフォームの運営事業者に対してMDBの提供を拒否する能力・インセンティブがある。また、本件株式取得後、当事会社間で競争事業者の秘密情報が共有されることによっても市場の閉鎖性・排他性の問題が生じる可能性がある。混合型企業結合（医療情報データベース提供事業／医薬品情報提供プラットフォーム運営事業）について、日本アルトマークのMDB提供事業とエムスリーの医薬品情報提供プラットフォーム運営事業の需要者はいずれも製薬会社であり、この2つのサービスを併せて利用させる、または他社の医薬品情報提供プラットフォームの利用を禁止するといった条件を付与して組合せ供給をすることにより混合型市場閉鎖を行う能力・インセンティブがある。公正取引委員会が前記の観点から市場の閉鎖性・排他性が生じるおそれがある旨の問題点の指摘を行ったのに対し、当事会社からMDBの提供継続などの問題解消措置の申出があったため、それを前提として競争上の問題は生じないものと認められた。

(7) 問題解消措置

　ア　基本的な考え方

　「企業結合が一定の取引分野における競争を実質的に制限することとなる場合においても、当事会社が一定の適切な措置を講じることにより、その問題を解消することができる場合がある」（企業結合ガイドライン第7の1）。そのような措置は「問題解消措置」（remedy）と呼ばれる。

　どのような問題解消措置が適切かは、個々の企業結合事案に応じて個別具体的に検討されるが、問題解消措置は、企業結合によって失われる競争を回復することができるものであることが基本であり、事業譲渡等の構造的措置が原則である。一方、情報遮断等の行動的措置を当事会社グループに求めると、公正取引委員会がその後も定期的に措置内容について届出会社から報告を受けるなど、措置が適切に行われているかを監視する必要があるのに対し、構造的措置については、いったん、当事会

社グループが適切な措置をとれば、その後の定期的な監視は必要ではない。この点からも、構造的措置が一般的には望ましいと考えられている。ただし、技術革新等により市場構造の変動が激しい市場においては、行動的措置をとることが妥当な場合も考えられる（企業結合ガイドライン第7の1）。また、垂直型・混合型企業結合で、供給拒否・購入拒否、組合せ供給、秘密情報の共有といった企業結合後の当事会社の行為が問題とされる案件について、行動的措置を適切な問題解消措置とすることもある。

イ　問題解消措置の実行時期

問題解消措置は、企業結合による競争制限効果を解消するためのものであるため、企業結合の実行前にその措置が講じられ、懸念される競争制限効果が発生しないようにすることが原則である（企業結合ガイドライン第7の1）。

一方、たとえば、事業譲渡のような問題解消措置を講ずる場合には、当事会社の企業結合後に有効な牽制力となり得るような譲渡先を選定することが必要であり、また、その譲渡先が事業の譲受けに合意しなければならないことから、譲渡先の選定が企業結合の実行予定日に間に合わないこともあり得る。やむを得ず、その企業結合の実行後に問題解消措置を講じることとなる場合には、問題解消措置を講じる期限が適切かつ明確に定められていることが必要である。事業譲渡については、その企業結合の実行前に譲渡先が決定していることが望ましいが、そうでないときは譲渡先について公正取引委員会の事前の了解を得ることとする場合がある（企業結合ガイドライン第7の1）。また、問題解消措置の中にどのような譲渡先が適切であるかという条件を明記する方法がとられることもある[49]。

届出のあった企業結合について、届出会社が問題解消措置を提出し、公正取引委員会がその措置について適当なものであると認めた場合には、届出書の所定の欄に問題解消措置の内容と期限を記載する（問題解消措

---

49)　企業結合ガイドライン332-333頁。

置を公正取引委員会に提出する具体的な手続については、後記2(2)オ参照)。届出書に記載された問題解消措置について、その期限までに履行されなかった場合には、その期限から1年以内に、公正取引委員会は予定される排除措置命令の内容等の事前通知を行うことができる（10条9項1号、10項）（事前通知については、後記2(2)カ(ア)参照）。

なお、問題解消措置の実効性を確保するに当たって、欧米においては監視受託者（Monitoring Trustee）が用いられる例がある。日本において初めてそれに近い措置が講じられた事例として、エーエスエムエルとサイマーの統合[50]がある。本件統合は垂直型企業結合の事案であり、公正取引委員会が指摘した投入物閉鎖、顧客閉鎖や秘密情報の入手の懸念に対して当事会社から問題解消措置の申出があり、措置の遵守状況を定期的に公正取引委員会に報告するに当たって、公正取引委員会が事前に承認した独立の監査チームが報告書を作成することとなった。

ウ　問題解消措置の内容の変更と問題解消措置の終了

特に行動的措置について期限を定めず措置をとることとされた場合においても、その後に市場の状況が変化し、措置の必要性が薄れることが考えられる。市場の状況が変化して問題解消措置の内容の変更や問題解消措置の終了が適当であると当事会社グループが考える場合には、その旨を公正取引委員会に申し出ることができる（企業結合ガイドライン第7の1）。当事会社グループの申出を受けて、公正取引委員会は、企業結合後の競争条件の変化を踏まえ、その措置を継続する必要性を評価し、その措置の内容を変更または終了しても競争を実質的に制限することとなるおそれがない状況になったと判断した場合には、問題解消措置の内容の変更または終了を認めている。

エ　問題解消措置の類型

企業結合ガイドラインは、典型的な問題解消措置として、次のような

---

[50]　エーエスエムエル・ホールディング・エヌ・ビーとサイマー・インクの統合（平成24年度における主要な企業結合事例について（公取委報道発表平成25年6月5日）【事例4】)。

措置を示している。これらの措置は、単独で、また、場合によっては組み合わせて講じられている[51]。

(ア) 事業譲渡等

問題解消措置として最も有効なものは、「新規の独立した競争者を創出し、あるいは、既存の競争者が有効な牽制力を有することとなるよう強化する措置」である（企業結合ガイドライン第7の2(1)）。そうした措置としては、①事業譲渡、②結合関係の解消、③第三者との業務提携の解消などがある。特段の事情が認められる場合には、④コストベースによる引取権の設定（競争者に対して、その商品の生産費用に相当する価格での引取権を設定し、長期的供給契約を締結すること）が有効であると判断されることもある（企業結合ガイドライン第7の2(1)）。

a 事業譲渡の例

ヤマダ電機によるベスト電器の株式取得[52]では、家電小売業について競争が実質的に制限されることとなると考えられた10地域について、当事会社の店舗のうち1店舗を期限までに第三者に譲渡する（譲渡できない場合は入札手続を行う）といった問題解消措置の申出があり、適切なものと認められた。

ふくおかフィナンシャルグループによる十八銀行の株式取得[53]では、長崎県と県南等3経済圏における中小企業向け貸出しに係る一定の取引分野における競争を実質的に制限することとなるおそれがあり当事会社グループから問題解消措置として債権譲渡の申出があった。具体的には、その分野の債権のうち合計1000億円弱相当について、貸出先の承諾を得て他の金融機関に対する譲渡を行い、仮に本件統合を実施するま

---

51) 過去に講じられた具体的な問題解消措置の例は、企業結合ガイドライン361-365頁参照。
52) ㈱ヤマダ電機による㈱ベスト電器の株式取得（平成24年度における主要な企業結合事例について（公取委報道発表平成25年6月5日）【事例9】）。
53) ㈱ふくおかフィナンシャルグループによる㈱十八銀行の株式取得（平成30年度における主要な企業結合事例について（公取委報道発表令和元年6月19日）【事例10】）。

でにその金額に満たなかった場合には本件統合後1年以内に追加的に不足額相当の債権を他の金融機関に譲渡することとされた。この債権譲渡により、競争事業者が一定の顧客基盤を構築し、当事会社グループと代替的な借入先であると中小企業に認識されるようになること等により、当事会社グループに対して一定程度の競争圧力を有することとなることから、競争上の問題は生じないものと認められた。

　b　コストベースによる引取権の設定の例

　　新日鐵住金による山陽特殊製鋼の株式取得[54]では、軸受用小径シームレス鋼管に係る一定の取引分野における競争を実質的に制限することとなる旨の指摘を公正取引委員会が行ったところ、当事会社から、製造設備の一定割合の持分を神戸製鋼所に譲渡し、少なくとも年間15000トン分の軸受用小径シームレス鋼管の製造に係る使用権を神戸製鋼所が有するようにするという問題解消措置の申出があった。神戸製鋼所の使用権分の商品の製造は当事会社が受託し、生産受託により得ることとなるセンシティブ情報（コスト情報、営業情報、顧客情報等）が当事会社の営業部門等に開示等されることのないよう、適切な情報遮断措置を講じることとされた。併せて、当事会社の一部の商権（年間計約14000トン相当、3年間）を神戸製鋼所に譲渡することとされ、新規参入者である神戸製鋼所が短期間のうちに少なくとも商権譲渡分の製品の販売が可能となることが見込まれた。このような設備の持分譲渡とコストベース引取権の設定を組み合わせた問題解消措置を前提とすれば、最大25％の市場シェアを有する有力な競争事業者として神戸製鋼所が市場に新規参入し、以前と同程度の競争環境が維持されるものと評価できることから、競争上の問題は生じないものと認められた。

　(イ)　その他の措置

　　a　輸入・参入を促進する措置

　　需要が減少傾向にあることなどにより、譲受先を見つけることが容易

---

[54] 新日鐵住金㈱による山陽特殊製鋼㈱の株式取得（平成30年度における主要な企業結合事例について（公取委報道発表令和元年6月19日）【事例4】）。

ではないなどの理由から、事業譲渡等を問題解消措置として講じることができない場合には、例外的に輸入・参入を促進すること等が問題解消措置になると判断される場合がある（企業結合ガイドライン第7の2(2)ア）。

新日鐵住金による日新製鋼の株式取得[55]では、溶融亜鉛－アルミニウム－マグネシウム合金めっき鋼板の分野について、①参入者のために製造設備を分割して譲渡することが困難であること、②他方、既に関連製造設備を有している事業者に対して適正な条件でライセンスすることで市場参入は可能であること、③神戸製鋼所は既にめっき鋼板の製造設備を有しており、有力な競争事業者となることが可能であることから、神戸製鋼所に対して特許・製造ノウハウをライセンスすることが参入を促進するための問題解消措置として適切であると判断された。

また、出光興産による昭和シェル石油の株式取得とJXホールティングスによる東燃ゼネラル石油の株式取得[56]では、ガソリン等の分野における問題解消措置として、石油元売以外の事業者が輸入を行った際に課せられる備蓄義務を肩代わりすることや、取引先が輸入を行ったことを理由として不利益を与えないことを周知するという申出があり、輸入促進効果が認められると評価されている。

b　当事会社グループの行動に関する措置

共同出資会社における情報遮断、共同資材調達の禁止など独立性を確保する措置、事業を行うために不可欠な設備の利用等について結合関係にない事業者を差別的に取り扱うことの禁止といった措置が問題解消措置として妥当と判断される場合がある（企業結合ガイドライン第7の2(2)イ）。

東京証券取引所グループと大阪証券取引所の統合（株式取得）[57]では、株式の売買関連業務の市場における東京証券取引所の支配的地位が維

---

55) 新日鐵住金㈱による日新製鋼㈱の株式取得（平成28年度における主要な企業結合事例について（公取委報道発表平成29年6月14日）【事例5】）。
56) 出光興産㈱による昭和シェル石油㈱の株式取得及びJXホールティングス㈱による東燃ゼネラル石油㈱の株式取得（平成28年度における主要な企業結合事例について（公取委報道発表平成29年6月14日）【事例3】）。

持・強化されることとなると考えられたことから、当事会社は、問題解消措置として、日本証券クリアリング機構（JSCC）（東京証券取引所グループの子会社）が当事会社の競争事業者であり近年急成長しているPTS（私設取引システム）事業者における株式の売買の清算業務の引受けを、今後も、実質的に差別的でなく、かつ競争上不利にならない条件で行うことを公正取引委員会に申し出た。公正取引委員会は、これが履行されれば、今後もPTS事業者がJSCCに清算業務を委託できる状況が確保され、当事会社に対するPTS事業者の競争圧力は失われないと考えられることから、有効な問題解消措置であると判断した。

　垂直型企業結合について行動的措置がとられた案件として、日立金属による三徳の株式取得[58]がある。この案件では、ネオジム磁石の製造を行う日立金属が三徳から原材料（ネオジム磁石合金）を調達するという取引関係にあったことから、垂直型企業結合の観点から検討が行われ、投入物閉鎖・顧客閉鎖、競争事業者の秘密情報の共有により市場の閉鎖性・排他性の問題が生じる蓋然性が認められた。これに対し、当事会社から問題解消措置として、①既存の顧客との一定期間の取引継続、②当事会社内での情報遮断の申出があった。①については川上・川下市場における競争事業者からの牽制力が維持され、取引継続期間の経過後に競争事業者に対し投入物閉鎖・顧客閉鎖がなされた場合に取引先を切り替えるだけの十分な準備期間が得られること、②については競争事業者の製品に係る情報が当事会社グループ内で共有されることがなくなることから、市場の閉鎖性・排他性の問題が生じなくなると評価された。

　垂直型・混合型企業結合について行動的措置がとられた案件として、エムスリーによる日本アルトマークの株式取得[59]がある。この案件では、本件株式取得後に@投入物閉鎖、ⓑ秘密情報の共有、ⓒ混合型市場閉鎖によって、医薬品情報提供プラットフォーム運営事業において市場

---

57) ㈱東京証券取引所グループと㈱大阪証券取引所の統合（平成24年度における主要な企業結合事例について（公取委報道発表平成25年6月5日）【事例10】）。
58) 日立金属㈱による㈱三徳の株式取得（平成29年度における主要な企業結合事例について（公取委報道発表平成30年6月6日）【事例2】）。

の閉鎖性・排他性が生じるおそれがあった。当事会社は問題解消措置として、ⓐについては医薬品情報提供プラットフォーム運営事業を行う競争事業者にも日本アルトマークの医療情報データベース（メディカルデータベース（MDB））の提供を継続し差別的な取扱いを行わないこと、ⓑについてはMDBを利用した競争事業者の事業に関する非公知の事実をエムスリーに開示しないといった情報遮断措置をとること、ⓒについてはMDBの提供に併せて当事会社のサービスの利用を強制するといった組合せ供給は行わないことを申し出た。この問題解消措置を前提とすれば、市場の閉鎖性・排他性の問題は生じなくなると評価された。

2　企業結合審査の手続と公正取引委員会の措置
(1)　届出を要する企業結合

　一定の要件に当たる企業結合については、企業結合を実行する前に公正取引委員会に届出を行わなければならない。過去にはほとんどすべての企業結合が届出対象とされていたこともあったが、現在では会社側の届出負担にも配慮し、競争に影響を与える蓋然性が高いと考えられる一定規模以上の会社同士の企業結合が届出の対象とされている。また、届出を要するとされている企業結合の類型は、株式取得（10条）、合併（15条）、共同新設分割または吸収分割（15条の2）、共同株式移転（15条の3）、事業譲受け等（16条）の5類型であり、届出対象の範囲については、図表7-3のとおりである。この5類型の中では、株式取得の届出件数が最も多い。このほかの企業結合の類型（たとえば、役員兼任）については、届出を要しない。ただし、届出を要しない企業結合についても、競争に大きな影響を与えるようなものについては、公正取引委員会の審査対象とされる可能性がある（届出を要しない企業結合に対する審査について、後記(4)参照）。

---

59)　エムスリー株式会社による株式会社日本アルトマークの株式取得（令和元年度における主要な企業結合事例について（公取委報道発表令和2年7月22日）【事例8】）。

キヤノンによる東芝メディカルシステムズの株式取得[60]では、キヤノンは届出の前に、東芝メディカルシステムズの普通株式を目的とする新株予約権等を取得し、その対価として、実質的には普通株式の対価に相当する額を東芝に支払うとともに、キヤノンが新株予約権を行使するまでの間、第三者が東芝メディカルシステムズの議決権付株式を保有していた。これらの行為は、本件株式取得のスキームの一部を構成するとともに、第三者を通じてキヤノンと東芝メディカルシステムズとの間に一定の結合関係が形成されるおそれを生じさせるものである。公正取引委員会は、事前届出制度の趣旨を逸脱し、10条2項に違反する行為につながるおそれがあることから、今後、届出前にこのような行為を行わないようキヤノンに注意した。

[図表7-3] 届出対象の企業結合

企業結合の類型	独禁法の関係法条	届出義務者	届出対象
株式取得[61]	10条	株式取得会社[62]	①株式取得会社の国内売上高合計額[63]が200億円超であり、かつ、 ②株式発行会社とその子会社の国内売上高の合計額[64]が50億円超であって、 ③保有する議決権の割合[65]が20%または50%を超えることとなる場合
合併	15条	当事会社すべて	合併当事会社のうちに、 ①国内売上高合計額200億円超の会社と、 ②国内売上高合計額50億円超の会社が存在する場合

60) キヤノン㈱による東芝メディカルシステムズ㈱の株式取得(平成28年度における主要な企業結合事例について(公取委報道発表平成29年6月14日)【事例10】)。
61) 合併または分割により株式取得の届出要件にも該当する場合は、合併等の届出書にその旨記載することにより、株式取得の届出は不要になる(届出規則2条の6)。
62) 組合による株式取得の場合は、組合の親会社(組合の財務および事業の方針の決定を支配している会社)が届出義務者となる。

分割(共同新設分割および吸収分割)	15条の2	当事会社すべて	〔共同新設分割〕 ①2社の全部承継会社の国内売上高合計額が200億円超と50億円超 ②全部承継会社の国内売上高合計額が200億円超、重要部分承継会社の承継対象部分の国内売上高が30億円超 ③全部承継会社の国内売上高合計額が50億円超、重要部分承継会社の承継対象部分の国内売上高が100億円超(②に該当する場合を除く) ④重要部分承継会社の承継対象部分の国内売上高が100億円超と30億円超 〔吸収分割〕 ①全部承継会社の国内売上高合計額が200億円超、承継会社の国内売上高合計額が50億円超 ②全部承継会社の国内売上高合計額が50億円超、承継会社の国内売上高合計額が200億円超(①に該当する場合を除く) ③重要部分承継会社の承継対象部分の国内売上高が100億円超、承継会社の国内売上高合計額が50億円超 ④重要部分承継会社の承継対象部分の国内売上高が30億円超、承継会社の国内売上高合計額が200億円超(③に該当する場合を除く)
共同株式移転	15条の3	当事会社すべて	共同株式移転をしようとする会社のうちに、 ①国内売上高合計額200億円超の会社と、 ②国内売上高合計額50億円超の会社が存在する場合
事業譲受け等	16条	譲受け会社	①譲受け会社の国内売上高合計額が200億円超であり、かつ、 ②譲渡し会社または譲受け対象事業の国内売上高が30億円超である場合

63)「企業結合集団」、すなわち当事会社の最終親会社とその子会社すべての国内売上高を合算した額である。
64) 株式発行会社については、最終親会社や兄弟会社の分は国内売上高の合計額に合算しない。
65)「企業結合集団」の保有割合をみる。

(2) 届出対象の企業結合に対する審査手続

ア 届出

(ア) 届出の受理

　企業結合計画の届出義務者は、企業結合の類型ごとに定められた届出書に必要事項を記載し、届出規則2条の6（株式取得）、5条（合併）、5条の2（共同新設分割・吸収分割）、5条の3（共同株式移転）、6条（事業譲受け等）に規定された必要な添付書類とともに公正取引委員会に提出する。届出書の提出先は、公正取引委員会の経済取引局企業結合課か、全国に8か所ある地方事務所等である。届出会社の本社に近い場所など、手続に便利な場所を選択して届け出ることができる。また、電子メールによる届出も可能であり、この場合、郵送による追完も不要である。公正取引委員会は、届出書を受理した際に、届出規則7条1項、2項に基づき、届出会社に対し届出受理書を交付する。届出書の記載事項が欠けていたり、添付書類に不備がある場合には、届出書は受理されない。

　なお、後記イの第1次審査とウの第2次審査の期間の延長や一時停止の制度は法定されていないが、届出会社が必要と考える場合、届出をいったん取り下げ、再届出を行うことは可能である。

(イ) 届出前相談

a 届出前相談の内容

　届出を予定する会社は、公正取引委員会に対して届出前相談を行うことができる（手続対応方針2）。この届出前相談は、あくまでも届出予定会社が必要と考える場合に任意に行うものである。

　届出前相談の内容として最も多いのは、届出書の記載内容に不備がないかを届出前に担当官に確認してほしいというものである（いわゆる「ドラフトチェック」）。企業結合計画の当事会社は、企業結合の実行予定日までの全体的なスケジュールの中で届出をいつ行うかを決めていると考えられるが、企業結合計画の届出から30日間はいわゆる「禁止期間」であり、企業結合を実行することができない（10条8項、15条3項等（準用規定））ことから、届出は実行予定日の少なくとも30日前には

行う必要がある。簡単な記載ミスであれば届出の際に担当官からの指摘を受けて訂正することも可能であるが、希望する日に確実に届出が受理されることを希望する場合には、事前にドラフトチェックを受けて届出書等に不備がない状態にしておくことは有益である。

　また、届出前相談では、公正取引委員会の企業結合審査における考え方を確認することも可能である。たとえば、届出書には、届出会社等の国内の市場における地位を記載する項目があるが、その項目への記載を適切に行うために、一定の取引分野に関して公正取引委員会がどのような考え方をとっているか、また、過去の事例ではどのような考え方を示しているかを確認することができる。このような相談を行うに当たって、届出予定会社は必要な資料を公正取引委員会に提出することができる（手続対応方針 2）。

　ただし、届出前相談で公正取引委員会が独占禁止法上の判断を回答することはない。

　　b　届出前相談に要する期間

　届出前相談は、あくまでも届出予定会社が任意で行うものであり、届出予定会社はいつでも届出前相談を終了して届出を行うことができる。届出前相談にどの程度の期間をかけるかは、届出予定会社の裁量に任されているが、たとえばドラフトチェックのみを希望する場合には、それほどの日数がかからない場合が多い。一方、大型の事案の場合には、届出前相談に数か月かかると届出予定会社が予想する場合もあろう。

　新日本製鐵と住友金属工業の合併[66]では、届出前の段階で、当事会社が競合する商品・役務について、「本件合併が競争を実質的に制限することとはならないと考える旨の意見書」を自発的に公正取引委員会に提出し、当事会社と公正取引委員会との間で数次にわたり会合が持たれた。このような相談は平成23年3月以降行われ、本件合併の届出は同年5月31日だったので、当事会社は、約3か月間、届出前相談を行ったこ

---

[66]　新日本製鐵㈱と住友金属工業㈱の合併（平成23年度における主要な企業結合事例について（公取委報道発表平成24年6月20日）【事例2】）。

とになる。

イ 第1次審査（届出の受理から30日間）

公正取引委員会が届出会社からの届出を受理し、届出会社に対し届出受理書が交付されると、30日間の第1次審査期間が開始する。この30日間は「禁止期間」とも呼ばれ、届出会社は企業結合を実行することができない（10条8項、15条3項等（準用規定））。第1次審査の間に、公正取引委員会は、その企業結合について問題がないか、または、より詳細な審査を要するため第2次審査に進むかを判断する。

(ｱ) 第1次審査で終了する場合

その企業結合について問題がないと公正取引委員会が判断した場合には、「排除措置命令を行わない旨の通知」が届出会社に交付される。この通知は、届出規則9条に基づき交付されるものであるため、「9条通知」とも呼ばれている。9条通知が届出会社に交付されれば、その企業結合の審査は終了する。

a 禁止期間の短縮

独占禁止法で定められた禁止期間は、たとえ禁止期間の終了より前に9条通知が届出会社に交付されたとしても、自動的に短縮されるものではない。禁止期間の短縮の要件は、①一定の取引分野における競争を実質的に制限することとはならないことが明らかであること、すなわち9条通知を出せる状態であること、かつ②禁止期間を短縮することについて届出会社が書面で申し出ることである（手続対応方針3(3)）。

禁止期間短縮の申出のタイミングは特に定められていないが、届出書の提出の際に届出会社が禁止期間の短縮願いを提出する場合が多い。その場合、30日間の終了する前に9条通知が交付されれば、禁止期間も短縮されることになる。期間を何日間短縮してほしいという届出会社の希望を短縮願いに記載することも可能であるが、禁止期間は9条通知が交付されなければ短縮されないので、その希望どおりの日数の短縮が行われるとは限らない。また、禁止期間の短縮を希望する理由は特に問われないが、特段の理由があれば、短縮願いにその理由を記載することも可能である。

なお、9条通知が禁止期間の終了より前に交付された場合に、交付された後で禁止期間の短縮の申出を行うことも可能である。そのときは、公正取引委員会は速やかに禁止期間の短縮を行う（手続対応方針（注3））。
　b　第1次審査で終了した事案の公表
　第1次審査の段階で、届出会社が問題解消措置をとることを前提に公正取引委員会が独占禁止法上問題ないと判断したものなど、他の会社等の参考となる事案については、第1次審査で終了した事案でも公表される（手続対応方針3(3)）。この際、後記ウ(ウ)bの第2次審査の結果の公表の場合と同様に、公表の前に公表内容に事業者の秘密に当たる情報が含まれていないかを届出会社に確認した上で、公表されることになる。第2次審査で終了したものも含め、主要な企業結合事例の審査結果は年度ごとに取りまとめられ、公表される。
　なお、平成29年度から、公正取引委員会が9条通知を交付した案件の一覧が四半期に1度公表されている。一覧表には、各案件の届出受理日、当事会社名、9条通知日、期間短縮の有無等が記載されている。
　(イ)　第2次審査に進む場合
　公正取引委員会が、より詳細な審査を要するため第2次審査に進むと判断した場合、第1次審査期間中に「報告等の要請」（10条9項、15条3項等（準用規定））が行われる。
　ウ　第2次審査（報告等の要請以後、すべての報告等の受理から90日間）
　(ア)　報告等の要請
　報告等の要請とは、第2次審査に必要な追加資料の請求である。公正取引委員会が報告等の要請を行うと、公正取引委員会が事前通知を行うことのできる期間が、①届出受理の日から120日を経過した日と②すべての報告等を受理した日から90日を経過した日とのいずれか遅い日までの期間に延長される（10条9項）。通常、公正取引委員会は、②のすべての報告等の受理から90日間までの期間で詳細な審査を行った後、事前通知を行うか、または、問題がないと判断して9条通知を届出会社に交付するかを判断する。
　報告等の要請の内容は事案により様々であるが、報告等の要請は第1

次審査の30日間にしか行うことができず、通常はその回数も1回のみであるため、報告等の要請では、経済分析に必要なデータや当事会社の内部文書も含め、公正取引委員会が第2次審査に必要と考える資料が網羅的に請求されることになる。

　報告等の要請を行うに当たって、公正取引委員会は、報告等を求める趣旨を報告等要請書に記載する（届出規則8条1項）。このため、たとえば、市場画定における商品の範囲の画定のためであるなど、公正取引委員会がどのような検討のためにその資料を要請しているのかが分かるようになっている。もし報告等要請書に記載された趣旨だけでは、どのような資料を用意すべきかがはっきりしないと届出会社が考える場合には、後記エの「論点等の説明」の機会を利用して、公正取引委員会がどのような資料を求めているかを具体的に確認することが可能である。

　公正取引委員会が届出会社から報告等の要請に対するすべての報告等を受理した場合には、公正取引委員会は届出会社に対し、報告等受理書を交付する（届出規則8条2項）。この報告等受理書の交付をもって90日間のカウントがスタートし、第2次審査期間は、「報告等の要請からすべての報告等を受理するまでの期間＋90日間」となる。報告等の要請からすべての報告等を受理するまでの期間は、報告等の要請で提出を求められる資料の多寡や届出会社がどのくらい迅速に資料を提出するかなどに左右される。

　新日本製鐵と住友金属工業の合併[67]では、平成23年6月30日に報告等の要請が行われて第2次審査が開始し、8月には要請した報告等の大部分が提出されたが、公正取引委員会がすべての報告等を受理したのは、11月9日であった。

(イ)　第三者からの意見の聴取

　公正取引委員会が報告等の要請を行う際には、その旨を公正取引委員会のウェブサイトで公表する。公正取引委員会は、報告等の要請を行っ

---

[67]　新日本製鐵㈱と住友金属工業㈱の合併（平成23年度における主要な企業結合事例について（公取委報道発表平成24年6月20日）【事例2】）。

たことを公表すると同時に、その事案について第三者からの意見を募集する。その事案に対して意見がある場合は、何人も、公正取引委員会に対して意見を提出することができる。募集期間は、その公表後、30日以内である（手続対応方針4(2)）。ただし、新日本製鐵と住友金属工業の合併[68]では、第1次審査の開始とともに、当事会社が競合する主な商品・役務を明示して、届出受理の翌日から公正取引委員会のウェブサイト上で情報の募集を開始している。このように第1次審査の開始時から意見募集を始めることが可能だったのは、届出前相談に約3か月が費やされ、その中で当事会社から競合商品についての説明が十分に行われたためと考えられる。また、この案件では、約30の一定の取引分野が画定されており審査対象となった分野が多かったため、第1次審査から意見募集を行う必要があったとも考えられる。このほか、公正取引委員会は、デジタル市場の案件を中心に、複雑かつ急速に変化する市場状況において、より広く第三者からの意見を収集する必要があると考えられるような企業結合案件については、第2次審査の開始の如何を問わずに、必要に応じて、第三者から意見聴取する旨公表し、情報・意見を募集することを明らかにしている[69]。実際に、マイクロソフト・コーポレーションとアクティビジョン・ブリザード・インクの統合[70]等の案件について情報・意見募集が実施されている。

　このようなウェブサイト上での意見募集のほか、公正取引委員会の担当官は、当事会社の競争者や需要者に対し、ヒアリングやアンケート調査を行って、その企業結合が競争に与える影響についての審査を行っている。特に、当事会社が情報を持ち合わせていないことが多いような点、

---

68) 新日本製鐵㈱と住友金属工業㈱の合併（平成23年度における主要な企業結合事例について（公取委報道発表平成24年6月20日）【事例2】）。
69) デジタル化等社会経済の変化に対応した競争政策の積極的な推進に向けて――アドボカシーとエンフォースメントの連携・強化（公取委報道発表令和4年6月16日）4.(1)。
70) マイクロソフト・コーポレーション及びアクティビジョン・ブリザード・インクの統合（令和4年度における主要な企業結合事例について（公取委報道発表令和5年6月28日）【事例7】）。

たとえば、競争者の供給余力や需要者からの競争圧力を勘案する上での考慮事項については、競争者や需要者からの情報が審査の参考となることが多い。届出前相談や第1次審査の時点で届出会社がその企業結合について公表しているような事案においては、競争者や需要者へのヒアリングがそのような時点から行われる場合もある。

(ウ) 第2次審査の終了

a　9条通知と事前通知

第2次審査の結果、公正取引委員会は、①独占禁止法上問題がないとして9条通知を交付するか、または②事前通知をするか、いずれかの措置をとることとなる。①の場合、公正取引委員会は、独占禁止法上問題がないとする理由を書面で説明する（手続対応方針4(3)）。この点は、第2次審査まで進んだ上で問題ないとして終了する事案と、第1次審査で終了する事案とで取扱いが異なる点である。

②の場合、通知以降の手続は、独占禁止法第8章第2節の規定に基づいて行われる（手続対応方針4(3)）。しかし、企業結合事案では、カルテル等の審査事案と異なり、公正取引委員会が事前通知を行った後に、届出会社から問題解消措置の申出があり、公正取引委員会がそれを妥当なものであると判断して、排除措置命令の必要性がなくなるということは例外ではないと考えられている。

b　第2次審査の結果の公表

第2次審査が行われたすべての事案については、その審査結果が公表される（手続対応方針4(3)）。第2次審査で独占禁止法上問題がないとされた場合の公表の内容は、前記aの届出会社に対する審査結果の説明の書面と、通常はほぼ同内容となる。実務的には、公正取引委員会が届出会社に対して審査結果を書面により説明する際に、事業者の秘密に当たる情報が含まれていないかを届出会社に確認し、事業者の秘密に当たる情報を削除するなど必要な修正を加えた上で、審査結果として公表する。

事前通知が行われた事案については、カルテル等の審査事案と同様、事前通知の段階で公正取引委員会がその事案について事前通知を行った

ことを公表することはない。事前通知後、意見聴取手続を経て、排除措置命令を行った場合には、排除措置命令の段階で公正取引委員会の審査結果が公表される。この場合は、公表文に排除措置命令書が添付される。また、事前通知後、意見聴取手続において届出会社から問題解消措置の申出があるなどして、排除措置命令を行わないこととした事案についても、その企業結合審査の結果を公表する（手続対応方針(注4)）。

エ　論点等の説明・意見書等の提出

　第1次審査・第2次審査の審査期間を通じて、届出会社は、公正取引委員会に対して、その時点における論点等について説明を求めることができ、また、意見書や資料を提出することができる（手続対応方針5）。意見書や資料には、問題解消措置の申出も含まれる。これらによって、届出会社と公正取引委員会との意思疎通が密になり、迅速かつ透明性の高い企業結合審査が可能となる。

　また、一定の取引分野の画定などに関する経済分析を含む意見書が提出される場合もある。そのような場合には、公正取引委員会に在籍するエコノミストがその検証・評価を行う[71]。

　届出会社は、その企業結合の審査の過程において、公正取引委員会がどのような点を問題視し、重点的な審査の対象としているかについて、説明を受けることができる。企業結合審査においては、通常、審査が進むにつれて、独占禁止法上問題があると公正取引委員会の考える一定の取引分野が絞り込まれ、また、各判断要素を総合的に勘案した独占禁止法上の評価も定まってくる。そのため、審査がある程度進んだ段階になれば、届出会社は、論点等の説明を公正取引委員会に求めることで、公正取引委員会の最終的な判断を待たずに、どの一定の取引分野が独占禁止法上問題とされる可能性が高いのかを把握することができ、それに対する反論としての意見書や資料を提出したり、独占禁止法上の問題点を

71）企業結合ガイドライン401頁。公正取引委員会が企業結合審査における経済分析についてどのような考え方をとっているかは、企業結合ガイドライン400-426頁参照。

解消するための問題解消措置を申し出るなどの対応をとることが可能になる。

　しかし、たとえば、第2次審査の90日間の期限の終了間際にそのような意見書、資料の提出や問題解消措置の申出をしたとしても、第2次審査の終了までに公正取引委員会がその内容を検討することはできないため、意見書、資料や問題解消措置の内容が反映されないまま事前通知が行われることになる。この場合、その意見書、資料や問題解消措置の内容については、事前通知後、公正取引委員会が意見聴取手続において排除措置命令の必要性について検討する際に勘案されることになる。届出会社が、全体的な審査スケジュールを念頭に置いた上で、公正取引委員会から論点等の説明を受け、それに対する意見書等を提出することは有益である。

　新日本製鐵と住友金属工業の合併[72]では、第2次審査において報告等要請に対する報告等の大部分が提出された時点で、当事会社が改めて論点等の説明を求めたのに応じて、公正取引委員会が、その時点での検討結果に基づき、論点等の説明を行っている。これに対して、当事会社は、追加の主張や資料提出を行い、公正取引委員会がその主張について検討するため、当事会社と数次にわたり会合を持っている。

　また、届出会社は、論点等の説明の機会を利用して、その企業結合事案のその後の審査スケジュールの見通しについても聞くことができる。たとえば、第1次審査の途中で論点等の説明を求めることで、第1次審査で終了するのか、それとも報告等の要請が行われて第2次審査に移行する可能性が高いのかを確認することが可能である。第2次審査に移行する可能性が高いことが明らかになれば、報告等要請で求められると予測される資料を早めに準備することができるし、第2次審査に移行した後に公正取引委員会による公表や第三者からの意見聴取が行われることも予測できる。

---

[72]　新日本製鐵㈱と住友金属工業㈱の合併（平成23年度における主要な企業結合事例について（公取委報道発表平成24年6月20日）【事例2】）。

さらに、届出会社が希望した場合だけでなく、公正取引委員会が必要と考えた場合にも、論点等の説明が行われることがある。たとえば、第2次審査において、ある程度独占禁止法上の評価が固まった時点で、論点等の説明の機会を持ち、届出会社に公正取引委員会の問題意識を伝えることで、届出会社に可能な問題解消措置の検討を促す場合がある。

HDDの製造販売業者の統合[73]では、2件の企業結合事案が同時に審査されたが、第2次審査においてそれぞれの件の届出会社からすべての報告等を受理した後に、各届出会社に対して、特に独占禁止法上問題となる一定の取引分野は何かについての説明を行っている。これを受けて、2件のうちの1件の届出会社から問題解消措置の提案があり、公正取引委員会と届出会社との間で問題解消措置の内容につき数次にわたる会合が持たれた結果、届出会社が問題解消措置に係る変更報告書を提出した。

なお、公正取引委員会は、このように同じ市場において近接した時期に行われる複数の企業結合計画を同時に審査するという手法（いわゆるcombined approach）をとっている。出光興産による昭和シェル石油の株式取得とJXホールティングスによる東燃ゼネラル石油の株式取得[74]についても、2つの統合を同時に審査している。これに対し、欧州委員会は、近接した時期に行われるものであっても届出順に審査をするという手法（いわゆるpriority approach）をとっている。そのため、届出が早い計画の方が認められやすく、届出が遅い方は先に届け出られた計画によって市場の集中度が高まっていることを前提に審査されるため、より詳細な審査が行われる可能性が高い。

オ　問題解消措置の提出

届出会社が問題解消措置を提出するのに、具体的な期限は設けられて

---

[73]　ハードディスクドライブの製造販売業者の統合（平成23年度における主要な企業結合事例について（公取委報道発表平成24年6月20日）【事例6】）。

[74]　出光興産㈱による昭和シェル石油㈱の株式取得及びJXホールティングス㈱による東燃ゼネラル石油㈱の株式取得（平成28年度における主要な企業結合事例について（公取委報道発表平成29年6月14日）【事例3】）。

いない。通常は、論点等の説明などの機会を通じて、公正取引委員会からその企業結合が独占禁止法上問題となるという指摘を受けた後に、届出会社が問題解消措置を提案することが多い。そして、その内容を公正取引委員会が検討し、問題解消措置として適当であると判断された時点で、届出会社が問題解消措置を正式に提出することになる。

届出書には、問題解消措置の内容を記載する欄があらかじめ設けられている。たとえば、株式取得の届出書（届出規則様式第 4 号）では、「株式取得に関する計画として採ることとする措置の内容及びその期限」という記載欄がある。届出の時点で問題解消措置の内容等が定まっており届出書に記載されている事案は稀で、多くの場合、届出受理後に問題解消措置が検討される。そのため、届出会社による問題解消措置の提出の具体的な手続としては、届出会社が、既に公正取引委員会に提出された届出書の内容を「変更報告書」（届出規則 7 条 3 項）を提出することにより変更するという方法がとられることが多い。ただし、公正取引委員会が再度時間をとって審査を行わなければならないような場合には、「重要な変更」があったとして届出書の再提出が求められることになる（届出規則 7 条 4 項）。この場合は、その再提出する届出書の所定の欄に問題解消措置を記載する。

なお、確約手続を利用する場合には、届出会社は問題解消措置を記載した排除措置計画の認定の申請を検討することになる（手続対応方針 5）。

カ　公正取引委員会の措置（事前通知、排除措置命令、緊急停止命令）

(ｱ)　事前通知

第 2 次審査の結果、その企業結合が独占禁止法上問題となると公正取引委員会が判断した場合には、事前通知が行われる。その場合、届出会社には、第 2 次審査の終了期限（報告等の受理から 90 日）までに、事前通知書が送達される。独占禁止法の規定上は、報告等の要請を行わずに第 1 次審査の時点で事前通知を行うことも可能ではあるが（10 条 9 項）、通常、公正取引委員会は、第 2 次審査で詳細な審査を行った上で、事前通知が必要かどうかの判断をする。

事前通知での公正取引委員会の判断について届出会社が争う場合もあ

ると考えられるが、その一方で、届出会社が公正取引委員会の判断を受け、問題解消措置を意見として提出する場合もあると考えられる。その問題解消措置が届出書に記載されることにより排除措置命令の必要性がなくなれば、公正取引委員会はその旨を届出会社に伝えて審査を終了し、審査結果を公表する。

(イ) 排除措置命令

　事前通知を行った後、意見聴取手続を経て、最終的に、その企業結合に対して排除措置命令を行う必要性があると公正取引委員会が判断した場合には、公正取引委員会は、独占禁止法17条の2に基づく排除措置命令を行い、排除措置命令書が届出会社に送達される（審査規則28条）。その排除措置命令を届出会社が争う場合の手続は、カルテル等の独占禁止法違反事件の場合における排除措置命令以降の手続と同様である。

(ウ) 緊急停止命令

　企業結合は、届出後、30日間はその実行が禁止されるが（10条8項、15条3項等（準用規定））、それ以降は、第2次審査に移行した場合であってもその実行は禁止されていない。しかし、いったん企業結合が実行されてしまうと、それを元に戻す措置をとらせることが困難な場合もあるし、企業結合の実行により市場の競争に悪影響が生じることも考えられる。そうした懸念のある場合には、公正取引委員会は、裁判所に企業結合の緊急停止命令を申し立てることができる（70条の4）。

　企業結合事案について、公正取引委員会がこれまでに緊急停止命令の申立てを行った例として、新日鉄合併事件（同意審決昭和44年10月30日）がある。このときは、当事会社が合併期日を延期したため、この申立ては取り下げられた[75]。

キ　審査終了後の手続

　届出後、審査が終了して独占禁止法上問題がないと公正取引委員会が判断した企業結合計画については、企業結合計画の実行後、「完了報告書」を公正取引委員会に提出しなければならない（届出規則7条5項）。

---

75) 注釈独占禁止法732頁。

(3) 届出義務違反に対する罰則等

届出対象となっている企業結合について、届出をしなかった場合、また、虚偽の記載をした届出書を提出した場合は、200万円以下の罰金が科される（91条の2）。

届出対象となっている合併、共同新設分割、吸収分割、共同株式移転について、届出をせず、または届出後30日間の禁止期間に合併等が実行された場合には、公正取引委員会は、そのような合併等の無効の訴えを提起することができる（18条）。

(4) 届出を要しない企業結合に対する審査手続

株式取得等で届出基準を満たさない企業結合や、役員兼任等の届出を要しない類型の企業結合については、届出の必要はない。しかしながら、そのような企業結合であっても、特定の分野における市場シェアが高まるなど、競争への影響が懸念される場合があり得る。届出対象外の企業結合であっても、それが一定の取引分野における競争を実質的に制限することとなるかどうかを審査する必要があると公正取引委員会が判断する場合がある[76]。公正取引委員会は、届出を要しない企業結合計画について、具体的な計画内容を示して相談があった場合には、届出を要する企業結合の審査手続に準じて対応する（手続対応方針6）。

公正取引委員会は、特に、国内売上高が小さいものの国内の競争に影響があり得るスタートアップ企業等の買収に適切に対応するために、買収額が大きく、国内需要者に影響を与えると見込まれる場合には企業結合審査の対象とするという方針を示している。このため買収額が400億円超であって、①買収される会社が国内拠点を持つ、②日本語版ウェ

---

[76] 届出要件を満たさない案件であったが、公正取引委員会が企業結合審査を行ったものとして、エムスリー㈱による㈱日本アルトマークの株式取得（令和元年度における主要な企業結合事例について（公取委報道発表令和2年7月22日）【事例8】）やグーグル・エルエルシー及びフィットビット・インクの統合（令和2年度における主要な企業結合事例について（公取委報道発表令和3年7月7日）【事例6】）がある。

ブサイトを有するなど日本の需要者を対象に営業活動を行う、③国内売上高が1億円を超えるという要件のいずれかを満たすなど国内需要者に影響を与えると見込まれる案件については、当事会社は自主的に公正取引委員会に相談することが望まれる（手続対応方針6(2)）。

第8章 知的財産権と独占禁止法

1 総論

「知的財産」とは、「発明、考案、植物の新品種、意匠、著作物その他の人間の創造的活動により生み出されるもの（発見又は解明がされた自然の法則又は現象であって、産業上の利用可能性があるものを含む。）、商標、商号その他事業活動に用いられる商品又は役務を表示するもの及び営業秘密その他の事業活動に有用な技術上又は営業上の情報をいう」（知的財産基本法2条1項）。そして、「発明」は特許権、「考案」は実用新案権、「植物の新品種」は育成者権、「意匠」は意匠権、「著作物」は著作権、「商標」は商標権などの知的財産権として法律によって保護されている。

この知的財産権とは、知的活動の成果を排他的に利用できることを認める権利であって、知的財産の模倣やフリーライド（ただ乗り）を防止している。これは、一見、権利の「独占」を認めることにより競争と相反するもののように思えるが、知的財産権によって創造力を十分に発揮するインセンティブを確保することにより、事業者の創意工夫を発揮させ、競争を活性化させる効果が期待できるものである。また、知的財産法のうち、特許法、実用新案法、著作権法などは、知的財産の創造や保護と同時にその活用をも目的としており、知的財産の価値が最大限に発揮されるようにするため、権利として保護されるための条件として、通常、知的財産にかかる情報の公開を義務付けている。このような情報の公開を含め、知的財産の活用の促進は、重複投資を回避させるとともに、他の事業者の創意工夫を発揮させ、需要を喚起したり市場を創出したりするという点で、競争を活性化させる効果が期待できるのである。

たとえば、特許法69条1項は、改良技術の開発等を目的として特許

発明にかかる技術を試験し研究する行為について、特許発明の「実施」には当たらないとして、特許権侵害にはならないものと規定しているが、このような行為は、関連する知的財産の情報が公開されていることと相俟って、競争者の研究開発を促進し、進展させることにつながる。つまり、特許発明に無制限の保護を与えると、かえって全体の研究開発が妨げられて社会の発展が滞ることがあるため、特許権の排他性に一定の限界を設け、「発明の保護」と「発明の利用」とのバランスをとって研究開発による競争を活発化させているのである。この意味で、知的財産法と独占禁止法とは、相互補完的に機能しているといえる。

このように、知的財産の排他的利用を権利として保障することによって独占禁止法と共通の目的を果たそうとしている知的財産制度の趣旨にかんがみ、著作権法、特許法、実用新案法、意匠法または商標法による権利の行使と認められる行為には、独占禁止法の規定は適用されない（21条）。しかし、知的財産権を悪用して競争者の研究開発活動、生産活動、販売活動その他の事業活動を制限する行為は、その態様や内容いかんによっては、技術や製品をめぐる競争に悪影響を及ぼす場合がある。知的財産権が、知的財産の創造、保護と活用を推進するという社会公共目的に資する限度において保護される特殊な財産権である以上、その行使もこのような目的に適合していると認められるものでなければ容認されるべきでないのであって、権利の行使には内在的な制約がある。この考え方は、「知的財産の保護及び活用に関する施策を推進するに当たっては、その公正な利用及び公共の利益の確保に留意するとともに、公正かつ自由な競争の促進が図られるよう配慮するものとする」（知的財産基本法10条）とのかたちで、知的財産法の視座からも確認されている。

2 21条による適用除外
(1) 「権利の行使」の意義

知的財産権の行使に対する独占禁止法の適用についても、同様の視座を踏まえて判断する必要がある。21条は、著作権法等による権利の行使と認められる行為には独占禁止法の規定が適用されないことを規定し

ているが、この規定は、権利の行使とみられるような行為であっても、行為の目的、態様、競争に与える影響等を勘案した上で、知的財産権制度の趣旨を逸脱し、または同制度の目的に反すると認められる場合には、その行為が同条にいう「権利の行使と認められる行為」とは評価されず、独占禁止法が適用されることを確認する趣旨で設けられたものであると解されている（第一興商事件（審判審決平成21年2月16日）[1]）。

　これは、知的財産ガイドライン[2]第2の1で採用されている判断枠組みと同じものである。そこでは、①まず、ある行為が「外形上、権利の行使とみられる」かどうかを判断し、権利の行使とみられない場合は通常どおり独占禁止法の規定を適用し、②その行為が「権利の行使とみられる」場合であっても、公正かつ自由な競争の観点を踏まえた知的財産制度の趣旨・目的からみて実質的に権利の行使とは評価できない場合は、やはり独占禁止法の規定を適用し（「権利の行使と認められる」場合は適用除外となる）、③最終的に、その行為が独占禁止法の各規定の要件を充足するかどうかを検討して違法かどうかを判断するという枠組みが提示されている[3]。

　なお、21条の規定は種々の知的財産法を列挙しているが、前記のとおり、知的財産法による権利の行使と認められるかどうかは、公正かつ自由な競争の観点を踏まえて決定されるのであるから、21条の規定がなくとも、最終的には独占禁止法上の違反行為となる範囲は変わるものではない。したがって、同条は、特許権等の権利行使と認められる場合には独占禁止法を適用しないことを確認的に規定したものにすぎない

---

1) 経済法百選〔第2版〕82事件166頁。判決該当箇所では、ソニー・コンピュータエンタテインメント（SCE）事件（審判審決平成13年8月1日）を先例とする。
2) 「知的財産の利用に関する独占禁止法上の指針」（平成19年公取委）。
3) ①の判断において「権利の行使とみられる」場合であっても②の判断を行う必要があるのであれば、最初から②の判断のみを行えばよいのではないか、また、②の判断の際には実質的に③の判断も行っているのではないかとの疑念もあり得るが、21条の規定に従えば、前記の判断様式が採用されていることにも一定の理由があるといわれている。

(日之出水道機器数量・価格制限事件（知財高裁判決平成18年7月20日）[4]）参照）。さらに、21条で挙げられている知的財産法は限定列挙か例示列挙かという議論があるが、結局のところ同条が確認規定にすぎないのであれば、どちらかに決定する意義は乏しい。21条が知的財産権に対する適用除外の検討枠組みを提示していることを踏まえれば、列挙されていない知的財産法であっても同様の検討枠組みを用いて適用関係を決定すべきということになろう。実際、21条には列挙されていない種苗法についても、技術保護を目的とする法律において正当な権利の行使と認められるものについては、独禁法の適用に当たって21条の規定の趣旨を踏まえることが必要と考えられている[5]。

(2) 「権利の行使と認められる行為」の該当性判断

「外形上、権利の行使とみられる」かどうかの判断については、実施許諾契約において許諾数量や実施料を定める場合のように、本来的に知的財産権者が自由に決定し得る性質の事柄であれば、権利の行使として不合理なものといえず、「権利の行使とみられる」こととなる（意匠権侵害差止等請求事件（大阪地裁判決平成18年12月7日））。たとえば、知的財産侵害訴訟の提起や侵害警告のほかライセンス拒絶も、知的財産権者が本来自由に決定することができることといえる。逆に、知的財産権により保護される商品であっても、いったん国内で適法に流通した場合にはその権利が消尽することも多く、消尽後の行為が「権利の行使」となることはないのは、知的財産権の存続期間が終了した後や権利譲渡後の行為が「権利の行使」とならない（旭電化工業事件・オキシラン化学事

---

[4] 経済法百選〔第2版〕92事件186頁。本判決では、21条が確認的規定であることに触れた上で、「発明、考案、意匠の創作を奨励し、産業の発達に寄与することを目的（特許法1条、実用新案法1条、意匠法1条）とする特許制度等の趣旨を逸脱し、又は上記目的に反するような不当な権利行使については、独占禁止法の適用が除外されるものではないと解される」としている。

[5] 公正取引委員会事務局編『不公正な取引方法に関する相談事例集（平成3年7月～平成7年3月）』13頁【事例6】（公正取引委員会事務局、1995）。

件（勧告審決平成 7 年 10 月 13 日）[6]）のと同じである。したがって、ソニー・コンピュータエンタテインメント（SCE）事件（審判審決平成 13 年 8 月 1 日）[7] では、ゲームソフトの中古品売買は著作権法上の頒布権の侵害行為であるから、中古品取扱い禁止は著作権法による権利の正当な行使であるとして、21 条の適用が問題となったが、映画の著作物に該当するゲームソフトについては、その頒布権は最初の販売によって消尽していること（中古ゲームソフト著作権侵害差止事件（最高裁判決平成 14 年 4 月 25 日））を踏まえれば、知的財産制度の趣旨・目的から実質的評価を行うまでもなく、21 条の「権利の行使」に該当しないとみることもできる。

　一方、「権利の行使と認められる」かどうかの判断については、公正かつ自由な競争の観点を踏まえた知的財産制度の趣旨・目的からみて実質的に権利の行使といえるかどうかを評価する必要があり、これは簡単でないことが多い。日之出水道機器数量・価格制限事件（知財高裁判決平成 18 年 7 月 20 日）では、「被控訴人がその支配的地位を背景に許諾数量の制限を通じて市場における実質的な需給調整を行うなどしている場合には、その具体的事情によっては、特許権等の不当な権利行使として、許諾数量制限について独占禁止法上の問題が生じ得る可能性がある」としたが、本件市場において需給調整効果が実際に実現されているとか、業者間の公正競争が実際に阻害されているといった事情を認めるに足りる的確な証拠がないとして、特許権等の不当な権利行使に当たると認定しなかった。

　この点、着うた事件（東京高裁判決平成 22 年 1 月 29 日）[8] では、「5 社それぞれが有する著作隣接権に基づく原盤権の利用許諾の拒絶行為も、それが意思の連絡の下に共同してなされた場合には、それぞれが有する著作隣接権で保護される範囲を超えるもので、著作権法による「権利の

---

6) 経済法百選〔第 2 版〕90 事件 182 頁 。
7) 経済法百選〔第 2 版〕70 事件 142 頁 。
8) 経済法百選〔第 2 版〕51 事件 104 頁 。

行使と認められる行為」には該当しないものになる」と明言している。

共同行為のうちハードコア・カルテルの手段として知的財産権が利用されている場合には、21条に言及することなく独占禁止法違反が認定されることも多い。たとえば、コンクリートパイル事件（勧告審決昭和45年8月5日）では、市況を安定させる目的で、メーカー6社がそれぞれの出荷比率と生産数量を取り決めるカルテルを行っており、その実効性確保のために、6社が定める市況安定策に従うことを条件としてその保有する特許権や実用新案権をライセンスすることとしていたが、特に21条に触れることなく不当な取引制限として違法とされている。

単独行為についても、第一興商事件では、「当該更新拒絶は、エクシングの事業活動を徹底的に攻撃していくとの被審人の方針の下で行われたものであり、また、……エクシングの通信カラオケ機器の取引に影響を与えるおそれがあったのであるから、知的財産権制度の趣旨・目的に反しており、著作権法による権利の行使と認められる行為とはいえないものである」として、排除する意図をもって公正競争阻害性を有する取引妨害を行う場合には、21条の適用除外となる場合には当たらないとしている。また、著作権法では著作権の利用方法を設定できるとされているが、再利用許諾の使用料を拘束することや、利用許諾を受けた者がその取引先に対して販売地域を制限することは、著作権の本来的行使には当たらないとされている[9]。

さらに、知的財産ガイドラインでは、「ある技術が、一定の製品市場における事業活動の基盤を提供しており、当該技術に権利を有する者からライセンスを受けて、多数の事業者が当該製品市場で事業活動を行っている場合に、これらの事業者の一部に対して、合理的な理由なく、差別的にライセンスを拒絶する行為は、知的財産制度の趣旨を逸脱し、又は同制度の目的に反すると認められる」などとしている[10]。この点、製品の規格に係る技術や製品市場で事業活動を行う上で必要不可欠な技術

---

[9] 公正取引委員会事務局編・前掲注5) 4頁【事例2】、5頁【事例3】。
[10] 知的財産ガイドライン第4の2 (3)。

（これらの技術は「必須技術」と呼ばれる）の場合、FRAND 宣言（公正かつ合理的で非差別的な条件でライセンス許諾する用意がある旨の宣言）がなされることも多い。FRAND 宣言された特許権に基づく差止請求については、ライセンス契約を締結する意思のある者に対して行えば権利の濫用（民法 1 条 3 項）に当たると解されている（アップル対サムスン標準必須特許事件（知財高裁判決平成 26 年 5 月 16 日））。したがって、このような場合のライセンス拒絶や差止請求は「権利の行使」とは認められない。実際、ワン・ブルー LLC 事件（公取委報道発表平成 28 年 11 月 18 日）[11]では、FRAND 宣言をした標準規格必須特許を管理する者が、FRAND 条件でライセンスを受ける意思を有する者[12]の有力取引先に対して特許権侵害に基づく差止請求権を行使できるかのように告知した行為について、不公正な取引方法（一般指定 14 項）に該当するとした。

3　競争減殺効果の分析方法

　知的財産ガイドラインによれば、技術の利用に係る制限行為によって市場における競争が減殺されるか否かは、制限の内容および態様、その技術の用途や有力性のほか、対象市場ごとに、その制限に係る当事者間の競争関係の有無、当事者の占める地位（シェア、順位等）、対象市場全体の状況（当事者の競争者の数、市場集中度、取引される製品の特性、差別化の程度、流通経路、新規参入の難易性等）、制限を課すことについての合理的理由の有無、研究開発意欲およびライセンス意欲への影響を総合的に勘案し、判断することになる[13]。

---

11) 経済法百選〔第 2 版〕94 事件 190 頁。
12) FRAND 条件でライセンスを受ける意思を有する者であるかは、具体的な必須技術の侵害の事実および態様の提示の有無、ライセンス条件やその合理的根拠の提示の有無、当該提示に対する合理的な対案の速やかな提示等の応答状況、商慣習に照らして誠実に対応しているかなど、ライセンス交渉における両当事者の対応状況等に照らして、個別事案に即して判断される（知的財産ガイドライン第 3 の 1(1)オ）。
13) 知的財産ガイドライン第 2 の 3。

(1) 共同行為と単独行為

 技術の利用に係る制限行為が競争者間で行われる場合には、非競争者間で行われる場合と比べて、これら当事者の間における競争の回避や競争者の排除につながりやすいため、競争への影響が相対的に大きいと考えられる。

 たとえば、共同研究開発ガイドライン[14]では、研究開発の共同化によって参加者間で研究開発活動が制限され、技術市場や製品市場における競争への影響を問題にしており、共同化による競争促進効果を考慮しつつ、①参加者の数や市場シェア、②基礎研究、開発研究等の研究の性格、③研究リスクや技術能力等からみた共同化の必要性、④対象範囲、期間等を総合的に勘案して、不当な取引制限に該当するかを判断する[15]。また、競争者間で行われるパテントプール（技術に権利を有する複数の者が、それぞれの権利を一定の企業体・組織体に集中すること）[16]やクロスライセンス（技術に権利を有する複数の者が、それぞれの権利を相互にライセンスをすること）、マルティプルライセンス（多数の競争者が同一の技術のライセンシーとなること）などにおける制限行為も、不当な取引制限の観点から検討が必要となる。

 これに対し、有力な技術を持つ事業者であれば、単独でも競争制限を引き起こし得る。有力と認められる技術は、それ以外の技術に比べて、技術の利用に係る制限行為が競争に及ぼす影響は相対的に大きい。一般に、ある技術が有力な技術かどうかは、技術の優劣ではなく、製品市場におけるその技術の利用状況、迂回技術の開発または代替技術への切替えの困難さ、その技術に権利を有する者が技術市場または製品市場にお

---

14) 「共同研究開発に関する独占禁止法上の指針」（平成5年公取委）。
15) 共同研究開発ガイドライン第1の1と2(1)。
16) パテントプールは、規格の標準化に伴い、その規格を採用した製品の開発・生産に必要な複数の特許技術を一括してライセンスする枠組みとして利用されることが多い。この場合のパテントプールの形成・運用に関する独占禁止法上の留意点については、「標準化に伴うパテントプールの形成等に関する独占禁止法上の考え方」（平成17年公取委）が詳しい。

いて占める地位等を、総合的に勘案して判断される[17]。たとえば、技術市場または製品市場で事実上の標準としての地位を有するに至った技術については、有力な技術と認められる場合が多い。有力な技術について、これを利用させないようにする行為、利用できる範囲を制限する行為、利用に条件を付す行為などは、一定の取引分野における競争を実質的に制限する場合もあり、不公正な取引方法だけでなく、私的独占の観点からの検討も必要となろう。

(2) セーフハーバー

このように、知的財産権にかかる排他的行為については、独占禁止法上合法か違法かの判断が一般に簡単ではない。そのため、法令遵守に熱心な企業などが違法と判断される可能性を懸念して適正な知的財産権の行使をも抑制してしまうおそれがあることから、知的財産ガイドラインでは、一種のセーフハーバーが設けられている。

すなわち、技術の利用に係る制限行為については、その内容がその技術を用いた製品の販売価格、販売数量、販売シェア、販売地域や販売先に係る制限、研究開発活動の制限、または改良技術の譲渡義務・独占的ライセンス義務を課す場合を除き、①制限行為の対象となる技術を用いて事業活動を行っている事業者の製品市場におけるシェア（製品シェア）の合計が20％以下である場合には、原則として競争減殺効果は軽微であるとし、②シェアが算出できないときや製品シェアに基づいて技術市場への影響を判断することが適当と認められないときには、その技術以外に、事業活動に著しい支障を生ずることなく利用可能な代替技術に権利を有する者が4以上存在すれば競争減殺効果は軽微であるとしている[18]。

---

17) 知的財産ガイドライン第2の4(2)。
18) 知的財産ガイドライン第2の5。

4　知的財産ガイドラインと具体的事例

　知的財産法には技術開発を活発化させることで競争を促進するという側面があるように、独占禁止法にも競争を促進することで技術開発を活発化させるという側面がある。両者に共通して問題となるのは、技術開発を活発化させるようにみえる行為にもかかわらず、それが競争上の弊害をもたらす場合である。ここでは典型行為ごとにどのような点に着目して違法性を判断すべきかをみておこう。

(1)　研究開発活動の制限

　ライセンサーがライセンシーの自由な研究開発活動を制限することは、一般に研究開発をめぐる競争への影響を通じて将来の技術市場または製品市場における競争を減殺するおそれがあり、公正競争阻害性を有する（一般指定12項に該当）[19]。

　平成21年度相談事例集【事例3】では、X社が、医薬品Aの販売権をY社に付与する際に、契約期間中および契約終了後5年間、医薬品Aの競争品の研究開発を禁止することは、この研究開発を元に、医薬品Aの競争品を含め新たな医薬品が開発される道が閉ざされることにより、研究開発をめぐる競争への影響を通じて将来の技術市場または製品市場における競争を減殺するおそれがあると回答している。

　同様に、共同研究開発終了後についての研究開発の制限は、基本的に必要とは認められないが、共同研究開発終了後の合理的期間に限って、同一または極めて密接に関連するテーマの第三者との研究開発を制限することは、背信行為の防止や権利の帰属の確定のために必要と認められる場合には、原則として公正競争阻害性がないものとされる[20]。平成23年度相談事例集【事例5】では、X社が、ソフトウェアの共同研究開発

---

[19]　知的財産ガイドライン第4の5(7)。また、必須技術をライセンスする際、その代替技術の開発を禁止する行為（代替技術の開発等を行わない事業者にのみ、著しく有利な条件を設定するなどを含む）は、原則としてライセンシーの事業活動を支配する行為に当たるとされる（知的財産ガイドライン第3の1(3)イ）。

[20]　共同研究開発ガイドライン第2の2(1)ア⑨。

を行う Y 社に対し、開発期間中および開発終了後 3 年間、開発に携わった技術者を競合他社との同一テーマの開発業務に従事させることを禁止しても、X 社の協力を得て取得したノウハウを用いて他社との開発を行う背信行為を防止するものであり、対象・期間ともに必要最小限の制限と考えられることなどから、独占禁止法上問題となるものではないと回答している。

また、平成 20 年度相談事例集【事例 3】では、独占的ライセンスを受けようとする X 社（ライセンシー）が、Y 社（ライセンサー）に対し、化合物 A に係る研究開発活動を 10 年間行わないことを条件として取引を行うことは、ライセンサーがライセンシーの研究開発活動を制限する場合と同様に、研究開発をめぐる競争への影響を通じて将来の技術市場または製品市場における競争を減殺するおそれがあると回答している。

なお、マイクロソフト非係争条項事件（審判審決平成 20 年 9 月 16 日）[21]では、パソコン用 OS を OEM 業者（国内パソコン製造販売業者）にライセンスするに当たり、OEM 業者の有するパソコン AV 技術にかかる知的財産権をライセンサー等に行使しない義務（非係争条項）を課したことが、OEM 業者の研究開発意欲を損ねて研究開発競争が阻害される蓋然性が高く、これを通じてパソコン AV 技術市場における競争を減殺するおそれがあるとされた。ただし、非係争条項には、一般に、権利帰属や侵害可能性にかかる不確実性を解消することによる競争促進効果も認められるため、常に競争制限効果が認められるわけでないことに注意も必要である。クアルコム事件（審判審決平成 31 年 3 月 13 日）[22]では、ライセンシーに対する非係争条項等が、無償で相互に保有する知的財産権の使用を可能とするものとして、クロスライセンス契約に類似した性質を有することから、競争減殺効果のある程度具体的な立証が必要とされた。

---

[21] 経済法百選〔第 2 版〕93 事件 188 頁。
[22] 令和元年度重要判例解説・経済法 7 事件 242 頁。

(2) 特許製品の販売先の制限

ライセンサーがライセンシーに対し、ライセンス技術を用いた製品の販売先を制限することは、販売地域や販売数量の制限のようにその技術を利用できる範囲を限定してライセンスする行為（利用範囲の制限）[23]とは認められないことから、公正競争阻害性を有する場合には、不公正な取引方法（一般指定12項）に該当する[24]。

平成19年度相談事例集【事例5】では、日用品Ａの材料Ｂの製造特許のライセンサーであるＸ社が、ライセンシーであるＹ$_1$社（材料Ｂメーカー）に対し、この特許を用いた材料Ｂの販売先を当面Ｚ社（日用品Ａメーカー）のみに制限することは、①特許技術の特性から加工方法等によって日用品Ａを利用する者の身体に被害を与えるおそれがあり、これを防止するため適切な生産技術・管理体制を有するメーカーに販売先を制限するものであること、②日用品ＡメーカーはＹ$_2$社から材料Ｂを購入でき、Ｙ$_1$もＸ社の特許を用いない材料Ｂを供給できることなどから、日用品Ａの販売市場からＺ社以外のメーカーが排除されるおそれはなく、公正競争阻害性を有するとは認められないと回答している。

また、平成16年度相談事例集【事例9】では、ある自動車部品の特許権者Ａ社が、Ｃ社（部品メーカー）に対してライセンスする際に、特許製品の販売先をＢ社（自動車メーカー）に指定するという契約内容は、他の自動車メーカーも、Ａ社からライセンスを受けており、Ｃ社から特許製品を購入できなくても、事業活動の継続に何ら影響を与えるものではないことなどから、自動車部品および自動車に係る製品市場における公正な競争が阻害されるおそれがあるとは認めがたいと回答している。

(3) 原材料等の品質・購入先の制限

ライセンサーがライセンシーに対し、ライセンス技術を用いて製品を

---

[23] 利用範囲の制限は、外形上、権利の行使とみられる行為であり、通常はそれ自体では問題とならない（知的財産ガイドライン第3の1(2)）。

[24] 知的財産ガイドライン第4の4(2)。競争を実質的に制限するときには、支配型私的独占に該当する（知的財産ガイドライン第3の1(2)）。

供給する際に必要な原材料・部品の品質や購入先を制限する行為は、その技術の機能・効用の保証、安全性の確保、秘密漏洩の防止の観点から必要であるなど一定の合理性が認められる場合がある。しかし、原材料・部品に係る制限はライセンシーの競争手段（原材料・部品の品質・購入先の選択の自由）を制約し、また、代替的な原材料・部品を供給する事業者の取引の機会を排除する効果を持つ。したがって、必要な限度を超えてこのような制限を課す行為が公正競争阻害性を有する場合には、不公正な取引方法（一般指定10項、11項または12項）に該当する[25]。

平成17年度相談事例集【事例6】では、製法特許に基づく電子部品Xの製造に特定の製造装置の使用を義務付けることについて、製造装置の取引先制限は、ノウハウの漏洩を防止するために課すものであり、この制限が課されることによってライセンスが促進されるなどの競争促進的な効果が期待されるとともに、製造装置の共同開発に要した費用を回収するという合理性が認められることから、公正な競争を阻害するおそれはないが、ノウハウが公知になった後や共同開発に要した費用を回収し終えた後においてまで、このような制限を課すことは独占禁止法上問題となるおそれがあると回答している。

また、平成16年度相談事例集【事例11】では、工法など方法に係る特許のライセンス契約において、使用する原材料、部品等に関して一定の制限を課すことは、制限の内容が契約対象技術の効用を保証するなど合理的な目的達成のための必要最小の範囲に止まる限りは、直ちに独占禁止法上問題となるものではないとしつつも、住宅工法に関する特許をライセンスする際に推奨メーカーの部材の使用を義務付けることは、ライセンシーに対して他のメーカーから同性能の部材の調達を禁止するものであり、この工法の効用を達成するための必要最小限の制限とは認め難く、この工法による住宅の販売価格を維持するなどを目的とした制限の場合には、独占禁止法に違反するおそれがあると回答している。

なお、ライセンサーがライセンシーに対して行う場合だけでなく、ラ

---

25) 知的財産ガイドライン第4の4(1)。

イセンス技術を用いた製品の品質・性能の向上等を目的として、その製品（主たる商品）を購入した後に必要となる消耗品等の補完的商品（従たる商品）について、互換品・再生品と純正品との間に機能・効用面で差が設けられることがある。こうした正当な目的に基づき、内容・手段も合理的かつ相当なものであれば、独占禁止法上問題となるものではない。しかし、技術上の必要性等の合理的理由がないのに、あるいは、その必要性等の範囲を超えて、互換品または再生品を利用できなくしたり、一部の機能が働かないようにしたりすることなどにより、ユーザーが純正品以外の使用を妨げられる場合には、独占禁止法上問題となるおそれがある[26]。

[図表 8-1] 知的財産権を利用した最近の主な独占禁止法違反事例

事件名	命令・審決・判決
公共下水道用鉄蓋カルテル事件	審判審決平成 5 年 9 月 10 日[27]
旭電化工業事件・オキシラン化学事件	勧告審決平成 7 年 10 月 13 日[28]
ぱちんこ機製造特許プール事件	勧告審決平成 9 年 8 月 6 日[29]
パラマウントベッド事件	勧告審決平成 10 年 3 月 31 日[30]
北海道新聞社事件	同意審決平成 12 年 2 月 28 日[31]
ソニー・コンピュータエンタテインメント（SCE）事件	審判審決平成 13 年 8 月 1 日[32]

[26] 「レーザープリンタに装着されるトナーカートリッジへのICチップの搭載とトナーカートリッジの再生利用に関する独占禁止法上の考え方」（平成16年公取委）参照。一般指定10項違反を認めた事例として、エレコム対ブラザー工業事件（東京地裁判決令和3年9月30日）、一般指定10項あるいは一般指定14項に該当しないと認めた近年の事例として、リコー対ディエスジャパン事件（知財高裁判決令和4年3月29日）、エコリカ対キヤノン事件（大阪地裁判決令和5年6月2日）がある。

[27] 経済法百選〔第2版〕91事件184頁。
[28] 経済法百選〔第2版〕90事件182頁。
[29] 経済法百選〔第2版〕10事件22頁。
[30] 経済法百選〔第2版〕15事件32頁。
[31] 経済法百選〔初版〕14事件30頁。
[32] 経済法百選〔第2版〕70事件142頁。

着うた事件	勧告審決平成 17 年 4 月 26 日	
	審判審決平成 20 年 7 月 24 日	
	東京高裁判決平成 22 年 1 月 29 日 [33]	
マイクロソフト非係争条項事件	審判審決平成 20 年 9 月 16 日 [34]	
第一興商事件	審判審決平成 21 年 2 月 16 日 [35]	
日本音楽著作権協会（JASRAC）事件	排除措置命令平成 21 年 2 月 27 日	
	審判審決平成 24 年 6 月 12 日	
	東京高裁判決平成 25 年 11 月 1 日	
	最高裁判決平成 27 年 4 月 28 日 [36]	
クアルコム事件	排除措置命令平成 21 年 9 月 28 日	
	審判審決平成 31 年 3 月 13 日 [37]	
ワン・ブルー LLC 事件	公取委報道発表平成 28 年 11 月 18 日 [38]	
エレコム対ブラザー工業事件	東京地裁判決令和 3 年 9 月 30 日 [39]	

---

33) 経済法百選〔第 2 版〕51 事件 104 頁 。
34) 経済法百選〔第 2 版〕93 事件 188 頁 。
35) 経済法百選〔第 2 版〕82 事件 166 頁 。
36) 経済法百選〔第 2 版〕8 事件 18 頁 。
37) 令和元年度重要判例解説・経済法 7 事件 242 頁 。
38) 経済法百選〔第 2 版〕94 事件 190 頁 。
39) 令和 3 年度重要判例解説・経済法 7 事件 223 頁 。

第9章 独占禁止法適用除外と規制分野への独占禁止法の適用

1 独占禁止法適用除外

独占禁止法は、公正かつ自由な競争の促進を目的としているが、他の政策目的を達成する観点から、特定の分野での一定の行為に関して、独占禁止法の適用を除外するという適用除外が設けられている場合がある。この適用除外には、その根拠規定が独占禁止法自体に定められているものと、独占禁止法以外の個別の法律（個別法）に定められているものがある。

(1) 独占禁止法に基づく適用除外

独占禁止法自体に根拠規定が定められている適用除外は、知的財産権の行使行為（21条）、一定の組合の行為（22条）と再販売価格維持契約（23条）である（知的財産権の行使行為については、第8章参照）。

ア 一定の組合の行為（22条）

小規模の事業者の相互扶助を目的として法律の規定に基づいて設立された組合が一定の要件を備えている場合に、一定の範囲で行う共同経済事業について、原則として独占禁止法の適用が除外される。この適用除外の趣旨は、「単独では大企業に対抗できない中小事業者によって設立された相互扶助を目的とする組合の事業活動の独立性をある程度確保したまま、単一事業体として共同経済事業を行うことを許容するところにある。小規模事業者や農業従事者にとっては、集団として、大企業である取引業者に対して取引条件について対当な交渉力を持つことや、大企業である競争者に対等に競争していくことが必要となるからであ」り（土佐あき農業協同組合事件（東京高裁判決令和元年11月27日））、農協ガイド

ラインによれば、単独では大企業に伍して競争することが困難な小規模の事業者が、相互扶助を目的とした協同組合を組織して、市場において有効な競争単位として競争することは、独占禁止法が目的とする公正かつ自由な競争秩序の維持促進に積極的に貢献するものであり、したがって、このような組合が行う行為には、形式的外観的には競争を制限するおそれがあるような場合であっても、特に独占禁止法の目的に反することが少ないと考えられることから、独占禁止法の適用を除外するものである[1]。

　具体的には、①小規模の事業者または消費者の相互扶助を目的とすること、②任意に設立され、かつ、組合員が任意に加入し、または脱退することができること、③各組合員が平等の議決権を有すること、④組合員に対して利益配分を行う場合には、その限度が法律または定款に定められていることという要件を備え、かつ、法律の規定に基づいて設立された組合（組合の連合会を含む）の行為には、原則として独占禁止法の適用が除外される。

　しかしながら、ⓐ不公正な取引方法を用いる場合、またはⓑ一定の取引分野における競争を実質的に制限することにより不当に対価を引き上げることとなる場合には、適用除外とはならない。これまでに、ⓐに当たるとして独占禁止法違反とされたケースは多いが、ⓑに当たるとして独占禁止法違反とされたケースはない。

　また、協同組合等が他の協同組合等や事業者と共同して、価格や数量の制限等を行うこと（カルテル）等は、22条の組合の行為とはいえず、適用除外とはならない。さらに、共同経済事業ではない各組合員の事業に係る業務の価格・手数料について組合として引上げ等を決定することは、適用除外とはならない[2]。

　①から④の要件を備え、かつ、法律の規定に基づいて設立された組合

---

1) 「農業協同組合の活動に関する独占禁止法上の指針」（平成19年公取委）第2部第1の3。その他、「事業者団体の活動に関する独占禁止法上の指針」（平成7年公取委）第1の7参照。
2) 網走管内コンクリート製品協同組合事件（排除措置命令平成27年1月14日） 経済法百選〔第2版〕131事件262頁 。

（適格組合）は、中小企業等協同組合（中小企業等協同組合法（中協法））、農業協同組合（農業協同組合法（農協法））、水産業協同組合（水産業協同組合法）、生協（消費生活協同組合法（生協法））、信用金庫（信用金庫法）等である。

　①から④の要件を備えている組合かどうかについて、組合の設立根拠法には、いわゆる、みなし規定が置かれている。たとえば、農協法9条は、農業協同組合と農業協同組合連合会については、①と③の要件を備える組合とみなすと規定している。また、中小企業等協同組合法に基づいて設立された事業協同組合と信用協同組合については、その組合員である事業者の資本の額、出資の総額または常時使用する従業員の数が一定の金額または人数を超えていない場合、①の要件を備える組合とみなされ（中協法7条1項）、これらの組合が一定の金額または人数を超える事業者を組合員に含む場合には、その組合が①から④の要件を備えているかどうかを公正取引委員会が判断する（同条2項）。そうした組合は、公正取引委員会に届出をする義務がある（同条3項）[3]。

　小規模の事業者に当たるかどうか（①の要件）について、公正取引委員会は、資本の額、総資産額、常時使用する従業員数、工場数、生産能力と販売実績等を総合して判断し、小規模の事業者と認められない者が1名でも加入していれば、適用除外の要件を欠くことになる[4]。また、たとえば、加入希望者が商品を販売する地域が含まれている地区のブロック会の了承を得ることを加入の条件とすることは、組合員の任意の加入を制限し、②の要件を欠くこととなる[5]。

イ　再販売価格維持契約（23条）

　再販売価格維持契約とは、商品の供給者がその商品の取引先である事

---

[3]　協同組合の届出件数等については、毎年度の公正取引委員会年次報告に記載されている。

[4]　岐阜生コンクリート協同組合事件（審判審決昭和50年12月23日）。東日本おしぼり協同組合事件（勧告審決平成7年4月24日）経済法百選〔第2版〕41事件84頁。

[5]　全国病院用食材卸売業協同組合事件（勧告審決平成15年4月9日）。

業者に対して転売する価格を指示し、これを遵守させること（再販行為）を内容とする契約である。再販行為は、原則として、不公正な取引方法に該当し（2条9項4号、19条）独占禁止法違反となるが、指定再販商品と著作物を対象とするものは、独占禁止法の適用を除外されている（再販適用除外制度）。

　指定再販商品とは、①品質が一様であることを容易に識別することができ、②一般消費者により日常使用され、③自由な競争が行われている商品から公正取引委員会が「諸般の事情を考慮し価格維持を許すのが相当であると認めて」(第一次育児用粉ミルク（明治商事）事件（最高裁判決昭和50年7月11日））指定するものであり、指定再販商品を生産・販売する事業者が、その商品の販売の相手方である事業者との間で、再販売価格を決定・維持するためにする正当な行為には、独占禁止法を適用しない（指定再販制度）。また、著作物とは、書籍、雑誌、新聞、レコード、音楽用テープと音楽用CDの6品目であり[6]、著作物を発行または販売する事業者についても、その物の販売の相手方である事業者との間で、再販売価格を決定・維持するためにする正当な行為には、独占禁止法を適用しない（著作物再販制度）。すなわち、指定再販商品や著作物の製造業者・販売業者が取引の相手方である販売業者と再販売価格維持契約（再販契約）を締結し、これに基づいて相手方に履行させることは、正当な行為として適用除外となる[7]。これは、指定再販商品や著作物については、再販行為を行っても例外的に独占禁止法を適用しないということであって、再販行為を行うことが義務付けられている訳ではない（再販行為を行わないことに何ら問題はない）。また、一般消費者の利益を不当に害することとなる場合や、指定再販商品の生産者や著作物の発行者の意に反して販売業者が再販行為を行う場合には、適用除外とはならない（23条1項〜4項）。

　6) ソニー・コンピュータエンタテインメント（SCE）事件（審判審決平成13年8月1日）経済法百選〔第2版〕70事件142頁。平成4年度公正取引委員会年次報告「第12章 再販売価格維持契約」第2の2。
　7) 注釈独占禁止法567頁。

国家公務員法、農業協同組合法、国家公務員共済組合法、地方公務員等共済組合法、消費生活協同組合法[8]、労働組合法、中小企業等協同組合法等の法律の規定に基づいて設立された団体（協同組合等）に対しては、再販指定商品や著作物であっても再販行為を行うことはできない（23条5項）。

指定再販制度は、「販売業者の不当廉売又はおとり販売等により、製造業者の商標の信用が毀損され、あるいは他の販売業者の利益が不当に害されることなどを防止するため」（第一次育児用粉ミルク（明治商事）事件（最高裁判決昭和50年7月11日））のものであり、著作物再販制度は、「（昭和28年の独占禁止法改正）当時の書籍、雑誌、新聞及びレコード盤（著作物4品目）の定価販売の慣行を追認する趣旨で導入されたもの」（音楽用テープと音楽用CDは、レコード盤とその機能・効用が同一であることからレコードに準ずるものとして取扱い、公正取引委員会は、6品目に限定して著作物再販制度の対象とすることを平成4年4月15日に公表している）（ソニー・コンピュータエンタテインメント（SCE）事件（審判審決平成13年8月1日））である。

現在、再販指定商品は存在しない。著作物再販制度については、平成13年に「当面同制度を存置することが相当である」とされた[9]。

(2) 個別法に基づく適用除外

個別法で特定の事業者や特定の事業者団体の行為について独占禁止法の適用除外を定めているものとしては、保険業法101条（航空保険、原子力保険、自動車損害賠償責任保険、地震保険、住宅瑕疵担保責任保険等での損害保険会社の共同行為）、損害保険料率算出団体に関する法律7条の3（自動車損害賠償責任保険、地震保険での基準料率の算出）、著作権法93条の3と95条（商業用レコードの二次使用料等に関する取決め）、道路運

---

[8] 実質的に生協と再販契約を締結していたことが独占禁止法違反とされた事例として、資生堂再販事件（同意審決平成7年11月30日）がある。経済法百選〔初版〕74事件150頁。

[9] 著作物再販制度の取扱いについて（公取委報道発表平成13年3月23日）。

送法18条（生活路線確保のための共同経営等）、航空法110条（国際：公衆の利便を増進するための連絡運輸、運賃その他の運輸に関する協定、国内：生活路線確保のための共同経営）、海上運送法28条（外航：運賃、料金その他の運送条件等を内容とする協定等、内航：生活路線確保のための共同経営）、内航海運組合法18条（運賃、料金、運送条件、配船船腹、保有船腹等の調整等）、特定地域及び準特定地域における一般乗用旅客自動車運送事業の適正化及び活性化に関する特別措置法8条の4（認可特定地域計画に基づく供給輸送力の削減等）、地域における一般乗合旅客自動車運送事業及び銀行業に係る基盤的なサービスの提供の維持を図るための私的独占の禁止及び公正取引の確保に関する法律の特例に関する法律3条（乗合バス事業者、地域銀行の合併等）と9条（乗合バス事業者等の共同経営に関する協定の締結）などがある。このように、他の政策目的を達成する等の観点から、様々な理由で、一定の要件・手続の下、特定のカルテルが例外的に許容されている。こうした個別法に基づく適用除外カルテルについては、一般に、公正取引委員会の同意を得るか、公正取引委員会への協議・通知を行った後、主務大臣が認可をすることになっている。適用除外カルテルの認可に当たっては、一般に、その適用除外カルテルの目的を達成するために必要であること等（積極的要件）に加え、そのカルテルが弊害をもたらすことのないよう、カルテルの目的を達成するために必要な限度を超えないことや、不当に差別的でないこと等（消極的要件）を満たす必要があることが個別法に規定されている。また、適用除外カルテルについては、不公正な取引方法に該当する行為が用いられた場合等には、独占禁止法の適用除外とはならないという規定が（いわゆる、ただし書規定として）設けられている[10]。

2　行政指導と独占禁止法の関係

　行政指導とは、行政機関がその任務または所掌事務の範囲内において

10）　個別法に基づく適用除外カルテルの概要、動向等については、毎年度の公正取引委員会年次報告に記載されている。

一定の行政目的を実現するため特定の者に一定の作為または不作為を求める指導、勧告、助言その他の行為であって処分（行政庁の処分その他公権力の行使に当たる行為）に該当しないものである（行政手続法（平成5年法律第88号）2条2号、6号）。行政指導に携わる者（行政機関）は、行政指導を行うに当たって、その任務や所掌事務の範囲を逸脱してはならないことと、行政指導の内容があくまでも相手方の任意の協力によってのみ実現されるものであることに留意しなければならず、その相手方が行政指導に従わなかったことを理由として、不利益な取扱いをしてはならない（同法32条）。また、相手方に対して、行政指導の趣旨、内容と責任者を明確に示さなければならない（同法35条1項）。口頭での行政指導に対し、相手方から行政指導の趣旨、内容と責任者を記載した書面の交付を求められたときは、原則として、これを交付しなければならない（同法35条2項）。

　行政指導は、行政需要への機敏な対応、行政の弾力性の確保、行政目的の円滑な達成等の多様な目的のために行政機関が行っているが、独占禁止法との関係で問題を生じさせることがある。たとえば、事業者の参入・退出、商品・役務の価格、数量、設備等に直接・間接に影響を及ぼすような行政指導は、その目的、内容、方法等によっては、公正かつ自由な競争を制限し、阻害するとともに、独占禁止法違反行為を誘発する場合もある。事業者や事業者団体の行為については、たとえそれが行政機関の行政指導により誘発されたものであっても、独占禁止法の適用が妨げられるものではない。その行為について直接に法的責任を問われるのは、通常は行政機関ではなく、行政指導に従った事業者・事業者団体となる。

　公正取引委員会は、行政指導ガイドライン[11]を作成、公表し、行政指導と独占禁止法の関係について具体的に明らかにしている[12]。

　行政指導ガイドラインによれば、法令に助言、指導、勧告、指示等の具体的な規定がある行政指導の場合、この規定に合致した目的、内容、

---

11) 行政指導に関する独占禁止法上の考え方（平成6年公取委）。

方法等で行われ、相手方が個々に自主的に判断して、この行政指導に従う限り、行政指導の相手方の行為は、独占禁止法上問題とはならない。

　法令に定められている命令、認可、勧告、指示等を発動できる実体要件が存在するときに、その規定の発動の前段階や代替として行われる行政指導についても、これと同じ考え方である。もちろん、目的、内容、方法等が法令の規定に合致しない行政指導、各省庁設置法の規定や事業法令上の一般的な監督権限を根拠とする行政指導は、法令に具体的な規定がある行政指導とはいえない。

　法令に具体的な規定がない行政指導の場合、その目的、内容、方法等によっては、公正かつ自由な競争を制限し、または阻害するとともに、独占禁止法違反行為を誘発する場合もある。

　行政指導ガイドラインによれば、法令に具体的な規定がない行政指導であって、たとえば、①参入に当たり、または価格、参入等の許認可等の申請に際し、既存事業者や事業者団体の同意やこれらとの調整等を指導すること、②価格の引上げや引下げの額・率（幅）等目安となる具体的な数字を示して指導したり、安値販売、安値受注や価格の引下げの自粛を指導すること、③通常各事業者の営業上の秘密とされている事項（事業者の個々の取引における価格、数量等）（sensitive information と呼ばれている）について事業者団体を通じて報告を求めること、④価格、生産・販売数量、設備の新増設等について事前届出制がとられている場合に、目安となる具体的な数字を示して指導したり、事業者間での調整や一括での届出等をさせること、⑤短期の需給見通し等具体的な目安を示して生産・販売数量、輸入・輸出数量、設備の新増設等に関する事業計画を提出させたり、短期の需給見通しの作成に当たって、事業者間で供給計画に関する意見交換を行わせること、⑥価格等に関する許認可等の申請について、一括申請を指導したり、複数の事業者からの参入の申請

12）　地方公共団体が行う行政指導等についての相談事例を取りまとめたものとして、地方公共団体からの相談事例集（平成19年6月公取委事務総局）がある。「地方公共団体からの相談事例集」の公表について（公取委報道発表平成19年6月20日）。

がある等の場合に、申請事業者間や事業者団体等で調整するよう指導することは、独占禁止法との関係で問題を生じさせるおそれがあるといった考え方が示されている。

　法令に具体的な規定がない行政指導と独占禁止法の関係については、2つの最高裁判決がある。

　石油連盟価格カルテル事件（最高裁判決昭和57年3月9日）によれば、事業者団体が構成事業者の発意に基づいて各事業者が従うべき基準価格を団体の意思で協議決定した場合には、たとえ、その後これに関する行政指導があったとしても、事業者団体がその行った基準価格の決定を明瞭に破棄したと認められるような特段の事情がない限り、行政指導があったことにより当然に競争の実質的制限（独占禁止法違反）が消滅したものとはならない。

　また、石油価格協定刑事事件（最高裁判決昭和59年2月24日）[13]によれば、ⓐ物の価格が市場における自由な競争によって決定されるべきことは、独占禁止法の最大の眼目とするところで、価格形成に行政がみだりに介入すべきでないことは、同法の趣旨・目的に照らして明らか、ⓑしかし、流動する事態に対する円滑・柔軟な行政の必要性にかんがみると、石油業法に直接の根拠を持たない価格に関する行政指導であっても、これを必要とする事情がある場合に、これに対処するため社会通念上相当と認められる方法で行われ、「一般消費者の利益を確保するとともに、国民経済の民主的で健全な発達を促進する」という独占禁止法の究極の目的に実質的に抵触しないものである限り、これを違法とすべき理由はない、ⓒそして、価格に関する事業者間の合意が形式的に独占禁止法に違反するようにみえる場合であっても、それが適法な行政指導に従い、これに協力して行われたものであるときは、その違法性が阻却される。

　しかし、本件では、通産省の石油製品価格に関する行政指導が昭和45年に始まるオペック等の相次ぐ大幅な原油値上げによる原油価格の異常な高騰という緊急事態に対処するため、価格の抑制と民生の安定を

---

13)　経済法百選〔第2版〕127事件254頁。

目的として行われたものであることを指摘した上で、本件当時の通産省の行政指導は違法なものであったとはいえないとする一方、本件で事業者は、石油製品の油種別値上げ幅の上限に関する業界の希望案について合意するに止まらず、この希望案に対する通産省の了解の得られることを前提に、一定の期日から、この了承の限度一杯まで各社一斉に価格を引き上げる旨の合意をしたので、行政指導に従いこれに協力して行われたものと評価することができないことは明らかで、本件行為は、行政指導の存在の故にその違法性が阻却されるものではないとされた。

3　規制分野への独占禁止法の適用
(1)　基本的な考え方

　国民の健康・安全の確保、環境の保全等の社会的な目的や市場メカニズムが有効に機能しない商品・役務についての資源配分の適正化の目的などの下に、一定の産業や事業者に対して公的な規制が設けられている。特定の政策目的を実現するために必要な公的規制であっても、事業者の事業活動を制限することによって、事業者間の競争に対して一定の制約を加える効果を伴うことがある。また、事業者や事業者団体がそのような公的規制分野において事業者間の競争を制限するような行為を行えば、そうした行為は独占禁止法上の問題となり得る。さらに、公的規制が緩和または廃止された場合には、その範囲において規制による競争への制約が解消され事業者間の自由な競争が回復されることとなる。その競争を事業者や事業者団体が制限するようなことがあれば、そうした行為は独占禁止法上の問題となることはいうまでもない[14]。実際、公正取引委員会は、規制分野においても、可能な限り、競争を実現するため、これまで、独占禁止法違反行為に対して同法の執行を行ってきている。

　特定の政策目的を実現するために一定の産業や事業者を対象として設定された個別事業法と独占禁止法の関係については、これまでの判決や

---

14)　「事業者団体の活動に関する独占禁止法上の指針」(平成7年公取委) 第2「12　公的規制、行政等に関連する行為」。

公正取引委員会の運用によれば、以下のように整理することができる。
　① 個別事業法において、独占禁止法からの明文の適用除外規定がない限り、独占禁止法の適用が排除されることはない。
　② 通常は、独占禁止法違反となる事業者の行為について、個別事業法の規定が存在している場合には、この規定に従うことが正当化事由となるかどうかという観点から、独占禁止法違反かどうかを判断する上での考慮要因となる。

　日本では、特定の産業分野などにおいて独占禁止法の適用を排除して特別の競争上のルールを定める、いわゆる分野別競争法は存在していない（分野別競争法に対して、あらゆる産業に適用される独占禁止法を包括的競争法ということがある）。このため、たとえば、規制が大きな役割を持っている電力、ガス、電気通信のようなネットワーク産業や運輸分野にも独占禁止法が適用される。

　なお、人材の獲得をめぐる競争に関して、労働法と独占禁止法の適用関係について、ⓐ伝統的な労働者（典型的には「労働基準法上の労働者」）は、独占禁止法上の事業者には当たらず、そのような労働者による行為は独占禁止法の問題とはならず、ⓑ労働法制により規律されている分野については、使用者や労働者・労働組合の行為（たとえば、労働組合と使用者の間の集団的労働関係における労働組合法に基づく労働組合の行為、こうした行為に対する同法に基づく集団的労働関係法上の使用者の行為や、労働基準法、労働契約法等により規律される労働者と使用者の間の個別的労働関係における労働者に対する使用者の行為）は、原則として、独占禁止法上の問題とはならないと解することが適当との考え方とともに、発注者（使用者）の共同行為や単独行為に対する独占禁止法上の考え方（たとえば、複数の発注者が共同して役務提供者に対して支払う対価を取り決めることは、原則、独占禁止法上問題となること）が明らかにされている[15]。

---

15) 「人材と競争政策に関する検討会」報告書（公正取引委員会競争政策研究センター、平成30年2月15日）（「人材と競争政策に関する検討会」報告書について（公取委報道発表平成30年2月15日））。

また、こうした考え方に基づいて、スポーツ事業分野における移籍制限ルールに関する独占禁止法上の考え方[16]や、芸能分野において独占禁止法上問題となり得る行為の想定例[17]が公表されている。

(2) 主な事件

規制分野に対する独占禁止法の適用について、既存の規制が長い間存在している分野に対する適用例と、規制改革が行われた市場での独占禁止法違反行為に対する適用例に分けて説明する。

ア 既存の規制が長い間存在している分野における独占禁止法の執行事例

(ア) 新潟市ハイヤータクシー協会事件（勧告審決昭和 56 年 4 月 1 日）・群馬県ハイヤー協会事件（勧告審決昭和 57 年 12 月 17 日）

公正取引委員会の規制分野に対する独占禁止法執行の初期の事例である。

タクシー事業を営む者は、タクシーの運賃等の変更、増車、営業所の新設や位置の変更を行おうとする場合、道路運送法の規定に基づいて、その事業計画の変更について権限行政庁の認可を受けなければならなかった。しかし、個々の事業者が行政庁に個別に申請し、個別に認可を受けるという仕組みであることから、行政庁に対する申請を事業者団体を通じて共同で行うことは独占禁止法違反となる。

　　a　新潟市ハイヤータクシー協会事件

新潟市ハイヤータクシー協会は、会員のタクシーの増車希望の増大に伴って、会員間の利害の調整を図る必要が生じたため、会員が地区内におけるタクシーの増車、営業所の新設や位置の変更について事業計画変更の認可申請を行おうとする場合、すべて、同協会の協議を経なければならないことを決定し、この決定に基づいて、例会において、会員からの認可申請について協議し、その可否を決定していた。これは、構成事

---

[16] スポーツ事業分野における移籍制限ルールに関する独占禁止法上の考え方について（公取委報道発表令和元年 6 月 17 日）。
[17] 「人材分野における公正取引委員会の取組」委員長と記者との懇談会（令和元年 9 月 25 日）配布資料 2。

業者の機能または活動を不当に制限する行為（8条4号違反）に当たる。

 b 群馬県ハイヤー協会事件

　群馬県ハイヤー協会は、燃料費等タクシーの運送原価が上昇したこと等に対処するため、会員のタクシー運賃等の値上げについて検討した結果、会員が認可申請すべきタクシー運賃等の額を決定し、さらに、値上げ申請をしなかった会員タクシー会社を脱会させた。このように、協会が、会員のタクシー運賃等の引上げについて、会員が認可申請すべき内容を決定し、これに基づいて会員に申請させることは、構成事業者の機能または活動を不当に制限する行為（8条4号違反）に当たる。

(イ)　三重県バス協会事件（勧告審決平成2年2月2日）

　運賃等が認可制であるものの、事業者が一定の幅の範囲内で自由に運賃等を設定できるとされている場合に、事業者団体がこの範囲内で運賃を決定したこと（幅運賃制の下でのカルテル）は独占禁止法違反となる。

　貸切バス運送事業を営む者は、貸切バスの運賃・料金の変更をしようとするとき、または貸切バスの増車等について事業計画の変更をしようとするときは、道路運送法の規定に基づいて認可を受けなければならない（認可制）。また、貸切バスの運賃は、認可された基準の運賃率によって計算した金額（標準運賃）の上下それぞれ15％の範囲内で貸切バス運送事業を営む者が自由に設定できた。三重県バス協会は、貸切バスの運賃等の低落に対処するため、貸切バスの最低運賃等を定め、これを実施していくことを決定した。本件は、協会が会員の大口輸送等の貸切バスの運賃等を決定することにより、三重県における大口輸送等の貸切バスの取引分野における競争を実質的に制限した（8条1号違反）ものである。

(ウ)　大阪バス協会事件（審判審決平成7年7月10日）[18]

　実際の取引で設定される運賃（実勢運賃）が認可運賃や届出料金と乖離している状況で、実勢運賃を認可運賃に近付けようとするカルテルが取り上げられた事案である。

---

18)　経済法百選〔第2版〕36事件74頁。

貸切バスの運賃・料金については、前記(イ)のとおり、認可を受けなければならず、かつ標準運賃の上下それぞれ15％の範囲内で事業者が自由に設定できた。しかし、大阪府の貸切バス市場では、かねてから、認可された運賃等（認可運賃等）を大幅に下回る運賃等による取引が大規模かつ経常的に行われていた。こうした状態の中で、大阪バス協会は、旅行の類型ごとに貸切バスの最低運賃等を決定した。

これについて、価格協定等が制限しようとしている競争が刑事法典、事業法等他の法律により刑事罰等をもって禁止されている違法な取引または違法な取引条件（たとえば、価格が法定の幅や認可の幅を外れている場合）に関するものである場合には、このような価格協定行為は、特段の事情のない限り、「競争を実質的に制限すること」に該当せず、独占禁止法に違反することとはならないとの考え方に基づいて、決定した最低運賃等が下限運賃等以下（認可された運賃等の範囲外）であったものについては、独占禁止法に違反しないとの判断が示された（特段の事情のある場合については、第2章2(7)参照）。

(エ) 日本冷蔵倉庫協会事件（審判審決平成12年4月19日）[19]

倉庫業法の規定に基づき会員事業者が運輸大臣に対して届け出る冷蔵倉庫保管料（届出保管料）と届出方法を事業者団体が決定したことが問題となった。

冷蔵倉庫保管料（届出保管料）については、倉庫業法の規定に基づき、個々の事業者が運輸大臣に対して届け出ることになっていて、冷蔵倉庫業者が届出をしていない料金を収受した場合は、罰則が科されることとなっている。実勢料金は、事業者が届け出た料金から相当下方に乖離し、また、届出料金の引き上げと実勢料金の上昇との連動性は認められなかった。こうした状況の下で、冷蔵倉庫協会は、倉庫業法の規定に基づき会員事業者が運輸大臣に対して届け出る冷蔵倉庫保管料（届出保管料）と届出方法を決定した。

本件行為については、実勢料金についての競争の実質的制限が生じた

---

[19] 経済法百選〔第2版〕39事件80頁。

ものと認めるには足りない（8条1号には当たらない）が、冷蔵倉庫協会が、会員事業者が運輸大臣に届け出る保管料を決定し、これに基づいて会員事業者に届出を行わせることは、構成事業者の機能または活動を不当に制限していたものである（8条4号違反）。

(オ)　自動車運送外航海運カルテル事件（排除措置命令平成26年3月18日)[20]

　独占禁止法の適用除外を規定している海上運送法28条の規定に基づく運賃や配船を内容とする協定（適用除外カルテル)[21]が国土交通大臣に届け出られていたものの、届出を行っている適用除外カルテルとは異なる違反行為を行っていたことから、こうした行為は独占禁止法の適用除外の対象にはならず、同法が適用された事案である。

　船舶運航事業者は、北米航路等の4つの航路における自動車運送業務について、既存の取引の維持と運賃の低落防止を図るため、安値で他社の取引を相互に奪わず、荷主ごとに、運賃の引上げ・維持をする旨の合意の下、①荷主ごとに、その荷主と取引のある社の間で、運賃交渉に際し、現行運賃の引上げや維持、またはその荷主に提示する見積運賃を決定する、②その荷主と取引のない者は、取引のある者より高値の見積運賃を提示する等をしていた（3条（不当な取引制限）違反）。適用除外カルテルで定められたベースレートや運賃表（タリフ）は全く、またはほとんど使われておらず、船舶運送事業者は、荷主の需要に応じ、荷主ごとに相対の交渉で運賃を取り決めていた。

---

20)　自動車運送業務を行う船舶運航事業者に対する排除措置命令、課徴金納付命令等について（公取委報道発表平成26年3月18日）平成26年度重要判例解説・経済法7事件261頁。

21)　外航海運の独占禁止法適用除外制度については、「外航海運の競争実態と競争政策上の問題点について」（平成18年12月6日）（外航海運に関する独占禁止法適用除外制度について（公取委報道発表平成18年12月6日））、「外航海運に係る独占禁止法適用除外制度の在り方について」（公取委報道発表平成28年2月4日）が公表されている。

イ　規制改革が行われた市場での独占禁止法違反行為に対する同法の適用事例

(ア)　高速バスの共同運行

　高速バスについては、複数のバス事業者が共同運行を行っている路線があるが、平成14年（2002年）2月に施行された道路運送法の改正による規制緩和により、一定の新規参入が生じる等の競争環境の変化がみられるようになった。こうした中、新規参入者の排除につながるおそれのある既存の高速バス事業者の行為がみられるようになった[22]。

　このため、公正取引委員会は、高速バスの共同運行に関して、以下のような考え方を公表した[23]。

① 　一般に、バス事業者による、運賃・料金、運行回数または運行系統を制限する協定や路線分割、市場分割を行う協定は、原則として独占禁止法上問題となる。

② 　しかしながら、高速バス（都市間を結び、停車する停留所を限定して運行する急行系統で、運行系統が概ね50キロメートル以上の乗合バスをいう）の運行については、着地が事業者の営業区域から遠隔地にあり、事業者が単独では運行しにくい場合が多いという特性があり、こうした特性に応じた必要な範囲を超えない形で行われる以下の協定は、路線分割、市場分割を行う協定を除き、原則として独占禁止法上問題とはならない。

　　ⓐ 　事業者が単独では参入しにくい場合において、新規路線を開設するために行われる共同経営に関する協定

　　ⓑ 　前記ⓐの目的に基づく協定を既に行っている事業者が単独ではその協定に係る路線を維持することが困難な場合に行われているその協定

　ただし、その協定に参加する事業者が共同して、競合路線を運行する

---

22)　乗合バス事業者に対する独占禁止法違反被疑事件の処理について（公取委報道発表平成15年5月14日）。

23)　高速バスの共同運行に係る独占禁止法上の考え方について（公取委報道発表平成16年2月24日）。

他の事業者を排除したり、他の事業者による競合路線への新規参入を阻害する行為や他の事業者が協定に参加したり、協定から脱退することを不当に制限する行為は独占禁止法上問題となる。

　平成 17 年（2005 年）には、この考え方に基づいて、乗合バス事業者に対する独占禁止法違反被疑事件の処理が行われている[24]。

　(イ)　電気通信・電気・ガス事業での独占禁止法違反事件

　電気通信・電力・ガスの分野は、特に 1990 年代以降、規制緩和が進み、新規参入が可能になってきた分野である。このような規制緩和・規制改革によって期待されている効果が事業者による反競争的行為によって損なわれることのないよう、公正取引委員会によって、2000 年代に入ってから独占禁止法の執行がいろいろと行われてきたが、最高裁判決が出たものとして、NTT 東日本事件（最高裁判決平成 22 年 12 月 17 日）[25] がある。

　本件では、公正取引委員会が平成 15 年 12 月に、NTT 東日本の行為を違法とする勧告をし（同社は不応諾）、平成 16 年 1 月から審判が行われ、平成 19 年 3 月 26 日、3 条（私的独占）の規定に違反するとして、公正取引委員会が審判審決を出した[26]。NTT 東日本は、この取消しを求めて、東京高裁に訴えたが、平成 21 年 5 月 29 日、東京高裁は、この請求を棄却した[27]。NTT 東日本は、最高裁に上告したが、最高裁は、平成 22 年 12 月 17 日、上告を棄却した。

　この最高裁判決によれば、総務大臣が NTT 東日本に対して電気通信事業法に基づく変更認可申請命令や料金変更命令を出していなかったということは、本件の NTT 東日本の行為が独占禁止法上適法なものであると判断していたことを示すものではないことは明らかであるので、こ

---

24)　乗合バス事業者に対する独占禁止法違反被疑事件の処理について（公取委報道発表平成 17 年 2 月 3 日）。
25)　経済法百選〔第 2 版〕133 事件 266 頁。
26)　東日本電信電話株式会社に対する審判審決について（FTTH サービスの私的独占）（公取委報道発表平成 19 年 3 月 29 日）。
27)　経済法百選〔初版〕142 事件 280 頁。

うした命令を出していないということによって、本件行為の独占禁止法上の評価が左右される余地はない（原告は、電気通信事業法に基づき総務大臣の認可を受けた NTT 東日本の料金設定に独占禁止法を適用することは、2 つの矛盾する規制を課すことになり許されないと主張）。

　また、電力カルテル事件[28]では、電気の小売供給の自由化後、旧一般電気事業者（従来、電気事業法（昭和 39 年法律第 170 号）による参入規制によって自社の供給区域における電気の小売供給の独占が認められていた電力会社 10 社）が従来の各供給地域を越えた小売供給を行ったり、新電力が参入することなどによって価格競争が進展し、電気料金の水準が低下する中で、電気料金の水準の低落を防止して自社の利益の確保を図るため、中部電力等と関西電力、中国電力と関西電力、九州電力と関西電力がそれぞれ互いに相手方の供給区域で顧客獲得競争を制限することに合意した（3 条（不当な取引制限）違反）。この結果、それぞれ自社の供給区域において電気料金の水準を維持・上昇させていた。本件は、長年にわたり推進されてきた電気の小売供給分野の自由化の目的である「電気料金を最大限抑制すること」、「需要家の選択肢や事業者の事業機会を拡大すること」等に反するものであり[29]、公正取引委員会は、電気の小売供給市場における競争の適正化を図るため、本件審査で認められた事実等について電力・ガス取引監視等委員会に対する情報提供も行っている。

　これらの分野に関しては、規制官庁と公正取引委員会が共同で、適正な電力取引についての指針（平成 11 年 12 月 20 日　公正取引委員会・経済産業省）、適正なガス取引についての指針（平成 12 年 3 月 23 日　公正取引委員会・経済産業省）、電気通信事業分野における競争の促進に関する指針（平成 13 年 11 月 30 日　公正取引委員会・総務省）というガイドラ

---

[28]　旧一般電気事業者らに対する排除措置命令及び課徴金納付命令等について（公取委報道発表令和 5 年 3 月 30 日）。

[29]　齋藤隆明「旧一般電気事業者らに対する排除措置命令及び課徴金納付命令等について——令和 5 年 3 月 30 日排除措置命令及び課徴金納付命令」公正取引 871 号 77 頁（2023）。

インを出し、その後も、法運用事例や競争環境の変化等を踏まえて、何度か改正され、現在に至っている。

㈦ 新潟タクシーカルテル事件（東京高裁判決平成28年9月2日）[30]

　タクシー運賃を設定・変更する場合には、道路運送法の規定に基づき国土交通大臣（地方運輸局長）の認可を受けなければならないが、国土交通省地方運輸局長等が、一定の範囲内において設定して公示したタクシー運賃については、認可申請に当たって、原価計算書類の提出の必要がなかった（自動認可運賃）。

　本件は、新潟市等に所在するタクシー事業者26社が、新自動認可運賃（平成21年10月1日付けで改定された新潟交通圏の自動認可運賃）において、改定前の自動認可運賃での上限運賃は据え置かれたまま、下限運賃が引き上げられたことを受けて、小型車と中型車については、新自動認可運賃の「下限運賃」とし、大型車については、新自動認可運賃の「上限価格」とする等の合意をしたものである（3条（不当な取引制限）違反）。

　原告（タクシー事業者）は、新潟運輸支局等から、下限割れ運賃を採用するタクシー事業者に対する報告徴収や重点的な監査の実施、行政処分の厳格化を背景とする強い行政指導を受け、強制されてやむを得ず本件合意を行った等と主張したが、新潟運輸支局等が行った行政指導は、新自動認可運賃への移行を促す方向での要望ないし一般的指導の範囲を超えて、監査や行政処分を背景に、収支に関わりなく全社一律に新自動認可運賃の特定の運賃区分に移行することを求めるといった行政指導を行ったとは認められず、26社がすべての車種について新自動認可運賃の枠内の特定の運賃区分に移行することまで合意したことは、本件指導の範囲を明らかに超え、そもそも行政指導に従った行為とはいえないと

30）　最高裁決定（平成29年3月16日）で上告棄却・上告不受理となった。経済法百選〔第2版〕31事件64頁、新潟市に所在するタクシー事業者に対する排除措置命令及び課徴金納付命令について（公取委報道発表平成23年12月21日）。都タクシー株式会社ほか14社に対する審決について（新潟市等に所在するタクシー事業者による価格カルテル事件）（公取委報道発表平成27年2月27日）。

の判断が示された。

> **column** 競争環境の整備に向けた取組み
>
> 本書では、主として、事業者・事業者団体による競争制限行為への独占禁止法の適用という意味での「独占禁止法の執行」に焦点を当てて記載をしているが、公正取引委員会は、競争環境の整備を進めるため、規制改革等の提言や独占禁止法適用除外制度の見直しなど（competition advocacy（競争政策の普及啓発活動）などと呼ばれている）にも取り組んでいる。
>
> たとえば、公正取引委員会は、事業者のイノベーションを阻害するような独占禁止法・競争政策上問題となる取引慣行や規制・制度に対しては、独占禁止法の厳正かつ的確な執行（エンフォースメント）により、違反行為を排除して競争を回復させるとともに、取引慣行の改善や規制・制度の見直しを提言する唱導（アドボカシー）により、競争環境を整備する対応を促すなどの取組を行ってきたが、改めて考え方を整理して、ステートメント[31]を公表し、アドボカシーとエンフォースメントを車の両輪とする取組を強化している[32]。
>
> また、公的再生支援（国が出資する法人等による事業再生支援）についても、競争に及ぼす影響を最小化することが望ましいとの観点から、平成26年8月から開催された「競争政策と公的再生支援の在り方に関する研究会」は、平成26年12月に中間とりまとめを公表し[33]、公正取引委員会は、平成28年3月に「公的再生支援に関する競争政策上の考え方」を公表した[34]。

---

[31] 「デジタル化等社会経済の変化に対応した競争政策の積極的な推進に向けて――アドボカシーとエンフォースメントの連携・強化」（公取委報道発表令和4年6月16日）。

[32] 令和4年 委員長と記者との懇談会概要（令和4年6月16日）（公取委ウェブサイト）。

[33] 「競争政策と公的再生支援の在り方に関する研究会」中間取りまとめについて（公取委報道発表平成26年12月19日）。

[34] 「公的再生支援に関する競争政策上の考え方」の公表について（公取委報道発表平成28年3月31日）。

第10章 独占禁止法の国際的な適用

1 独占禁止法の国際的適用に関する基本的な考え方

　外国の競争当局が日本企業に対して、その国の競争法を適用して、禁止命令を出したり、制裁金を課したりすることを「域外適用」と呼ぶのは正確ではない。たとえば、欧州市場で価格カルテルを行った日本企業に欧州委員会が欧州競争法を適用することは、日本市場で独占禁止法違反行為を行った外国企業に公正取引委員会が同法を適用することと同じで、ごく普通の法適用である。競争法の「域外適用」とは、外国で行われる行為に自国の競争法を適用することであるというのが共通の認識であるが、「域外適用」は、法令で用いられている用語ではないので、正確な定義は必ずしもない。このため、以下では、誤解の生じやすい「域外適用」という用語は用いずに、独占禁止法を日本以外での行為に適用することを「独占禁止法の国際的な適用」などということとする。

(1) 属地主義と効果主義

　独占禁止法を日本以外での行為に適用することについては、日本国内での行為への適用と異なり、「管轄権」をめぐって議論となる場合がある。管轄権とは、ある国の国内法を一定の範囲の人、財産、行為に対して具体的に適用する権限のことである。たとえば、外国に所在する企業のみで日本市場向け商品の価格引上げカルテルを日本国外で話し合い、その合意に基づき日本市場向け商品の輸出価格の引上げを図った場合に、これに対して、独占禁止法を適用することができるかどうかということである。

　管轄権については、属地主義と効果主義の考え方がある。属地主義と

は、自国法は自国内で行われる行為に適用されるという考え方であり、効果主義とは、国外で行われた行為（たとえば、カルテルの合意）であっても、国内にその行為の効果（たとえば、カルテル合意に基づく価格の引上げ）が及ぶ場合には、自国法を適用できるとする考え方である。

(2) 米国・欧州における競争法の国際的な適用

　競争法の国際的な適用については、従来、米国の当局による執行や米国での私訴に対する裁判所の判断が先行してきた。米国では、アルコア事件控訴審判決（1945年）で、効果主義に基づく判決が出された。直接の輸入取引に加え、外国取引反トラスト改善法（Foreign Trade Antitrust Improvements Act, FTAIA）（1982年）により、その他の外国取引を含む行為が、①国内取引か輸入取引に直接的、実質的で、かつ合理的に予見可能な効果を及ぼす場合、または②米国の輸出業者の輸出取引に同様の効果を及ぼす場合であって、かつ、③その効果が反トラスト法上の請求原因である場合には、米国反トラスト法の適用が可能とされた[1]。さらに、ハートフォード火災保険会社事件最高裁判決（1993年）により最高裁でも効果主義の考え方が認められた。米国では、自国市場の競争を制限する行為に対しては、それが外国で行われたものであっても、米国反トラスト法が適用されるという効果主義の考え方が定着している。EUでは、米国とカナダなどの事業者が欧州向けの木材の輸出カルテルを結んだというウッドパルプ事件欧州裁判所判決（1988年）で、外国で行われたカルテルがEU内で「実施（implement）」される場合には欧州競争法を適用できるという考え方（「客観的属地主義」や「実施行為理論」と呼ばれている）が示された。その後のジェンコール（Gencor）事件欧州裁判所判決（1999年）で、欧州連合（EU）において即時的かつ実質的な効果を有することが予見可能な場合には欧州競争法を適用できるとの考え方が

---

1) 植村幸也「米国反トラスト法実務講座 第11回 域外適用」公正取引757号62頁（2013）、植村幸也『米国反トラスト法実務講座』282～298頁（「第11講 域外適用」）（公正取引協会、2017）。

示されたが、インテル事件の判決（2014 年、2017 年）[2]によれば、このジェンコール事件判決は効果主義に依拠したものであり、欧州競争法を適用するためには、属地主義と効果主義のいずれか一方を立証することで足りる。

(3) 独占禁止法の国際的な適用

日本では、ブラウン管カルテル事件（最高裁判決平成 29 年 12 月 12 日）[3]で「国外で合意されたカルテルであっても、それが我が国の自由競争経済秩序を侵害する場合には、同法（筆者注：独占禁止法）の排除措置命令及び課徴金納付命令に関する規定の適用を認めていると解するのが相当であ」り、「公正取引委員会は、同法所定の要件を満たすときは、当該カルテルを行った事業者等に対し、上記各命令を発することができる」、「価格カルテル（不当な取引制限）が国外で合意されたものであっても、当該カルテルが我が国に所在する者を取引の相手方とする競争を制限するものであるなど、価格カルテルにより競争機能が損なわれることとなる市場に我が国が含まれる場合には、当該カルテルは、我が国の自由競争経済秩序を侵害するものということができる」との考え方が示された。

前記の判決や、本章 3 で紹介するこれまでの事例をみると、行為（たとえば、市場分割の話合いと合意）を行った地が日本国内であっても国外であっても、それによって日本の市場において競争制限が生じ（たとえば、市場分割の合意に基づき、ある事業者が日本市場向けの販売を停止すること）、それが独占禁止法に違反する場合には、その行為に独占禁止法を適用し得る（立法管轄権（規律管轄権）はある）と考えられる。

---

2) 早川雄一郎「EU の Intel 事件一般裁判所判決──忠誠リベート、域外適用」公正取引 773 号 66 頁（2015）、同「EU の Intel 事件司法裁判所判決」公正取引 809 号 78 頁（2018）。

3) 田辺治「ブラウン管カルテル事件審判決──「競争」の視点からの一考察」商事法務 2166 号 35 頁（2018）。平成 30 年度重要判例解説・経済法 4 事件 240 頁　平成 30 年度重要判例解説・国際私法 3 事件 296 頁。

一方、日本国外での行為に対して、独占禁止法を適用できるとしても、日本国外に所在し、日本国内に支店、営業所、事業所等の拠点（連結点）を有しない事業者に対して、公正取引委員会が強制調査等を行うことはできない（執行管轄権はない）。そのような事業者に対して、排除措置命令書等の文書を送達するためには、日本国内に所在する事業者に対する文書の送達と異なる手続が必要となる場合がある（本章「2　外国での送達・情報交換」参照）。

(4)　**刑罰規定の国際的な適用**

　独占禁止法違反行為は、刑事罰の対象ともなり得る。刑法1条（国内犯）1項（「この法律は、日本国内において罪を犯したすべての者に適用する」）により、刑法は、日本の領域における犯罪事実に適用される（属地主義）とされ、同法8条（「この編の規定は、他の法令の罪についても、適用する」）により、独占禁止法の刑罰法規の国際的な適用についても、属地主義の考え方が適用される。日本政府は、感熱紙カルテル事件（1991年から1992年にかけて日本と米国の製紙メーカーが米国とカナダで販売されるファックス用感熱紙の価格を10％引き上げることを共謀し、シャーマン法1条違反として、米国司法省が起訴した事件）で、法廷の友（amicus curiae）（裁判所に係属している訴訟について、裁判所に情報や意見を提出する第三者）として1997年7月に米国最高裁判所に提出した法廷助言者陳述書（brief of amicus curiae）においてではあるが、「国際法上、日本企業が日本国内にて行った反競争的行為は、日本の管轄権に服し、日本の法律によって規制される。米国の反トラスト法の刑事規定をかかる行為について適用することは、確立された国際法上無効（invalid）である」、「民事事件における効果主義を認めたと思われるハートフォード火災保険会社事件は刑事事件ではなく、判決も刑事の場合については全く言及がなく、刑事規定を域外適用することについての特有の問題については何ら解決策を示していないことに留意することが重要である」と刑事事件に関して属地主義の考え方をとるべきであると主張した。一方、属地主義による処罰の範囲については、どのような場合に「日本国内におい

て罪を犯した」といえると理解するか（「犯罪地」をどのように理解するか）によって異なることになる。この点について、一般的には、「犯罪地が国内である」といえるためには、構成要件に該当する行為と結果の一部（構成要件該当事実の一部）が国内で生じれば足りると解されている[4]。

なお、これまでに、独占禁止法違反行為に対する同法の刑罰規定の国際的な適用が問題となったことはない。

2　外国での送達・情報交換

国際的に競争制限効果を及ぼす企業結合や国際カルテル等の反競争的行為に対処するためには、日本国内に所在しない在外事業者に排除措置命令書等の文書を送達することが必要となる場合がある。また、海外競争当局との協力のためには、公正取引委員会と海外競争当局との間で情報の提供や共有をすることとなる。このため、公正取引委員会から外国競争当局に対して、どのような情報をどのようにして提供できるのかを明確にしておく必要がある。

(1)　在外者への書類の送達

外国企業であっても、日本国内に支店、営業所、事業所等の拠点を有している場合には、公正取引委員会は、こうした拠点に書類を送達することができる。また、日本国内にこのような拠点を有しない外国企業であっても、この外国企業が日本国内において文書受領権限を有する代理人（通常は弁護士）を選任すれば、公正取引委員会は、この代理人に書類を送達することができる。これまでの事例では、ほとんどの場合、このような方法で書類の送達が行われてきた。

なお、会社法817条1項において、外国会社は、日本において取引を継続してしようとするときは、日本における代表者を定めなければならないとされている。この代表者は、その外国会社の日本における業務に関する一切の裁判上または裁判外の行為をする権限を有する（会社法

---

[4]　山﨑恒・幕田英雄監修『論点解説実務独占禁止法』316頁（商事法務、2017）。

817条2項)。また、法務省は、外国会社の登記義務を順守していないと思われる会社に対して登記の申請を個別に促したり、過料の裁判を行う裁判所に対して違反事実の通知をしたりするなどの対応をとっている[5]。このため、この代表者に書類を送達するという方法も考えられる。

　一方、日本国外に所在し、かつ、日本国内にこのような送達場所がない事業者の場合（すなわち、日本国内に拠点がなく、かつ文書受領権限を有する代理人を選任しない場合）に、公正取引委員会からこの事業者が所在する国（外国）に直接に排除措置命令書等の文書を送達することができるかどうかについては、書類の送達が、その相手方に対して、命令的、強制的効果を発生させる場合（たとえば、金銭の支払い義務、出頭義務）には、このような送達は、公権力の行使に当たり、他国の同意なしにこれを行うことは、主権侵害の問題を生じさせ、国際法上認められないとされている。このため、日本国外に所在し、日本国内に送達場所がない事業者に対する排除措置命令書等の文書の送達については、70条の7が準用する民事訴訟法108条（「外国においてすべき送達は、裁判長がその国の管轄官庁又はその国に駐在する日本の大使、公使若しくは領事に嘱託してする」。同条の「裁判長」は、70条の7で「公正取引委員会」と読み替えることとされている）に基づく管轄官庁送達または領事送達によって行う。具体的には、外務省を窓口として、在外日本国大使館・領事館等を通じ、外国事業者の所在する国の外務当局に対して、外国事業者に対する送達を行うことについての応諾を求め、応諾が得られた場合には、通常、外務省を通じて、在外日本国大使館・領事館等に対して外国事業者に対する送達を嘱託する方法がとられる（領事送達）。

　なお、管轄官庁送達については、送達先国（外国）に、公正取引委員会からの委嘱を受け、その外国内で日本の独占禁止法に係る書類の送達を実施する権限を持った機関が存在しないと機能しないが、現在、このような権限を有する機関のある国はないので、現時点では、管轄官庁送

---

5) 法務大臣閣議後記者会見の概要（令和4年4月19日、同年7月26日）（法務省ウェブサイト）。

達を行うことはできない。

　外国においてすべき送達について、70条の7が準用する民事訴訟法108条の規定に基づく送達（前記のとおり、実際上可能なのは領事送達）によっても送達することができないと認めるべき場合には、公示送達をすることができる（70条の8第1項）。公示送達は、送達すべき書類を送達を受けるべき者にいつでも交付すべき旨を公正取引委員会の掲示板に掲示することにより行う（同条2項）。公正取引委員会は、公示送達があったことを官報または新聞紙に掲載することができるが、外国においてすべき送達については、これに代えて、公示送達があったことを相手方に通知することができる（公正取引委員会の審査に関する規則（平成17年公取委規則第5号）（審査規則）4条、公正取引委員会の意見聴取に関する規則（平成27年公取委規則第1号）（意見聴取規則）4条）。公示送達の効力は、外国においてすべき送達については、掲示を始めた日から6週間を経過することによって発生する（70条の8第4項）[6]。

(2) 領事送達・公示送達の例

　BHPビリトンらに対する独占禁止法違反被疑事件の審査[7]において、報告命令の送達のために、領事送達、公示送達の手続がとられた。本件は、鉄鉱石、石炭等の採掘・販売に係る事業を営むBHPビリトンが公表した、同事業を営むリオ・ティントの株式取得計画について、本件株式取得計画の実施により、海上貿易によって供給される鉄鉱石とコークス用原料炭の取引分野における競争を実質的に制限することとなる疑い（10条1項の規定に違反する疑い）があったことから、平成20年（2008年）7月末から、公正取引委員会が審査を行ったものである。

　公正取引委員会は、当初、本件の審査に必要な情報の任意での提出をBHPビリトンに依頼したが、協力を得られなかったことから、報告命

---

6) 菅久修一・小林渉編著『平成14年改正独占禁止法の解説』6頁、34頁、38頁（商事法務、2002）。(注釈独占禁止法744頁)。

7) ビーエイチピー・ビリトン・リミテッドらに対する独占禁止法違反被疑事件の処理について（公取委報道発表平成20年12月3日）。

令書を送達するため、領事送達の手続をとった。在メルボルン日本国総領事館がBHPビリトンに対する領事送達を試みた。送達とは別に、公正取引委員会から同社に報告命令を行うということを事実上伝え、また、オーストラリア政府の了解の下、郵送による書類の送付も行ったが、同社は受領しなかった。同社が報告命令書の受領を拒否し、領事送達の手続では送達ができないこととなったことから、公正取引委員会は、公示送達の手続をとることとし、平成20年（2008年）9月24日に、公示送達書を公正取引委員会の掲示板（本庁舎の正面玄関前）に掲示した。公示送達を行ったということは、この送達とは別に、審査規則4条に基づいて、受領確認のできる国際スピード郵便などの手段によってBHPビリトンに通知した。公示送達の効力の発生は11月6日で、報告命令の回答期限は、送達の効力が発生してから10日以内であったが、11月14日に、BHPビリトンから公正取引委員会に対し、公正取引委員会が報告命令により報告を命じていた内容について回答（日本語での回答）があった[8]。

　本件は、結局、同年11月27日、BHPビリトンが本件株式取得計画を撤回する旨公表したため、同年12月2日、公正取引委員会は、本件審査を打ち切った。

　また、テレビ用ブラウン管の製造販売業者らに対する件（本章3(1)オ参照）では、平成21年（2009年）10月7日に、サムスンSDIとサムスンSDIマレーシアの2社から公正取引委員会に対し、同年10月5日付でこれら2社の日本国内におけるすべての代理人の解任を通知する旨の書面が提出されたため、公正取引委員会は、これら2社については、国内の代理人に対して送達を行うことができないこととなった[9]。このため、排除措置命令書と課徴金納付命令書について、領事送達が試みられたが、これによっても送達をすることができないと認めるべき場

---

8) 公正取引委員会事務総長定例会見（平成20年9月3日、9月10日、9月17日、9月24日、11月5日、11月19日、12月3日）。
9) テレビ用ブラウン管の製造販売業者らに対する排除措置命令及び課徴金納付命令について（公取委報道発表平成21年10月7日）の「別紙（訂正）」。

合に該当したため、送達すべき書類を送達を受けるべき者にいつでも交付すべき旨を公正取引委員会の掲示板に掲示することにより公示送達を行った。また、LPディスプレイズ・インドネシアについては、日本国内に同社の支店、営業所等がなく、また、日本国内における同社の代理人も選任されていなかったことから、事前通知に係る文書についても、領事送達を試みた後に、公示送達を行った。課徴金納付命令についても同様の手続で送達が行われた[10]。

(3) 外国競争当局との情報交換

　外国競争当局との協力のため必要となる情報提供に関しては、国家公務員法（昭和22年法律第120号）100条[11]と独占禁止法39条（第11章1参照）で守秘義務が規定されており、公正取引委員会から外国競争当局への情報提供についてもこの守秘義務に反しない範囲で行われている。外国競争当局に対する情報提供に関しては、43条の2にその根拠規定が置かれているが、これは情報提供に当たっての条件等を規定したものであって、同条により、国家公務員法100条や独占禁止法39条で提供が禁止されている情報が提供できるようになるものではない。

　43条の2第1項によれば、公正取引委員会は、独占禁止法に規定している公正取引委員会の職務の遂行に資すると認める情報を外国競争当局に提供することができるが、情報の提供が独占禁止法の適正な執行に支障を及ぼし、その他日本の利益を侵害するおそれがあると認められる場合には、情報提供をすることはできない。これは、国家公務員法100条と独占禁止法39条の守秘義務規定に反する情報提供はできないことも意味している。

　また、公正取引委員会は、外国競争当局に対する情報提供に当たって、①公正取引委員会が情報を提供する外国競争当局がその情報の提供に相

---

10) テレビ用ブラウン管の製造販売業者らに対する排除措置命令及び課徴金納付命令について（追加分）（公取委報道発表平成22年3月29日）。
11) 第1項「職員は、職務上知ることのできた秘密を漏らしてはならない。その職を退いた後といえども同様とする」。

当する情報の提供を公正取引委員会に対して行うことができること（相互主義）、②相手国が日本と同程度の秘密保持義務を有していること、③公正取引委員会が提供する情報が競争法の執行という職務執行目的以外の目的で使用されないことを確認しなければならない（43条の2第2項）。さらに、刑事手続に必要な証拠の日本からの提供とそのための証拠の収集については、国際捜査共助等に関する法律（昭和55年法律第69号）（本章2(4)参照）の定める要件と手続のみによるものとされていることから、公正取引委員会から提供する情報について、外国における裁判所や裁判官の行う刑事手続に使用されないよう適切な措置がとられなければならないとされている（同条3項）[12]。

　公正取引委員会と外国競争当局の間での情報交換等の協力に関して、日本は、二国間での独禁協力協定を米国、EU、カナダとの間で結んでいるほか、経済連携協定（EPA）のほとんどには、競争章で競争当局間の協力に関する規定が置かれている。また、公正取引委員会は、フィリピン、ベトナム、ブラジル、韓国、オーストラリア、中国、ケニア、モンゴル、カナダ、シンガポール、インドの競争当局と、競争当局間の協力に関する覚書・取決めを締結している。これらのうち、オーストラリア競争・消費者委員会、カナダ競争局との取決めは、第二世代協定（審査過程で入手した情報の共有についての規定を有するもの）と呼ばれている[13]。これらのほか、公益財団法人日本台湾交流協会と台湾日本関係協会の間で「日台競争法了解覚書」が締結されている（2015年）。

　日米独禁協力協定[14]では、通報（主として競争当局の行う執行活動につ

---

12) 藤井宣明・稲熊克紀編著『逐条解説 平成21年改正独占禁止法』38頁、139頁（商事法務、2009）。
13) 第二世代協定について。佐久間正哉「公正取引委員会の最近の国際的な取組について」公正取引835号6頁（2020）参照。
14) 反競争的行為に係る協力に関する日本国政府とアメリカ合衆国政府との間の協定（Agreement between the Government of Japan and the Government of the United States of America concerning Cooperation on Anticompetitive Activities）（1999年）。外務省北米局北米第二課編『解説 日米独禁協力協定』（日本国際問題研究所、2000）。

いての通報)、執行協力(競争当局の一般的な協力義務)、執行調整、積極礼譲(positive comity)、消極礼譲(negative comity)(自国法の適用において関係国政府の利害を考慮に入れること)等が規定されている。執行調整では、両国の競争当局が関連する事件について執行活動を行っている際に、両当局が密接に連絡を取り合って、それぞれの執行活動の相互への影響を考慮しつつ協力して執行活動を行う枠組みが規定されている。執行活動の要請(積極礼譲)とは、他方の国の領域で行われた反競争的行為が自国政府の重要な利益に悪影響を与える場合に、他方の締約国の競争当局に執行活動を要請することができるというものである。日米独禁協力協定は、「それぞれの国において効力を有する法令に従って、……実施される」ものであり、この協定によって、公正取引委員会が外国競争当局に対して、国家公務員法100条や独占禁止法39条で提供が禁止されている情報を提供できるようになるものではない。これは、他の協定でも同じである。一方で、日米独禁協力協定では、守秘義務等や刑事手続における使途制限について規定されていることから、日米間では、現行法の範囲内での情報提供の方法が明確になっている。このため、43条の2で必要とされている確認等を個々に行うことなく、日米独禁協力協定の規定に従って情報提供を行うことができる。すなわち、こうした協定が存在することで、競争当局間の協力を円滑かつ迅速に行うことができることとなる。

(4) 国際捜査共助 [15]

前記(3)のとおり、外国の刑事事件の捜査に必要な証拠の提供等について外国から協力を求められた場合、日本からの提供とそのための証拠の収集については、国際捜査共助等に関する法律(昭和55年法律第69号)の定める要件と手続に基づいて行われる。共助(外国の要請により、その外国の刑事事件の捜査に必要な証拠の提供をすること)の手続は、公正取引委員会ではなく、外務省(外交ルート)や法務省(検察庁)、警察等

---

15) 国際捜査共助に関しては、各年度の犯罪白書、警察白書に記載されている。

で行われる。

　国際捜査共助等に関する法律に基づく共助では、外国からの共助の要請の受理と要請国に対する証拠の送付は、原則として外務大臣が行う。外務大臣は、共助の要請を受理したときは、共助要請書等に関係書類を添付し、意見を付して、法務大臣に送付する。法務大臣は、「共助犯罪に係る行為が日本国内において行われたとした場合において、その行為が日本国の法令によれば罪に当たるものではないとき」等の同法2条各号等のいずれにも当たらず、かつ、要請に応じることが相当であると認める場合には、相当と認める地方検察庁の検事正に対し、関係書類を送付して、共助に必要な証拠の収集を命じるなどの必要な措置をとる。

　日本の刑事事件の捜査に必要な証拠の収集について外国に共助を求める場合には、検察庁、警察等が外交ルートを経由して捜査共助を要請している。

　また、刑事共助条約・協定を締結している場合、捜査共助は、同条約・協定に基づいて行われる。刑事に関する共助に関する日本国とアメリカ合衆国との間の条約（日米刑事共助条約）（2006年発効）では、条約に基づく共助の実施を法的義務と位置付けた上で、共助の要請・受理は、外交ルートを経由することなく、あらかじめ指定した中央当局（日本については法務大臣または国家公安委員長、米国については司法長官）を通じて行うことや、一定の範囲での共助条件の緩和等、迅速・確実な共助の実施を確保するための規定が置かれている。日本は、米国のほか、韓国、中国、香港、欧州連合（EU）、ロシアとの間で刑事共助条約・協定を締結している。

(5)　犯罪人引渡し[16]

　外国から逃亡犯罪人の引渡しの請求があった場合、日本は、逃亡犯罪人引渡法（昭和28年法律第68号）で定められている要件と手続に基づいて、相互主義の保証の下で（日本国が行う同種の請求に応ずべき旨の請

---

[16]　犯罪人引渡しに関する統計は、各年度の犯罪白書、警察白書に記載されている。

求国からの保証（同法3条2号））、その請求に応ずることができる。

　また、日本は、米国、韓国との間で、犯罪人引渡条約を締結している。日本国とアメリカ合衆国との間の犯罪人引渡しに関する条約（日米犯罪人引渡条約）（1980年発効）は、同条約の「付表に掲げる犯罪[17]」であつて両締約国の法令により死刑又は無期若しくは長期1年を超える拘禁刑に処することとされているもの」とそれ以外の犯罪であって「日本国の法令及び合衆国の連邦法令により死刑又は無期若しくは長期1年を超える拘禁刑に処することとされているもの」を引渡しの対象とし、引渡しの請求は、外交ルートを経由して行われる。これらの条約では、一定の要件の下に逃亡犯罪人の引渡しを相互に義務付けていることに加え、逃亡犯罪人引渡法では原則として禁止されている自国民の引渡し（同法2条9号）について、要請された国の裁量により引き渡すことができる（日米犯罪人引渡条約5条）とすることで、締約国との間の国際協力の強化を図るものである。

　なお、逃亡犯罪人引渡法によって、日本は、外国に対して相互主義を保証することができるため、その国の法令が許す限り、犯罪人引渡条約を締結していない外国から逃亡犯罪人の引渡しを受けることもできる。日本から国外に逃亡犯罪人の引渡しを要請する場合、検察庁、警察等が外交ルートを経由して相手国に要請している。

　これまでに、独占禁止法違反行為に関して犯罪人引渡しが問題となったことはない[18]。

---

[17] その1つとして「45　私的独占又は不公正な商取引の禁止に関する法令に違反する罪」が規定されている。
[18] マリンホース・カルテル事件の関係人の元幹部であるイタリア人が、反トラスト法（シャーマン法）違反の容疑者としてドイツから米国に引き渡されたが、これは、反トラスト法違反で引渡しが行われた初めての事案である（First Ever Extradition on Antitrust Charge（米国司法省報道発表2014年4月4日）、Former Marine Hose Executive Who Was Extradited to United States Pleads Guilty for Participating in Worldwide Bid-Rigging Conspiracy（米国司法省報道発表2014年4月24日））。その後も、航空貨物カルテル事件に関するオランダ人のイタリアから米国への引渡し（米国司法省報道発表2020年1月13日、同月23日）、自

(6) OECD、ICN

近年、OECD（経済協力開発機構）や ICN（国際競争ネットワーク）等の国際機関での活動にも支えられて、競争当局間の国際的な協力が大いに進んできている。

OECD では、競争委員会で、加盟国における競争法・政策の進展に関する検討やその整備・施行に関する加盟国間の協力の促進を目的とした活動を行うとともに、たとえば、ハードコア・カルテルに対する効果的な措置（1998 年、2019 年改定）[19]、競争法の審査及び手続に関する国際協力（2014 年）（国際的通商に影響を及ぼす反競争的慣行についての加盟国間の協力（1995 年）の全面改定）[20] などに関する理事会勧告が出されている[21]。

また、ICN は、競争法の執行における手続面や実体面での収斂を促進することを目的として、2001 年 10 月に 14 か国・地域の 16 当局で発足したが、その後、加盟当局数が 100 を超える国・地域の当局となるまで増加し、競争法の分野で最大の国際組織となっている[22]。ICN には、常設の本部建物や固有の事務局職員等は存在せず、参加メンバーの自発的な貢献と協力で運営されている。経常的には、カルテル、企業

車部品カルテル事件に関する韓国人のドイツから米国への引渡し（米国司法省報道発表 2020 年 3 月 3 日）、商用車向けパーキング・ヒーターを巡る価格カルテル事件に関するドイツ人のスペインから米国への引渡し（米司法省報道発表 2022 年 3 月 3 日）といった事案が生じている。

19) 小川聖史「ハードコア・カルテルに対する効果的な措置に対する OECD 理事会勧告の 2019 年改定」公正取引 832 号 38 頁（2020）。

20) 寺西直子「OECD 競争委員会の活動及び事務局の役割──国際協力に関する OECD 理事会勧告の見直しを題材にして」公正取引 769 号 59 頁（2014）。

21) その他詳しくは、OECD の競争に関するウェブサイト（http://www.oecd.org/competition/）参照。

22) ICN のウェブサイト（http://www.internationalcompetitionnetwork.org/）、菅久修一「第 12 章 国際競争ネットワーク（ICN）の活動、成果と今後の課題」土田和博編著『独占禁止法の国際的執行──グローバル化時代の域外適用のあり方』303〜328 頁（日本評論社、2012）、岸本宏之ほか「ICN の最近の動き──2019 年度に開催されたワークショップについて」公正取引 835 号 41 頁（2020）参照。

結合、単独行為などのテーマごとの作業部会が設けられ、ウェブ会議や電子メールによって議論や活動を進め、年に1回、いずれかの当局の主催で年次総会を開催し、競争当局関係者だけでなく、弁護士、学者、国際機関等の非政府アドバイザー（NGA）と呼ばれる人たちも実際に集まって、1年間の活動成果や今後の活動計画の報告、検討、議論が行われる。このほか、作業部会によっては、実務担当者を対象にしたワークショップも開催されている。ICNでは、これまでに企業結合、カルテル、単独行為等に関して、推奨される方法（recommended practices）やグッドプラクティス（good practices）など各国の競争当局が法執行を行う上で指針となる様々な重要な成果を生み出している。ウェブ会議と電子メールを主とするとはいえ、極めて頻繁に議論を行う場があり、さらに、少なくとも年に1回は、実際に会って話をする機会があるというICNの活動を通じて、競争関係者の間で人間関係が形成され、信頼関係が醸成される効果も大きい。

3　主な事件と企業結合事例

以下、独占禁止法の国際的な適用や競争当局間の協力に関連する主な事件と企業結合事例を紹介する。

(1)　主な事件

ア　ノーディオン事件（勧告審決平成10年9月3日）[23]

本件は、カナダに所在するノーディオン社が、日本のモリブデン99のユーザーのすべてである放射性医薬品製造業者2名と10年間にわたりモリブデン99の全量をノーディオン社から購入する契約を締結し、競争事業者の事業活動を排除したことが、日本におけるモリブデン99の取引分野における競争を実質的に制限し、3条の私的独占に当たるとして、公正取引委員会が平成10年（1998年）に勧告審決を出したもの

---

[23] エム・ディ・エス・ノーディオン・インコーポレイテッドに対する勧告（公取委報道発表平成10年6月24日）経済法百選〔第2版〕88事件178頁。

である。

　ノーディオン社の競争事業者は、ベルギーに所在する IRE 社等いずれも外国に所在する事業者であり、また、ノーディオン社は、日本に支店、営業所等の拠点は有していなかった。しかし、本件では、同社は、日本における代理人弁護士に公正取引委員会からの文書の受領権限を含めて委任を行ったため、公正取引委員会は、日本における代理人弁護士に対して勧告書と審決書を送達した。

　この件は、本章の冒頭で指摘した「外国で行われる行為に自国の競争法を適用すること」に当たる事件である。勧告審決では、ノーディオン社と日本の放射性医薬品製造業者 2 名との間の排他的購入契約が東京で締結されたという事実も認定しているが、「審決には契約地がわが国であることが記載されているが、これは、本件が属地主義を厳格に解してもわが国独占禁止法を適用できる事件であることを念のために示しているにすぎず、契約地がわが国であることが、わが国独占禁止法を適用するための要件である旨判断したものではないと考えられる」[24]。

イ　20世紀フォックス事件（勧告審決平成 15 年 11 月 25 日）[25]

　本件は、20 世紀フォックスジャパン社が、トエンティース　センチュリー　フォックス　インターナショナル　コーポレーションから配給を受けた映画作品を日本国内において上映する事業者に配給するに当たり、上映する事業者との間で締結している「上映契約（基本契約）」と題する契約と「上映契約付属書」と題する契約に基づき、上映する事業者が映画を鑑賞させる対価として入場者から徴収する入場料の具体的な金額を定め、入場料の割引の実施の可否を決定するなどして入場料を制限していることが、19 条（不公正な取引方法の拘束条件付取引）に当たるとして、公正取引委員会が平成 15 年（2003 年）に勧告審決を出した

---

24)　小畑徳彦「わが国に拠点をもたない外国事業者による私的独占事件」NBL 659 号 18 頁（1999）。著者は、第二特別審査長（当時）。

25)　トエンティース　センチュリー　フォックス　ジャパン，インコーポレイテッドに対する勧告について（公取委報道発表平成 15 年 10 月 8 日）、経済法百選〔初版〕81 事件 164 頁。

ものである。20世紀フォックスジャパン社は、その本店がアメリカ合衆国カリフォルニア州ロサンゼルスに所在している（日本支店所在地は、東京都港区六本木）事業者であり、本件は、外国に所在する事業者の行為が不公正な取引方法に当たるとして法的措置をとった事件である。

　ウ　モディファイヤーカルテル事件[26]

　本件は、3社が、塩化ビニル樹脂向けモディファイヤーについて、共同して、販売価格の引上げを決定したことが3条（不当な取引制限の禁止）の規定に違反するとして、公正取引委員会が平成15年（2003年）に勧告を行ったものである。本件で公正取引委員会は、平成15年（2003年）2月12日に、米国司法省、カナダ競争局および欧州委員会とほぼ同時期に審査を開始（公正取引委員会は立入検査を実施）した。外国競争当局と調整を行い、同時期に審査を開始した最初の事件である[27]。

　エ　マリンホース事件（排除措置命令平成20年2月20日）[28]

　本件は、マリンホース（タンカーと石油備蓄基地等との間の送油に用いられるゴム製ホース）の製造販売業者8社が、①8社の本店所在国である日本、英国、フランスとイタリアをマリンホースの使用地とする場合には、使用地となる国に本店を置く者（複数の事業者がこれに該当する場合には、これらのうちのいずれかの者）を受注予定者とし、②本店所在国以外を使用地とする場合には、あらかじめ各社が受注すべきマリンホースの（本店所在国を使用地とするものを除いた）割合を定め、この割合等

---

26) 塩化ビニル樹脂向けモディファイヤーの製造販売業者に対する勧告について（公取委報道発表平成15年12月11日）。
27) 本件は、審判が開始され、審判審決および課徴金の納付を命じる審決の後、東京高裁判決（平成22年12月10日）を経て、平成23年9月30日の最高裁決定（上告棄却と上告不受理）で独占禁止法違反が確定した。
28) マリンホースの製造販売業者に対する排除措置命令及び課徴金納付命令について（公取委報道発表平成20年2月22日）。マヌーリ・ラバー・インダストリーズ・エスペーアーに対する審判開始について（マリンホースの製造販売業者による談合事件）（公取委報道発表平成20年5月15日）。マヌーリ・ラバー・インダストリーズ・エスペーアーによる審判請求の取下げについて（マリンホースの製造販売業者による談合事件）（公取委報道発表平成20年6月23日）。経済法百選〔第2版〕87事件176頁。

を勘案して、コーディネーター（8社は、PWコンサルティング・インターナショナル（本店：英国ルース）の代表者であった者にマリンホースの受注予定者の選定等の業務を委任）が選定する者を受注予定者とする旨等を合意することで、日本に所在する需要者が発注するマリンホースの取引分野における競争を実質的に制限していた（3条（不当な取引制限））として、公正取引委員会が平成20年（2008年）に排除措置命令と課徴金納付命令を行ったものである。

　また、前記の合意に基づいて、①8社は、マリンホースの（本店所在国を使用地とするものを除いた）受注割合、受注実績、見積価格の提示を求められた需要者への自社の過去の受注実績の有無、自社の受注希望の有無等をコーディネーターに報告し、これを基にコーディネーターが受注予定者を決定、②8社の営業担当者とコーディネーターは、バンコク（タイ）、キーラーゴ（米国）、ロンドン（英国）で会合を開催するなどしていた。

　本件は、独占禁止法を適用し、外国事業者に措置を命じた初めての国際的な受注調整事件であり、外国事業者も含めて国際カルテルに法的措置をとったのは本件が初である。また、本件で、公正取引委員会は、平成19年（2007年）5月に、米国司法省、欧州委員会等とほぼ同時期に調査を開始している。

　　オ　ブラウン管カルテル事件（東京高裁判決平成28年1月29日、4月13日、4月22日)[29]、(最高裁判決平成29年12月12日)[30]

　本件では、日本、韓国、台湾、マレーシア、インドネシアおよびタイに所在するテレビ用ブラウン管の製造販売業者11社が、日本のブラウ

---

[29]　ブラウン管カルテル事件（サムスンSDI（マレーシア）（東京高裁判決平成28年1月29日））。同（MT映像ディスプレイ）（東京高裁判決平成28年4月13日）。同（サムスンSDI）（東京高裁判決平成28年4月22日）。経済法百選〔第2版〕89事件180頁。

[30]　ブラウン管カルテル事件（サムスンSDI（マレーシア）（最高裁判決平成29年12月12日））。平成30年度重要判例解説・経済法4事件240頁　平成30年度重要判例解説・国際私法3事件296頁。

ン管テレビ製造販売業者の現地製造子会社等（ブラウン管テレビの実質的な製造拠点）に購入させるテレビ用ブラウン管について、遅くとも平成15年（2003年）5月22日頃までに、2か月に1回程度、営業担当者による会合を継続的に開催し、概ね四半期ごとに次の四半期におけるその現地製造子会社等向け販売価格の各社が遵守すべき最低目標価格等を設定する旨を合意していたことが、3条（不当な取引制限）に当たるとして、公正取引委員会が平成21年（2009年）と平成22年（2010年）に行った排除措置命令と課徴金納付命令[31]についての審判審決（平成27年5月22日）に対する取消訴訟で原告（テレビ用ブラウン管の製造販売業者）の請求を棄却する東京高裁判決が出された。いずれも上告されたが、平成28年1月29日の東京高裁判決の上告については、平成29年12月12日にこれを棄却する最高裁判決が出た（他の2件は同日に上告棄却・上告不受理の決定）。

　本件で、公正取引委員会は、平成19年（2007年）11月に、米国司法省、欧州委員会等とほぼ同時に調査を開始している。また、本件は海外で行われた日本向けの競争制限行為に対して、外国事業者に課徴金納付命令を行った最初の国際カルテル事件である。

　なお、本件で欧州委員会は、2012年に制裁金決定を行い、2015年に欧州普通裁判所がこれを基本的に指示する判決を出した[32]。米国では、2009年から2010年にかけて司法省が6人の個人を起訴し[33]（うち1人が2015年11月に有罪答弁を行った[34]）、2011年に1事業者が有罪答弁を

---

[31] テレビ用ブラウン管の製造販売業者らに対する排除措置命令及び課徴金納付命令について（公取委報道発表平成21年10月7日）、テレビ用ブラウン管の製造販売業者らに対する排除措置命令及び課徴金納付命令について（追加分）（公取委報道発表平成22年3月29日）。

[32] Commission welcomes General Court ruling upholding TV and computer monitor tubes cartel decision（欧州委員会報道発表2015年9月9日）。

[33] Samsung SDI Agrees to Plead Guily in Color Display Tube Price-Fixing Conspiracy（米国司法省報道発表2011年3月18日）。

[34] Former Sales Executive Pleads Guilty to Participation in Color Display Tube Conspiracy（米国司法省報道発表2015年11月18日）。

行った（3200万ドルの罰金）[35]。

　カ　米国ドル建て国際機関債受注調整事件（公取委報道発表平成30年3月29日）[36]

　本件は、英国ロンドンに所在する事業者2社（ドイチェバンクとメリルリンチ）が、国際機関等が米国ドル建てで発行する債券（米国ドル建て国債機関債）の日本に所在する金融機関を相手とする取引において、両社のトレーダーの間で情報交換を行うこと等により、共同して、受注予定者を決定し、受注予定者が受注できるようにする旨合意するという3条（不当な取引制限）に違反する行為を行っていたことが認められたものである。ただし、この違反行為が終了してから、いわゆる除斥期間（当時の規定では5年間）が経過していたため、公正取引委員会は、排除措置命令や課徴金納付命令を行うことはできなかった。本件は、日本に所在する事業者が違反行為に関与しておらず、外国に所在する事業者のみが外国において行った受注調整について独占禁止法違反を認定した初めての事案である。

(2)　主な企業結合事例

　国際的に事業活動を展開している企業が関係する企業結合では、複数の国・地域における市場に影響を与え、また、企業は、複数の国・地域の競争当局に届出をすることが必要となる場合が多い。このような場合、複数の競争当局が並行して企業結合審査を行うこととなるため、競争当局間でこの企業結合計画についての考え方等について意見交換をしながら審査を進めることは、審査を迅速に進める上で効果的である。また、仮に、一部の競争当局が審査に長期間を要したり、相矛盾する問題解消措置が必要となるような結論を複数の競争当局が出すこととなると、当

---

35)　前掲注32)。
36)　米国ドル建て国際機関債の取引を行う事業者に対する独占禁止法違反事件の処理について（公取委報道発表平成30年3月29日）、奥村豪ほか「米国ドル建て国際機関債の取引を行う事業者に対する独占禁止法違反事件の処理について」公正取引813号65頁（2018）。

事会社にとって大きな負担ともなる。このため、企業結合に関しては、当事会社が競争当局間の情報交換に同意する、すなわち、各競争当局に課されている守秘義務規定に基づいて当事会社が自社に関する情報を開示しないよう求める権利を放棄すること（ウェーバー（waiver）という）も多い。公正取引委員会が外国競争当局と意見交換をしつつ企業統合審査を行うことは、最近では数多くあり、マイクロソフト・コーポレーションとアクティビジョン・ブリザード・インクの統合[37]では、豪州競争・消費者委員会、英国競争・市場庁、欧州委員会、米国連邦取引委員会と韓国公正取引委員会の5つの外国競争当局と情報交換を行いつつ審査が進められた。このように公正取引委員会が外国競争当局と連絡をとりつつ企業結合審査を行った最初の事例は、Johnson & Johnson による Guidant Corporation の株式取得[38]である。

　本件では、Johnson & Johnson（本社米国）による Guidant Corporation（ガイダント）（本社米国）の株式の取得が日本の医療機器市場における競争に与える影響について調査が行われた結果、一部の品目に係る取引分野における競争を実質的に制限することとなるおそれがあると認められるものの、当事会社が予定している措置が確実に履行されるのであれば、その問題は解消され、したがって、独占禁止法の規定に違反するおそれはないと公正取引委員会は判断した。本件は、連邦取引委員会（米国）と欧州委員会でも同様の調査が行われ、公正取引委員会は、両競争当局との間で情報交換を行いつつ調査を進めた。

　なお、欧州委員会は平成17年（2005年）8月25日に、連邦取引委員会は同年11月2日に、問題解消措置の履行を前提にすれば、本件株式取得が競争法上問題となることはない旨の調査結果をそれぞれ公表している。

[37] マイクロソフト・コーポレーション及びアクティビジョン・ブリザード・インクの統合（令和4年度における主要な企業結合事例について（公取委報道発表令和5年6月28日）【事例7】）。
[38] Johnson & Johnson による Guidant Corporation の株式取得について（公取委報道発表平成17年12月9日）。平成17年度における主要な企業結合事例【事例9】。

第11章 公正取引委員会の組織と独占禁止法の歴史

1 公正取引委員会の組織

　公正取引委員会は、1条の目的を達成することを任務としている（27条1項）。公正取引委員会は、内閣総理大臣の「所轄」に属する（同条2項）。公正取引委員会は、内閣府の外局として置かれた委員会（行政委員会）である（内閣府設置法（平成11年法律第89号）49条、64条）が、公正取引委員会の具体的な職務に関しては内閣総理大臣の指揮命令は受けないという趣旨を表わすために「所轄」という文言が使われている。「所轄」は、一般的に、内閣総理大臣や各省大臣の管轄下にはあるものの、独立性の強い行政機関との関係を示す場合に用いられる。

　公正取引委員会の委員長と委員は、独立してその職権を行う（28条）（職権行使の独立性）。公正取引委員会は、委員長と委員4名（計5名）で構成されている。委員長と委員は、内閣総理大臣が両議院の同意を得て任命する。委員長と委員の任期は5年（ただし、年齢70歳まで）である（30条）。委員長の任免は、天皇がこれを認証する（29条）。公正取引委員会が議事を開き、議決するためには、委員長と2人以上の委員の出席が必要である。議事は、出席者の過半数で決し、可否同数のときは、委員長が決する（34条）。公正取引委員会の事務を処理させるため、事務総局が置かれている（35条）。東京に所在する公正取引委員会と事務総局のほか、全国7か所の地方事務所・支所と、沖縄に所在する沖縄総合事務局総務部公正取引課が公正取引委員会の業務を行っている[1]。

---

1) 公正取引委員会の業務の実際については、NBL 1153号（2019）から1175号（2020）までの奇数号で12回連載された幕田英雄「公取委 ありのまま」参照。

公正取引委員会は、合議制の行政機関であるが、合議体は、それぞれの構成員が自己の意見を自由に述べ相互に議論をすることを通じて適切な結論を見いだす組織形態である。したがって、各構成員があらかじめ他の者から拘束を受けることは、合議体の本質と相容れない。職権行使の独立性に関する28条の規定は、公正取引委員会の職務の特質に由来するものであって、同条は、そのことを確認的に規定したものである。すなわち、①「公正取引委員会の行うべき職務は専門的分野に属し」、「しかも、公正かつ中立に行うことを要するもの」なので、「政治的な配慮に左右されるべきものではない」、②「独占禁止法の第28条が公正取引委員会の職権行使の独立性を規定」しているのは、「公正取引委員会の職務のこのような性質によるものである」、③「独占禁止法第28条の規定は、……公正取引委員会の職務の本質に内在するものであると言うことができる」[2]。
　職権行使の独立性は、委員長・委員の任命者である内閣総理大臣からの独立も意味し、さらに、個々の委員長・委員の委員会内での独立性も意味している。
　職権行使の独立性が保障される職権とは、独占禁止法その他の法律で認められた公正取引委員会の具体的職務であり、独占禁止法違反事件や企業結合事案の審査に関する事務、事業活動等の実態調査等に関する事務、ガイドラインの作成などの独占禁止法の解釈に関する事務のほか、たとえば、法的措置の前段階の業務である事前相談等の事務は、独占禁止法に違反するか否かを判断するものであり、この具体的職務に含まれる。一方、およそ行政機関において一般的に行われる事務（法律・政令・内閣府令の制定・改廃に関する事務、予算その他の会計事務、承認人事等の人事行政事務等）にまでは、職権行使の独立性は及ばない。
　職権行使の独立性に関連して、ⓐ委員長・委員の身分保障（31条）、報酬保障（36条2項）、ⓑ排除措置命令等については合議によらなければならないこと（65条）、公正取引委員会の合議は公開しないこと（66

[2] 参議院本会議（昭和50年6月27日）における内閣法制局長官答弁。

条)、ⓒ排除措置命令等に係る抗告訴訟において法務大臣の指揮を受けないこと（88条）等の規定が置かれている。

　また、公正取引委員会に職権行使の独立性が認められていることを受け、委員長・委員と事務総局職員の公正性、中立性を一般の公務員以上に確保するため、㋐事件に関する事実の有無や法令の適用についての意見の外部発表の禁止（38条）、㋑その職務に関して知得した事業者の秘密を他に漏らしたり、窃用することの禁止（秘密保持義務）（39条）が規定されている。「事業者の秘密」とは、「非公知の事実であつて、事業者が秘匿を望み、客観的に見てもそれを秘匿することにつき合理的な理由があると認められるものをいう」[3]。

2　独占禁止法の歴史

　以下、昭和22年（1947年）の独占禁止法制定からこれまでの独占禁止法と競争政策（独占禁止政策）の展開について、主な出来事を紹介する[4]。

　独占禁止法は、日本が米国を中心とした連合国の占領下にあった昭和22年（1947年）に制定され、これと同時に、同法を執行する専門機関である公正取引委員会が設置された。独占禁止法は、米国反トラスト法の強い影響を受けて制定されたものである。競争法は、19世紀末に米国（1890年）とカナダ（1889年）で制定されたのを嚆矢とし、日本の独占禁止法は、実質的に世界で3番目の競争法ということになる。欧州で競争法が制定されたのは1957年で、ドイツ（競争制限禁止法）と欧州共同体（現EU）（欧州共同体条約（ローマ条約））においてである。

　制定当初の独占禁止法（「原始独禁法」と呼ばれている）は、①事業能力の格差に基づく分割命令、②一定の類型の共同行為の全面禁止、③事業会社による株式保有の原則禁止、④合併の認可制など、米国反トラスト法にもない規定が含まれていた。この頃は、財閥解体、過度経済力集

---

　3)　エポキシ樹脂事件（東京地裁判決昭和53年7月28日）。
　4)　平成9年までの独占禁止法の運用を中心とする競争政策の展開については、公正取引委員会事務総局編『独占禁止政策五十年史（上巻・下巻）』（公正取引委員会事務総局、1997）が編纂されている。

中排除、農地解放など日本経済の民主化政策が強力に推し進められ、独占禁止法には、民主的かつ非集中的な経済システムを維持するという役割が期待されていた。独占禁止法の執行も活発であった。

　しかし、独占禁止法が連合国の占領政策として米国から押し付けられた法律であるという認識が経済界等に強くあったこと、さらに当時の独占禁止法には、前記のとおり、今日からみても極めて厳しい規定があったことなどから、昭和26年（1951年）に日本が独立を回復して以降、朝鮮戦争後の不況という状況の中、昭和28年（1953年）に独占禁止法が大幅に緩和改正された。この改正によって、前記①から④の規定がなくなり、不況カルテル、合理化カルテル、再販売価格維持制度などの適用除外規定が新設された。

　1960年代に入ると、日本経済の高度成長が進む中、公正取引委員会には、インフレ問題、中小企業問題、消費者問題に対する取組みが求められるようになり、特に消費財分野におけるカルテルの取締り、再販売価格維持行為に対する規制の強化、下請法（昭和31年（1956年）制定）（第1章2(3)ウ参照）による公正な下請取引の実現、景品表示法[5]による過大な景品や不当な表示の取締りといった公正取引委員会の活動への期待が高まった。一方、日本経済が貿易や資本の自由化に直面する中で、これへの対策として、産業再編成による日本経済の国際競争力の強化が唱えられ、大型合併による経済力の集中や産業の寡占化が政策的に促進された。産業政策的観点が優先され、企業結合規制など競争政策全体に対しては、いわゆる柔軟な対応が求められていた。当時の代表的な大型合併が八幡製鉄と富士製鐵の合併（新日本製鐵の誕生）である。本件は、公正取引委員会が大型合併について初めてその阻止に乗り出した事案であり、昭和44年（1969年）に同意審決で決着した。当時、公正取引委員会の主張を支持したのは、学者グループと消費者団体等に限られてい

---

[5] 不当景品類及び不当表示防止法（昭和37年法律第134号）。同法は、平成21年（2009年）9月1日の消費者庁発足に伴って、公正取引委員会から消費者庁に移管された。

た。こうした中で、公正取引委員会が独占禁止法の規定に基づいて審査・審判の手続を進め、合併計画の発表から合併の成立まで約1年半を要したことは、独占禁止法の存在とその重要性を一般に認識させることとなり、競争政策の転機をもたらした事案であるとも評価されている。

1970年代に入り、昭和48年（1973年）の石油危機勃発によって物価の異常な高騰（狂乱物価）が続く中、公正取引委員会は、数多くの違法なカルテル（いわゆる便乗値上げの背後にあったヤミ・カルテル）を摘発した。当時の代表的な事件は、昭和49年（1974年）2月に公正取引委員会が石油業界の価格協定等について検事総長に告発した石油元売業者の価格協定事件と石油連盟の生産調整事件である[6]。

こうした中、カルテルに対する法的規制の実効性がそれまで不十分であったため、数多くのカルテルが行われ、日本経済に悪影響を及ぼしているといった認識の下、カルテル規制の実効性の強化などを目的とした独占禁止法の強化改正が昭和52年（1977年）に実現した。この改正には多くの内容が含まれているが、今日、主要な規制手段となっているものとしては、カルテル対策として導入された課徴金制度が挙げられる。カルテルや入札談合（不当な取引制限）を行った事業者に対して、公正取引委員会は、それまでは排除措置を命じるだけであった（検事総長への告発は、当時、前記の石油業界の価格協定等のみ）が、価格カルテル等について、一定の算式で計算した金額を国庫に納付するよう命じる行政上の措置である課徴金制度の導入で、違反行為の抑止を図り、カルテル禁止規定の実効を確保しようとしたのである。同制度導入時の課徴金の算定率は、原則売上高の3％（製造業4％、小売業2％、卸売業1％）の2分の1であった（平成3年改正で原則6％となり、現在では原則10％に

---

[6] 石油元売業者の価格協定事件については、最高裁判決（石油価格協定刑事事件（最高裁判決昭和59年2月24日） 経済法百選〔第2版〕5事件12頁 ）で有罪が確定したが、石油連盟の生産調整事件については、東京高裁判決（石油連盟生産調整刑事事件（東京高裁判決昭和55年9月26日） 経済法百選〔初版〕6事件14頁 経済法百選〔初版〕133事件264頁 ）で、違法性の認識がなかったとして無罪となった。

なっている）。

　1980 年代に入ると、第 2 次石油危機後の不況という状況もあり、経済界などから独占禁止法の緩和改正を求める動きが再び強くなったが、1980 年代の後半になると、特に米国との間の貿易摩擦が激しくなり、平成元年（1989 年）から日米構造問題協議（SII）が開始された。米国は、日本市場の閉鎖性を指摘し、その解決策として、独占禁止法の制度面と運用面の両面の強化を求めてきた。また、国内的にも、貿易摩擦問題が深刻化するほどに日本の経済力が向上したにもかかわらず、それに見合った生活の向上が実現されていないのではないかという不満が生まれ、生産者重視から消費者重視への政策転換が求められるようになった。こうした中で、独占禁止法・競争政策の重要性が広く認識されるようになり、1990 年代に入って、独占禁止法の強化改正、同法の運用の強化と、同法を執行する公正取引委員会の組織強化が進められた。

　独占禁止法の運用面としては、平成 2 年（1990 年）6 月に「独占禁止法違反行為に対する刑事告発に関する公正取引委員会の方針」が公表され、価格カルテル、入札談合等の違反行為で、国民生活に広範な影響を及ぼすと考えられる悪質かつ重大な事案等について、積極的に刑事処罰を求めて告発を行う方針であることを明らかにした。

　また、独占禁止法自体の強化のため、平成 3 年（1991 年）に、課徴金の算定率を原則 1.5％から 6％に引き上げることなど課徴金制度の強化に関する独占禁止法改正、平成 4 年（1992 年）には、カルテル等の独占禁止法違反に関する法人に対する罰金の上限額を 500 万円から 1 億円に引き上げるという独占禁止法改正が行われた。平成 12 年（2000 年）には、独占禁止法違反行為（不公正な取引方法）に対する差止請求制度の導入等の民事的救済制度の整備を内容とする独占禁止法改正が行われた。

　独占禁止法適用除外については、平成 9 年（1997 年）に、個別法に基づく適用除外制度の廃止等を内容とする一括整理法によって、個別法に基づく適用除外制度のうち、29 制度について廃止・法整備、6 制度について適用除外の範囲の限定・明確化等を行い、平成 11 年（1999

年）には、適用除外整理法（私的独占の禁止及び公正取引の確保に関する法律の適用除外制度の整理等に関する法律）によって、独占禁止法に基づく不況カルテル制度と合理化カルテル制度の廃止、適用除外法（私的独占の禁止及び公正取引の確保に関する法律の適用除外等に関する法律）の廃止等が行われ、大幅に縮減された。

さらに、独占禁止法の制度面・運用面の強化に合わせて、独占禁止法を執行する公正取引委員会の定員が審査部門を中心に大幅に増加するとともに、平成8年（1996年）には、それまでの事務局体制を事務総局体制とするなど組織の強化が進められた。

2000年代以降、以下のような大きな独占禁止法改正が行われている。

平成17年（2005年）改正[7]は、市場原理・自己責任原則に立脚した経済社会の実現のために構造改革を推進することが重要な政策課題となっていた中で、談合・横並び体質からの脱却を図り、21世紀にふさわしい競争政策を確立するために行われたもので、①課徴金算定率の引上げ（原則6%から10%へ）、課徴金の対象範囲の拡大（価格カルテル等から、価格・数量・シェア・取引先を制限するカルテル、支配型私的独占と購入カルテルへ）等の課徴金制度の見直し、②課徴金減免制度の導入、③犯則調査権限の導入、④審判制度の見直し（勧告制度を廃止し、意見申述等の事前手続を設けた上で排除措置命令を行い、不服があれば審判を開始）（事前審判から事後審判へ）が主な内容である。

平成21年（2009年）改正[8]は、平成17年改正法の附則13条の規定（「……課徴金に係る制度の在り方、違反行為を排除するために必要な措置を命ずるための手続の在り方、審判手続の在り方等について検討を加え、その結果に基づいて所要の措置を講ずるものとする」）に基づき、内閣官房長官の下で開催された「独占禁止法基本問題懇談会」で取りまとめられた報告書を受けて行われたもので、①課徴金の適用範囲の拡大（新たに、排

---

[7] 諏訪園貞明編著『平成17年改正独占禁止法』（商事法務、2005）。

[8] 藤井宣明・稲熊克紀編著『逐条解説 平成21年改正独占禁止法』（商事法務、2009）。

除型私的独占と優越的地位の濫用等の一部の不公正な取引方法を課徴金の対象とする)、課徴金減免制度の拡充(最大3社から5社へ、グループ申請も可能に)等の課徴金制度の見直し、②命令に係る除斥期間の延長(3年から5年に)、③不当な取引制限等の罪に対する懲役刑の引上げ(3年以下から5年以下へ)、④株式取得の事前届出制の導入等の企業結合規制の見直し等を主な内容としている。

　これらの改正によって、独占禁止法違反行為に対する抑止力が大幅に強化されたと評価されている。

　平成25年(2013年)改正[9]は、平成21年改正法の附則20条1項の規定(「審判手続に係る規定について、全面にわたって見直すものとし、……検討を加え、その結果に基づいて所要の措置を講ずるものとする」)等を踏まえて行われたもので、公正取引委員会が行う審判制度が廃止され、公正取引委員会の行政処分(排除措置命令等)に対する不服審査は、抗告訴訟として東京地方裁判所で審理することになるとともに、公正取引委員会が行政処分(排除措置命令等)を行う際の処分前手続として、公正取引委員会が指定する職員が主宰する意見聴取手続、公正取引委員会の認定した事実を立証する証拠の閲覧・謄写に関する規定等が整備された[10][11]。

---

9) 岩成博夫・横手哲二・岩下生知編著『逐条解説 平成25年改正独占禁止法』(商事法務、2015)。
10) 審判制度廃止後の手続については、第6章1参照。
11) 平成25年改正法の附則16条に鑑みて、「独占禁止法審査手続についての懇談会」が開催され、平成26年12月24日に同懇談会の報告書が公表された。同懇談会で取り上げられた論点の1つである弁護士・依頼者間秘匿特権について、「「弁護士・依頼者秘匿特権」が我が国の現行法の法制度の下で具体的な権利又は利益として保障されていると解すべき理由は見出し難い」等とする判決がある(事件記録閲覧謄写事件(東京高裁判決平成25年9月12日))。また、独占禁止法研究会報告書(平成29年4月)によれば、「いわゆる弁護士・依頼者間秘匿特権が認められていないことにより、事業者に現実に不利益が発生しているという具体的事実は確認できなかった」、「我が国では、……独占禁止法違反被疑事件に係る行政調査手続に限らず、他法令に基づく行政調査手続及び刑事手続においても、事業者に秘匿特権を認める明文上の規定はなく、かつ、裁判例(東京高判平成25年9月12日……)上も実務上もこれを認めていない」。

平成28年12月に成立し公布された環太平洋パートナーシップ協定の締結に伴う関係法律の整備に関する法律（TPP協定整備法）により、独占禁止法違反の疑いについて公正取引委員会と事業者との合意によって自主的に解決する制度である確約手続が導入され、平成30年12月30日に施行された[12]。

　また、令和元年（2019年）改正[13]は、公正取引委員会の調査に協力するインセンティブを高める仕組みを導入し、事業者と公正取引委員会の協力による効率的・効果的な実態解明・事件処理を行う領域を拡大するとともに、複雑化する経済環境に応じて適切な課徴金を課せるようにするために行われたもので、①申請順位に応じた減算率に加え、事業者の協力度合いに応じた減算率が付加され調査協力減算制度の導入、②算定基礎の追加、算定期間の延長、業種別算定率の廃止などの課徴金の算定方法の見直しといった課徴金制度の見直しを主な内容としている。

> **column　デジタル・プラットフォームをめぐる取組み**
>
> 　デジタル分野においてデジタル・プラットフォームは、様々な革新的なサービスを生み出し、これによって、中小事業者は市場アクセスの機会を大幅に拡大し、消費者は極めて多様な便益を享受できるようになってきた一方、デジタル・プラットフォームが有する多面市場や直接、間接のネットワーク効果、低い限界費用などの特徴により、独占化・寡占化が進みやすい傾向があることから、競争上の問題が懸念されている。
>
> 　デジタル・プラットフォームをめぐっては、特に平成30年（2018年）の夏以降、日本政府では、様々な議論・検討が行われてきた。同年12月に、経済産業省・公正取引委員会・総務省は、共同で設置した検討会での検討を踏まえ、「プラットフォーマー型ビジネスの台頭に対応したルール整備の基本原則」（基本原則）を公表した[14]。さらに、令和元年（2019年）

---

12) 小室尚彦・中里浩編著『逐条解説　平成28年改正独占禁止法──確約手続の導入』（商事法務、2019）。
13) 松本博明編著『逐条解説　令和元年改正独占禁止法──課徴金制度の見直し』（商事法務、2020）。
14) プラットフォーマー型ビジネスの台頭に対応したルール整備の基本原則について（公取委報道発表平成30年12月18日）。

6月に閣議決定された成長戦略実行計画を受けて内閣官房に「デジタル市場競争本部」、この下に「デジタル市場競争会議」とそのワーキンググループが設けられ、引き続き議論が行われている。

　公正取引委員会の取組みとしては、第1に、前記の基本原則で「大規模かつ包括的な徹底した調査による取引実態の把握」が指摘されたことなどを受けて、デジタル・プラットフォーム事業者の取引慣行等に関する実態調査を進めている。令和元年10月にオンラインモールとアプリストアに関する報告書が公表され[15]、令和2年（2020年）5月に可決・成立した特定デジタルプラットフォームの透明性及び公正性の向上に関する法律（デジタルプラットフォーム取引透明化法）は、オンラインモールとアプリストア分野を対象として運用が開始された。令和3年（2021年）2月には、デジタル広告分野に関する報告書が公表され[16]、これを受けて、デジタル広告分野が同法の対象に追加された。また、令和4年（2022年）6月にはクラウドサービス分野に関する報告書が公表され[17]、さらに、令和5年（2023年）2月にモバイルOS等に関する報告書が公表された[18]後、同年6月にデジタル市場競争会議は「モバイル・エコシステムに関する競争評価 最終報告」を公表し、モバイル・エコシステムにおける適切な競争環境を実現するため、事前規制（モバイル・エコシステムを形成したプラットフォーム事業者に対して、事前に一定の行為類型の禁止や義務付けをするというアプローチ）の導入も視野に入れた検討が進められている。第2に、デジタル・プラットフォーム事業者の行為に関して、出品者との契約で価格や品揃え等の同等性条件を定めること[19]や、アプリ内でデジタルコンテンツの販売等をする場合に自社が指定する課金方法を義務付

---

[15] デジタル・プラットフォーマーの取引慣行等に関する実態調査（オンラインモール・アプリストアにおける事業者間取引）について（公取委報道発表令和元年10月31日）。

[16] デジタル・プラットフォーム事業者の取引慣行等に関する実態調査（デジタル広告分野）について（最終報告）（公取委報道発表令和3年2月17日）。

[17] クラウドサービス分野の取引実態に関する報告書について（デジタルプラットフォーム事業者の取引慣行等に関する実態調査報告）（公取委報道発表令和4年6月28日）。

[18] モバイルOS等に関する実態調査報告書について（公取委報道発表令和5年2月9日）。

[19] アマゾンジャパン合同会社に対する独占禁止法違反被疑事件の処理について（公取委報道発表平成29年6月1日）。

けること[20]、ホテル等との契約で宿泊料金と部屋数について他の販売経路と同等または有利なものとする条件を定めること[21]、納入業者や出店者に対する優越的地位の濫用[22]等の観点から、平成30年12月に施行された確約手続も活用されて、様々な事件処理が行われている。

また、令和元年7月には、G7の競争当局が合意した「「競争とデジタル経済」に関するG7競争当局の共通理解」が公表された[23]。令和3年11月には、G7等の競争当局のトップが出席して「エンフォーサーズ・サミット」が、令和4年10月と令和5年11月には、G7の競争当局と政策立案者が出席して「G7エンフォーサーズ及びポリシーメイカーズサミット」が開催された（令和5年11月は東京で開催）[24]。

デジタル・プラットフォームを含むデジタル経済における公正かつ自由な競争環境の維持は、引き続き独占禁止法・競争政策が取り組むべき最重要課題の1つである[25]。

---

20) アップル・インクに対する独占禁止法違反被疑事件の処理について（公取委報道発表令和3年9月2日）。
21) エクスペディア・ロッジング・パートナー・サービシーズ・サールから申請があった確約計画の認定等について（公取委報道発表令和4年6月2日）など。
22) アマゾンジャパン合同会社から申請があった確約計画の認定について（公取委報道発表令和2年9月10日）、楽天グループ株式会社に対する独占禁止法違反被疑事件の処理について（公取委報道発表令和3年12月6日）。
23) 「競争とデジタル経済」に関するG7競争当局の共通理解について（公取委報道発表令和元年7月19日）。
24) G7エンフォーサーズ・サミットの開催及び「要約」の公表について（公取委報道発表令和3年11月29日）、G7エンフォーサーズ及びポリシーメイカーズサミットの開催及び「要約」の公表について（公取委報道発表令和4年10月12日）、G7エンフォーサーズ及びポリシーメイカーズサミットの開催結果について（公取委報道発表令和5年11月8日）。
25) 杉本和行『デジタル時代の競争政策』（日本経済新聞出版社、2019）。

●事項索引

◆ 欧文

FRAND ·· 348
FTAIA（外国取引反トラスト改善法）
　·· 378
ICN（国際競争ネットワーク） ········ 390
OECD（経済協力開発機構） ············ 390
SSNIP（スニップ）基準 ········ 276, 277
TPP協定整備法 ································ 406

◆ あ

アフターマーケット ···························· 177
アルゴリズム ······························ 169, 183
域外適用 ·· 377
意見聴取 ······································ 197, 383
意思の連絡 ·································· 20, 122
委託販売 ······································ 147, 148
著しい損害 ·· 265
一定の事業分野 ······································ 66
一定の取引分野 ··· 5, 6, 15, 35, 65, 103, 275
一店一帳合制 ·· 159
一般指定 ································ 7, 110, 112
一般集中規制 ·· 15
違反行為期間 ······························ 235, 241
因果関係 ·· 41, 106
延滞金 ·· 255

◆ か

会社分割 ·· 325
改善措置要求 ·· 58
ガイドライン ·· 8
価格維持効果 ·················· 159, 161, 162, 190
確約手続 ······························ 111, 209, 406
過失 ·· 13, 262

課徴金減免 ······· 11, 46, 193, 217, 244, 246, 249, 259, 404, 405
課徴金算定率 ···· 11, 212, 214, 216, 222, 231
課徴金制度 ······· 212, 402, 403, 404, 405, 406
課徴金納付命令 ········ 11, 12, 107, 111, 212
課徴金の裾切り ···································· 217
合併 ······································ 218, 267, 325
株式取得 ······························ 267, 270, 325
可変的性質を持つ費用 ························ 134
カルテル ·· 5, 17
管轄権 ·· 377
勧告審決（勧告） ······················ 178, 202
官製談合 ·· 10, 54
鑑定 ·· 194
企業結合 ···· 13, 14, 36, 102, 110, 267, 268, 396, 401, 405
企業結合ガイドライン ························ 268
企業結合集団 ······························ 269, 270
議決権保有比率 ······················ 271, 272
基本合意 ··························· 22, 33, 51, 229
欺瞞的顧客誘引 ···································· 170
供給に要する費用 ······························ 134
　──を著しく下回る対価 ········ 134, 139
供給余力 ·· 293
協賛金 ······································· 182, 185
行政委員会 ·· 398
行政事件訴訟法 ······················ 200, 208
行政指導 ························ 52, 53, 202, 362
　──に関する独占禁止法上の考え方
　·· 363
行政処分 ·· 10, 11
行政調査権限 ······················ 196, 260
行政手続法 ······················ 200, 202, 363
行政不服審査法 ···································· 200

事項索引　409

競争 ·· 3, 5
　──の実質的制限 ········· 35, 39, 65, 103
　──を実質的に制限することとなる
　 ·· 286
競争関係 ······································ 122, 187
競争手段の不公正さ ····· 118, 173, 177, 189
競争政策 ·· 400
競争促進効果 ······································ 104
協調的行動 ························ 291, 307, 315
共同運行 ·· 372
共同株式移転 ······························ 267, 325
共同研究開発 ······························ 349, 351
共同事業 ······································ 76, 357
共同出資会社 ······························ 273, 309
共同申請 ······································ 247, 249
共同新設分割 ······························ 267, 325
共同遂行 ································· 20, 31, 33
共同の取引拒絶（共同ボイコット）
　 ·················· 27, 122, 127, 129, 235, 236
緊急停止命令 ······························ 144, 339
具体的な競争制限効果 ························ 230
組合の行為 ································ 357, 358
グリーンガイドライン ··············· 59, 268
クロスライセンス ······························ 349
警告 ································· 10, 12, 202, 256
経済分析 ·· 335
経済連携協定（EPA） ······················ 386
刑事共助条約 ······································ 388
刑事告発 ······································ 253, 258
刑事罰 ················ 12, 108, 196, 221, 253, 260
景品表示法（不正景品類及び不当表示防
　止法） ························ 171, 173, 174, 401
刑法 ·· 261, 380
契約基準 ·· 222
結合関係 ·· 270
減額 ·· 182
厳格な地域制限 ·································· 159
検査妨害 ·· 260

権利の行使と認められる行為 ····· 343, 345
故意 ·· 13, 262
行為の広がり ············· 119, 173, 176, 185
効果主義 ·· 378
公共の利益 ··· 33
公示送達 ·· 383
公正競争阻害性 ············ 7, 110, 113, 118
構成事業者 ································ 66, 230, 244
公正取引委員会 ······················ 1, 398, 400
構造的措置 ································ 106, 318
拘束 ······················ 29, 101, 146, 148, 155, 158
拘束条件付取引 ·································· 158
高速バス ·· 372
公的規制 ······································ 77, 366
公的再生支援 ······································ 376
行動的措置 ·· 318
口頭による報告 ·································· 250
購買力 ·· 241
効率性 ·· 104
顧客閉鎖 ·· 312
国税滞納処分 ······································ 255
告訴不可分の原則 ······························ 253
告発 ······················ 12, 253, 259, 260, 261
告発基準 ······································ 253, 258
個別調整 ·· 22
個別法 ·· 361
混合型企業結合 ························ 287, 314

◆　さ

最恵国待遇条項（MFN条項） ·········· 166
再発防止措置 ······································ 205
再販売価格の拘束（再販売価格維持）
　 ······································ 147, 241, 359, 401
差止請求 ························ 12, 262, 264, 403
差別対価 ······································ 141, 238
　──に係る課徴金 ···························· 238
差別的取扱い ···························· 97, 129, 142
参考人 ·· 194

三罰規定	261
事業活動を困難にさせるおそれ	133, 138, 141, 143
事業者団体	6, 19, 60, 110, 230, 244
事業者団体法	60
事業者の秘密	400
事業譲渡（譲受け）	267, 321, 325
自主規制	72, 73
市場集中度	288
市場における有力な事業者	127, 156, 159, 176
市場分割	71
市場閉鎖効果	91, 128, 156, 161, 176
事前相談	68
事前通知	245, 320, 331, 334, 338
下請代金支払遅延等防止法（下請法）	9, 178, 401
実行期間	48, 228, 234
執行停止	208
指定再販制度	360
私的独占	6, 8, 78, 79
支配型私的独占	6, 11, 65, 80, 214, 231
——に係る課徴金	231
支配行為	80, 101, 107
指名停止	254
社会公共的な目的	34, 72, 73
従業員等の派遣要請	182, 184
自由競争基盤の侵害	118
自由競争の減殺	118
従犯	53
受注調整	17, 28, 33, 50, 51
出頭	194
主導的役割	218, 249
守秘義務	385
消極礼譲（negative comity）	387
消費者庁	171
消費者利益の確保に関する特段の事情	35, 82, 105
消費税	225
商品を供給しなければ発生しない費用	85, 134, 139
消滅	45, 47
除斥期間	207, 221, 405
職権行使の独立性	398
職権探知	193
人為性	81, 98
申告	193
審査官	195
審査手続	268
審尋	194
審判	201, 404, 405
審判審決	202
新聞業における特定の不公正な取引方法（新聞特殊指定）	7, 113, 144
垂直型企業結合	287, 311
水平型企業結合	287
スタンドアローンコスト方式	136
正常な商慣習	174, 184
——に照らして不当に（な）	114, 117, 174, 184
正当化事由（正当な理由）	34, 105, 116, 141, 151, 158, 162, 367
——がないのに	114
セーフハーバー	128, 288, 310, 350
積極礼譲（positive comity）	387
専属告発	12
選択的流通	163
専売店制	89, 155, 157
総合的な事業能力	303
相互拘束	20, 33
相互主義	386
送達	381
送達場所	382
総販売原価	87, 134, 136
損害賠償	13, 262
存続会社	254

事項索引　411

◆ た

項目	ページ
対価要件	107
抱き合わせ	94, 118, 174
立入検査	195, 217, 245
知的財産	65, 342
注意	11, 12, 256
中小企業庁設置法	193
中小企業等協同組合法（中協法）	359
調査開始日	217, 245
著作物再販制度	360
提出命令	195
適用除外	357, 362, 367, 404
手続対応方針	268
同意審決	202
投入物閉鎖	312
逃亡犯罪人引渡法	388
透明化法	407
特殊指定	7, 112
独占的状態	16
届出	13, 77, 325, 328, 340
届出前相談	328, 329
取引依存度	180
取引拒絶	123
取引妨害	186, 187

◆ な

項目	ページ
内閣府設置法	398
内部干渉	192
二重処罰の禁止	213
日米構造問題協議（SII）	403
入札談合	5, 10, 17, 22, 27, 50, 215, 229, 264
入札談合等関与行為	54, 55
ネットワーク効果	168, 285, 406
農業協同組合法（農協法）	359
能率競争	85, 114, 142, 170, 176, 190

◆ は

項目	ページ
ハードコア・カルテル	6
ハーフィンダール・ハーシュマン指数（HHI）	288
排除型私的独占	6, 11, 80, 158, 214, 233
——に係る課徴金	233
排除行為	80, 107
排除効果	87, 91, 95, 99
排除措置命令	10, 12, 15, 106, 110, 152, 203, 339
排他条件付取引	153
排他的取引	89
罰金との調整	221
パテントプール	349
犯罪人引渡条約	389
犯則事件	258, 260
犯則調査権限	404
反トラスト法	2
判別手続	195
引き渡し基準	222
非係争条項	352
必須技術	348, 351
秘密保持義務	386, 400
比例原則	213
不公正な取引方法	7, 8, 11, 67, 72, 110, 262, 264
——に係る課徴金	235
不当高価購入	145
不当な取引制限	5, 8, 10, 11, 17, 27, 214, 244
——に係る課徴金	225
——の罪	32, 253
不当な利益による顧客誘引	118, 173
不当廉売	86, 133, 240
プラットフォーム事業者	166, 407
ブランド内競争	5, 128, 150, 159, 162
フリーライダー問題	89, 151, 162, 169

並行輸入 ……………………………… 189, 190
返品 ………………………………………… 182
報告命令 ………………………………… 194

◆ ま

マージンスクイーズ ……………………… 99
民事訴訟法 ……………… 263, 264, 382, 383
民法709条 …………………………… 13, 263
無過失損害賠償 ……………………… 13, 262
問題解消措置 ………… 15, 290, 318, 337, 339

◆ や

役員兼任 ………………………………… 267

役員選任への不当干渉 ………………… 186
優越的地位の濫用 …………… 102, 179, 214
　　──に係る課徴金 ………………… 241
有利誤認 ………………………………… 172
優良誤認 ………………………………… 172

◆ ら

離脱 ……………………………… 45, 123, 246
リベート ………………………………… 90, 132
累犯加重 …………………………… 217, 231

事項索引　413

●判審決等索引

◆ 判決

（最高裁判所）

最高裁判決昭和 36 年 1 月 26 日〔北海道新聞社事件〕……………………………… 156
最高裁判決昭和 47 年 11 月 16 日〔エビス食品事件〕……………………………… 193
最高裁判決昭和 50 年 7 月 10 日〔第一次育児用粉ミルク（和光堂）事件〕
　……………………………………………………… 112, 114, 116, 148, 151, 153
最高裁判決昭和 50 年 7 月 11 日〔第一次育児用粉ミルク（明治商事）事件〕
　……………………………………………………………… 114, 146, 360, 361
最高裁決定昭和 52 年 4 月 13 日〔石油カルテル審決不履行過料事件〕………… 205
最高裁判決昭和 52 年 6 月 20 日〔岐阜商工信用組合事件〕……………………… 183
最高裁判決昭和 57 年 3 月 9 日〔石油連盟価格カルテル事件〕………………… 365
最高裁判決昭和 59 年 2 月 24 日〔石油価格協定刑事事件〕
　……………………………………………………… 1, 29, 33, 39, 45, 64, 365, 402
最高裁判決平成元年 12 月 8 日〔石油価格協定損害賠償請求事件（鶴岡灯油訴訟）〕
　………………………………………………………………………………… 263
最高裁判決平成元年 12 月 14 日〔都営芝浦と畜場事件〕……………… 4, 5, 114, 132
最高裁判決平成 10 年 10 月 13 日〔社会保険庁シール談合事件〕…………… 213, 225
最高裁判決平成 10 年 12 月 18 日〔お年玉付き年賀葉書事件〕……………………… 5
最高裁判決平成 10 年 12 月 18 日〔資生堂東京販売事件〕………… 146, 160, 163, 165
最高裁判決平成 12 年 7 月 7 日〔野村證券株主代表訴訟事件〕………………… 118
最高裁判決平成 14 年 4 月 25 日〔中古ゲームソフト著作権侵害差止事件〕…… 346
最高裁判決平成 17 年 9 月 13 日〔機械保険連盟料率カルテル事件〕……… 212, 213
最高裁判決平成 19 年 4 月 19 日〔郵便区分機談合事件〕………………………… 208
最高裁判決平成 22 年 12 月 17 日〔NTT東日本事件〕…… 79, 81, 99, 100, 106, 109, 373
最高裁判決平成 24 年 2 月 20 日〔多摩談合事件〕……… 22, 30, 36, 39, 40, 41, 51, 230
最高裁判決平成 27 年 4 月 28 日〔日本音楽著作権協会（JASRAC）事件〕
　…………………………………………………………………… 79, 81, 108, 356
最高裁判決平成 29 年 12 月 12 日〔ブラウン管カルテル事件〕………… 225, 379, 394

（高等裁判所）

東京高裁判決昭和 26 年 9 月 19 日〔東宝・スバル事件〕…………………………… 39
東京高裁判決昭和 28 年 3 月 9 日〔新聞販路協定事件〕………………… 19, 24, 32
東京高裁判決昭和 28 年 12 月 7 日〔東宝・新東宝事件〕……………………… 31, 286

東京高裁判決昭和29年12月23日〔北海道新聞社事件〕	156
東京高裁決定昭和32年3月18日〔第二次北国新聞社事件〕	144
東京高裁判決昭和32年12月25日〔野田醤油事件〕	101, 106
東京高裁判決昭和46年7月17日〔第一次育児用粉ミルク(明治商事)事件〕	204
東京高裁決定昭和50年4月30日〔中部読売新聞社事件〕	136, 139, 209
東京高裁判決昭和55年9月26日〔石油連盟生産調整刑事事件〕	402
東京高裁判決昭和58年11月17日〔東京手形交換所事件〕	117
東京高裁判決昭和59年2月17日〔東洋精米機製作所事件〕	156
東京高裁判決昭和61年6月13日〔旭砿末資料に対する件〕	34
東京高裁判決平成5年5月21日〔ラップ価格カルテル刑事事件〕	2, 259
大阪高裁判決平成5年7月30日〔東芝昇降機サービス事件〕	94, 96, 116, 175
東京高裁判決平成5年12月14日〔シール談合刑事事件〕	2, 25, 27, 35
東京高裁判決平成7年9月25日〔東芝ケミカル事件(差戻審)〕	20
東京高裁判決平成8年5月31日〔下水道事業団談合刑事事件〕	53
東京高裁判決平成9年12月24日〔東京都水道メーター談合(第1次)刑事事件〕	32
東京高裁判決平成13年2月16日〔観音寺市三豊郡医師会事件〕	5, 66
東京高裁判決平成14年6月7日〔カンキョー事件〕	172
東京高裁判決平成14年12月5日〔ノエビア化粧品事件〕	129
東京高裁判決平成15年3月7日〔岡崎管工事件〕	46
東京高裁判決平成15年4月25日〔オーエヌポートリー課徴金事件〕	228
東京高裁判決平成16年3月24日〔防衛庁石油製品談合刑事事件〕	52
東京高裁判決平成16年9月29日〔ダイコク事件〕	138
東京高裁判決平成16年10月19日〔ヤマダ対コジマ事件〕	172
東京高裁判決平成17年1月27日〔日本テクノ事件〕	187
東京高裁判決平成17年4月27日〔トーカイ事件〕	142, 143
東京高裁判決平成17年5月31日〔ニチガス事件〕	132, 142, 143
大阪高裁判決平成17年7月5日〔関西国際空港新聞販売拒絶事件〕	124
東京高裁判決平成18年2月24日〔ジェット燃料談合事件〕	223
知財高裁判決平成18年4月12日	181
知財高裁判決平成18年7月20日〔日之出水道機器数量・価格制限事件〕	345, 346
知財高裁判決平成19年4月5日〔ファーストリテイリング事件〕	141
東京高裁判決平成19年9月21日〔鋼橋工事談合刑事事件〕	46
東京高裁判決平成19年10月12日〔ビームス事件〕	171, 173
東京高裁判決平成19年11月28日〔ヤマト運輸郵政公社事件〕	135, 139, 170, 174, 189, 265
東京高裁判決平成19年12月7日〔旧道路公団鋼橋工事談合刑事事件〕	53
東京高裁判決平成20年4月4日〔元詰種子カルテル事件〕	23, 44, 49, 64

東京高裁判決平成 20 年 5 月 23 日〔ベイクルーズ事件〕·················· 171
東京高裁判決平成 20 年 9 月 12 日〔賀数建設事件〕······················ 51
東京高裁判決平成 20 年 9 月 26 日〔ごみ焼却炉談合事件〕················ 207
東京高裁判決平成 20 年 12 月 19 日〔郵便区分機談合事件（差戻審）〕·········· 22, 52
東京高裁判決平成 21 年 5 月 29 日〔NTT東日本事件〕····················· 79
東京高裁判決平成 21 年 9 月 25 日〔ポリプロピレンカルテル事件〕············ 24
東京高裁判決平成 21 年 10 月 2 日〔港町管理課徴金事件〕·················· 230
東京高裁判決平成 22 年 1 月 29 日〔着うた事件〕············· 122, 125, 346, 356
東京高裁判決平成 22 年 11 月 26 日〔ポリプロピレンカルテル課徴金事件〕········ 229
東京高裁判決平成 22 年 12 月 10 日〔モディファイヤーカルテル事件〕
  ·· 39, 41, 47, 393
東京高裁判決平成 23 年 4 月 22 日〔ハマナカ毛糸事件〕············· 117, 151, 154
東京高裁判決平成 23 年 10 月 28 日〔ごみ焼却炉談合課徴金事件〕············· 230
東京高裁判決平成 24 年 2 月 17 日〔郵便区分機課徴金事件〕················ 215
東京高裁判決平成 24 年 2 月 24 日〔鋼管杭課徴金事件〕··················· 228
東京高裁判決平成 24 年 3 月 9 日〔公用車管理業務談合事件〕··············· 230
東京高裁判決平成 24 年 12 月 21 日〔ニプロ事件〕··············· 82, 93, 106
東京高裁判決平成 25 年 8 月 30 日〔セブン－イレブン 25 条訴訟事件〕·········· 183
東京高裁判決平成 25 年 9 月 12 日〔事件記録閲覧謄写事件〕················ 405
東京高裁判決平成 25 年 11 月 1 日〔日本音楽著作権協会（JASRAC）事件〕·· 79, 356
東京高裁判決平成 25 年 12 月 20 日〔愛知電線課徴金事件〕················· 246
知財高裁判決平成 26 年 5 月 16 日〔アップル対サムスン標準必須特許事件〕········ 348
大阪高裁判決平成 26 年 10 月 31 日〔神鉄タクシー事件〕········· 187, 188, 266
東京高裁判決平成 28 年 1 月 29 日〔ブラウン管カルテル（サムスンSDI（マレーシア）
  事件）〕···································· 38, 394
東京高裁判決平成 28 年 4 月 13 日〔ブラウン管カルテル（MT映像ディスプレイ）
  事件〕····································· 394
東京高裁判決平成 28 年 4 月 22 日〔ブラウン管カルテル（サムスンSDI）事件〕
  ·· 394
東京高裁判決平成 28 年 5 月 25 日〔エアセパレートガスカルテル（日本エア・リキー
  ド）事件〕··································· 38
東京高裁判決平成 28 年 9 月 2 日〔新潟タクシー価格カルテル事件〕·········· 34, 375
東京高裁判決平成 30 年 8 月 31 日〔山梨県（塩山地区）土木工事談合事件〕
  ······································· 228, 230
札幌高裁判決平成 31 年 3 月 7 日〔斎川商店対セコマ事件〕················· 184
東京高裁判決令和元年 11 月 27 日〔土佐あき農業協同組合事件〕·········· 161, 357
東京高裁判決令和 2 年 12 月 3 日〔コンデンサカルテル事件〕················ 23
東京高裁判決令和 3 年 1 月 21 日〔神奈川県LPガス協会事件〕··············· 66

東京高裁判決令和 3 年 3 月 3 日〔ラルズ事件〕 ················· 178, 182, 185, 243
東京高裁判決令和 4 年 1 月 25 日〔マイナミ空港サービス事件〕 ················· 79
東京高裁判決令和 4 年 9 月 16 日〔トーモク・レンゴー事件〕 ············· 36, 39
知財高裁判決令和 4 年 11 月 11 日〔リコー対ディエスジャパン事件〕 ············· 355
東京高裁判決令和 5 年 1 月 25 日〔マイナミ空港サービス事件〕 ········· 82, 104, 235
東京高裁判決令和 5 年 4 月 7 日〔シャッターカルテル事件〕 ············· 21, 31, 40
東京高裁判決令和 5 年 5 月 26 日〔ダイレックス事件〕 ············· 179, 180, 243
東京高裁判決令和 5 年 5 月 31 日〔消防デジタル無線機器談合事件〕 ············· 230

(地方裁判所)
東京地裁判決昭和 53 年 7 月 28 日〔エポキシ樹脂事件〕 ············· 400
大阪地裁判決平成 5 年 10 月 6 日〔豊田商法国家賠償請求訴訟〕 ············· 195
東京地裁判決平成 9 年 4 月 9 日〔日本遊戯銃協同組合事件〕 ········· 35, 68, 116
山口地裁下関支部判決平成 18 年 1 月 16 日〔豊北町福祉バス事件〕 ············· 5
東京地裁判決平成 18 年 1 月 19 日〔ヤマト運輸郵政公社事件〕 ········· 139, 170
大阪地裁判決平成 18 年 4 月 27 日〔メディオン対サンクス製薬事件〕 ············· 157
東京地裁判決平成 18 年 8 月 2 日 ················· 181
大阪地裁判決平成 18 年 12 月 7 日〔意匠権侵害差止等請求事件〕 ············· 345
東京地裁判決平成 23 年 7 月 28 日〔東京スター銀行事件〕 ············· 127
東京地裁判決平成 26 年 6 月 19 日〔ソフトバンク対NTT東西事件〕 ············· 264
東京地裁決定平成 28 年 12 月 14 日 ················· 209
東京地裁決定平成 29 年 7 月 31 日 ················· 209
佐賀地裁判決令和 2 年 5 月 15 日〔佐賀新聞事件〕 ············· 144
東京地裁判決令和 3 年 3 月 30 日〔遊技機保証書拒絶事件〕 ············· 117
東京地裁判決令和 3 年 9 月 30 日〔エレコム対ブラザー工業事件〕 ········· 177, 355, 356
東京地裁判決令和 4 年 2 月 10 日〔マイナミ空港サービス事件〕 ············· 79, 82
東京地裁判決令和 4 年 6 月 16 日〔食べログ事件〕 ············· 183, 265
東京地裁判決令和 4 年 9 月 15 日〔活性炭談合事件〕 ············· 23, 26
大阪地裁判決令和 5 年 6 月 2 日〔エコリカ対キヤノン事件〕 ········· 176, 264, 355

◆ 審決

審判審決昭和 24 年 8 月 30 日〔湯浅木材事件〕 ················· 20
審判審決昭和 28 年 3 月 28 日〔第一次大正製薬事件〕 ············· 115
勧告審決昭和 28 年 11 月 6 日〔日本興業銀行事件〕 ············· 186
勧告審決昭和 30 年 12 月 10 日〔第二次大正製薬事件〕 ············· 131
審判審決昭和 31 年 7 月 28 日〔雪印乳業・農林中金事件〕 ········· 107, 127
勧告審決昭和 32 年 3 月 7 日〔浜中村主畜農協事件〕 ············· 131
勧告審決昭和 32 年 6 月 3 日〔三菱銀行事件〕 ············· 186
勧告審決昭和 35 年 2 月 9 日〔熊本魚事件〕 ············· 187

勧告審決昭和 35 年 5 月 13 日〔再販売価格維持契約励行委員会事件〕·················· 68
勧告審決昭和 39 年 1 月 16 日〔需要者団体協議会事件〕····································· 68
勧告審決昭和 43 年 2 月 6 日〔綱島商店事件〕··· 174
審判審決昭和 43 年 10 月 11 日〔第一次育児用粉ミルク（和光堂）事件〕············· 148
審判審決昭和 43 年 10 月 11 日〔森永商事事件〕·· 111
同意審決昭和 44 年 10 月 30 日〔新日鉄合併事件〕··· 339
勧告審決昭和 45 年 1 月 21 日〔石油連盟東京支部事件〕····································· 65
勧告審決昭和 45 年 8 月 5 日〔コンクリートパイル事件〕·································· 347
勧告審決昭和 47 年 9 月 18 日〔東洋製罐事件〕················ 83, 84, 102, 106, 107, 206
勧告審決昭和 48 年 10 月 18 日〔酢酸エチル協会事件〕···································· 206
勧告審決昭和 48 年 12 月 26 日〔コーテッド紙事件〕······································· 206
勧告審決昭和 50 年 6 月 13 日〔ホリディ・マジック事件〕································ 173
審判審決昭和 50 年 12 月 23 日〔岐阜生コンクリート協同組合事件〕·················· 359
勧告審決昭和 51 年 1 月 16 日〔東京都電機小売商業組合玉川支部事件〕················ 67
勧告審決昭和 51 年 2 月 20 日〔フランスベッド事件〕······································ 157
勧告審決昭和 51 年 10 月 8 日〔白元事件〕··· 159
審判審決昭和 52 年 11 月 28 日〔明治乳業事件〕·· 148
勧告審決昭和 55 年 2 月 7 日〔東洋リノリューム事件〕······························ 143, 145
勧告審決昭和 56 年 2 月 18 日〔岡山県南生コン協同組合事件〕·························· 129
勧告審決昭和 56 年 4 月 1 日〔新潟市ハイヤータクシー協会事件〕······················ 368
勧告審決昭和 56 年 5 月 11 日〔富士写真フイルム事件〕··································· 159
勧告審決昭和 56 年 7 月 7 日〔大分県酪農業協同組合事件〕······························ 154
勧告審決昭和 57 年 5 月 28 日〔マルエツ・ハローマート事件〕·························· 141
同意審決昭和 57 年 6 月 17 日〔三越事件〕··· 181
勧告審決昭和 57 年 12 月 17 日〔群馬県ハイヤー協会事件〕······························ 368
勧告審決昭和 62 年 8 月 11 日〔北海道歯科用品商協同組合事件〕························ 68
勧告審決平成 2 年 2 月 2 日〔三重県バス協会事件〕·· 369
勧告審決平成 2 年 2 月 20 日〔全国農業協同組合連合会事件〕··························· 161
勧告審決平成 3 年 1 月 16 日〔仙台港輸入木材調整協議会事件〕·························· 67
審判審決平成 3 年 11 月 21 日〔日本交通公社事件〕··· 173
勧告審決平成 3 年 12 月 2 日〔野村證券事件〕··· 118
審判審決平成 4 年 2 月 28 日〔藤田屋事件〕······································ 94, 118, 176, 177
勧告審決平成 4 年 10 月 28 日〔日本ガスメーター工業会事件〕·························· 62
勧告審決平成 5 年 3 月 8 日〔松下エレクトロニクス事件〕································ 160
一部取消審決平成 5 年 6 月 28 日〔キッコーマン審決変更事件〕························ 206
審判審決平成 5 年 9 月 10 日〔公共下水道用鉄蓋カルテル事件〕························ 355
勧告審決平成 5 年 11 月 18 日〔滋賀県生コン工業組合事件〕······························ 66
審判審決平成 6 年 3 月 30 日〔協和エクシオ事件〕·· 28

勧告審決平成6年5月16日〔山梨県建設業協会各支部事件〕 65
勧告審決平成6年5月30日〔全国モザイクタイル工業組合事件〕 65
勧告審決平成7年4月24日〔東日本おしぼり協同組合事件〕 68, 359
審判審決平成7年7月10日〔大阪バス協会事件〕 43, 63, 369
勧告審決平成7年10月13日〔旭電化工業事件・オキシラン化学事件〕 345, 355
同意審決平成7年11月30日〔資生堂再販事件〕 361
勧告審決平成8年3月22日〔星商事事件〕 189, 191
審判審決平成8年4月24日〔船舶用塗料カルテル課徴金事件〕 229
勧告審決平成8年5月8日〔日本医療食協会事件〕 79, 83, 84, 102, 107
勧告審決平成9年1月21日〔愛知県石油商業組合緑支部に対する件〕 62
審判審決平成9年6月24日〔広島県石油商業組合広島市連合会事件〕 65
勧告審決平成9年8月6日〔ぱちんこ機製造特許プール事件〕 79, 98, 100, 206, 355
勧告審決平成9年8月6日〔山口県経済連事件〕 161
勧告審決平成9年11月17日〔那智勝浦町建設業組合事件〕 65
勧告審決平成10年3月31日〔パラマウントベッド事件〕 79, 102, 107, 355
勧告審決平成10年7月28日〔ナイキジャパン事件〕 151
勧告審決平成10年7月30日〔ローソン事件〕 182
勧告審決平成10年9月3日〔ノーディオン事件〕 79, 91, 93, 106, 155, 391
勧告審決平成10年12月14日〔日本マイクロソフト抱き合わせ事件〕 95, 96, 177
審判審決平成11年10月1日〔宇多商会事件〕 172
勧告審決平成11年11月10日〔東京無線タクシー協同組合事件〕 229
勧告審決平成12年2月2日〔オートグラス東日本事件〕 131
同意審決平成12年2月28日〔北海道新聞社事件〕 79, 83, 355
審判審決平成12年4月19日〔日本冷蔵倉庫協会事件〕 67, 370
勧告審決平成12年10月31日〔ロックマン工事施工業者事件〕 122, 125, 129
勧告審決平成13年7月27日〔松下電器産業事件〕 128
審判審決平成13年8月1日〔ソニー・コンピュータエンタテインメント（SCE）事件〕 149, 161, 163, 164, 166, 344, 346, 355, 360, 361
勧告審決平成14年12月4日〔四国ロードサービス事件〕 29
勧告審決平成15年3月11日〔岩見沢市談合事件〕 56, 57
勧告審決平成15年4月9日〔全国病院用食材卸売業協同組合事件〕 359
勧告審決平成15年9月4日〔ジェイフォン事件〕 161
勧告審決平成15年11月25日〔20世紀フォックス事件〕 150, 160, 165, 392
勧告審決平成15年11月27日〔ヨネックス事件〕 189
勧告審決平成16年4月12日〔東急パーキングシステムズ事件〕 188
勧告審決平成16年7月12日〔三重県社会保険労務士会事件〕 67
勧告審決平成16年7月27日〔四日市医師会事件〕 67
勧告審決平成16年9月17日〔新潟県談合事件〕 57

勧告審決平成 16 年 10 月 13 日〔有線ブロードネットワークス事件〕………… 79, 83
勧告審決平成 16 年 11 月 18 日〔カラカミ観光事件〕………………………………… 181
勧告審決平成 17 年 1 月 7 日〔ユニー事件〕…………………………………………… 183
勧告審決平成 17 年 1 月 31 日〔防衛庁車両用タイヤ談合事件〕…………………… 25
勧告審決平成 17 年 4 月 13 日〔インテル事件〕……………………………… 79, 91, 92
勧告審決平成 17 年 4 月 26 日〔着うた事件〕………………………………………… 356
勧告審決平成 17 年 11 月 18 日〔旧道路公団鋼橋工事談合事件〕……… 56, 57, 206
勧告審決平成 17 年 12 月 26 日〔三井住友銀行事件〕……………………………… 182
審判審決平成 18 年 6 月 5 日〔ニプロ事件〕…………………………………… 79, 81
審判審決平成 19 年 3 月 26 日〔NTT東日本事件〕………………………… 79, 82
審判審決平成 19 年 6 月 19 日〔日本ポリプロ事件〕………………………………… 48
同意審決平成 19 年 6 月 22 日〔ドン・キホーテ事件〕……………………………… 182
審判審決平成 20 年 7 月 24 日〔着うた事件〕……………………………… 115, 123, 356
審判審決平成 20 年 9 月 16 日〔マイクロソフト非係争条項事件〕…… 115, 352, 356
審判審決平成 21 年 2 月 16 日〔第一興商事件〕………… 189, 190, 191, 344, 347, 356
審判審決平成 21 年 10 月 28 日〔オーシロ事件〕…………………………………… 173
審判審決平成 21 年 10 月 28 日〔ミュー事件〕……………………………………… 173
審判審決平成 22 年 6 月 9 日〔ハマナカ毛糸事件〕………………………………… 150
審判審決平成 22 年 10 月 25 日〔郵便区分機課徴金事件〕………………………… 34
審判審決平成 22 年 12 月 14 日〔公用車管理業務談合事件〕……………………… 51
審判審決平成 23 年 12 月 15 日〔光ファイバケーブルカルテル事件〕…………… 245
審判審決平成 24 年 6 月 12 日〔日本音楽著作権協会(JASRAC)事件〕……… 79, 356
審判審決平成 25 年 7 月 29 日〔ニンテンドーDS事件〕…………………………… 34
審判審決平成 27 年 6 月 4 日〔トイザらス事件〕…………………………… 180, 182
審判審決平成 31 年 3 月 13 日〔クアルコム事件〕……………………… 115, 352, 356
審判審決令和元年 10 月 2 日〔エディオン事件〕…………………………………… 181

◆ 命令

課徴金納付命令平成 7 年 3 月 28 日〔大型カラー映像装置談合事件〕…………… 25
排除措置命令平成 18 年 5 月 16 日〔濵口石油事件〕………………………………… 135
排除措置命令平成 18 年 5 月 22 日〔日産化学工業事件〕…………… 147, 151, 152
排除措置命令平成 19 年 3 月 8 日〔地方整備局水門談合事件〕…………… 56, 206
排除措置命令平成 19 年 5 月 11 日〔東京ガスエコステーション事件〕………… 26
排除措置命令平成 19 年 6 月 18 日〔滋賀県薬剤師会事件〕………………………… 67
排除措置命令平成 19 年 6 月 25 日〔新潟タクシー共通乗車券事件〕…… 123, 126
排除措置命令平成 19 年 11 月 27 日〔シンエネ・東日本宇佐美事件〕………… 141
排除措置命令平成 20 年 2 月 20 日〔マリンホース事件〕……………… 29, 37, 393
排除措置命令平成 20 年 5 月 23 日〔マルキョウ事件〕……………………………… 182

排除措置命令平成20年6月23日〔エコス事件〕	182
排除措置命令平成20年10月29日〔札幌市電気設備工事談合事件〕	56
排除措置命令平成21年2月27日〔日本音楽著作権協会（JASRAC）事件〕	79, 356
排除措置命令平成21年3月30日〔架橋ポリエチレンシートカルテル事件〕	26
排除措置命令平成21年6月22日〔セブン-イレブン事件〕	183
排除措置命令平成21年6月23日〔公用車談合事件〕	57
排除措置命令平成21年9月28日〔クアルコム事件〕	356
排除措置命令平成21年12月10日〔大分大山町農業協同組合事件〕	155
排除措置命令平成22年3月30日〔航空自衛隊什器談合事件〕	56
排除措置命令平成22年4月22日〔青森市談合事件〕	58
排除措置命令平成22年12月1日〔ジョンソン・エンド・ジョンソン事件〕	160
排除措置命令平成23年5月26日〔エアセパレートガス事件〕	206
排除措置命令平成23年6月9日〔ディー・エヌ・エー事件〕	189
排除措置命令平成23年8月4日〔茨城県境舗装工事談合事件〕	58
排除措置命令平成23年8月4日〔茨城県境土地改良事務所談合事件〕	56
課徴金納付命令平成24年10月17日〔高知土木工事談合事件〕	219
課徴金納付命令平成24年10月17日〔土佐国道事務所談合事件〕	57
排除措置命令平成25年3月22日〔自動車メーカーが発注するヘッドランプ等事件〕	46
課徴金納付命令平成25年12月20日〔東京電力架空送電工事事件〕	219, 220
課徴金納付命令平成26年1月31日〔関西電力発注架空送電工事事件〕	219
排除措置命令平成26年3月18日〔自動車運送外航海運カルテル事件〕	371
排除措置命令平成27年1月14日〔網走管内コンクリート製品協同組合事件〕	358
排除措置命令平成27年1月16日〔福井県経済連事件〕	79, 102, 107
排除措置命令平成27年4月15日〔東京湾水先区水先人会事件〕	67
排除措置命令平成27年10月9日〔鉄道建設・運輸施設整備支援機構談合事件〕	57
課徴金納付命令平成28年2月5日〔東北地区ポリ塩化アルミニウム談合事件〕	219
排除措置命令平成28年2月10日〔北海道農業施設工事発注調整事件〕	26
排除措置命令平成28年6月15日〔コールマンジャパン事件〕	149
排除措置命令平成29年12月12日〔東京都個人防護具受注調整事件（平成26年度発注・平成27年度発注）〕	29, 37
排除措置命令平成30年2月20日〔NTT東日本作業服談合事件〕	37
排除措置命令平成30年2月23日〔大分県農協事件〕	131
排除措置命令平成30年6月14日〔フジタ事件〕	188
排除措置命令平成30年7月12日〔ANA制服受注調整事件〕	26
排除措置命令平成30年10月18日〔NTTドコモ制服受注調整事件（レンタル運用会社）〕	29
排除措置命令令和元年7月1日〔アップリカ事件〕	149

排除措置命令令和元年7月11日〔東京都浄水場排水処理施設運転管理作業受注調整事件〕……………………………………………………………………………… 57
課徴金納付命令令和元年11月22日〔東日本地区活性炭談合事件〕…………… 219
排除措置命令令和2年7月7日〔マイナミ空港サービス事件〕………… 79, 107
課徴金納付命令令和3年2月19日〔マイナミ空港サービス事件〕…………… 79
排除措置命令・課徴金納付命令令和5年3月24日〔国立病院機構発注（九州エリア）医薬品入札談合事件〕………………………………………………………… 253

◆ 確約計画認定

確約計画認定令和元年10月25日〔楽天トラベル事件〕…………………………… 169
確約計画認定令和2年3月12日〔日本メジフィジックス事件〕………………… 79
確約計画認定令和4年3月16日〔Booking.com事件〕…………………………… 169
確約計画認定令和4年3月25日〔アメアジャパン事件〕………………………… 187
確約計画認定令和4年6月30日〔サイネックス・スマートバリュー事件〕……… 188

◆ 警告

警告平成12年3月24日〔ゼンリン事件〕……………………………………………… 88
警告平成23年1月19日〔群馬県ＧＢＸ工業会事件〕……………………………… 65

◆ 公取委報道発表

公取委報道発表平成10年6月24日〔エム・ディ・エス・ノーディオン・インコーポレイテッドに対する勧告〕……………………………………………………… 391
公取委報道発表平成13年3月23日〔著作物再販制度の取扱いについて〕……… 361
公取委報道発表平成15年5月14日〔乗合バス事業者に対する独占禁止法違反被疑事件の処理について〕………………………………………………………………… 372
公取委報道発表平成15年12月11日〔塩化ビニル樹脂向けモディファイヤーの製造販売業者に対する勧告について〕………………………………………………… 393
公取委報道発表平成16年2月24日〔高速バスの共同運行に係る独占禁止法上の考え方について〕……………………………………………………………………… 372
公取委報道発表平成17年2月3日〔乗合バス事業者に対する独占禁止法違反被疑事件の処理について〕………………………………………………………………… 373
公取委報道発表平成17年12月9日〔Johnson & JohnsonによるGuidant Corporationの株式取得について〕……………………………………………… 397
公取委報道発表平成19年3月29日〔東日本電信電話株式会社に対する審判審決について（FTTHサービスの私的独占）〕……………………………………… 373
公取委報道発表平成19年6月19日〔日清食品㈱による明星食品㈱の株式取得（平成18年度における主要な企業結合事例について【事例2】）〕………………… 278

公取委報道発表平成19年6月20日〔「地方公共団体からの相談事例集」の公表について〕·· 364

公取委報道発表平成20年12月3日〔ビーエイチピー・ビリトン・リミテッドらに対する独占禁止法違反被疑事件の処理について〕················· 383

公取委報道発表平成21年10月7日〔テレビ用ブラウン管の製造販売業者らに対する排除措置命令及び課徴金納付命令について〕··················· 384, 395

公取委報道発表平成21年10月23日〔独占禁止法改正法の施行等に伴い整備する関係政令等について〕··· 202

公取委報道発表平成22年3月29日〔テレビ用ブラウン管の製造販売業者らに対する排除措置命令及び課徴金納付命令について（追加分）〕······ 385, 395

公取委報道発表平成22年6月2日〔パナソニック㈱による三洋電機㈱の株式取得（平成21年度における主要な企業結合事例について【事例7】）〕··· 296

公取委報道発表平成23年1月19日〔事業協同組合群馬県GBX工業会に対する警告について〕·· 65

公取委報道発表平成23年6月21日〔ビーエイチピー・ビリトン・ピーエルシー及びビーエイチピー・ビリトン・リミテッド並びにリオ・ティント・ピーエルシー及びリオ・ティント・リミテッドによる鉄鉱石の生産ジョイントベンチャーの設立（平成22年度における主要な企業結合事例について【事例1】）〕··· 304, 308, 310

公取委報道発表平成23年6月21日〔東洋アルミニウム㈱による昭和アルミパウダー㈱の株式取得（平成22年度における主要な企業結合事例について【事例5】）〕·· 306

公取委報道発表平成23年12月21日〔新潟市に所在するタクシー事業者に対する排除措置命令及び課徴金納付命令について〕······················· 375

公取委報道発表平成24年6月20日〔新日本製鐵㈱と住友金属工業㈱の合併（平成23年度における主要な企業結合事例について【事例2】）〕··· 294, 329, 332, 333, 336

公取委報道発表平成24年6月20日〔ハードディスクドライブの製造販売業者の統合（平成23年度における主要な企業結合事例について【事例6】）〕·· 337

公取委報道発表平成24年6月22日〔東京電力株式会社に対する独占禁止法違反被疑事件の処理について〕··· 184

公取委報道発表平成24年8月1日〔酒類卸売業者に対する警告等について〕······ 138

公取委報道発表平成25年4月24日〔林野庁衛星携帯電話安値入札事件〕··········· 137

公取委報道発表平成25年6月5日〔エーエスエムエル・ホールディング・エヌ・ビーとサイマー・インクの統合（平成24年度における主要な企業結合事例について【事例4】）〕·· 320

公取委報道発表平成25年6月5日〔㈱ヤマダ電機による㈱ベスト電器の株式取得（平成24年度における主要な企業結合事例について【事例9】）〕··· 306

公取委報道発表平成25年6月5日〔㈱東京証券取引所グループと㈱大阪証券取引所の統合（平成24年度における主要な企業結合事例について【事例10】）〕··· 324

判審決等索引　423

公取委報道発表平成26年12月19日〔「競争政策と公的再生支援の在り方に関する研究会」中間取りまとめについて〕 ……………………………………………………… 376
公取委報道発表平成27年2月27日〔都タクシー株式会社ほか14社に対する審決について（新潟市等に所在するタクシー事業者による価格カルテル事件）〕 ……… 375
公取委報道発表平成27年6月10日〔佐藤食品工業㈱による㈱きむら食品の包装餅製造販売事業の譲受け（平成26年度における主要な企業結合事例について【事例1】）〕 ……………………………………………………………………………… 305
公取委報道発表平成27年12月24日〔常滑市石油小売業者警告事件〕 ……………… 138
公取委報道発表平成28年3月31日〔「公的再生支援に関する競争政策上の考え方」の公表について〕 …………………………………………………………………… 376
公取委報道発表平成28年6月8日〔大阪製鐵㈱による東京鋼鐵㈱の株式取得（平成27年度における主要な企業結合事例について【事例3】）〕 ………… 274, 302
公取委報道発表平成28年6月8日〔インテルコーポレーションとアルテラコーポレーションの統合（平成27年度における主要な企業結合事例について【事例4】）〕 ……………………………………………………………………………… 283
公取委報道発表平成28年6月8日〔エヌエックスピー・セミコンダクターズ・エヌブイとフリースケール・セミコンダクターズ・リミテッドの統合（平成27年度における主要な企業結合事例について【事例5】）〕 ……………………… 283
公取委報道発表平成28年6月8日〔ヤフー㈱による㈱一休の株式取得（平成27年度における主要な企業結合事例について【事例8】）〕 ……………………… 285
公取委報道発表平成28年6月8日〔㈱ファミリーマートとユニーグループ・ホールディングス㈱の経営統合（平成27年度における主要な企業結合事例について【事例9】）〕 ……………………………………………………………………… 282
公取委報道発表平成28年7月6日〔教科書発行者警告事件〕 ………………………… 174
公取委報道発表平成28年11月18日〔ワン・ブルーLLC事件〕 ……………… 348, 356
公取委報道発表平成28年12月19日〔出光興産㈱による昭和シェル石油㈱の株式取得及びJXホールティングス㈱による東燃ゼネラル石油㈱の株式取得に関する審査結果について〕 …………………………………………………… 291, 299, 323, 337
公取委報道発表平成29年6月1日〔アマゾンジャパン合同会社に対する独占禁止法違反被疑事件の処理について〕 …………………………………………… 167, 407
公取委報道発表平成29年6月14日〔出光興産㈱による昭和シェル石油㈱の株式取得及びJXホールティングス㈱による東燃ゼネラル石油㈱の株式取得（平成28年度における主要な企業結合事例について【事例3】）〕 ………… 292, 299, 323, 337
公取委報道発表平成29年6月14日〔サノフィグループ及びベーリンガー・インゲルハイムグループによる事業交換（平成28年度における主要な企業結合事例について【事例4】）〕 …………………………………………………………… 280, 295
公取委報道発表平成29年6月14日〔新日鐵住金㈱による日新製鋼㈱の株式取得（平成28年度における主要な企業結合事例について【事例5】）〕 …………… 284, 299, 323

公取委報道発表平成29年6月14日〔キヤノン㈱による東芝メディカルシステムズ㈱の株式取得（平成28年度における主要な企業結合事例について【事例10】）〕 …… 326

公取委報道発表平成29年9月21日〔カネスエ商事・ワイストア警告事件〕 …… 138

公取委報道発表平成30年3月29日〔米国ドル建て国際機関債受注調整事件〕 …… 29, 37

公取委報道発表平成30年6月6日〔日立金属㈱による㈱三徳の株式取得（平成29年度における主要な企業結合事例について【事例2】）〕 …… 313, 324

公取委報道発表平成30年6月6日〔クアルコム・リバー・ホールディングス・ビーブイによるエヌエックスピー・セミコンダクターズ・エヌブイの株式取得（平成29年度における主要な企業結合事例について【事例3】）〕 …… 316

公取委報道発表令和元年6月19日〔㈱ふくおかフィナンシャルグループによる㈱十八銀行の株式取得（平成30年度における主要な企業結合事例について【事例10】）〕 …… 307

公取委報道発表令和2年7月22日〔エムスリー㈱による㈱日本アルトマークの株式取得（令和元年度における主要な企業結合事例について【事例8】）〕 …… 317, 325, 340

公取委報道発表令和2年9月10日〔アマゾンジャパン合同会社から申請があった確約計画の認定について〕 …… 408

公取委報道発表令和3年7月7日〔三井製糖㈱による大日本明治製糖㈱の株式取得（令和2年度における主要な企業結合事例について【事例1】）〕 …… 280

公取委報道発表令和3年7月7日〔昭和産業㈱によるサンエイ糖化㈱の株式取得（令和2年度における主要な企業結合事例について【事例2】）〕 …… 298

公取委報道発表令和3年7月7日〔DIC㈱によるBASFカラー＆エフェクトジャパン㈱の株式取得（令和2年度における主要な企業結合事例について【事例3】）〕 …… 283

公取委報道発表令和3年7月7日〔グーグル・エルエルシー及びフィットビット・インクの統合（令和2年度における主要な企業結合事例について【事例6】）〕 …… 340

公取委報道発表令和3年9月2日〔アップル・インクに対する独占禁止法違反被疑事件の処理について〕 …… 408

公取委報道発表令和3年12月6日〔楽天グループ株式会社に対する独占禁止法違反被疑事件の処理について〕 …… 408

公取委報道発表令和4年6月2日〔エクスペディア・ロッジング・パートナー・サービシーズ・サールから申請があった確約計画の認定等について〕 …… 408

公取委報道発表令和4年6月22日〔日本製鉄㈱による東京製綱㈱の株式取得（令和3年度における主要な企業結合事例について【事例1】）〕 …… 272

公取委報道発表令和4年6月22日〔グローバルウェーハズ・ゲーエムベーハーによるシルトロニック・アーゲーの株式取得（令和3年度における主要な企業結合事例について【事例2】）〕……………………………………………… 279, 283

公取委報道発表令和4年6月22日〔神鋼建材工業㈱による日鉄建材㈱の鋼製防護柵及び防音壁事業の吸収分割（令和3年度における主要な企業結合事例について【事例3】）〕…………………………………………………………… 300

公取委報道発表令和4年6月22日〔ENEOS㈱によるジャパン・リニューアブル・エナジー㈱の株式取得（令和3年度における主要な企業結合事例について【事例5】）〕…………………………………………………………… 278

公取委報道発表令和4年6月22日〔イオン㈱による㈱フジの株式取得（令和3年度における主要な企業結合事例について【事例9】）〕………………………………………… 301

公取委報道発表令和5年6月28日〔古河電池㈱による三洋電機㈱のニカド電池事業の譲受け（令和4年度における主要な企業結合事例について【事例4】）〕………… 301

公取委報道発表令和5年6月28日〔マイクロソフト・コーポレーション及びアクティビジョン・ブリザード・インクの統合（令和4年度における主要な企業結合事例について【事例7】）〕…………………………………… 296, 333, 397

公取委報道発表令和5年6月28日〔㈱横浜銀行による㈱神奈川銀行の株式取得（令和4年度における主要な企業結合事例について【事例8】）〕………… 281

公取委報道発表令和5年3月30日〔旧一般電気事業者らに対する排除措置命令及び課徴金納付命令等について〕…………………………………………………… 374

独占禁止法〔第5版〕

2013年2月15日	初　版第1刷発行
2015年4月30日	第2版第1刷発行
2018年6月5日	第3版第1刷発行
2020年11月20日	第4版第1刷発行
2024年1月15日	第5版第1刷発行

編著者　菅　久　修　一

著　者　品　川　　武　　伊　永　大　輔
　　　　鈴　木　健　太

発行者　石　川　雅　規

発行所　株式会社　商　事　法　務
　　　　〒103-0027　東京都中央区日本橋 3-6-2
　　　　TEL 03-6262-6756・FAX 03-6262-6804〔営業〕
　　　　TEL 03-6262-6769〔編集〕
　　　　https://www.shojihomu.co.jp/

落丁・乱丁本はお取り替えいたします。　　　　印刷／広研印刷㈱
© 2024 Shuichi Sugahisa　　　　　　　　　　Printed in Japan
Shojihomu Co., Ltd.
ISBN978-4-7857-3068-0
＊定価はカバーに表示してあります。

JCOPY　＜出版者著作権管理機構　委託出版物＞
本書の無断複製は著作権法上での例外を除き禁じられています。
複製される場合は、そのつど事前に、出版者著作権管理機構
（電話 03-5244-5088, FAX 03-5244-5089, e-mail: info@jcopy.or.jp）
の許諾を得てください。